學術論文集叢書

經學研究四十年
——林慶彰教授學術評論集

孫劍秋、張曉生　主編

何淑蘋、郭妍伶　編輯

目　次

圖　版

2015年10月林老師與林師母合照於中央研究院中國文哲研究所門前（高偉騰攝）

人 物

■本版編輯：王洪波　■電話：010-67078574　2012年9月19日 7

林庆彰：甘将此生付经学

中華讀書報 7版
2012. 9. 19
■本报记者 陈菁霞

第一次见到林庆彰先生是在去年厦门召开的海峡两岸国学高端论坛上。那次会议，台湾来了20多位学者，其中绝大数都是林的学生。"我们现在的学科受西方影响，传统文化中的经史子集四大类，被分成文史哲，史学对应史部，哲学对应子部，文学对应集部，唯独经学没有对应的现代学科。"林庆彰当日对现今经学发展的这番忧虑之言对我触动很大，这也成为这次采访林先生的因由所在。前不久，林先生来北京，承他来电相告，在他下榻的北大勺园，记者采访了林先生，在叙述经学研究生涯之外，也请他谈了两岸经学发展的现状、异同及面临的困境等诸多问题。

师从屈万里

1948年，林庆彰出生于台南县七股乡的一个小村。早在他出生前10年，父母因不见容于祖父母，才迁至七股。幸亏当时台湾实行公地放领政策，一无所有的他们领到八分田地，全家就靠这八分田地的收成来过活。由于父母都不识字，家中并没有什么书，林庆彰幼年见到的读物是二哥读私塾用的《唐人写信必读》、《三字经》、《幼学琼林》、《千金谱》等书。

高中时，林庆彰开始喜欢读课外书，《北极风情画》、《塔里的女人》、《篮球情人梦》这些文学书籍都在那时读过。学校里"中国文化基本教材"选录《四书》的部分篇章作为教材；他嫌内容太少，自己买了三民书局的《新译四书读本》作补充。这是林庆彰接触古代经典的开始。高考时，由于地科科看错题目，少写一题，平白损失十分，林庆彰仅考上世界新闻专科学校图书资料科，唯一的消遣是那耸摆在床头的《莎士比亚全集》。不甘心的他一面应付世界新专的功课，一面准备重考，每天熬到凌晨两点。疲累时，唯一的消遣是那耸摆在床头的《莎士比亚全集》。

1969年，林庆彰考入东吴大学中文系。当时校的师资不是很理想，"国学讲读"的老师讲话学生们都听不太懂，林庆彰只好买屈万里的《古籍导读》来读，渐渐地对国学产生了兴趣。由于景仰屈先生的学术成就，林庆彰接着又读了他的《书佣论学集》，"尽管书中的内容

有很多都看不懂，但却愈发鼓舞我研究经典的决心"。

一心想成为屈万里门下弟子的林庆彰，整天窝在图书馆，全力备考台大中文研究所，但却因七分之差败北。在澎湖前线服兵役的两年间，担任通信连文书兵的林庆彰为了再考研究所，每天在熄灯后用手电筒在被窝中阅读《尚书》，白天则手抄《尚书》全文。1974年，东吴大学成立中国文学研究所，聘请屈万里、台静农、郑骞、戴君仁、张敬等国学大师来任教。屈先生既已到东吴任教，林庆彰就不再考台大，转而报考东吴中研所，最终以第二名录取。

林庆彰还记得上屈先生的"中国近三百年学术史"课时，用的课本是梁启超的《中国三百年学术史》。屈万里要求学生每周阅读一定的页数，并挑出其中的错误。每次都是林庆彰挑出的错误最多。其时，屈万里正担任中研院史语所所长，在东吴大学只是每周兼一次课。为了确定硕士论文题目，林庆彰到史语所拜访老师，屈先生提议他研究明代经学，考辨丰坊、姚士粦等人所作的伪书。"研究丰坊，是因为他作了很多伪书，坊间流传的《子贡诗传》、《申培诗说》，学者都以为他所伪造。"林庆彰收集各种版本，参照比对，发现《子贡诗传》有抄本和刻本之别，抄本应是丰坊伪作，刻本为王文禄据抄本篡改而成。至于《申培诗说》，则从各种记载证明非丰坊伪作，而是王文禄抄录丰坊另一本伪书《鲁诗世学》的诗旨而成。生病住院的屈万里，在病床上坚持看完林庆彰的论文，认为"你的说法，打破三百年来的成说"。老师的话让自己并没有一分把握的林庆彰顿时信心大增。

后来考博士班时，为了研究计划，林庆彰又向屈先生请教。"你既然研究明代经学，就去探讨杨慎以下的考证学，看看与清代考证学有何关系。"就在他着手收集杨慎、胡应麟、焦竑、陈第、方以智等考据学家的资料期间，屈万里因肺癌病逝。"我在伤痛之余，更加发愤，后来即使发现论文的题目太大，短时间内很难完成，我仍咬紧牙关苦撑下去，因这题目是老师所赐，等于老师的遗志，应勉力完成才对。"经过5年努力，林庆彰终于完成《明

林庆彰

代考据学研究》的论文，结论是明代杨慎等人的考据工作，是清代考据学的先导，这篇论文将考据学的产生时代推前了150年。

三十八载经学研究路

谈硕士班时，因查寻经学资料不方便，林庆彰曾请教屈先生想编一部"经学论著目录"，因限于力量，未能如愿。完成博士论文后，林庆彰第一件想完成的，就是这件事情。从1987年4月起，他邀请几位学弟协助，开始这项工作。由于当时台湾科学发展委员会不接受编辑性的计划，林庆彰申请不到任何经费补助，编辑过程中所需的费用全部由一人支付。经过两年努力，编辑工作完成，共收录1912至1987年间的经学论著条目一万四千余条。

在写作博士论文的过程中，林庆彰发现明末清初学者有一种考辨伪书的风气，就以"清初的群经辨伪学"为题，开始收集资料，对清初学者的辨伪工作作了相当详细的分析。"当时考辨《易图》、《古文尚书》、《子贡诗传》、《申培诗说》、《周礼》、《大学》、《中庸》、《石经大学》等经书和经说的学者，都有一个愿望，就是藉考辨这些书来厘清儒学的真面目，我把这种学术活动称为'回归原典运动'。"现在研究经学史的学者常会提到"回归原

典"这个名词，其实都是受林庆彰《清初群经辨伪学》一书的影响。

1989年8月，中央研究院中国文哲所开始成立筹备处，担任筹备处主任的台湾大学中文系吴宏一教授劝他申请文哲所，说想到3个月后即获所方咨询委员会通过。为了专门从事研究工作，林庆彰辞去了东吴大学教职和《国文天地》社长职务。

回顾30多年的学术生涯，林庆彰对自己的学术研究工作进行了下列分类：一、经学史的重新论衡。著有《丰坊与姚士粦》、《明代考据学研究》、《明代经学研究论集》、《清初的群经辨伪学》、《清代经学研究论集》等专著。民国时期，则特别关注顾颉刚和熊十力的经学。二、经学数据的编辑整理。编有《经学研究论著目录（1912-1987）》、《经学研究论著目录（1988-1992）》、《经学研究论著目录（1993-1997）》、《朱子学研究书目》、《乾嘉学术研究论著目录》、《晚清经学研究文献目录》、《日本研究经学论著目录》、《日据时期台湾儒学参考文献目录》。另外，也将朱彝尊《经义考》重新点校出版。三、翻译日本经学著作：已完成的有《经学史》、《近代经济思想史》，和单篇论文二十余篇。

虽然在他看来，编辑日本汉学研究论著目录《日本研究经学论著目录》、《日本汉学家》、《日本儒学研究书目》二书却成为开山性的目录著作。前者是海内外研究日本经学的第一部重要书，不但拓展了国内学者的视野，也为国际汉学交流提供了方便。编辑《日本儒学研究书目》时，除了学生外，林庆彰还发动太太和小孩，平均每天工作16小时。后来，日本研究儒学的权威荒木见悟教授对他说"让一位外国学者来为我们编目录，我们日本人感到很羞愧"。这部有史以来第一部日本儒学研究书目，给日本学者相当的震撼。

从1975年师从屈万里开始，38年的光阴无声地流逝消融。早年英气勃发的林庆彰如今已然成为一位长者。他的一生始终和经学研究紧密相连，而在两岸学术界，林庆彰这三个字一为人所提起时，也必然是与经学联系在一起的。

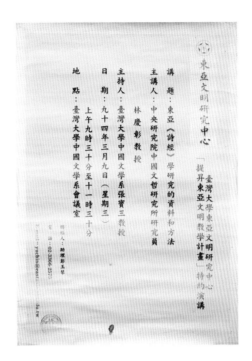

2005年3月9日應臺灣大學東亞文明中心之邀作專題演講

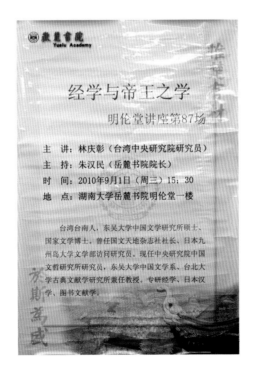

2010年9月1日應湖南大學嶽麓書院之邀作專題演講

2010年11月17日應山東大學文史哲研究院之邀作專題演講

2011年4月12日應上海師範大學哲學學院之邀作專題演講

2012年3月10日應西北師範大學政法學院之邀作專題演講

2012年9月17日應華東師範大學思勉人文高等研究院之邀作專題演講

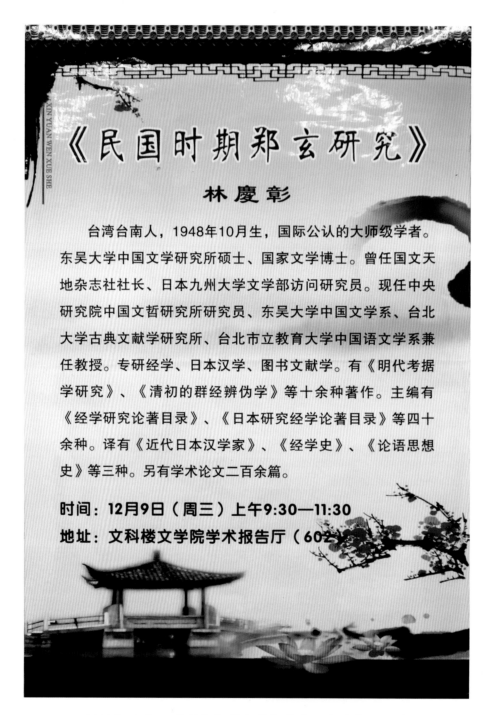

2009年12月9日應首都師範大學哲學系之邀作專題演講

華藝學術出版社為林老師新出版的《偽書與禁書》所作的廣告文案

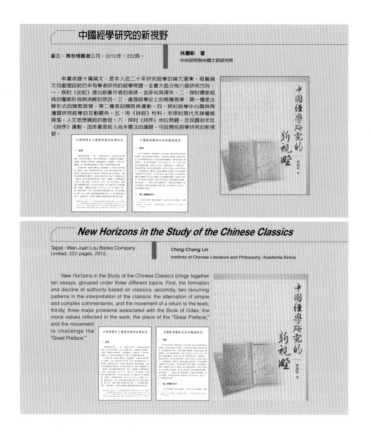

林老師新出版的《中國經學研究的新視野》被評選為
中央研究院2012年重要研究成果

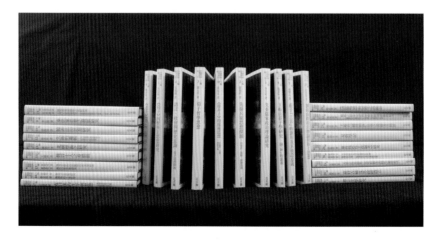

林老師為花木蘭文化出版社主編的《中國學術思想研究輯刊》書影。
該叢書已出版21輯

林老師為文听閣圖書公司主編的《民國時期經學叢書》
第三、四輯的廣告樣張。該叢書已出版六輯360冊

林老師為文听閣圖書公司主編的《晚清四部叢刊》廣告樣張。
該叢書已出版十輯，其中經部圖書有304冊

2005年3月25日在臺北參加「新出土文獻與先秦思想重構國際學術研討會」，
全體與會學者留影（前排右起第一位即林老師）

2006年6月20日赴杭州參加「慶祝沈文倬先生九十華誕暨禮學與中國傳統文化
國際學術研討會」，全體與會學者留影（前排左起第九位即林老師）

古道照顏色——先秦兩漢古籍國際學術研討會

二零零九年一月十六日至十八日

2009年1月16日赴香港中文大學參加「古道照顏色——先秦兩漢古籍國際學術研討會」，全體與會學者留影（前排右起第七位即林老師）

2010年11月15日赴南京參加「2010年中國經學國際學術研討會」，
全體與會學者留影（前排右起第十位即林老師）

2012年4月7日參加「首屆禮學國際學術研討會」，全體與會學者留影
（前排右起第五位即林老師）

2011年6月22日赴武漢參加「紀念張舜徽百年誕辰國際學術研討會」，全體與會學者留影（前排左起第八位即林老師）

經学史研究的回顧与展望　林慶彰先生荣退記念　2015 年 8 月 20 日 21 日

2015 年 8 月 20 日赴京都参加「中國經學史的回顧與展望——林慶彰先生榮退紀念」學術研討會，全體與會學者留影
（前排右起第十位即林老師）

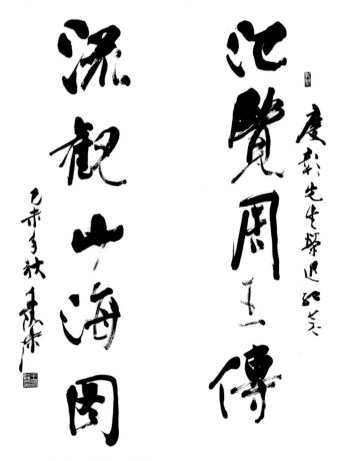

2015年8月20日京都大學舉辦「中國經學史的回顧與展望學術研討會」，香港能仁
書院副校長單周堯教授贈送的墨寶

2015年8月20日京都大學舉辦「中國經學史的回顧與展望學術研討會」，
中央研究院王汎森副院長贈送的墨寶

2015年8月20日京都大學舉辦「中國經學史的回顧與展望學術研討會」，東吳大學中國文學系贈送的墨寶

林老師將於2015年10月底退休，中國經學研究會贈送的牌匾

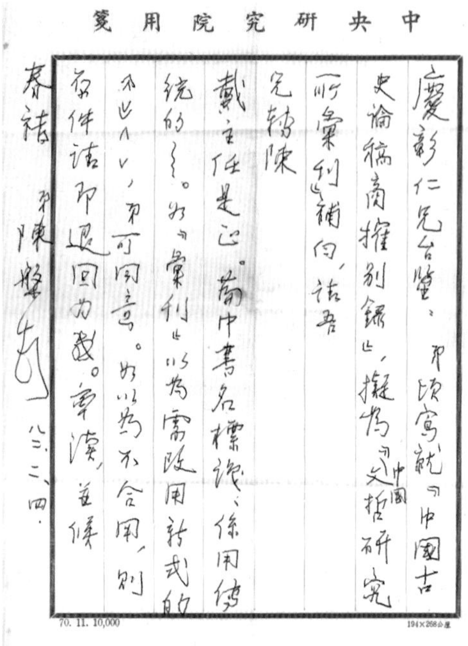

陳槃（1905-1999）院士來函（1993年2月4日）

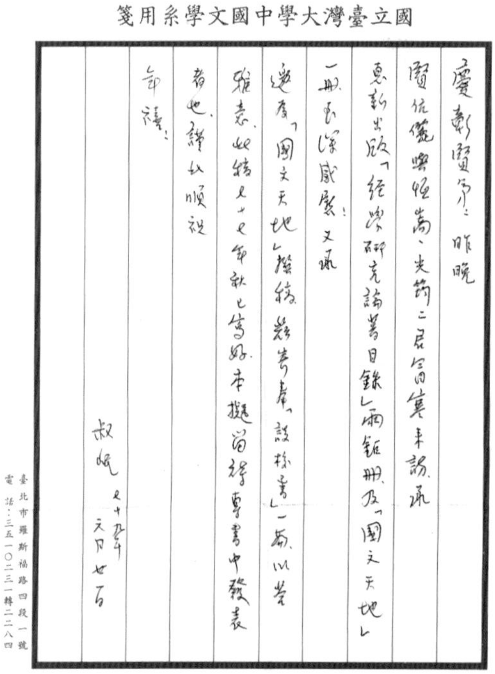

王叔岷（1914-2008）先生來函（1990年6月7日）

裴溥言（1921- ）先生來函（1983年11月6日）

鄭清茂（1933- ）先生來函（1999年7月9日）

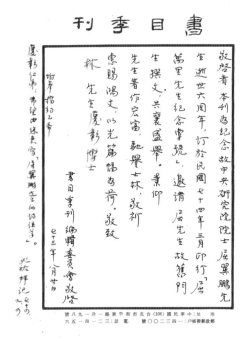

劉兆祐（1936- ）先生來函（1985年9月4日）

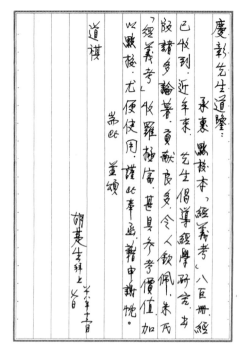

胡楚生（1936- ）先生來函（1997年12月7日）

中央研究院副院長王汎森（1958- ）院士來函（2001年）

饒宗頤（1917- ）先生來函（1996年4月28日）

上海辞书出版社

湯志鈞（1924- ）先生來函（2002年11月30日）

朱維錚（1936-2012）先生來函（1999年8月3日）

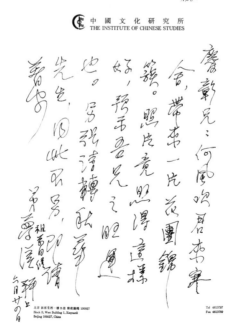

劉大鈞（1939- ）先生來函（2007年4月7日）

劉夢溪（1941- ）先生來函（1996年6月24日）

GUNMA PREFECTURAL WOMEN'S UNIVERSITY
1395-1 KAMINOTE TAMAMURA-MACHI
SAWA-GUN GUNMA-KEN 370-11
JAPAN
Phone 0270-65-8511 / Fax 0270-65-9538

林先生

　先生に於かれましては、ますます充実されたご研究成果をお舉げのこと大慶に存じ上げます。

　さて、この度は、先生と蔣秋華氏との主編になる『明代經学国際研討会論文集』、また先生と蔣秋華氏との編著なる『姚際恆研究論集』三卷、及び珍本古籍叢刊4の顧夢麟『詩經約説』五分冊の中央研究院中国文哲研究所籌備処の刊行物を拝受いたしました。中国文哲研究所籌備処における先生を中心とされたこうした偉業の余慶に与れますことは、誠に先生のご厚誼の深さによるものと感謝いたします。またこれらの刊行物を有意義に利用させていただき、經学に関する研鑽を深めさせていただきたく存じます。また『明代經学国際研討会論文集』では先生の「黄道周的《儒行集伝》及其時代意義」、Elman教授の論文、王俊義氏「銭謙益与明末清初学術演変」、黄愛平氏「毛奇齢与清末的学術」の数編に対して大いに関心を持って読ませていただきました。改めて御礼申し上げます。

　ところで、11月16日に東京大学で中国社会文化学会の例会として、木下鉄矢著『「清朝考証学」とその時代』に関するミニ・シンポジウムが行われ、小島毅氏らとともに三人のコメンテーターの一人として参加しました。著者木下氏を中心に清代考拠学を如何なる視点で追求するか、「思想」ないしは「思想史」という立場は既に意味を持たず、「学術」或いは「技術」といった視点に還元されるべきではないかといった議論が行われました。

　また以前お話のあった拙著『清代考拠学の思想史的研究』翻訳に関して、資料などを提供する必要があればご連絡下さい。

　それでは末筆ながら先生のご健勝を祈念申し上げます。　　　　　　不宜

1996/11/25

濱口富士雄

370群馬県高崎市江木町1377-4
phone/fax 0273-27-7718

濱口富士雄（1949-　）先生來函（1996年11月25日）

Dear Professor Lin Ching-chang,
Congratulations on your well-deserved retirement. Your academic success and achievements will continue to benefit scholars for years to come! Enjoy your retirement! Please accept our small gift to honor you on this occasion.

Sincerely, Ben and Sarah Elman

林教授：
　　恭喜榮退！
　　您的學術成就將繼續貢獻學界。
　　願您的退休生活愉快、順遂！

艾爾曼、蔡素娥　謹賀
2015年8月20日
日本京都

艾爾曼（Benjamin A. Elman, 1946-　）先生夫婦來函（2015年8月20日）

胡序

胡　楚　生[*]

　　經學為傳統學術思想中之主脈，經學萌芽始於夏商周三代歷史文獻之累積。「詩」原於民間歌謠，「書」原於政府檔案，「禮」原於社會儀節，「樂」原於廟堂歌樂，「易」原於卜筮之用，「春秋」原於魯國舊史，經過時間推移，而逐漸形成六藝。及至孔子，借用古代六藝，賦予新義，而成為孔門之六經。經者常道，六經中之常經常則，兩千多年以來，已經深植於國人精神命脈之中，對於民族文化之發展，早已產生極大之影響。

　　兩漢時代，經學昌盛，君王提倡經學致用，大臣言事，往往援引經義，以作判斷。魏晉時期，玄學盛行，經學著述，也多漸染玄理之風。唐代經學，專尚注疏之作。宋元時期，崇尚理學。明代心學尤盛，及至晚明，狂禪大行，亭林梨洲船山，諸大儒者，倡導徵實學風，加以救挽，影響清代學風，既深且鉅。至於民國以來五四新文化運動興起，倡導新學，蔑棄古經，一時風氣之盛，南北各大學中，經學課程，因而逐漸式微。

　　民國四十年代，政府倡導文化復興，各大學中，老師宿儒，益加專益講學，教授弟子，經學根荄，得以維持於不墜，如臺灣大學有屈翼鵬教授，精研詩書周易；戴靜山教授，精研詩書春秋；孔達生教授，精研三禮。政治大學有高仲華教授，精研周易三禮；王夢鷗教授，精研禮記。師範大學有程旨雲教授，精研左傳。輔仁大學有王大安教授，精研詩經。似此經師人師，皆能傳道授業，維持經學命脈，進而能夠枝繁葉茂，重加振興。

　　民國七十八年八月，中央研究院設立中國文哲研究所，以古典文學、近現

---

[*] 中興大學名譽教授。

代文學、中國哲學、比較哲學與經學,為其研究之重點。翌年,聘請研究人員,展開學術研究。其中經學一門,由林慶彰、蔣秋華、楊晉龍三位先生負責,籌謀規劃,拓展新猷。

林慶彰先生自民國六十四年,始從魚臺屈翼鵬教授鑽研經學,十餘年間,用心不輟,及至進入中央研究院中國文哲研究所,更加拓展鴻圖,推廣設計。自是以來,以迄於今,綜計前後,已達四十週年。四十年間,其所從事者,約有數端,可得而言,記之如下:

其一,自著之經學專書,如《豐坊與姚士粦》、《明代考據學研究》、《清初的群經辨偽學》、《明代經學研究論集》、《清代經學研究論集》等六種。

其二,主編之經學書目,如《經學研究論著目錄》四種、《中國經學相關研究博碩士論文目錄》、《日本研究經學論著目錄》等。

其三,主編之經學家文集,如《姚際恆著作集》、《李澄源著作集》(與蔣秋華合編)、《張壽林著作集》(與蔣秋華合編)等六種。

其四,主編之經學論文集,如《中國經學史論文選集》、《詩經研究論集》、《陳奐研究論集》(與楊晉龍合編)等十二種。

其五,主編之經學會議論文集,如《明代經學國際研討會論文集》(與蔣秋華合編)、《首屆國際《尚書》學學術研討會論文集》(與錢宗武合編)等九種。

其六,主編之經學期刊,如《經學研究論叢》,已出版二十二輯。

其七,主編之經學專門叢書,如《民國時期經學叢書》,已出版六輯,凡三百六十冊。

其八,翻譯日本經學著作,如漢譯日人安井小太郎所著之《經學史》(與連清吉合譯)、松川健二所編之《論語思想史》(與金培懿、陳靜慧、楊菁合譯)等。

其九,策劃翻譯西方學者之中國經典詮釋叢書,如與貝克定教授策劃出版,夏含夷所著之《孔子之前:中國經典誕生的研究》由黃聖松所譯。賈德訥所著之《朱熹與大學:新儒學對儒家經典之反思》由楊惠君所譯等。

其十,撰寫單篇經學研究論文,如〈釋詩「彼其之子」〉、〈袁仁《毛詩或

問》研究〉、〈黃道周《儒行集傳》及其時代意義〉、〈中國經學史上的回歸原典運動〉、〈民國初年的反詩序運動〉等，共一百餘篇。

就以上十項工作而言，有志於經學研究者，能從事其中一、二項，已自不易，何況林先生以一人之力，而推行此十項工作。則其收穫可謂豐富，其成就如今令人感佩。因此，當其從事經學研究屆滿四十週年之際，其弟子多人，搜集相關資料撰寫相關論文，擬將出版專刊，以資慶賀，慶彰先生獲悉之後，責序於余，余亦樂於撰寫此序，用以介紹其四十年來之辛勞焉。

胡楚生　謹識

二〇一五年九月五日

現代中國經學全方位研究
奠基與拓展者
——林慶彰教授（代序）

李 威 熊*

　　經學是中國傳統文化的中心，但自清末民初以來，反傳統、反經學的聲浪，波濤洶湧。有些人為了中國的現代化，不惜摧毀固有傳統文化，造成社會動盪不安，國家分裂。共產政權成立後，在六、七十年代更發生了不可思議的文化大革命，那是國家民族的一大浩劫。還好當時臺灣有所謂文化復興運動，成立文化復興總會，各縣市設置文化中心，民國七十八年中央研究院成立中國文哲研究所籌備處，民國七十九年林慶彰教授應聘負責該所經學文獻組，為臺灣和現代中國經學研究起很大作用。因個人的教學生涯與經學息息相關，回憶民國六十四年以《馬融之經學》取得博士學位，指導教授為高明和熊公哲二位老師，在教育部口試時的師長為毛子水（主席）、孔德成、陳槃、王靜芝、潘重規等先生，加上二位指導教授共七位。他們都是從大陸隨國民政府來臺的國學大師，為臺灣國學延續了命脈。民國六十七年我從靜宜大學卸下中文系系主任的工作，回政大中文系任職，當時政大系主任羅宗濤所長，要我擔任熊公哲老師退休後所空下中研所「經學史」的課程，深感榮幸，但也覺得責任重大，其實很心虛，因為當時經學文獻十分缺乏，除熊老師留下不是很完整的「經學史講義」外，只有本田成之的《中國經學史》、皮錫瑞的《經學歷史》、馬宗霍《中國經學史》等，幾乎看不到完整的經學史，當時政大「經學史」的課是必修，如何滿足同學課程的需要，必須慎重考慮。雖然課前都充分備課，但因缺

* 逢甲大學中國文學系榮譽教授。

乏文獻資訊，那時還沒有電腦（我的學位論文都是用手抄寫），大陸尚未開放，課堂上能給同學的實在有限，只好請同學課前課後先讀十三經，自己把歷代經學問題，寫成講義。為了上課方便，十年後（民國七十七年）將講義由文史哲出版社出版《中國經學發展史論》上冊，但出書後，大陸改革開放，又文哲所成立，林慶彰教授的著作和他所負責經學組的經學文獻不斷的湧入，才發覺《中國經學發展史論》上冊，錯漏之處甚多，只好請文史哲出版社不要再版，等把經學史重要文獻消化完之後，重新刪訂調整再跟下冊一起出版。沒有想到，歲月不待人，一晃眼三十多年過去了，書仍未完稿，真是慚愧。民國八十年後，離開政大，回故鄉中部，較少參加文哲所的經學學術活動，但對文哲所的資訊，仍時有所知，這些年慶彰教授在經學學術園地的耕耘，始終努力不懈，成績斐然，令人敬佩。今天他將要出版這一本很特殊的書，可以看出他在經學學術上是全方位的貢獻，重要的有下列幾項：

一、經學文獻的整理點校

學術研究不能空口說白話，需有文本作依據，因此文獻資料的蒐集、整理、點校是很重要的基礎工作，它包括了目錄、版本、校勘、辨偽、提要撰寫等，慶彰教授主編和編輯的經學書目共有十二種之多，蒐集的經學文獻有經學家文集十種，經學論文集十二部，會議論文集十部，學術期刊論叢二十六輯。主編《經義考新校》，編審《點校補正經義考》。編輯中外經學叢書四十種，這些文獻資料的編纂，都有嚴格的體制規範，體例完備，並有點校之說明凡例、前言和附錄，這些為人作嫁衣裳的學術研究的前備工作，非常辛苦，往往吃力不討好，是很多學者不肯在這方面下工夫的原因，但慶彰教授和他的團隊，卻做得特別的深廣，為學術研究大開方便之門，不得不令人佩服。

二、指引經學研究方法

掌握研究基本文獻資料後，針對研究目的和文獻性質，還要有正確的研究

方法，慶彰教授也注意治經方法，他在一九九六年出版《學術論文寫作指引》，二〇〇一年又出版《讀書報告寫作指引》，二書均由萬卷樓圖書公司印行，前書於二〇一一年又印第二版也做了一些增訂。全書敘述論文撰述體例架構，層次并然。並以理論配合實例，使用方便，個人曾在明道大學國研所擔任治學方法課時，便以此書為主要參考書，深受學生喜愛。

慶彰教授治學最受人稱讚的是不做無根之游談，有幾分證據說幾分話，對於學術問題要有新的學術視野，也有自己的堅持，但態度十分開放，能包容別人不同意見，如仔細研讀本書，便可發現慶彰教授大海能容納百川的胸襟，他有今天的成就與他的治學方法和態度不無關係。

三、開出中國經學史研究的大方向

經學的發展有它的歷時性和共時性，從時空發展去看經學問題，才能看出真相。治經當然應熟悉各經，但也不能忽略它在歷朝歷代發展的不同面。慶彰教授非常重視經學史研治，他以「回歸原典運動」作為治中國經學史樞紐，中央研究院文哲所便在慶彰教授的規劃下，從先秦到民國的經學充分蒐集相關文獻後，舉辦各時期經學國際研討會、座談會，今天如果我們能把上述相關資料加以彙整，並做系統處理，便是一部很充實的中國經學史。

四、經學研究人才的培鍊

任何學術研究要有卓著的成果，資料、人才、經費不可或缺，其中人才必須做長期有計劃地培養，從本書可以看出慶彰教授「人和」的一面，他有眾多學術界朋友，和虛心向學的學生，這是他的學術團隊。他對經學人才的培養，不限於課堂上，人才需要有施展身手歷練的場域，文哲所的經學組是經學研究的大家庭，從資料蒐集、整理、編目、點校出版等工作，都有學生參與。慶彰教授又認為多年來臺灣一直缺乏經學學術刊物，他在一九九四年一月得到聖環圖書公司負責人徐耀環先生的贊助，出版《經學研究論叢》，是當時首創的

經學專刊，迄今出版二十二輯，有不少出色的論文，是培鍊經學優秀人才的好園地。

五、帶動國內外經學研究的交流

經學研究不能閉門造車，不但要往下扎根，也要往外拓展，了解域外經學研究的趨勢。林教授在一九九六年，與連清吉合譯日本安井小太郎等著的《經學史》，以後又翻譯了幾部，又編《日本儒學研究書目》介紹日本漢學，和〈香港近五十年詩經學研究述要〉，二〇一〇年發表〈香港近六十年《詩經》研究文獻目錄〉。不時邀請外國學者到文哲所演講，又定期召開國際經學研討會，赴大陸、香港、日本、韓國、歐洲、美國……等地參加學術會議或演講等交流活動，不計其數，慶彰教授到哪裡，就把中國經學帶到哪裡，使中國經學學術不再沉寂。

六、提出經學研究的新視野

慶彰教授也勤於學術著作，所自著的學術專書到目前共有十三種，單篇論文更為豐富。我想很少學者能出其右。但他絕對不是以量取勝，幾乎篇篇都有他的新見。例如在民國七十二年首讀他《明代考據學研究》之論文時，就給我很大的震撼，一般學者都認為明代是朱王理學的天下，而忽略了強大考據學的伏流，這一發現與他在一九九〇年出版的《清初的群經辨偽學》，一脈相傳，也為乾嘉考據學，溯源承流，正與上面所提「中國經學史上的回歸原典運動」理念相呼應。他也以此視民初疑古派的經學，這種觀點雖然楊晉龍教授有不同的想法，他說「傳統經典學回歸原典的目的是以求得聖人寄託於經典中的義理，因而可以在實際生活層面應用的目的。新文化人物卻根本不同意經書具有甚麼神聖權威性，從來也不認為經書有什麼值得探索的義理。」其實慶彰教授認為回歸原典有三個具體表現的方式：「一為不離經言道，二為通經致用，三為以孔孟為正。」與楊教授的說法並不相悖，只是那些沒有聖人加工過的典

籍，是否還可以稱為「經」，這也是治經很重要的關鍵。他的大作《中國經學研究的新視野》（萬卷樓，2012年），卓具前瞻與創見，很受經學學術界的重視。

慶彰教授在學術上的成就當然不止上述諸項，如他在中國思想史、語文教育等，都有涉獵，經典研究只是他學術生涯的重點，大陸《中華讀書報》記者陳菁霞女士採訪稿「甘將此生付經學」為標題，多麼令人動容。

本書包括「經學評論」、「文獻學評論」、「媒體報導」、「相關文獻」、「附錄」五部分，是較特別的書，大都是海內外學術界人士採訪他的學思歷程，評介他著作的文章，初看稍覺有些雜，但仔細閱讀後，自成體系，讓我們可以很完整認識慶彰教授在學術上的成就和貢獻。其實點滴的吉光片羽的文字，都是很寶貴的文獻，從中可以得到很多的啟發，甚至可以發展出很多學術論文的研究專題。

經書是中國傳統文化的精華，內容包羅萬端，本為四部之首，萬萬沒想到民國以來竟被消解，群經被當成一般史料被分列到其他各部。民國二十七、二十八年馬一浮準備仿鄭玄《六藝論》也寫一部論六藝的書，作為浙江大學和復性書院講學的內容，後來書沒有寫成，但在他的講稿《泰和會語》、《復性書院講錄》等書，仍可看到他的想法，他認為「國學就是六藝之學」、「六藝可以統攝四部」、「六藝也可賅攝西來一切學術」等主張，引起當時不少學者的責難，其實由馬氏之說，正可看出經學性質的特殊性。民國以來經學能被當作一般學術來研究，已算是很幸運，慶彰教授一切的努力都是在為經學應有學術地位而努力，使經學能和其他學術相抗衡。可是日本本田成之說：「經學是人生的教育學」，和《禮記經解》講六經具有各種教化意義，這是經之所以叫「經」的精神所在。就如慶彰教授在〈經書與文學的關涉〉一文說：「文學作品為達社會教化功能，以經書中的聖人之道作為指導原則。」所以治經與一般學術研究仍稍有不同，如何將人生的常理常則、道德規範，用學術研究客觀的方式把它闡發出來，能落實於日常生活中，應是經學研究不可忽略的一環。

今年寒假，慶彰教授和夫人及黃文吉教授伉儷曾一起到草屯玩，帶他參觀九峰書院和蔬果園，告訴我他準備退休，當時看到他行動稍遲緩外，神色極佳，建議他應留在中央研究院，永遠為弘揚經學而奮鬥。沒想到他真的退休

了，並在八月下旬於日本京都大學為他舉辦盛大「榮退紀念」學術研討會，參加中外學者有一百多位，慶彰教授望重儒林，可見其一斑。

本月初慶彰教授給我電話，說他的學生和學界朋友為他出一本《經學研究四十年——林慶彰教授學術評論集》，要我是否可寫篇序文，我欣然答應，但一想到四十多年前在研究所念碩、博班時，所裡規定要點完十三經，每天還要寫筆記，高仲華師每週檢查一次，當時讀經是一種壓力，談不上樂趣。後來上經學課程，寫經學論文，曾一度還在孔孟學會開經學研習班，參加學員十分踴躍，很受鼓舞。民國八十年回中部後，本著以「六經耕心」、「雙手耕地」的耕讀原則，才稍能體會前人何以「柔日讀經」的情懷，領悟「閒座小窗讀周易，不知春去已多時」的心境。今天看到慶彰教授在經學學術園地深耕、播種，枝繁葉茂，花果引人。寫序對我來說，筆頭與鋤頭都是一樣沉重，但心情卻是愉快的，隨意寫出初讀這本論集的感想，聊作序文，也祝賀慶彰教授的榮退，但願他退而不休，養好身體，繼續為中國經學研究打拚。

李威熊于逢甲大學

中華民國一〇四年九月

經學評論

《詩》「彼其之子」及「於焉嘉客」釋義

龍 宇 純[*]

前言

　　去年暑假期間，出乎意料之外，接到執教於國立臺灣師範大學國文系季旭昇博士來函，附近作〈說弘〉[1]、〈詩經王風篇「采葛」新解〉[2]、〈從曩國銅器談詩經「彼其之子」的新解〉[3]，及〈詩經小雅白駒篇「於焉嘉客」新解〉[4]四文，希望聽聽我的意見。宇純不學，自揆沒有足夠評析學術論文的實力；因博士與我素不相識，竟自來書致意，問道於盲，其謙沖誠摯的態度，令人無法不暫時忘其譾陋，冀能有所回報。於是窮一日之力，詳細拜讀了四篇大作。深深覺得博士治學認真，蒐集資料不遺餘力，而又分析力敏銳，多所創新，無限欽佩！其中〈「采葛」新探〉，說「彼采葛兮」句，與「彼狡童兮」、「彼美人兮」為類，以采為葛的狀詞，不同「采蘋」、「采薇」以蘋、薇為采的受語，於是詩意豐富生動，是真「發千載之覆」，無懈可擊。其餘三篇，則拙見略有不同；當即奉書簡約相告，博士電話中表示，有些地方確實不曾想到，其意似可供作參考，頓時有如釋重負之感。本學年於東海中文研究所講授「古籍訓解討論」課程，曾以博士〈彼其之子〉及〈於焉嘉客〉二文提供諸生研討，自己也有較深一層認識，因《中國文哲研究集刊》約稿，試寫出以求方家之斧正。

[*] 東海大學中國文學研究所講座教授。

[1] 載《大陸雜誌》84卷第4期（1992年4月）。
[2] 載《漢學研究》2卷2期（1988年2月）。
[3] 載國立臺灣師範大學《國文學報》第21期（1992年6月）。
[4] 載《中央日報・長河》（1991年4月1日）。

一、彼其之子

《詩經》「彼其之子」的句子，見於〈王風·揚之水〉、〈鄭風·羔裘〉、〈魏風·汾沮洳〉、〈唐風·椒聊〉，以及〈曹風·候人〉，共十四次，為讀者參閱方便，先將各詩錄之於下：

> 揚之水，不流束薪。彼其之子，不與我戍申。懷哉懷哉，曷月予還歸哉！
> 揚之水，不流束楚。彼其之子，不與我戍甫。懷哉懷哉，曷月予還歸哉！
> 揚之水，不流束蒲。彼其之子，不與我戍許。懷哉懷哉，曷月予還歸哉！
> 〈揚之水〉

> 羔裘如濡，洵直且侯。彼其之子，舍命不渝。
> 羔裘豹飾，孔武有力。彼其之子，邦之司直。
> 羔裘晏兮，三英粲兮。彼其之子，邦之彥兮。〈羔裘〉
> 彼汾沮洳，言采其莫。彼其之子，美無度；美無度，殊異乎公路。
> 彼汾一方，言采其桑。彼其之子，美如英；美如英，殊異乎公行。
> 彼汾一曲，言采其藚。彼其之子，美如玉；美如玉，殊異乎公族。
> 〈汾沮洳〉

> 椒聊之實，蕃衍盈升。彼其之子，碩大無朋。椒聊且，遠條且。
> 椒聊之實，蕃衍盈匊。彼其之子，碩大且篤。椒聊且，遠條且。〈椒聊〉
> 彼候人兮，何戈與祋。彼其之子，三百赤芾。
> 維鵜在梁，不濡其翼。彼其之子，不稱其服。
> 維鵜在梁，不濡其咮。彼其之子，不遂其媾。
> 薈兮蔚兮，南山朝隮。婉兮孌兮，季女斯飢。〈候人〉

毛《傳》對「彼其之子」始終未說一字。鄭《箋》於〈揚之水〉云：

> 之子，是子也。彼其是子獨處鄉里，不與我來守申，是思之言也。其或作記，或作己，讀聲相似。

其餘四篇則但云「之子，是子也」，〈羔裘〉、〈汾沮洳〉又接云「謂是子處命不變」及「是子之德美無有度」，或直錄「彼其」二字，不予解釋，或略「彼其」二字不言，其以「其」為虛辭無義的意思，應該是十分清楚的。直至王引之《經傳釋詞》、馬瑞辰《毛詩傳箋通釋》，揭出〈崧高〉「往近王舅」鄭《箋》的「近（案馬據毛居正《六經正誤》改近為记），辭也，聲如『彼記之子』之記」，及〈大叔于田〉「叔善射忌」鄭《箋》補充毛《傳》「忌，辭」的「讀如『彼己之子』之己」，以與〈揚之水〉的「其或作記，或作己」對照，鄭氏此意，才算得到證實。季文節引〈揚之水〉《箋》之後，說鄭氏對其字「沒有解釋它的用法」，話自是不錯，卻似未能盡如鄭氏心意。然而，明說「其」為語辭的，當如季文所說，要數孔穎達的《禮記‧表記》《疏》，甚至要數朱熹的〈羔裘〉《集注》。上文所涉《經傳釋詞》以下諸書，並詳季文所徵引。是為「其」字的第一解。

季文所列「其」字的第二解，是用為指稱詞，出裴學海《古書虛字集釋》，首由季氏業師余培林教授〈詩經成語試釋〉所引用。裴文如下：

> 彼其、彼己、彼記，皆是複語。「其」為本字，記、己為借字，均當讀渠之切。釋《詩》者，自毛、鄭以下皆讀其為記，而解為語助詞，誤甚。

「其」字的第三解，是說為姓氏。此又有二說：一是林慶彰兄的〈釋詩彼其之子〉，以「其」為姬姓；一是余培林教授〈詩經成語試釋〉，以「其」為己氏。錄二說要點如後：

> ……如將「彼其之子」之「其」釋作語詞，則在前引各詩中總是扞格不入，詩義也隱晦不彰。如將「其」字作為「姬」姓之「姬」的假借，則頗能怡然理順。理由是：一、根據前引微子「若之何其」，鄭《注》「其，語助也。齊魯之間聲近姬」。……臣、其、己等皆在古韻「之」部。……二、「彼其之子」諸句，出現於王、鄭、魏、唐、曹諸風。周為姬姓之國，〈王風〉乃東周雒邑一地之詩歌。鄭為宣王母弟友所封之

地;魏亦姬姓之國;唐為周成王母弟叔虞所封之地;曹為武王弟叔振鐸所封之國,以上諸國皆姬姓。其他各國風,皆無「彼其之子」的句子,此可證明「彼其之子」的「其」,應該是姬姓的「姬」(字純案:十五國風,上述五國外,若鄘、若衛、若豳亦姬姓,倘使其詩亦有「彼其之子」的句子,自仍可讀其為姬)。三、根據《詩經》中與「彼其之子」相似的句子,如〈丘中有麻〉之「丘中有李,彼留之子。彼留之子,貽我佩玖」,「彼留之子」的「留」,毛《傳》解作大夫氏,亦即氏族之名。「彼其之子」之句法與其相同,「其」字似不應解作語詞。四、從這五首詩來判斷,這「彼其之子」顯然是貴族的身分,如作「姬」,恰好符合他的身分,且詩句也通暢無礙。……以上五首皆落實在姬姓的青年上,所指的青年並非同一人,但他們同是姬家貴族則一。如此解釋,詩中之批評或頌贊,才顯得更有意義。(〈釋詩彼其之子〉)

……無論把「其」字解為語詞,或把「彼其」解為複詞,對「彼其之子」這句話的意思,我們都不贊成。原因之一是:「彼其之子」一語都只有「之子」二字有意思,「彼其」二字都成為贅詞。原因之二是:〈王風・丘中有麻〉三章說:「丘中有李,彼留之子。」「彼留之子」一語,和「彼其之子」句型相同,《傳》說:「留,大夫氏。」馬瑞辰說:「留、劉古通用。」「留」既為大夫氏,「其」何以不可解為氏?原因之三是:「之子」二字如在句末,除「我覯之子」一語外,「之」字全解作口語「的」,從沒有解作「是」的,如〈何彼襛矣〉「齊侯之子」、〈旄丘〉「流離之子」……〈閟宮〉「莊公之子」皆是。而「我覯之子」的「之」,所以解作「是」,是由於「之」上的「覯」是動詞。再反看「彼其之子」,「其」字無論如何解釋,都不是動詞。……我們以為,「彼其之子」就是彼其氏之人。「其」字應該從《左傳》及《晏子》所引作「己」,古有己氏。《左傳》文公八年說:「穆伯如周弔喪,不至,以幣奔莒,從己氏焉。」杜《注》:「己氏,莒女。」是古有己氏的證明。〈魏風・汾沮洳〉說:「彼其之子,美如玉;美如玉,殊異乎公族。」魏是姬姓,「公路」當然姓姬,彼己氏之子並不姓姬,所以詩說他「異

乎公族」，這不是順理成章嗎？〈揚之水〉說：「彼其之子，不與我戍申。」、「不與我戍甫」、「不與我戍許」。詩在〈王風〉，作者當是姬姓之人。申、甫、許都姓姜。……己氏出於莒國，莒也姓姜，己氏或是姜姓所支出（宇純案：據季文中〈𣄰國銅器表〉所引「王婦𣄰孟姜旅匜」的稱謂，此點已獲證實）。今姬姓之人戍守姜姓之國，而從姜姓支出的己氏，反而不與我姬姓之人共同戍守，詩人深感不平，所以有思歸之心。這豈不是很正常嗎？……〈候人〉一章說：「彼候人兮，何戈與祋。彼其之子，三百赤芾。」候人是道路迎賓客之官，戈與祋都是兵器，赤芾是蔽膝，《傳》說：「大夫以上，赤芾乘軒。」這位「彼其之子」位居大夫，又能執武器參與三百赤芾之列，可見他不僅位高，還是武士。〈椒聊〉說：「彼其之子，碩大無朋。」〈羔裘〉說：「羔裘豹飾，孔武有力。彼其之子，邦之司直。」「羔裘豹飾」是大夫之服，「碩大無朋」、「孔武有力」正是武士的寫照。這樣的人，正是戍申、戍甫、戍許的最佳人選。由上所述，我們對這位「彼其之子」有了一個概括的印象：他是位男士，不是戍者之室家（宇純案：此對《集傳》「彼其之子，戍人指其室家而言」）。他位居大夫，並且是一位身材高大、孔武有力的武士。有了這一層認識，再去看有關的各詩篇，詩義就比較容易了解了。（〈詩經成語試釋〉）

此下是季文對上述三類四種不同解釋的案語摘要：

三說中，前二者的缺點，林余二先生已經辨析得很清楚，最大的缺點是不合《詩經》用語習慣。我想補充一點，《詩經》中的「彼」當代詞時是遠指性的，意思相當於「那」；「之」當代詞時是近指性的，意思相當於「這」。照傳統解釋，「彼其之子」應該語譯為「那啊這個人」，在漢語中實在沒有這種講法，因此舊說之不可從，應是無可置疑的了。第三說釋為姓氏，文從字順，詩義明暢。但是，或釋為姬姓，或釋為己氏，那一說更合理呢？以周代的習慣來看，男子稱氏，以表明政治所歸屬；

女子稱姓，以表明血源所歸屬。以《左傳》為例，男子的稱謂形式共有一百八十種，沒有一種是以姓來稱呼的；相對的，女子的稱謂形式共有四十二種，其中有三十種是搭配著娘家姓來稱呼的。[5]……據此，「彼其之子」的其字如果釋為姓氏，而他又是男性，似以作氏稱為宜。

季文覺得這樣的結論，說服力還嫌不足，於是下工夫蒐集了出土殷周異國銅器，確認異可以作其，也可以作己，並通過對異人與周室間關係及其活動狀況的了解，由是肯定余說為是，「彼其之子」，實為異人以國為氏者的後裔，「其」的音讀與異或己同。文中所列銅器資料甚夥，篇幅甚長，從略；僅將結語部分錄在下方：

　　一、銅器中的「異侯」或作「其侯」，又作「侯紀」[6]；文獻中的「紀國」或作「己國」，異、其、己、紀四者是同一國家，也就是《詩經》「彼其（己、記）之子」的「其（己、記）」氏所自出。
　　二、異（其、己、紀）國最遲在殷代武丁時期應已存在，其後一直綿延到春秋中期。活動範圍則是從河南逐漸往山東、遼寧、河北遷徙，西周中期以後則似乎集中在山東一帶。
　　三、這一族人從商代武丁時期起就已位居顯要，周革殷命時，他們大概與周人很能合作，幫燕侯做事，得到燕侯的賞賜，可證和周王室的關係一定很好，直到春秋初年還有女兒嫁為王婦。因此，雖然不是大國，族人散布各地，擔任各種職務的一定不在少數。其中有人黽勉王事，「舍命不渝」；有人服飾耀眼，「三百赤芾」、「美如英玉」，當然一定也有仗著曾是國戚的身分，棲遲偃仰，不戍申甫，因此被詠入詩中，這應該是非常合理的吧。

根據上述論點，季文於說明各篇詩意之後，復有一總結，亦錄於下：

5　據原注，用方炫琛：《左傳人物名號研究》（臺北：國立政治大學博士論文，1983年7月）。

6　字純案：此一資料，遍檢〈異國銅器表〉未見。

　　《詩經》「彼其之子」一句，二千年來不得其解。自林慶彰先生以「彼
留之子」的同文例，說明「其」當釋為姬姓後，問題的解決已曙光乍
現。其後余師培林教授提出「其」當作「己」，為春秋時代的氏稱，答
案就完全明朗了。本文再從古文字角度，證明銅器銘文其、𢀾、己原是
同一國家，也就是《春秋》、三《傳》的紀國。從這一點來看，《詩經》
的「彼其之子」也好，《左傳》、《晏子》、《韓詩外傳》的「彼己之子」
也好，用的都是本字本義，不必當作是其它字的假借才說得通。另外，
《詩經》的「彼其之子」（宇純案：此「彼其之子」指人而言）分見於
王、鄭、魏、唐，曹等五國風，而且獲得相當的重視或寵愛，這和𢀾
（其、己）國銅器分別出土於河南、河北、遼寧、山東，而且與𢀾國和
殷周關係都很好的現象也是一致的。

　　從上述林文到季文看來，一、二兩解之不可取，當已成為定論。至於第三
解，林文首用〈丘中有麻〉的「彼留之子」與「彼其之子」相較，證「其」為
具實義的名詞，可說慧眼獨具，成就非凡。余文發表於林文五年之後，似未見
林文，亦正用「彼留之子」作為主要論點，真的是「智者所見略同」，該是學
術圈中的佳話。但增益的「齊侯之子」、「流離之子」等例，不可謂句法上無差
異；其間且還有「我覯之子」的「例外」。雖然余文說：「反看彼其之子，之上
的其字無論如何解釋，都不是動詞。」萬一有人根據「我覯之子」的句法，說
「彼猶我也，其字應為動詞」，而居然也能從字音上換一個字看，不管好壞，
把全詩都講通了（譬如就把「其」字講成「記得」的「記」，「彼其之子」意思
是「他記得這個人」），恐怕免不了還要費上一番脣舌。我卻覺得，除去「彼留
之子」句，可以比照的還有：〈澤陂〉的「彼澤之陂」（三見），〈黍離〉的「彼
稷之苗」、「彼稷之穗」、「彼稷之實」，以及〈菀柳〉的「彼人之心」。這些句
子，「之」字居間為介，其上和下都是名詞，一無例外。於是我們說「彼其之
子」的「其」當為名詞，「之」是「其」與「子」間的介詞，便不再是選擇性
的「可做此解」，而是當然性的「必做此解」，任何人都不得再生異議。當然如
季文所說：「《詩經》的彼當代詞時是遠指性的，意思相當於『那』；之當代詞

時是近指性的，意思相當於『這』，照傳統講法，彼其之子應該語譯為『那啊
這個人』，在漢語中實在沒有這種講法。」也是十分具有攻堅力的，是為季文
貢獻之所在。現在所面臨的，只是於林、余二文該作如何的選擇了。

　　季文對此提出了古代男子稱氏不稱姓，作為取決的依據，也似乎理由充
分。但所謂男子稱氏不稱姓，當於作為私名時言之，若詩人對某人的泛指，自
又別論；不然等於說周人不可說他姓姬，恐怕沒有這種道理。眼面前一例，如
說女子稱姓不稱氏，而余文所舉《左傳》卻有「從己氏」的說法。可見此一論
點，並不生效力。至於銅器銘文中異國的異可以作其，也可以作己，與《詩
經》「彼其之子」的「其」看不出有何必然關係，無論異國與周室的關係如何
友善，也無論銅器出土分布情況與王、鄭五國地域如何一致，恐都不能構成必
須讀其為異的「絕對因」。兩說究竟孰為可從，還是要看何者最能適合詩意。

　　林文說：「彼其之子諸句，出現於王、鄭、魏、唐、曹諸風。諸國皆姬
姓。其他各國皆無彼其之子的句子，此可證明彼其之子的其，應該是姬姓的
姬。」出現「彼其之子」的詩句都屬姬姓國，無疑為林文讀其為姬的有利條
件。但「彼留之子」與〈揚之水〉「彼其之子」同見於〈王風〉，「留」則明非
此一地區的「國」姓；而不屬姬姓的國家，若齊、秦、陳、檜，又不見有同於
其國姓的「彼某之子」的句子，可見林主讀其為姬，並不具充分條件，初不過
可作如是觀而已。然而，「彼其之子」只出現於姬姓的國風，非姬姓國風則絕
不見「彼其之子」的語句；也就是說，林的主張並沒有反證，所以仍屬有效。

　　反觀余、季二文，以「其」為己氏，既有異文作「己」的直接證據，又有
「彼留之子」「留」為氏稱的扶持，似較林說為長。然而經傳異文也有作
「記」字的，為銅器銘文所不見，所顯示的真相，恐仍屬古人書字重音的習
慣，未必即以異、其、己為「本字」；「本字」理亦不應有三種不同，並作記與
紀者計之，竟至多達五種。另一方面，恆見於銅器銘文所謂「本字」的
「異」，於經傳異文則不一見；而所謂異、其、己即《春秋》、三《傳》中的紀
國，此一紀字亦不一見於「彼其之子」的經傳異文。這些現象都表示，從異文
談「其」字的取義，對於己氏的說法，不必都是正數的。

　　不僅如此，余、季二文以己氏說詩，也儘有不合情理的地方。如余文說

〈揚之水〉：「詩在〈王風〉，作者當是姬姓之人。申、甫、許都姓姜。……己氏出於莒國，莒也姓姜，己氏或是姜姓所支出。今姬姓之人戍守姜姓之國，而從姜姓支出的己氏，理應戍守，反而不與我姬姓之人共同戍守，詩人深感不平，所以有思歸之心。這豈不是很正常嗎？」所謂「作者當是姬姓之人」，固然全出余氏的想像；「今姬姓之人戍守姜姓之國」的說法，其依據是否認為姬姓之國士卒都屬姬姓？不然又何從知道戍守姜姓之國的必是姬姓之人？余氏說，照他的理解，詩意是很正常的，是否意味，不如此解詩意思便不正常？假如反過來想：說平王東遷的時候，曾有部隊隨行，率領這部隊的為平王親信，甚至便是姬姓族人，後來這支部隊成了平王的「子弟兵」，始終留駐京畿，以護衛王室；平王派遣戍守申、甫、許的，實際是關東洛邑一帶原有的部隊。詩人以為姬姓之人戍守母家，理應動用其「姬姓」部隊，今則反是，因此深感不平，而作為此詩。如此理解，難道不較余氏所想像的更為「正常」？

余文又說：「〈魏風·汾沮洳〉說：『彼其之子，美如玉；美如玉，殊異乎公族。』魏是姬姓，『公族』當然姓姬，彼己氏並不姓姬，所以詩說他『異乎公族』，這不是順理成章嗎？」這說法也頗令人不解，「彼其之子」為什麼不可以便是「公族」？照傳統「彼其之子」與「公族」為一的理解，為什麼便不能「順理成章」？季文也說：「本詩既說『彼其之子，殊異乎公路』，可見作者明明把彼其之子和公路對立起來。彼其之子應該是詩人讚美的對象，而公路當然就是詩人諷刺的對象。」如此說詩，其實是在「可以怎麼說」與「只能怎麼說」之間，畫上了等號的緣故；如果能把兩者分開，也許就不致如此堅持己見吧。

又如季文於〈椒聊〉詩，既同意〈詩序〉「椒聊，刺晉昭公也。君子見沃之強盛，能脩其政，知其蕃衍盛大，子孫將有晉國焉」的說法，卻不解何故，不以「彼其之子，碩大且朋」直言桓叔之強盛，而要繞個彎說：「以桓叔手下的彼翼之子碩大篤厚，來烘托桓叔勢力強大。」恐怕也很難認為是合理的。

於〈候人〉之詩，季文也同意〈詩序〉刺曹君近小人的說法。在此前提之下，如果讀「其」為姬，首章言姬姓貴族服赤芾者三百人，次章言此服赤芾之人德不稱服，三章言其「大搞男女關係」，始亂終棄，應該說是如情合理的；

「彼姬之子，三百赤芾」之言，還大致有《左傳》僖公二十八年曹人「乘軒者三百人」的記載相吻合。季文也不能接受這樣的了解，仍說「其」字為己氏，又自覺「小小曹國，就用了三百個己氏之子，且都當大夫」的不合理，採用高亨之說，把「三百赤芾」講成一個人有赤芾三百件。說一個人有三百件赤芾，是否便為合理，見仁見智，也許可以有不同答案；問題是如何能肯定，曹國有過這麼一位己姓大夫？

在余文的最後，把〈候人〉、〈椒聊〉、〈羔裘〉與〈揚之水〉四詩串聯起來，說：「我們對這位彼其之子，有了一個概括的印象：他是位男士，位居大夫，並且是一位身材高大、孔武有力的武士。」又說：「這樣的人，正是戍申、戍甫、戍許的最佳人選。」五首詩分見於王、鄭、魏、唐、曹五個不同的政治地區；各詩作成時代是否大致相當，是另一個未見交代的重要因素，五個「彼其之子」，竟然被視為同一人，不禁讓人想起，早年師範大學某前輩先生說《詩經》中的士都是尹吉甫。對於主張「其」為己氏之說而言，這原是不必要的。季文引其師說，隱去了這些文字，想是有所顧慮。但如季文所說，〈羔裘〉詩是藉對賢臣的歌頌，以譏刺當朝，所取的歌頌對象，是一位異姓人士（原文云：「鄭人感歎當朝沒有忠正之臣，所以詩人歌詠一位異氏的賢臣，以譏刺當朝。」）；〈汾沮洳〉詩「被拿來諷刺本國貴族的反襯角色，剛好也選上了曾是皇戚的異國子弟」；〈椒聊〉詩詩人想藉以烘托桓叔的勢力強大，正好桓叔便有一位碩大篤厚的異姓手下（案：原文已引見前）；〈候人〉詩所譏諷曹君親近的小人，也正好是一位姓異氏的人物。季文從殷周銅器所能考見的異人活動狀況，實際是非常有限的，除去「這一族人從商代武丁時期起就已位居顯要。周革殷命時，幫燕侯做事，得到賞賜。春秋初年，還有女兒嫁為王婦」的事蹟，其餘所謂「族人散布各地，擔任各種職務的一定不在少數。其中有人黽勉王事，有人服飾耀眼，也有人仗著曾是國戚的身分，棲遲偃仰」，依據的便是〈羔裘〉、〈候人〉、〈汾沮洳〉以及〈揚之水〉中的「彼其之子」。以一如異之「小國」，其異氏的「寡民」卻能如季文所說，活躍於王、鄭、魏、唐、曹的政治舞臺上，且都入了詩，又何嘗不可說是過於巧合。

這樣看來，反是讀「其」為姬沒有上述的毛病。「其」本是箕字，聲韻調

三者與姬字全同，說以為假借，稀鬆尋常的便可以交代。或者有人會懷疑，「彼其之子」既是「彼姬之子」，何以姬字都要用借字，經傳中一個姬字的異文都沒有？關於這一點，我有另外的想法，這實在不是一般的「假借」，而是詩人故意的選用同音字，因為照〈詩序〉的說法，這五首詩都是用來諷刺政情的。〈揚之水〉、〈汾沮洳〉及〈候人〉之為「刺」，容易感受，應無爭論；有關〈汾沮洳〉的〈序〉如有不同意見，可看我的〈詩序與詩經〉一文。[7]〈羔裘・序〉以為「言古之君子，以風其朝」，我想就把這詩的「彼其之子」說成當時的姬姓貴族，也是可通的。所謂「舍命不渝」，不過言其理當如此，而實則不然；其他「邦之司直」、「邦之彥兮」，也都是挖苦人的話。諷刺人挖苦人，總以不著痕迹為好；在君擅重權的古代，恐怕尤其有此需要。〈椒聊〉詩言桓叔將取昭公而代之，詩人當然更不敢明目張膽，說得露骨。於是利用諧音之法，以逃刑誅，一人創意，而眾人傚之。凡刺詩的姬字都寫為「其」，其緣故大概就在「其」字通常用為語辭，容易推得乾淨。我甚至覺得，至少自鄭《箋》以來以「其」為「辭」的誤說，可能正是詩人的表面說辭，而這表面說辭，竟至遮斷了骨子裏的「姬」姓實質，使真正的意思無法傳流下來。我這個「諧音」的意見，大概不是胡亂的猜想，請看〈大東〉詩的第四章：

> 東人之子，職勞不來；西人之子，粲粲衣服；舟人之子，熊羆是裘；私人之子，百僚是試。

〈大東〉是一首刺亂的詩，〈詩序〉說：

> 東國困於役而傷於財，譚大夫作是詩以告病焉。

這章詩上來四句，強烈的以東、西對比，道出其不平。「東人」當然指的譚國一帶的東土人民，「西人」毛《傳》說是「京師人」，指的當然便是周人，其時

7　載《鄭因百先生八十壽慶論文集》（臺北：臺灣商務印書館，1985年6月）。

的貴族。但「東人」、「西人」只是相對的稱謂,沒有文責可言。後四句的「舟人之子」、「私人之子」,應該仍是相對於「東人之子」的代稱。《傳》說「舟人」為「舟楫之人」,無義可言。《箋》說「舟人」二句云:「舟當為周;裘當作求,聲相近故也。謂周世臣之子孫退在賤官,使搏熊羆,在冥氏冗氏之職。」「熊羆是求」與「使搏熊羆」義不相應,鄭讀裘為求,宜無可取;但說「舟人」為「周人」,此則意不可易,只是以為誤字,而仍有可商。舟、周二字同音,實以「舟人」影射「周人」。不僅如此,下文的「私人之子」,私、西二字聲同心母,韻同脂部,初不過介音之別;至中古則一入三等脂,一入四等齊,歧分為兩個介音元音都不相同的韻母;「私人」恐仍是「西人」的擬聲。《傳》說「私人」為「私家人」,《箋》以下各家意同。此說有〈崧高〉「私人」一詞的印證,但〈崧高〉詩言「王命召伯,徹申伯土田;王命傅御,遷其私人」,「私人」之上有「其」字為領格,指稱申伯家臣(《傳》「私人,家臣也」),意思是清楚的。此詩「私人」則上無所屬,兩者原自不同。且「西人」、「舟人」、「私人」平列,與「東人」相對為言,「私人」所指,理應與「西人」、「舟人」無別。之所以稱謂與〈崧高〉詩不異,竊意以為正同「舟人」之稱,都是詩人利用現有詞彙,以達到影射目的而能規避刑責的「障眼法」。

由於〈大東〉詩的啟發,「彼其之子」的「其」字所以不見作「姬」的異文,也能得到滿意的解釋,所以我認為,讀「其」為姬的說法,實是完好無瑕。

二、於焉嘉客

〈小雅·白駒〉詩一、二兩章云:

皎皎白駒,食我場苗。繫之維之,以永今朝。所謂伊人,於焉逍遙。
皎皎白駒,食我場藿。繫之維之,以永今夕。所謂伊人,於焉嘉客。

兩章僅於叶韻處易字，其餘相同；末句因首章「逍遙」二字相連，所以次章亦易二字。毛《傳》說「藿猶苗也，夕猶朝也」，「嘉客」二字似亦應與「逍遙」之義相當，但毛《傳》、鄭《箋》都無說明。

季博士對此產生了興趣，於是廣羅前人說法，共得四種，錄之於下：

一、《毛詩李黃集解》引鄭氏：「嘉客，上客也。」

二、《詩集傳》：「嘉客，猶逍遙也。」

三、《御纂詩義折中》：「嘉，禮也。以禮留之，使為客也。」

四、白川靜《詩經研究》：「嘉客，客神也。」

對於上列四說，季氏的看法是：

……白川靜是從民俗學的角度，把〈白駒〉解釋為周王朝對異民族（殷）騎著白駒的客神的祀歌。……完全拋開了中國傳統的說詩態度，……與中國傳統文化頗有隔閡，「客神」之說當然不可從。

……把「嘉」解釋為「禮」，文獻上從來沒有這種用法，自我作古，也不可從。

把「嘉客」釋為「上客」，還可以分為兩類：一類以殷人尚白，加上《左傳》僖公二十四年說「宋，先代之後人也，於周為客」，因此以為本詩騎著白馬的「嘉客」是指殷王的後人。……再說〈周頌・振鷺〉的「我客戾止」，〈有客〉的「有客有客，亦白其馬」，〈商頌・那〉的「我有嘉客」，歷來都解釋為前代之後人。因此，這一說似乎不無道理。但是，細玩「毋金玉爾音，而有遐心」二句，不像是對前朝帝王之後的說話語氣。……當然也不可從。另一類把「上客」釋為「嘉賓」，……這個解釋缺點是文法不通！照這個解釋，「於焉嘉客」應該譯為「在這兒嘉賓」，任何人都可以看出，這個句子少了一個動詞──「為」或「當」。

把一、二章對照著看，……「於焉嘉客」和「於焉逍遙」的文法結構是

完全相同的，「逍遙」是個形容詞（或不及物動詞）。換句話說，「嘉客，猶逍遙也」，這個詞是朱熹解對了。

但是朱熹沒有進一步說明，為什麼「嘉客猶逍遙」。因此這個獨具隻眼的解釋，竟然沒有一個人理會。清王鴻緒等編的《欽定詩經傳說彙纂》甚且說：「嘉客非逍遙也，注言猶逍遙者，同為我留之意也。」點金成鐵，可為浩歎！

今案：「嘉客」和「逍遙」一樣，是個聯緜詞。……「嘉客」這個詞，後世已廢而不用，……幸虧字書上還保留了「迦牙」這一個詞，可為佐證。《說文解字》：「迦，迦互，令不得行也。」桂馥《義證》云：「互當為牙，迦牙疊韻也。徐楷《繫傳》云『猶犬牙左右相制』是也。」……《說文通訓定聲》也說：「即桰梏，行馬也。迦牙疊韻連語，使不得進之貌。《太玄·迎》《迎父迦迎》，注『邂迎，解脫之兒也。』字亦作迦，又作邂，《詩》『邂逅相遇』，邂逅亦雙聲連語。」

嘉、客二字聲韻都非常接近，照周法高《上古音韻表》，嘉是歌部開口二等見母字，客是鐸部開口二等溪母字，嘉客的擬音是Krak'rak，迦牙的擬音是Krangrar，幾乎完全同音，可以肯定是同一來源的聯緜詞。

既《說文通訓定聲》的意思，似乎「迦牙」一轉而成「迦迎」、「邂逅」，二字的聲音和「迦牙」一樣同屬牙音，也是雙聲聯緜詞，二者應有關係。

準上所述，「嘉客」和「迦牙」聲義同源，「迦牙」的意思是「令不得行」，音轉而為「邂逅」，意思是「解說」（〈唐風·綢繆〉《釋文》）、「不期而會」（〈鄭風·野有蔓草〉《傳》）、「不固」（〈綢繆〉《釋文》引《韓詩》）。「嘉客」的意義應該不外這幾種，至少與之相近。如果與「於焉逍遙」對比，「嘉客」以釋為「解說」（解放快樂）、「不固」（鬆弛），最為妥貼。其次也不妨釋為「令不得行」，但字面稍稍修改為「逗留」。二義合併，「於焉嘉客」可以語譯為「在這兒快樂的逗留」。

宇純案：一、三、四所說不可取，季文大致已經指出；有的地方可以補

充，並沒有浪費筆墨的必要。至於季文對第二說的發揮，一則客與牙韻部不同，迦牙為疊韻連語，嘉客則絕不得相同。二則迦牙義為槹枒，即俗稱之拒馬，用以遮攔行人，使不得前，所以許君說為「令不得行也」。此一義不僅與詩意不合，適可謂與逍遙之義相反。季文將「令不得行」的字面改為「逗留」，兩者相差恐不能以道理計。朱駿聲以邂逅當迦牙，此說音義俱不相協，原是問題。季文直取邂逅的「解說」一義，引申為「解放快樂」[8]；或又取其「不固」一義，引申為「鬆弛」；更從而將「二義合併」[9]，語譯之為「快樂地逗留」，展展轉轉，與「迦牙」的原意已隔霄壤。而實際朱熹《集傳》的意思，恐是順著毛《傳》「藿猶苗也，夕猶朝也」的模式，說為「嘉客猶逍遙也」，教人自去體會，初未嘗即以「嘉客」為連語，這種地方本不可執著求深，毛《傳》所說「夕猶朝也」，即是一例。又如〈綢繆〉詩首、次兩章：

> 綢繆束薪，三星在天。今夕何夕？見此良人。子兮子兮！如此良人何！
> 綢繆束芻，三星在隅。今夕何夕？見此邂逅。子兮子兮！如此邂逅何！

在詩的寫作方法上講，應可取與〈白駒〉相較，但是一定要根據「良人」與「邂逅」的相當，從而論其詞的結構與詞義，恐怕沒有不陷於誤解的。

這此試進一解：《說文》宀部客、寄、寓三字相連，客下云「寄也」，寄下云「託也」，寓下云「寄也」。根據許書義同義近字類屬的體例，許君的了解，三字義同，應無可疑。客下段玉裁《注》云：

> 字從各，「各，異詞也」。故自此託彼曰客，引申之曰賓客。

8　宇純案：解放與快樂，分別從解字或說字而來，是兩個不同的意思，與季文說「嘉客」為疊韻連縣詞是相互矛盾的，因為連縣詞原不可拆開來講。這問題可能源自對「解說」二字的誤解；然而更基本的問題是，「邂逅」是否可以解釋為「解說」。因為「嘉客」不可能與「邂逅」為轉語，所以對此不作討論。季文在語譯「於焉嘉客」時，又把「解放」的意思根本除去，充分顯示出，季氏在說解「嘉客」二字意義上，前前後後自己並不能怎麼愜意。

9　「二義合併」的辦法，基本上也是可以討論的，似乎沒有討論的必要，從略。

肯定客字的本義為寄託，賓客為其引申義，是正確的；引《說文》各下「異詞」之說，釋客之本義所以為寄，此則不可取。各字原作👣或👣，本義為至，經傳並借用格字。如果「客」的語言「有所出」的話，應該用聲訓之法說「客，各也」；但這也執著不得，其字說為各聲即可。清儒為《說文》作解釋的，都不能為客字當寄講舉例。今以為此詩客字正當訓「寄」。詩云「嘉客」者，嘉與寄聲同見母，韻同歌部，原僅有韻母上介音的些微之差，後世則一入二等麻，一則入三等寘，漸行漸遠；疑嘉即寄的假借，「嘉客」之義猶云「寄寓」。嘉與客並是動詞，其義相等，是為同義複詞；亦二字相連為用，故以易首章之「逍遙」。《說文》云寄字从奇聲，奇字从可聲；又智下云「可也，从可，加聲」，智字古我切，可字枯我切，智可二語義同音近，蓋一語之轉，其字則於「可」上增「加」聲以為別；嘉字亦从加聲，而《左傳》昭公八年「智矣能言」，杜《注》「智，嘉也」，以智為嘉。凡此，並有助於嘉寄二字古音近可通的了解。

民國八十二年元月十四日宇純於絲竹軒

後記

稿送文哲所，請慶彰兄先過目。慶彰兄寄來一九八五年第四期《江漢考古》發表的〈東漢詩經銘文鏡〉摹寫景本，及一九八〇年第六期《文物》羅福頤〈漢魯詩鏡考釋〉、一九八八年《文史》第三十輯李學勤〈論碩人銘神獸鏡〉二文，用供參考。〈銘文〉首句「碩人其頎」作「石人姬姬」，似可為「彼其之子」借其為姬作證，應寫入正文，甚至改易原先的諧音影射說。但此鏡的時代，羅文所考可能在靈帝之後；頎字作姬，李文亦指出為東漢晚期的語音現象，去自先秦相傳的《毛詩》古文甚遠。另一方面，其姬二字自古同音，本身沒有爭論，又似乎不必有此銘之佐證，故用「後記」的方式說明；當然慶彰兄的盛意是可感的。此外，李文因銘文的姬姬，以為臧琳主張《毛詩》原作頎頎

是有其道理的，似不免好新之嫌。阮元《校記》說：「考經文一字，《傳》、《箋》疊字者多矣。如『明星有爛』《箋》云『明星尚爛爛然』等是也。」原是李氏見到的。今再補充一點，毛《傳》說「頎，長皃」，在鄭氏之前，當然更表示詩文原是「其頎」二字。再如〈東山〉的「零雨其濛」，句法與「碩人其頎」相同，毛說「濛，雨皃」，鄭說「又道遇雨濛濛然」，又與〈碩人〉詩毛、鄭之說不異，可見阮校誠不可易，亦順便在此提及。

宇純二月五日

An inter pretat ion of the Poems "Pi ch'Ichihtzu" and "Yu yen chia K'e"

Lung Yu-chen

This essay examines Chi Hsu-sheng's new annotations of the poems "Pi ch'ichihtzu"（彼其之子）and "Yu yen chia k'e"（於焉嘉客）, and discusses the meaning of the words "ch'i"（其）and "chia k'e"（嘉客）. The author does not agree with Chi Hsu-sheng that "ch'i"（其）is the same as the family name "Chi"（己）, but adopts instead Lin Ch'ing-chang's view that "ch'i" is the same as the name "Chi"（姬）. In writing "chi" as "ch'i" the poet intentionally uses words with the same sound so as to mock people with the family name "chi". The author also disagrees slightly with Lin Ch'ing-chang's views regarding phonetic loan characters in these poems.

Next, the author disagrees with Mr. Chi's view that "chia k'e"（嘉客）is a transformation of "chia-ya"（迦牙）. Instead, the author believes that the character "k'e" comes from the Shuowen's original meaning for the character "chi"（寄）, and that the character "chia" is also used to express the character "chi"（寄）. Thus, the meaning of these two characters is the same, and "yu yen chia k'e"（於焉嘉客）is just like "yu yen chi yu"（於焉寄寓）.

──原刊於《中國文哲研究集刊》第3期（1993年3月），頁153-172。

中日儒學交會的亮光
——記《論語思想史》中文版的刊行

楊　菁[*]

　　由日本松川健二先生主編的《論語思想史》中文版終於順利出刊了，此書以系統的方式介紹《論語》在中國各個朝代及日、韓的解釋特色，不僅在日本，即使在中國都尚未有這樣地關於《論語》解釋思想的系統介紹，因此中文版《論語思想史》得以在臺灣梓行，實可稱為本年度學術界的重要大事。

　　儒家思想向來是中國文化的重要根蒂，且幾已成為中國數千年來文化及價值的深層信念，中國人在立身處事、生活倫常、價值取捨等各方面，無不受到儒家思想深遠的影響。而與中國文化淵源深厚的東亞各國，也無不受到儒家思想的洗禮，其中又以日本對儒家思想的吸納與普及最為用心。

　　《論語》傳入日本，最初是經由朝鮮半島傳入的。根據日本第一部正史《日本書紀》記載：西元二八四年，應神天皇十五年，朝鮮半島的百濟國王派遣一位名為阿直岐的人出訪日本。由於阿直岐能夠直接閱讀中國經典，所以太子菟道稚郎子拜他為師。應神天皇問阿直岐：「還有沒有比你更高明的博士？」阿直岐回答說：「有個叫王仁的，很高明。」應神天皇派人邀請王仁。西元二八五年，王仁攜帶《論語》十卷、《千字文》一卷赴日。這是儒家經典傳入日本的最早記載。西元六世紀開始，據《日本書記》記載，五一三年（繼體天皇七年），日本出於對中國文化的渴求，以朝鮮半島南端的屬地任那的四個縣轉讓給百濟國王為代價，換一位名叫段楊爾的五經博士來日，講授儒家經

　[*]　彰化師範大學國文學系助理教授。

典。三年後，百濟又派「五經博士漢高安茂請代博士段楊爾」（參《日本書紀》繼體天皇十年條）。之後，百濟繼續以輪換的方式派遣五經博士到日本。中國的儒學和經典，便以朝鮮的百濟為津梁，源源不斷傳到日本。

七世紀以後，儒學開始直接由中國傳入日本。日本從推古天皇十五年（607）開始，先後三次派遣使者、留學生和學問僧到中國學習和研究儒家思想，同時探求中國文化，攻讀儒家典籍，回國時又把大量的儒家典籍和文物帶回日本。據記載，平安初期傳入日本的漢籍已達一五七九部，一六七九〇卷之多。從儒學傳入日本到平安時代（794-1192）末期，可稱為儒學在日本的早期傳播階段。期間，最早將儒學深入影響到個人修養和信仰領域的是聖德太子，他於六〇三年十二月制定了以儒家德目德、仁、禮、信、義、智命名的《冠位十二階》，次年又公布了以儒家思想為基調的十七條憲法，包括「忠於君」、「以禮為本」、「背私向公」及「仁政」等內容。七世紀中葉，中大兄皇子和中臣鎌足又從留學生南淵清安「學周公孔子之教」（《日本書記》卷二，十四皇極天皇三年條），結果，便發動了劃時代的大化革新。此後，歷代天皇多自幼受儒家的薰陶，即位後仍不忘開經講筵，訪識於有識，求道於六經。八世紀初，文武天皇頒布大寶令，規定設立大學，教授儒家經典，自此漢學日盛。奈良時代和平安王朝前期，都是漢學全盛時代。

自鐮倉幕府（1192-1333）至室町幕府（1336-1573）時代，武士掌握中央政權，禪宗盛行，儒學仍賴僧侶之力，得以維持不墜。如《花園天皇宸記》中曾記載：後醍醐天皇即位後的第二年，曾請僧人玄惠到宮中講解《論語》。此時期，儒學仍流行於朝廷和禪僧之間。室町時代後期，儒學逐漸向民間傳播，其中，關東地區的足利學校，是專攻儒學的學府，對於儒學的普及，發揮了重要作用。在此同時，還出現了儒學學派──九州的薩南學派和四國的海南學派。

十三世紀，朱子學派傳入日本，由禪僧傳授，鐮倉時代晚期，開始在思想界創造一股清新學風，受到學術界的注意。江戶時代，幕府採用朱子學說為官學，長達二百數十年的時間，儒學幾乎達到黃金時代，期間，學派相繼出現，且已不限於武士階層而遍及民間，儒家思想除了在日本思想史上佔有重要地位，也廣泛影響了日本政治、社會、文化等各個層面。

　　代表儒家思想的首要著作《論語》，一直以來也為日本儒學家所重視，十七世紀的伊藤仁齋就認為：中國的《論語》是「最上至極宇宙第一書」，他們極力將《論語》普及於社會各階層，並以《論語》中的仁愛、敬誠、忠恕、孝悌、信義等重要德目，作為精神的信仰與追求，同時這些德目也在不同的時空環境中對日本的社會文化具價值指導的功能，並逐漸深入日本文化的核心。一直到今日，日本許多企業家仍把《論語》作為工商企業的「聖經」，如把《論語》中「其身正，不令而行；其身不正，雖令不從」、「放於利而行，多怨」、「和為貴」等訓語作為企業經營管理的基本方針。如日本企業集團創始人小平浪平以「和」、「誠」、「言行一致」作為自己的根本指導方針。日本森島通夫的名著《日本為什麼成功》，把日本的成功歸功於西方科技和日本精神，而日本精神主要就是日本的儒家精神，由此可見《論語》對日本社會的影響之一斑。

　　基於對《論語》的重視，二十世紀以來，日本學界對《論語》一書仍持續從事各種研究，並出版了許多重要論著，其中主要有：一、竹添光鴻著《論語會箋》二十卷，昭和五至九年（1930-1934）東京崇文院出版。此書是注解《論語》的著作，以朱子為本，網羅漢唐宋明各家學說及日人解釋，博搜約取，點校精審。二、林泰輔編《論語年譜》，大正五年（1916）東京都大倉書店刊。此書以年譜的方式，介紹孔子傳，《論語》的成書經過，周代《論語》影響，漢以後日本、朝鮮、中國、西洋各國《論語》之注釋、刊印、翻印情況等。三、諸橋轍次、高田真治、山口察常合著《論語講座》，一九三六至一九三七年，由東京春陽堂出版。全書分為解釋和研究二部，解釋部分以朱注為主，旁采左右；研究部分則包含《論語》之文獻與注釋書、《論語》人物考、孔子思想、傳記、年譜及儒教史概觀等。四、武內義雄著《論語之研究》，一九三九年由岩波書店出版。書中論及《論語》的注釋書、《論語》的異本和校刊、《論語》原典批判、河間七篇本的思想、《論語》十篇、齊魯二篇本。對於《論語》各篇的來歷及《論語》全書成立的順序，有精詳探討。五、魚返善雄譯《論語新譯》，一九五七年東京學生社出版，以通俗白話的方式注譯《論語》一書。以上各書，皆屬有關《論語》注釋、考訂、文獻整理之書，如要論到《論語》思想的研究，則必須提及松川健二所編《論語思想史》。（本文有關

日本儒學的流傳，參見劉德增主編：《儒學傳播研究》，《二十世紀儒學研究大系》，北京：中華書局，2003年）

《論語思想史》一書為北海道大學文學部教授松川健二先生所編，平成六年（1994）二月汲古書院發行。此書的編著經過，據編輯者及執筆者伊東倫厚先生在〈跋〉所說，此書的集結是緣於一九八九年春天，某次的聯歡宴席上，有人提議，為了慶祝平成四年（1992），松川健二先生還曆，由先生的知己、同儕、學生，試寫有關《論語》解釋史的論文，並將之集結成一冊紀念論文集。此構想原為向來謹慎客氣的松川先生辭謝，後來經眾人以此企畫鼓勵年輕人研究為由，松川先生才諒解。此後，關於全書如何構成，及各篇論文該由誰擔任執筆，皆是經過松川先生反覆立案、修正，精心策劃。松川先生除了對需要參考特殊資料的執筆者提供自己的收藏品、微卷資料外，對於年輕的學者，也常常給予有關方法論或文獻使用上的建言。此書是研究有關《論語》之解釋、承繼、影響等問題。伊東先生自許地認為：「關於後人對《論語》之注解、引用，能將此種多彩、複雜的世界之展開，加以具體表現出來的，此書堪稱嚆矢。」（〈跋〉）

此書共由十八位學者執筆所撰成，花費將近六年的時間完成。全書內容一共分為四部，第一部為漢魏、六朝、唐；第二部為宋元；第三部為明清，第四部為朝鮮、日本，書前有松川健二〈序言〉、伊東倫厚〈《論語》之成立與傳承〉；書後則附有《論語》思想史年表、伊東倫厚〈跋〉及《論語》章別索引。

本書的中文譯本則由中央研究院中國文哲研究所林慶彰教授所策劃，由四位學者執筆翻譯，其中除了林教授本人負責的明清之部外，尚有陳靜慧小姐負責漢魏、六朝、唐之部；楊菁小姐負責宋元之部；金培懿小姐負責朝鮮、日本之部。翻譯過程中，因於種種因素，以致耗費時間幾乎為撰寫時間的兩倍，終於得以在二〇〇六年二月，由萬卷樓圖書公司順利出版，並邀請原編著松川健二先生撰寫中文版〈序〉，為此書添加了不少光彩，故此書中文版的刊行，實亦可稱為中日學術交流的一大事件。

此書的刊行，除了將日本儒學的學術成果譯介給國內的學術界外，因國內

尚未有如此有系統的《論語》思想史的研究，故此書的出版也可刺激國內的學術研究，藉他山之石以攻錯，使學術研究往更廣更精的目標前進。

──原刊於《國文天地》第21卷第11期（2006年4月），頁95-98。

〈中國經學史上的回歸原典運動〉簡評

楊　晉　龍[*]

　　此文係林慶彰老師於民國九十五年五月八日早上，在中國文哲研究所進行的學術演講，原是林老師準備在日本長崎舉行的九州中國學會上進行專題講演的口頭稿。此文寫作的目的有二：一則確認自己係在中國經學史研究領域中，首位提出「回歸原典運動」的學者；其次則探討中國經學史上自唐代以來，不同階段「回歸原典運動」的成因與內涵。論述的重點主要放在第二部分「回歸原典運動」內容的分析探討。文中認為「原典」乃是具有神聖性與權威性的典籍，判斷是否為「原典」的標準有三：一是堯、舜、禹、湯、文、武、周公、孔子等「聖人集團」的著作或相關的著作；二是書中的道理具有永恆性，可作為一切義理是非判斷的最後判準；三是書中文辭歷久彌新，寫作技巧高明，可為寫作文章最佳的學習典範。亦即這些寫作技巧高明且具有人間永恆道理的書籍，或者與「聖人集團」相關；或者經過「聖人集團」中某位聖人的整理，其中當然以孔子最具關鍵性的地位。例如根據這個標準而成立的經典《十三經》中，《詩》、《書》是經過孔子刪定；《春秋》、《易傳》與《孝經》是孔子的作品、《春秋三傳》是闡發《春秋》的作品；《儀禮》是孔子所傳；《禮記》是孔子弟子解釋《儀禮》的作品；《爾雅》則是孔子學生子夏傳下來的作品；《論語》是記錄孔子言論的作品；《孟子》是闡發孔子及其弟子思想的作品等等。此文根據前述標準，則唐中葉到宋代初年，如啖助（724-770）、趙匡、陸淳等的經學觀，以及韓愈（768-824）等發起的「古文運動」都算是一種回歸原典運動的表現；接著明末清初考辨《易》圖、《古文尚書》、《周禮》、《大學》、

* 　中央研究院中國文哲研究所副研究員。

《中庸》等等的真偽，也是一種回歸原典的運動；最後則清末民初胡適之（1891-1962）、顧頡剛（1893-1980）等五四新文化人物視「經書」為史料，追求其「本來面目」的辨偽，也是一種回歸原典的運動。

不過根據筆者粗淺的觀察瞭解，對於「聖人集團」的認知固然是整個中國傳統的共識，但在不同時間中實際尊崇的「聖人集團」的聖人成員，還是有一些區別，林先生是採取「回顧追認」的角度加以定義，似乎還可以再加斟酌，例如在宋代確定所謂堯、舜、文、武、周公、孔子、孟子等的「道統」之前，孟子實際上並沒有納入「聖人集團」之中，這其實可以根據各個朝代「國家祭典」的崇祀對象加以瞭解，若就不同朝代崇祀的聖人而言，則可知對於聖人的認知標準，實際上有一個相當明確的發展變化的過程，這個不同階段的聖人觀大致是：孔子以前是堯、舜、文、武、周公→漢代開始則是孔子→漢代後期至唐代是周孔→宋代以後至今是孔孟等，因此從現代「回顧追認」的角度，以《十三經》為經典固然沒有問題，但此種不同時間的不同聖人標準，應該比較「歷史的」加以必要的區分，以免有把實際成立於宋代以後的《十三經》，誤認為從經學史一開始就成立的誤解。

再者，此文研究的立基點主要是現代學科意義下「文獻學」的角度，但傳統經學「原典」的判準，實際上並無法脫離「義理學」的關照，傳統經學如果脫離「義理」內容的道德價值判斷，就不可能合法的成立，亦即不能再稱之為經學。此文卻由於基本認知上的混淆，因而將民國以來完全排除義理內涵，主要是立足於現代史料考辨立場的辨偽學，不當的與中國傳統經學追求聖人之道的義理意義下的辨偽學混為一談，因而把陳獨秀（1879-1942）、胡適之與顧頡剛等一類歷史文獻考辨的工作，當作追求經典聖人意義的回歸原典的行為，因而造成論述上的矛盾。實際上五四新文化人物考辨的目的，正好與本文原典標準強調的經學回歸原典運動的目的相反，傳統經學回歸原典的目的是以求得聖人寄託於經典中的義理，因而可以在實際的生活層面應用為目的；新文化人物卻根本不同意經書具有什麼神聖性與權威性，從來也不認為經書有什麼值得探索的義理，說經書中涵蓋有可以指導現代人實際生活的價值，對他們而言更是一種天方夜譚式的大笑話。新文化人物認為本文指稱的所謂「原典」，不過是

一堆有待整理的、內容記載真偽摻雜的，古代留下來雜亂一團糟的一般資料性的歷史文獻紀錄而已，新文化人物考辨經書真偽的目的，正是要解消或消滅經典中所謂聖人義理的「附會」，以回復經書原本的文獻學意義下歷史材料的基本性質，形式方法固然相同，目的卻完全相反。甚至還可以進一步推測，新文化人物此一「解消原典運動」的目的，正是要作為引入西洋文化的準備，就是準備另外建立一個新的「經典」，因此絕對不能將這種「離棄經典」的行為，納入傳統經學意義下的「回歸原典運動」之中。因為實際上討論「回歸原典」，可以有兩個相關，方向卻不太相同的角度：一是文獻學的角度，就是從文獻是否為某位聖人編著的真偽考辨的立場進行分析探討；不過考證的目的是要確定書籍文本的正確性？還是要確定書籍文本記載內容的正確性？或者是要考辨書籍作者的真偽性？因為這三者的目的並不等同，有可能書真而記載也正確但人卻假，也有可能書假而記載與人皆真，也可能書真人真而記載不真等等；一是義理學的角度，就是從義理是否符合聖人道理的是非對錯立場進行分析探討。就傳統的考據學而言，文獻考辨的目的其實就是要確定是否符合聖人義理的問題，文獻考辨根本不可能脫離聖人義理的追求而獨立存在，因此就經學而言，如果僅注意到文獻考辨的「回歸原典」，卻沒有將義理是非納入考慮的「回歸原典」，實際上並不符合此文標準之下真正的「回歸原典運動」，若是非要將清末民初以來新文化人物的辨偽行為納入前述「回歸原典」的探討不可，則就只能從形式的相同點而論其「離棄原典」轉變的原因，並且還可以因此一轉變，進而探討經學面對「現代學術」如何轉型因應的問題，如果可以將「清末民初回歸原典運動」的小標題，改為「清末民初解消原典的回歸原典運動」、「清末民初離棄原典的回歸原典運動」或「清末民初回歸原典運動的歧出：以史料考辨為中心的解消原典運動」、「清末民初回歸原典運動的歧出：以史料考辨為中心的離棄原典運動」，則似乎較為恰當。

實際上清末民初以來新文化人物的主張雖是學術主流思潮，但傳統意義下的經學也並沒有完全消失，只不過從主流學術的位置退下，而與其他非主流學術居於平等地位而已，然老虎雖死而餘威猶存，其潛在的學術影響力依然不容忽視，林毓生先生（1934-）在〈五四時代的激烈反傳統思想與中國自由主義

的前途〉一文中，就有過精采的分析，以為五四新文化人物在「思想內容層次」上固然已經大為改觀，但在「思想模式層次」上則依然「不知不覺地繼續持有傳統的思想模式」[1]，即使是激烈的反傳統人物，因為生活在傳統經典權威勢力下，實際上還是無法完全擺脫如同「遺傳基因」的傳統之潛在影響，因此有關「清末民初的回歸原典運動」還是可以進行討論，但對象則不應該是陳獨秀、胡適、顧頡剛等等新文化人物，應該注意的是如清末以來所謂「今文學」與「古文學」的學者，如康有為（1858-1927）、劉師培（1884-1919）等相類似立場的人；還有像王國維（1877-1927）等一類所謂「遺老派」的學者；以及所謂「廣義的現代新儒家」的一批人，例如馬浮（1882-1955）、熊十力（1885-1968）、梁漱溟（1893-1988）、錢穆先生（1895-1990）、王靜芝先生（1916-2003）、高明老師（1909-1992）、孔德成老師（1920-），甚至蔣中正（1887-1975）、陳立夫（1900-2001）等等也可以斟酌加入。

宋代出現《易》圖與明代出現《申培詩說》、《子貢詩傳》、《石經大學》等所謂古代的「偽書」，從考據學或文獻學的角度看，固然是一種造假行為，但就其所以造假的理由與目的而言，正可以用來證明「回歸原典運動」的實際存在，如果當時社會上沒有「回歸原典」的濃厚氣氛，就不可能出現此種假造「古代經典」的行為，並且還被「接受」的事實。

此文中也提到唐代中葉以後，由於士子只讀「傳」而不讀「經」，因而激發了「回歸原典運動」，但是唐代科舉考試分成好幾種，至少其中有一種考試需要「帖經」，此種考法就像現代的「填充題」，就是將經書文本中幾個字黏貼起來，考生必須把正確的經書文字填進去，如果經文背誦不熟，根本無法作答，所以除非先證明唐代科舉考試有所改變，否則要說唐代中葉以後的士子不讀「經」文僅讀「傳」說，恐怕還需要進行必要的論證。

同樣的問題出在此文對明代以後科舉考試的論述上，因為《四書》屬「下學」的讀物，《五經》則屬「上達」的讀物，因而科舉考試特別重視《四書》，鄉試以下的考試，《四書》列為必考，《五經》則只要選考一經即可，因而造成士子都讀《四書》而少讀《五經》的結果，這個說法其實相當的似是而非，因

---

[1] 見林毓生：《思想與人物》（臺北：聯經出版事業公司，1985年），頁139-196，引文見頁171。

為當士子通過鄉試而參與殿試考試的時候，可以發現殿試的題目是《四書》《五經》的內容都有，因此明代以後參加科舉考試的士子，如果像一般人所說，沒有閱讀全部的《五經》而只讀其中的「一經」，那將如何參加最重要的殿試？相信當時參與科舉考試會把自己考試的目標只鎖定在鄉試上，不準備參加更高一級考試的人，應該是非常稀少，如果此一推測無誤，則明代以後參與科舉考試的士子怎麼可能只讀《四書》與「一經」呢？這樣的認知顯然大有問題。

再者，如果排除此文現代「文獻學」的角度，回歸傳統經學純粹義理的角度來討論「回歸原典運動」，根據《漢書‧劉向傳》收錄的劉歆（？-23）〈責讓太常博士書〉中所謂「傳聞之與親見之，其詳略不同」與「信口說而背傳記，是末師而非往古」的說辭進行分析，則劉歆是否也可以算是在進行一種「回歸原典」的運動？似乎也還可以略加斟酌。如果此一從純粹義理角度「回歸原典」的推測屬實，則漢代古今文之爭，似乎也可以斟酌納入追求何者纔是正確傳達聖人義理的「回歸原典運動」的考慮之中。

北宋理學家重新建立「道統」的行為，當然是一種刻意的人為「造神運動」，建立「道統」的意義，正是要從文獻資料上，確定聖人經典文本的範圍，最終則是要確定那些是表達聖人義理的正確內容。因而從義理學的角度而言，實際上也可以納入「回歸原典」運動中討論。

明代弘治、正德年間的李夢陽（1473-1530）、何景明（1483-1521）、邊貢（1476-1532）、康海（1475-1540）、王九思（1468-1551）、徐禎卿（1479-1511）、王廷相（1474-1544）與嘉靖、萬曆年間李攀龍（1514-1570）、王世貞（1526-1590）、謝榛（1495-1575）、盧枏（1535年前後）、宗臣（1525-1560）、豐坊（1500？-1570？）、徐渭（1521-1593）、楊慎（1488-1559）、王廷棟等所謂前後七子，在文學的創作上，主張「文必先秦兩漢，詩必漢魏盛唐」，不讀唐代以後詩文著作的「復古運動」，要求學者模擬漢代以前的文章詩作，最終希望詩文都能夠回到儒家經典的觀點。就傳統經學義理要求精神的角度而言，這也是類似於唐代韓愈和宋代歐陽修（1007-1072）等共同完成的「古文運動」的一種「回歸原典」的運動，就文學注重創作的表現而言，「復古運動」固然有造成模擬風氣之弊，但此一因為「崇古好古」而「一味膜拜經典詩

文」，進而「模擬古人」的「仿古」行為，就其內在精神而言，豈非也是一種不同意義下的「回歸原典運動」？同時正是在此「回歸原典運動」精神的氣氛影響下，更促成讀書人在程朱「宋學」的潮流與風氣下，能夠逐漸重視漢唐注疏的「漢學」，探討明代「漢學」的興起，絕不能不注意此一文學「復古運動」提供的學術助力因素，即使不能納入直接針對經學文本而要求「回歸原典」的一種「回歸原典」的運動，但恐怕也不能不重視其間接促成「回歸原典」運動在社會思潮內的實際助力。這段期間正好也是《十三經注疏》的合刻本，在楊慎等人的積極鼓勵下出現的時間點，則探討中國傳統經典的「回歸運動」，似乎有必要將明代前後七子的文學「復古運動」納入探討的範圍，至少也可以作為明代經學回歸「古代」漢學的一個重要社會背景看待。[2]

再者，明末清初西洋基督教傳入中國，傳教士為爭取教義在中國文化中的合法性，因而也透過「回歸經典」的訴求，指責漢宋儒者解讀儒家經典歪曲聖人本義，以便可以透過重新解釋《十三經》的方式，確定中國經典早已經有上帝的神聖指示在其中，因而作為中國人應當改信基督教的根據。基督教傳教士此種藉傳統經典以傳教的手段，固然與實際經學上「回歸原典」的基本訴求有別，但似乎也不能不納入「回歸經典運動」之中，因為基督教此一「回歸儒家原典」以傳教的手段，從明末以來就一直沒有間斷，只是沒有受到一般中國經學研究者的注意而已；而筆者近幾年正在進行的「宗教與詩經學」的研究計畫，剛好注意到此一現象，或許也可以提供林老師參酌。

清代乾嘉年間興起的漢學考據學，乃是民初新文化人物現代歷史考據學的源頭之一，然而乾嘉考據學的辨偽考證目的，就他們的意義而言，正是要回復經典被宋儒等後代經師誤解之前的原貌，亦即追求經典純粹「本義」的一種行為，此種行為恐怕也不能排除在「回歸原典運動」之外。

本文對五四新文化人物提出的觀點，在瞭解判斷上應該還可以再加斟酌，因為五四新文化人物所謂「國故」或「國粹」中的「國」，實際上是西洋傳入的現代「民族國家」的「國」的概念，所謂「人民」也是指現代「民族國家」

2　可以參考史小軍：〈明代七子派文學復古運動與儒學復興〉，《人文雜誌》2001年第3期，頁105-110的討論。

的「民」的概念,已經不是傳統中國「一家一姓」意義下的「朝廷」與「百姓」關係的概念了。

顧頡剛成名的所謂「層累的歷史觀」,根據筆者粗淺的分析,筆者很懷疑這只是顧頡剛將當時普遍流傳的「進化論」的發展過程「逆轉」過來說而已。因為「進化論」說生命受到環境的影響而改變,因而成為現代這個樣子,基本前提的假設是「由簡單而趨向於複雜;由單一而趨向於多元」,倒過來看則今天存在的就是一種已經「複雜化」與「多元化」的「單一」與「簡單」的發展結果,「單一」與「簡單」而不摻入任何「添加物」的就是原來的真面目,或者說是事物的本義或真相,因此只要撥開或消除那些促使其複雜與多元的「添加」因素,則原來的真面目或本義就會如實顯現。這就如同家傳的一幅祖先的畫像,幾百年來的每一代祖先,都會根據自己的喜好想像,在這祖先的畫像上加添一些新的內容,幾百年後看到的祖先畫像,當然就不是原先的祖先畫像,顧頡剛「層累歷史觀」意義下的辨偽,就是要有效而正確地撥除那些後代加添的東西,讓祖先畫像恢復本來的面目,這樣的思考角度當然沒錯,然而問題則是畫像的本來面目固然恢復了,但畫像是否真的是祖先的畫像?或者有多少分的相似度?這恐怕不是顧頡剛「層累的歷史觀」意義下的考辨所能解決;除此之外,畫像還是畫像,絕對不能夠直接就把畫像當成祖先自己,這應該是非常明白的事情,顧頡剛「層累歷史觀」的問題就在於所得「真相」只是去除「添加物」的「真相」,無法保證一定是毫無問題的絕對性意義下的「真相」,最多也只能保證比較趨近「真相」而已。換言之,「層累歷史觀」意義下進行的考辨,很容易誤把祖先畫像當作祖先的本尊,因此所得成果依然只是「近似值」而已,但不少「疑古學者」卻刻意將其誇大成毫無問題的「真相」,其實是大有問題的觀點。以上粗淺的認知,希望對林老師的文章有點正面的意義,如果說錯了,就請多多諒解啦!

——原刊於《中國文哲研究通訊》第16卷第3期(2006年9月),頁145-151。

林慶彰先生〈中國經學史上的回歸原典運動〉一文述評

劉　柏　宏[*]

一

　　林慶彰先生（1948-）於近日所發表之〈中國經學史上的回歸原典運動〉一文[1]，可以說是先生自八〇年代開始關注明清之際經學史當中辨偽學風，乃至於九〇年代對於清初經學辨偽研究之總結性文章。雖然文章性質屬於講稿內容，非體系嚴整之學術研究著述，不過該文立足於宏觀的經學史整體發展脈絡，對於中國傳統經學史上發生數次的「回歸原典」（return to sources）運動，提出一通則性的說明。

　　全文主在闡述以下幾個問題：「回歸原典」一詞指涉為何？何以中國經學史上會出現回歸原典的現象？此「現象」具有何種功能與意義？對於中國傳統經學發展造成什麼影響與效應？在中國傳統經學史上，發生了哪些具有代表性的回歸原典運動？先生以為，所謂的「原典」，是指該學派最原始的經典。而且這些經典皆由「聖人集團」所作，故含有聖人理想、且具有神聖性（指其內容思想具有超越時空皆準的特性）、權威性（具有規範、指導之特性）等特性。而屬於儒家的原典便是《十三經》。又由於原典具有指導權威性，故在中國傳統經學發展歷程中，一旦發生義理詮釋分歧的爭辯時，「回歸原典」便成

---

[*]　政治大學中文研究所碩士生。

[1]　此文係林慶彰老師於民國95年5月8日於中國文哲研究所二樓會議室所進行的學術演講；亦是林老師赴日發表講演之口頭稿。

為最好的解決辦法。此外，先生列舉了中國經學史上著名的三次回歸原典運動：一是唐中葉時以啖助（724-770）、趙匡（？）以及陸淳（？-805）為首，批評當時過於注重三《傳》而忽略《春秋》本經的新春秋學派。其次是明末清初時期傾向漢學的學者，為釐清宋明理學程朱、陸王義理紛爭而以群經辨偽作為表現方式的回歸原典運動。其三則是清末民初以胡適（1891-1962）「整理國故」、顧頡剛（1893-1980）「古史辨運動」為代表，擬自層累的古史中剔除種種附會，而還古史一本來面目所進行另一種形式的回歸原典運動。

　　先生此文主要貢獻在於明確地提出、並界定了中國傳統經學史發展中「回歸原典」一詞的內涵及外延意義。過去雖然余英時（1930-）也曾在其〈清代學術思想史重要觀念通釋〉一文中談論羅近溪（1515-1588）為了解決儒學內部「心即理」與「性即理」兩造的爭訟時[2]，選擇採取「回向原典」的方式以消弭紛爭。然而，余先生提出「回向原典」之說的背景條件，是放在思想史脈絡下進行；雖說內容論述與本文有所重疊，然先生卻是自經學史角度出發，並且立足於較為實證的文獻學方法來刻畫「回歸原典」之精神。故對於關注中國傳統經學、儒家經典詮釋特點與方法的相關研究人員來說，可說是提供了一個明確的討論角度。

二

　　筆者之所以認為本文乃是先生自八〇年代從事明清經學與辨偽學研究迄今之總結性的文章，主要原因乃是根據筆者目前拜讀先生之諸多經學研究著述中，首先較具規模提出「回歸原典」一詞者，當是刊於一九八八年出版之《國際孔學會議論文集》中的〈明末清初經學研究的回歸原典運動〉一文。[3]其後至二〇〇二年期間，先生之相關著述，陸續皆有對經學史上的「回歸原典」觀念

2　余英時：〈清代學術思想史重要觀念通釋〉，《中國思想傳統的現代詮釋》（臺北：聯經出版事業公司，1999年），頁405-486。此處所言，請見頁412-413。

3　此文後收入林慶彰：《明代經學研究論集》（臺北：文史哲出版社，1994年），頁333-360。

進行說明與闡述。[4]本節主要便在歸納先生歷來對於「回歸原典」一詞的相關論述，進而勾勒出先生過去對於「回歸原典」一詞之看法。

先生以研究明代經學起家，就筆者目前管窺之見，先生最早對於經學史上「回歸原典」的現象進行闡釋與說明的也便是以討論明末經學發展作為切入點。在〈明末清初經學研究的回歸原典運動〉一文中，曾對於明末清初的經學歷史發展何以會出現「回歸原典」的現象提出說明。了解當時發生回歸原典的成因，或許有助於我們推論整個經學發展史上回歸原典運動的產生原因。茲將該段列述如下。

> 要追究明末清初經典研究所形成的「回歸原典」運動，首先必須了解這時期之前兩千年中經典研究的某些現象。由於時空環境的變遷，這些現象越積越多，至明朝末年，至少可把它們歸納為七點：1.闕脫亡佚：……2.誤認作者：……3.偽造仿冒：……4.依託附會：……5.刪改填補：……6.羼雜佛老：……7.離經言道：……。以上七種現象，大都是經學者在闡釋經書的過程中，逐漸累積而成。這種累積，使經書漸漸失去原來的面目，它所能擔負的指導和規範的作用也大大的減低。[5]

---

4 據筆者目前所收集到先生有「明確」提及「回歸原典」之相關著述，包括有（以下依發表或是出版日期順序排列）：〈明末清初經學研究的回歸原典運動〉，《國際孔學會議論文集》（臺北：國際孔學會議秘書處，1988年）、《清初的群經辨偽學》（臺北：文津出版社，1990年）、〈毛奇齡、李塨與清初的經書辨偽活動〉，《第二屆清代學術研討會論文集》（1991年11月）、中央研究院中國文哲研究所編委會主編，江日新（1955-）執行編輯：《清代經學國際研討會論文集・序》（1994年6月）、〈姚際恆《春秋》學〉，《町田三郎教授退官記念中國思想史論叢（下）》（1995年3月）、〈姚際恆治經的態度〉，《第四屆清代學術研討會論文集》（1995年11月）、〈姚際恆對朱子《詩集傳》的批評〉，《中國文哲研究集刊》第8期（1996年3月）、〈姚際恆與顧頡剛〉，《中國文哲研究集刊》第15期（1999年9月）、〈我的國學之路〉，《貴州文史叢刊》，2002年第1期。除此之外，尚有其他文中雖未確切提出「回歸原典」一詞，然實際行文中仍有觸及「回歸原典」此概念之相關論述，例如：〈元儒陳天祥對《四書集注》的批評〉，發表於1998年12月22-23日舉行之「元代經學國際研討會」。後收入楊晉龍主編：《元代經學國際研討會論文集（下）》（臺北：中央研究院中國文哲研究所籌備處，2000年）

5 林慶彰：〈明末清初經學研究的回歸原典運動〉，《國際孔學會議論文集》，頁867-881。該文後收入林慶彰：《明代經學研究論集》，頁233-360。引文見《明代經學研究論集》，頁235-238。

在闡述清初經學史發生回歸原典運動的成因時，先生也曾如此說：

> 此一運動導因於經學經數千年的流傳，已真偽莫辨，殘缺不全，甚至偏
> 離聖人的本義……。[6]

推衍先生之意，明清交際時期之所以會產生回歸原典運動，主要還是由於讀者
與原典文本之間具有時代斷層而造成的。時代斷層造成讀者無法重回原典產生
時的文化語境；當然也同時提供讀者偌大的詮釋空間。[7]受到各自歷史效應制
約的讀者詮釋（誤認作者、偽造仿冒、依托附會、刪改填補、羼雜佛老、離經
言道）與現實環境物質條件變化（闕脫亡佚）的雙重影響之下，由量變所引起
的質變進而造成後世經學家對於義理解釋的歧見，便是促成經學史上發生回歸
原典運動的主因。了解了經學史上所謂的回歸原典之成因為何之後，接者要梳
理的是回歸原典運動之內涵以及方法特徵。

先生於《清初的群經辨偽學》中曾有一段話，可以用來說明明清之際經學
史上回歸原典運動之內涵意義。

> 由上文的論述，吾人可深深的體會，當時（筆者案：此指明中葉開始）
> 學者普遍的價值觀念是：不論談心性的內聖之學，或是論經世致用的外
> 王之學，皆必須取資於經書，由經書中尋找其大本大源，這就是學術思
> 想史上所說「回歸原典」（return to sources）的現象。但是，要回歸原
> 典是否有實際困難？自先秦，歷兩漢、隋唐、宋元，迄於明末，這兩千

---

6 林慶彰：〈姚際恆的《春秋》學〉，町田三郎教授退官記念論文集刊行會編集：《町田三郎教授退
   官記念中國思想史論叢（下）》（福岡：中國書店，1995年），頁124-141。後收入林慶彰、蔣秋華
   編：《姚際恆研究論集（下）》（臺北：中央研究院中國文哲研究所籌備處，1996年），引文見頁
   1001。

7 關於讀者與經典文本之間產生斷裂的情形，黃俊傑（1946-）有較為細緻的分析與論述。黃先生提
   出讀者與經典文本間的斷裂性有兩種：「語言性的斷裂」以及「脈絡性的斷裂」。請見黃俊傑：
   〈從儒家經典詮釋史觀點論解經者的「歷史性」及其相關問題〉，收入《東亞儒學史的新視野》
   （臺北：喜馬拉雅研究發展基金會，2001年），頁46-47。

餘年間，經書有哪些值得注意的現象？1.闕脫亡佚：……2.誤認作
者：……3.偽造仿冒：……4.依託附會：……5.刪改填補：……6.夾雜佛
老：……。以上六點皆為經書流傳過程中所造成的偏失。要回歸原典就
應先仔細研究這些偏頗現象，並加以糾正、澄清，這就是錢謙益所說
的：「誠欲正人心，必自反經始；誠欲反經，必自正經始。」而正經
時，所持的判斷標準又如何？這點當時的學者也再三強調，就
是以孔門的是非為價值判斷的標準。……也就是，不論程朱、陸王的義
理如何，皆應以孔門之是非為斷，以孔門經書之原意作為定準。[8]

由上述文字可知，回歸原典之意圖乃在於欲解決當時理學中程朱、陸王，以及
內聖、外王彼此之間的興訟紛爭。而回歸原典最重要之特點便是「以孔門是非
為斷」。此外，先生在撰寫完《清初的群經辨偽學》一書之後，開始關注清初
經學家姚際恆（1647-1715）。於是決定盡民初顧頡剛之心願，主編《姚際恆著
作集》；並且與蔣秋華先生（1956-）共同編輯《姚際恆研究論集》。[9]先生在論
述清初經學史上回歸原典運動時，遂常舉姚際恆之治學態度作為範式。我們可
以透過論述姚際恆治經態度的文字中，體會先生所謂回歸原典之內涵精神。

姚氏既將《易傳》、《偽古文尚書》、《詩序》、《周禮》、《儀禮》、《禮記》
等偽經書和經說加以考辨清楚，再將環繞在《詩經》、《春秋》等經的歷
代傳注一一加以批判，並提議加以廢去，則姚氏面對這些「真經」，應
當如何詮釋它？另外，當時學界的程朱、陸王之爭，是否有解決的辦
法？這已不是程朱、陸王誰來代表儒學，或是誰爭得解釋權的問題。姚
氏順著當時的思潮，以為唯有回歸《論語》、《孟子》，才能求得儒學的
真面目。姚氏這種想藉經典文本以探孔門思想本義的作法，可說是一種

8　林慶彰：《清初的群經辨偽學》，頁48-50。底線為筆者所加。

9　此部分之論述，可參考林慶彰：〈我的國學之路〉，《貴州文史叢刊》2002年第1期，頁1-5。此部分
　　之心路歷程，見頁3。

回歸原典運動。[10]

這裏除了呼應前段所引文字中提到的「以孔門是非為斷」的觀點之外，更提出了回歸經典一詞所包含的兩個觀念：「辨偽以正經」、「廢傳而返經」。

所謂的「辨偽以正經」，其涵義可見於先生所撰：〈毛奇齡、李塨與清初的經書辨偽活動〉一文中的部分論述。

> 考辨的目的在正經，近而闡發孔門之真義，……清初的辨偽工作，是一種「回歸原典」的運動，其目的在藉回歸孔孟原典來解決經學和哲學上的問題。此一目的可說是研經的終極關懷，可以作為終身追求的目標。[11]

「辨偽以正經」所預設的目的，是企圖釐清既存之經典中，哪些部分是出自孔門真傳；而又有哪些是屬於後人偽託。先生在近日所發表的文章中便明確指出：「在回歸原典的過程中，一旦被認為偽作（非聖人集團所作），這種神聖和權威（筆者案：此指經典之神聖性與權威性）馬上會消解掉。」[12]既然回歸原典的意圖是要以孔門是非作為裁奪義理解釋分歧的依據，那麼如何確認孔門是非，便是首要任務了。而辨偽正經的目的，主要就是欲提供後人當要了解孔門是非時，能夠有確切而穩當之基石。這樣的觀念，先生在為《清代經學國際研討會論文集》作〈序〉時，也曾予以說明：

> 清初九十二年間的經學，可說承繼明中葉以後的經學學風而來。明中葉以來的學風，可分為兩條路向：一是陽明學派的心學系統。……二是以楊慎為主的考證學系統。……這兩系在明末動盪環境裏，逐漸發展出以經典考證來探討孔門真義，以解決義理分歧的學風來。當要重新去檢討

---

10 林慶彰：〈姚際恆治經的態度〉，國立中山大學中國文學系編：《第四屆清代學術研討會論文集》，頁79-104。後收入林慶彰、蔣秋華編：《姚際恆研究論集（上）》，引文見頁188。

11 林慶彰：〈毛奇齡、李塨與清初的經書辨偽活動〉，國立中山大學中國文學系編：《第二屆清代學術研討會論文集》，頁141-142。

12 林慶彰：〈中國經學史上的回歸原典運動〉，頁3。

這些經典時，發現闕脫亡佚、真偽相雜的情況相當嚴重，要回歸原典以判斷義理是非，即應先從正經開始，正經的首要工作就是分別真經和偽經，因此經典真偽的考辨也成為當時經學研究的主流。[13]

而所謂的「廢傳而返經」，我們當可參考先生另一篇文章〈姚際恆的《春秋》學〉當中說明姚際恆治《春秋》經的方法來得知一二。

> 姚氏所以撰作《春秋通論》，是有感於前代解經家都受三《傳》之束縛，不敢明舉三《傳》之非。所以，歷代之《春秋》學可以說是一種傳學。姚氏摒落三《傳》，直接就《春秋》經來作解釋，這可以說是一種「回歸原典」運動。其目的，當然希望從經文本身求取聖人撰作《春秋》的真義。[14]

若以姚際恆治經的態度作為「回歸原典」的範式，我們可以發現，回歸原典的過程中，基本上對於儒家原典以外的後人章句、注疏多半抱持著不信任的態度，也就是希望能擺落後人的二手研究與理解，進而直接面對原典之本來面目。若就讀者閱讀與詮釋策略的角度來思考，跨越既存之傳注而重新、直接與原典文本進行對話，其實也正是鬆動了既有之詮釋典範，以期能獲得更大的詮釋空間，更加確立自身發言之正當性。[15]

在了解到先生過去所提出明清之際經學史上的「回歸原典」運動之發生原因、內在涵意以及體現在實際治學層面的工作方法分別為何之後，茲將說明明末清初回歸原典運動所造成之影響為何？以作為本段結尾。

---

[13] 參見中央研究院中國文哲研究所編委會主編，江日新執行編輯：《清代經學國際研討會論文集》（臺北：中央研究院中國文哲研究所籌備處，1994年），頁1。

[14] 見林慶彰、蔣秋華編：《姚際恆研究論集（下）》，頁1022。

[15] 筆者這種論述，是以一後設的角度所進行的分析與追認，在當時各家並不必然是有意識地操作、使用這種「策略」。相反地，我們可以相信在古典中國語境之下的儒生士人，多數是以一種近似於宗教情懷的「求道者」姿態來面對經典。並且在古典中國強調群體而缺少個人意識的歷史情境下，「一己言說是否具有合法性」這種近似於現代西方個人主義式以及法律契約式的思維方式應該是罕見、特殊而不具有普遍性。

先生在〈明末清初經學研究的回歸原典運動〉一文之「結論」的部分，明確地指出明末清初回歸原典運動所造成的三大影響與效應。茲徵引如下。

> 就思想史、辨偽學史和經學史的發展來說，這一時期的回歸原典運動也有其不可忽視的意義：（一）就思想史的發展來說：……此種窮本溯源的行動，使宋學在一夕之間失去了數百年來用以立論的根據，也加速宋明理學的沒落。這就是明末清初學者回歸原典運動所促成的結果。（二）就辨偽學史的發展來說：……明末清初學者，因回歸原典的要求，對各種經書所做的論辨，使辨偽的方法更加細密。不但提昇辨偽的理論層次，也使辨偽學進入一嶄新的階段。（三）就經學史的發展來說：……他們在回歸原典的要求下所做的「正經」工作，不但廓清了經書中的種種附會，也為各經典的時代定位。有這一階段的工作，文字音義的研究才有可能順利展開。……今人在對清乾、嘉時代的考證成果嘖嘖讚賞時，似不應忘記明末清初學者的篳路藍縷之功。[16]

根據先生所述，我們可以了解到，明末清初的「回歸原典」運動造成了宋學的沒落，以及為清中葉時期的乾嘉之學奠定了優良的根基。倘若置入中國傳統經學發展的長河來看，回歸原典運動的發生往往成為經學即將進入新階段的先聲，誠如先生在〈中國經學史上的回歸原典運動〉所列舉出的三次代表性的例子，我們可以發現，當回歸原典的呼聲越來越清晰之時，往往也就象徵既有之解經模式面臨到挑戰與瓦解的時刻。

總結本段，我們大致可以了解到過去先生提出經學史上的「回歸原典」運動是以明清經學發展作為始肇之觀察點。先生以為所謂的明清經學史上的回歸原典運動其內涵意義乃是企圖「以孔門是非」作為解決當時程朱、陸王以及漢、宋等義理紛爭之依據。而體現在實際的治學方法與態度上便是「辨偽以正經」、「廢傳而返經」兩條途徑。至於這波發生在明清經學史上的回歸原典運動

---

16 見林慶彰：《明代經學研究論集》，頁353-354。

所造成的影響就在於動搖了宋明以來所形塑的宋學典範，使學術光譜朝向漢學的一端偏移。除此之外，辨偽學上取得的成就，也成為乾嘉考據學的奠基。以上大致歸納了先生過去十年來所提出的「回歸原典」之意涵。

三

　　了解到先生過去以明清經學史為觀察角度而闡示的「回歸原典」運動內容，以及本次發表之〈中國經學史上的回歸原典運動〉一文當中對於「回歸原典」的界定後，我們可以略將二者加以對照，以見其中轉變。進而對這當中的諸般變化與發展提出反思與建議。

　　比較先生過去研究與本文對於經學史上的「回歸原典」運動的論述時，會發現此次所發表的文章有別於過去探討明清經學回歸原典運動時採用文獻史料學式的研究方法；先生撰寫本文時則選擇了接近於創生學的研究立場，故對於「原典」的本質，有了較明確的界定與說明。根據先生所給予的界定來看，所謂的「儒家原典」至少有三個條件：第一是原始經典；其次，這些典籍是經由聖人集團的撰寫或是編纂而成的；最後，這些原典具有神聖性，也就是具有指導、規範等功能。而先生在本文中正式揭櫫儒家原典便是自宋代以後所確立的《十三經》。觀察今人涉及「儒家原（元）典」議題的相關漢文著作，會發現大抵上將「儒家原典」一詞設定指涉為《十三經》，是目前學界的共識。[17]因

17　例如馮天瑜（1942-）：《元典：文本與闡釋》（臺北：文津出版社，1993年）、李凱（1966-）：《儒家元典與中國詩學》（北京：中國社會科學出版社，2002年）。馮氏於書中開宗明義便說明「原典」與「元典」二詞，在內涵意義上有何不同。不過筆者以為使用「元典」或是「原典」，其實只是因使用者論述重心的不同而有不同的選擇。據筆者觀察馮氏所言，使用「元典」一詞相對來說，是為了更強調該典籍在創生學上具有首出的地位。此外，馮氏雖然提出在中華文化系統中，不只是儒家最早的《五經》乃至於後來形成的《十三經》系統具有元典的地位，其他例如《老子》、《莊子》、《墨子》等先秦諸子著述也在中華文化系統中享有元典的地位；然馮氏通書的論述仍舊是鎖定在儒家的《十三經》系統。基本上李凱對於元典的界定，是全盤接受了馮氏之說。此外，值得一提的是，馮氏在其書中闡釋元典崇高地位的來由時，不是從作者（聖人）創作的角度來思考，而是從讀者接受心理的角度來闡明元典何以具有神聖崇高的地位。這部分可以和林老師此作相參看，以收相得益彰之效。

此先生將儒家原典定為《十三經》，自然當無疑義。然細查先生論述《十三經》能成為儒家原典之原因，乃在於「皆與聖人集團有關」、「皆為聖人集團成員所作」之說法，則會引發以「聖人集團」為核心的諸多問題，例如：「何謂聖人？」、「何謂聖人集團？」、「聖人集團是由哪些成員組成？」、「聖人集團是否為一定著且靜態的觀念？亦或是一動態的觀念？」、「『聖人集團所作』對於儒家原典的形成，是一必要條件；或是一充分條件？」……等。或許這當中部分的問題與先生此文無直接關涉，甚至可以說是全然不相干；然而筆者以為「界定聖人集團之條件為何？」此一問題，當是本文應該予以說明。之所以認為「界定聖人集團的條件」有待說明，乃在於中國傳統似乎有兩條判定「聖人集團」的途徑：一是由韓愈（768-824）〈原道〉一文提出、經朱熹（1130-1200）與黃榦（1152-1221）等宋儒建構完成，進而流行於宋代以後為一般士人階層所接受的「道統」系譜。[18]另一條則是早在東漢明帝永平十五年（72）便已具雛形、至唐玄宗開元年間規模大備，象徵官方立場的「配享」、「從祀」制度。[19]傳統士人隨著不同的自我身分認同，自然會自上述二者中，選取較符合自我身分與價值觀感的聖人集團。如此一來，「聖人集團」一詞的認定，便會隨著參與者的各自脈絡而有所不同。那麼「經聖人集團之手」而形成的「儒家原典」，似乎也就具有可以討論的餘地了。由於本文屬於講稿內容，故並未

---

[18] 以官方立場將「道」與「聖人」相連繫來看待，當可上溯於〔東漢〕班固（32-92）所撰《白虎通義》。〔清〕陳立（1809-1869）：《白虎通疏證（上）》（北京：中華書局，1997年），卷7，頁334「聖人」條：「聖人者何？聖者，通也，道也，聲也。」此外，〔梁〕劉勰（465-520）所著《文心雕龍・原道》亦有描述道與聖之間的互動關係，例如：「玄聖創典，素王述訓，莫不原道心以敷章，言神理而設教，取象乎河洛，問數乎蓍龜，觀天文以極變，察人文以成化……故知道沿聖以垂文，聖因文以明道……。」見王更生（1936-）注譯：《文心雕龍讀本（上）》（臺北：文史哲出版社，1999年），頁4。劉勰此說，正好可作為林老師此篇文章對於「聖人集團」與「原典」之間關係論述的旁證。然而值得一提的是，劉勰此段說明也正好提供我們從另一個角度來思考聖人與原典之間的關係──聖人在原典產生的過程中扮演何種角色？「聖人著述」與「一般書寫」，在傳統脈絡中，是否具有不同的意義？筆者以為，此部分的討論將會有助於我們了解經典神聖性格來源的依據為何。朱熹與黃榦對於「道統」說的建構，可參考余英時：《朱熹的歷史世界（上）・緒說》（北京：三聯書店，2004年），頁15-17。

[19] 關於從祀與配享制度與中國傳統聖賢身分確認的討論，當以黃進興（1950-）的論著最為代表。請參黃進興：〈「聖賢」與「聖徒」：儒教從祀制度與基督教封聖制的比較〉，《聖賢與聖徒》（臺北：允晨文化，2001年），上述見頁94。

對於「聖人集團」一詞詳加分析與界定，故在此提出建議。筆者以為此問題之說明與釐清，當有助於思考何以注解《春秋》之三《傳》，以及同屬於注疏性質的《禮記》等「次經」[20]位階之典籍得以納入「原典」的行列。除了以成書或是出現的時間較早作為說明理由之外，更可經由對於「聖人集團」一詞所指涉的內容以及當中的權力結構來回應這類問題。

此外，關於回歸原典一詞之「回歸」，究竟何指？是訴諸於原典以證立其言說之合法性；或是以探討原典之真偽為最終目的的行為才能算是對於原典的「回歸」？之所以提出此疑問，主要在於根據先生所列舉經學史上三次具有代表性的回歸原典運動，筆者分析此三次行動中「原典」所扮演的角色與發揮的效應，可以發現唐中葉以後興起的啖助、趙匡之新《春秋》學派，以及明清之際的群經辨偽運動，二者所代表的皆是在肯認原典具有神聖性與權威性的共識之下而進行的回歸原典運動。然而，面對民初從整理國故到疑古學派興起的這一段發展歷程來看，當時疑古學者似皆有剔除聖人與原典之間關連、掃除傳統經典神聖、權威性格之目的論傾向。先生若將此段發展也納入經學史上的「回歸原典運動」，那麼似與先生將「原典」定義為：與聖人集團有關，且具有神聖性、權威性的說法有所扞格。因此，先生若能對於經學史上歷次回歸原典運動之目的加以分析、歸納；或是可以參考楊晉龍先生所提出「文獻史料學層次的回歸原典運動」、「傳統義理學層次的回歸原典運動」的建議，則將可以更 有效地將中國經學史，乃至於學術史上回歸原典的諸多現象予以涵攝以及說明。[21]

---

20 「次經」一詞，乃借用西方基督教釋經學的觀念而來。「次經」（Apocrypha）是相對於「正典」（canon）來說。所謂的「正典」一詞，是來自於希伯萊文kaneh及希臘文kanon，意指「量度的竿」、「量度的杖」，後來引申為「標準」之意。基督教中的正典觀念，當可上溯至猶太教時期。猶太教認為正典的成立當有三條件：神、啟示、默示。正典的神聖性、權威性來源就在於正典的內容是來自於神的直接啟示或是神的間接默示而經由人的領悟、修辭、解釋而完成。關於基督教釋經學中的正典概念，可以參考馬有（友）藻牧師：《舊約概論》（臺北：中國信徒佈道會，1998年），頁10-11。

21 筆者以為經學史上的回歸原典運動其內涵之所以產生差別，乃因對於儒家原典的定位有所不同之故。以此處所舉為例，民初疑古學派與傳統經學家面對經典文本，便有著不同的態度。中國傳統意義之下的經學，其內涵在於道德實踐，故經典文本所傳遞的不僅是近現代西方意義之下的「知

結語

本文試圖對先生自八○年代起所提出經學史上的「回歸原典運動」進行綜觀式的整理與歸納，以了解先生此次發表〈中國經學史上的回歸原典運動〉一文之學理背景。並且對比此文與過去的相關論述，以揣度先生建構經學史上回歸原典運動此一觀念之歷程。先生最初採用了文獻學式的研究方法對於明清時期經學史上的回歸原典運動進行說明，認為當時學界產生群經辨偽的風潮正是試圖藉由原典的還原與訂正，以找尋孔門真義來解決當時程朱、陸王以及漢學、宋學等學派內的爭訟。而〈中國經學史上的回歸原典運動〉則是以通論式的立場對儒家原典的本質及其生成方式，提出說明。先生主張儒家原典的產生條件必定與聖人集團相牽連。然由於本文屬於講稿性質，只進行原則結論式的提示，故並未對於「聖人集團」一詞之內涵進行較詳盡的說明。另外，先生提出經學史上三次具有代表性的回歸原典運動作為說證，卻在文中未對「回歸原典運動」中「原典」的定位以及功能予以說明，故楊晉龍先生於演講會上建議必須區分是「義理學式的回歸原典運動」或是「文獻史料學式的回歸原典運動」；而筆者也不揣淺陋地試圖對於「原典」在二者間的差異予以說明。

若以當代西方詮釋學的角度來看，任何一項言說或是話語皆是發言者受到本身歷史效應制約的結果。故所謂的「原意」、「作者本意」甚至是「孔門真義」，其實也只是脈絡化下的動態產物，而不具有靜態不變的本質可供追尋。然而在中國傳統文化語境下，藉由「原道」→「徵聖」→「宗經」模式以建構

識」，更重要的反而是作為道德實踐（致用）背後所遵循的價值觀念與依據──「義理」。而民初疑古學派則是以接受西方史學思潮影響的態度來檢視傳統經典文本。因此他們便是背負著西方史學「求真」的閱讀預期來要求中國傳統經典文本，中國傳統經典文本的內容在疑古學者的眼裏，便成為一條條受到層累變形的「史料」。一是以道德實踐，講求致用，遵循義理的方式來面對儒家原典；一是以求真求實，知識探索的態度來詮釋儒家原典。由此可推衍出楊晉龍老師所謂的「義理學式的回歸原典運動」以及「文獻史料學式的回歸原典運動」。關於西方史學求真，而中國經學意義下的史學不僅求真，更重致用的說法，可參看劉家和（1928-）：〈史學的求真與致用問題〉，《學術月刊》1997年第1期，頁112-118。

自身發言的正當合法性，一直是為人奉行不悖的圭臬。藉由中西兩造對比，當我們現在以「後設」的角度來重新反省經學史、學術思想史發展中每一階段宣稱體得「聖人本心」的各個典範時，所應該關注的便不能僅停留在扣問其「工夫論」、「體用觀」內容「是什麼」的研究視野；更應該思考的是該典範「為什麼」能成立的條件。或許以此角度來重新回顧經學史，當能見前人之未見，而發前人所未發。

—— 原刊於《中國文哲研究通訊》第16卷第3期（2006年9月），頁133-143。

附：對楊、劉兩先生文評的回應

林　慶　彰[*]

　　本人於九十五年五月八日上午十至十二時所作演講的講稿〈中國經學史上的回歸原典運動〉（以下簡稱〈回歸原典運動〉一文），楊晉龍、劉柏宏兩先生作了很詳細的評論，由於該稿是本人到長崎參加九州中國學會大會的主題演講稿，演講時間僅一個小時，因此有該詳細分析的地方也沒有作分析，該在附註說明的地方，也欠缺說明。「回歸原典運動」所涉及的問題非常複雜，這篇簡單的回應，並不能徹底解決楊、劉兩先生提到的許多問題，只能以這篇文字來表示對兩位先生的敬意。

一、回應楊晉龍先生

　　由於對「回歸原典」的定義說明不夠清楚，引起楊先生的質疑，深感抱歉。本人也知道清末民初回歸原典，與唐中葉至宋初、明末清初兩次的回歸原典，性質、手段和目的都不同，所以本人在〈回歸原典運動〉一文的結論說：

> 這種回歸原典的現象與以往略有不同。以往的回歸原典，是回歸經聖人集團加工後的經典，作為取法的對象，和解決紛爭的判準。胡適等人，是要消除經典的神聖權威，回歸到沒有聖人加工之前典籍的真面目，要窺知這種真面目，就要極力撇清這些典籍與聖人無關，所以，他們花許多篇幅來消解經典的神聖性。

可見清末民初的「回歸原典」並不是以經典的神聖性作為解決紛爭的判準，既如此，與本人在〈回歸原典運動〉一文為「回歸原典」所作的定義顯然有所出入。

---

[*] 　中央研究院中國文哲研究所研究員。

　　問題出在「回歸」兩字，本人沒有說清楚。歸納歷次的「回歸原典」，所謂「回歸」，應有兩個意義，其一，以原典作為尊崇的標準和效法的對象，這是因為原典有聖人之道在內，唐中葉至宋初、明末清初的回歸原典，基本上屬於這種類型。其二，以原典作為檢討的對象，詳細考辨原典是否真的與聖人有關，如果無關，這些典籍最原始的面貌是什麼？如民初學者以為《周易》是占卜之書，《詩經》是古代歌謠總集，都是回歸經典本身作徹底檢討的結果。清末民初的「回歸原典」運動，目的雖然與前兩次有所不同，但藉回歸原典為手段，與前兩次並無二致。由於定義不夠清楚，讓楊先生花費許多篇幅來討論這問題，非常抱歉。不過，本人從楊先生的討論中，也得到許多啟發，這是要特別感謝的地方。

　　楊先生以宋代《易》圖和明代偽書《申培詩說》、《子貢詩傳》、《石經大學》等的出現，是受「回歸原典」運動的影響，可能是推演太過。宋代所以出現《易》圖，主要是想解決儒家欠缺宇宙論和本體論的論述，無法與佛老相抗衡。所以採佛、老的圖來與之抗衡。由於宋代學者以為「漢人傳經而經亡」，傳經和傳道的系譜也都沒有漢人。明中葉以來，漢學逐漸受重視，所以作《子貢詩傳》、《申培詩說》、《石經大學》，是要助漢學一臂之力。

　　楊先生以為劉歆立古學，北宋理學家重新建立「道統」，明代前後七子的「復古運動」、清乾嘉的漢學考據學等都可以說是回歸原典運動。前後七子的「復古運動」主張「文必秦漢，詩必盛唐」，當然與「回歸原典」的性質不同。其他，都是一種尋求經典中聖人原意的學術活動。就注經來說，最重要的應該是探尋聖人制作經典的原意，這是注經者一生黽勉以求的目標。這種追求本意的活動既是注經者的天職，可以說時時為之，與每數百年發生一次的「回歸原典運動」，本質上並不相同，不能把注經者追求「本義」的活動納入「回歸原典運動」中。

　　楊先生另有兩段話，一段是誤解本人的文意，楊先生說：

　　　此文中也提到唐代中葉以後，由於士子只讀「傳」而不讀「經」，因而激發了「回歸原典運動」……。

但本人〈回歸原典運動〉一文是這樣寫的：

> 由於疏的文字數量太多，到了唐中葉，士人參加科舉考試，大抵皆以注疏為主要閱讀的書籍，經義（當時手稿作「义」，即「義」字，打字誤作「文」）本身反而被忽略。

本人所以這樣敘述，是根據《冊府元龜》卷四十六所云：

> （文宗開成）四年閏正月，謂宰相曰：「明經會義否？」宰臣曰：「明經只念經疏，……何異鸚鵡能言！」

楊先生根據文稿誤字，說本人以為士子只讀「傳」而不讀「經」，顯然聯想太多。楊先生大文中另有一段話討論明代科舉問題，他說：

> 同樣的問題出在此文對明代以後科舉考試的論述上，因為《四書》屬「下學」的讀物，《五經》則屬「上達」的讀物，因而科舉考試特別重視《四書》，鄉試以下的考試，《四書》列為必考，《五經》則只要選考一經即可，因而造成士子都讀《四書》而少讀《五經》的結果，這個說法其實相當的似是而非，因為當士子通過鄉試而參與殿試考試的時候，可以發現殿試的題目是《四書》《五經》的內容都有，因此明代以後參加科舉考試的士子，如果像一般人所說，沒有閱讀全部的《五經》而只讀其中的「一經」，那將如何參加最重要的殿試？相信當時參與科舉考試會把自己考試的目標只鎖定在鄉試上，不準備參加更高一級考試的人，應該是非常稀少，如果此一推測無誤，則明代以後參與科舉考試的士子怎麼可能只讀《四書》與「一經」呢？這樣的認知顯然大有問題。

他所引述的看法，本人曾經討論過，但似乎不在〈回歸原典運動〉一文之內，茲不再贅述。

二、回應劉柏宏先生

　　劉柏宏先生，現為國立政治大學中文研究所碩士班學生。他詳細閱讀本人的相關著作，對本人所提「回歸原典運動」的來龍去脈，和本人觀點的形式與演變，作了詳細的論述。自從一九八七年正式提出「經學史上的回歸原典運動」以來，此一觀點時時盤繞心中，一動筆為文即會提到，實不知這二十年間對此一觀點有何修正和發展。柏宏先生花費很大的功夫，為本人的觀點釐出一個脈絡來，讓本人在回顧以前走過的路時，很快能知道自己的腳迹所在，在此謹表達深深的謝意。

　　柏宏先生對本人所說的「聖人集團」，以為會引發：

　　1、何謂聖人？

　　2、何謂聖人集團？

　　3、聖人集團是由那些成員組成？

　　4、聖人集團是否為一定著且靜態的觀念，或是一動態觀念？

　　5、「聖人集團」所作對於儒家原典的形成，是一必要條件，或是一充分
　　　　條件？

這些問題，在〈回歸原典運動〉一文中，並沒有作深入的分析，在此也無法詳答，目前本人正在執行「儒家經典的形成」的大型計畫，本人分攤的分支計畫是「經書與聖人集團」，柏宏先生所提到的問題，可以作為本文研究的參考，也希望能有比較令人滿意的答案。

　　柏宏先生認為拙稿〈回歸原典運動〉一文必須界定「聖人集團之條件為何」？本來，談經學的起源時，一定會談到孔子刪述六經。孔子是聖人，所刪述過的經典因含不變之道，所以具有相當的權威性。本人在二十多年前所了解的也僅是如此而已，後來閱歷漸多，對許多經典的作者，都跟歷代聖人或孔子的親友、弟子（再傳、三傳、私淑）有關，感到相當的好奇，如《孟子》一書說：

　　1、世衰道微，邪說暴行有作，臣弑其君者有之，子弑其父者有之。孔

子懼，作《春秋》。《春秋》天子之事也，是故孔子曰：「知我者，其惟《春秋》乎。」……昔者禹抑洪水，而天下平；周公兼夷狄，驅猛獸，而百姓寧；孔子成《春秋》，而亂臣賊子懼。（《孟子·滕文公下》）

2、王者之跡熄，而《詩》亡，《詩》亡然後《春秋》作。晉之《乘》，楚之《檮杌》，魯之《春秋》，一也。其事則齊桓、晉文，其文則史。孔子曰：「其義則丘竊取之矣。」（《孟子·離婁下》）

司馬遷的《史記》這一類的話更多，如：

1、西伯蓋即位五十年，其囚羑里，蓋益《易》之八卦為六十四卦。（《史記·周本紀》）

2、孔子之時，周室微而禮樂廢，《詩》、《書》缺，追迹三代之禮，序《書傳》，上紀唐、虞之際，……及至孔子，去其重，取可施于禮義，……為三百五篇。（《史記·孔子世家》）

班固的《漢書·藝文志》這類的話也不少，如：

1、故曰《易》道深矣，人更三聖，世歷三古。韋昭曰：「伏羲、文王、孔子。」

2、故《書》之所起遠矣，至孔子纂焉，上斷於堯，下訖於秦，凡百篇，而為之序，言其作意。

3、孔子純取周詩，上采殷，下取魯，凡三百五篇，……

再加上「哀公使孺悲學士喪禮於孔子，士喪禮於是乎書」（《禮記·雜記》），公孫尼子作《樂記》，子思作《中庸》，《周禮》為周公致太平之迹等等記載，越發覺得作經典的似乎非聖人或聖人的親友、弟子不可，而所謂聖人集團的成員，大抵是伏羲、堯、舜、禹、湯、文王、武王、周公、孔子等聖人，

和聖人的朋友左丘明、孫子孔伋，弟子子夏、子貢、公孫尼子等人，三傳弟子孟子（《孟子》一書後來才升為經），因為這些人都曾是先秦某些典籍的作者。雖然伏羲等人生活的時空相差甚遠，但成為聖人的時間點大抵在春秋戰國時，就這一點來說，稱他們為一集團也不為過。所以聖人集團的成員，必為某一經典或經典中某一篇的作者。當時並沒有像柏宏先生想到韓愈的〈原道〉和漢代的配享制度。

柏宏先生所提「回歸」所指為何？在回應楊晉龍先生的話中已略有述及，此不贅。

——原刊於《中國文哲研究通訊》第16卷第3期（2006年9月），頁153-157。

晚明與晚清的回歸原典運動

曹　美　秀[*]

一、前言

　　研究中國經學及學術思想者，對「回歸原典」四個字應都不陌生，這是今日學界解釋學風轉變、經學特色等議題時，常用的詞彙。「回歸原典」為林慶彰先生受余英時先生啟發，而提出的解釋經學史演變的觀點[1]，最初僅用以解釋明末清初的經學發展，林氏後來發現回歸原典的現象乃「經學史上時常發生的事」[2]，並對之作過全面的論述。此一觀點，逐漸受到學界的採用，筆者由「中國知識資源總庫——CNKI系列數據庫」中作跨庫的全文檢索，共檢得二百三十五條資料，其中絕大多數是有關中國經學及學術思想的論文，尤以論述明末清初及乾嘉學術者為數最多。若再把不用「回歸原典」四字，但實用了這個詞意的文章計入，為數更為可觀，可見「回歸原典」已是現今學界相當普遍使用的詞彙或概念。本文欲探討「回歸原典」觀念對於解釋中國學術演變的作用與意義，並分析比較晚明及晚清的回歸原典運動，再以此比較結果，檢視現今「回歸原典」一詞的使用情形，以見此概念的意義及侷限，以為相關研究之參考。

二、關於「回歸原典」

　　晚明至清初這段時間，中國學術界起了很大的變化，並奠定後來盛極一時的乾嘉考據學之基礎，乃治中國學術史者所共知。對於此轉變的解釋，以二說最為普遍，一為明朝衰落以至覆亡的刺激，一為對理學的反動。其他也是相當普遍的說法，如經世致用的要求[3]，對科舉的反動[4]等，亦與前二說極度相關[5]，因此，許多文章都同時以前述數項原因，解釋晚明以後的學術演變。但無論所持為其中一、二或多項理由，幾乎都離不開明朝的政治局勢，甚且以此為主要關鍵因素，其中梁啟超（1873-1929）的理學反動說，看似不以政局為箇中關鍵，但若注意到梁氏在《中國近三百年學術史》的二至四章所論為「清代學術變遷與政治的影響」，及他所說思潮之興起關鍵之一，為環境之變遷，而環境之變遷以「政治現象關係最大」[6]，便知他的理學反動說，也是以政治為主要依據，只是換個不具政治色彩的學術用詞，後來承其說者之多，至於無法枚舉。這些說法的共同傾向，就是將學術的演變動力，很大成分地歸諸外在的時代、環境因素，因此，對學術演變的階段劃分，便與以政治盛衰、朝代更迭為依據的時代劃分相重疊，今日普遍為學界接受的對清朝學術之三階段劃分：清初、乾嘉、晚清，便是此一思考模式下的結果。我們當然不能否定學術演變受時代環境的影響，但太過強調時代環境對學術的制約，對學術思想的解讀與評價，恐難免染上非學術的色彩。這種情況，在清代學術研究上的最大問題，就是以學術演變與政治環境變遷相依附，使政治階段的劃分限制了對學術演變的解釋，因此，忽略了不同階段學術之間的關聯性。於是，清初的篤實學風為明朝衰亡使然；乾嘉的考證學為滿清對文人的壓抑之結果；晚清的今文學興盛，

3　持此說者如皮錫瑞的《經學歷史》（臺北：文海出版社，1964年）。

4　持此說者如林聰舜的《明清之際儒家思想的變遷與發展》（臺北：臺灣學生書局，1990年）。

5　按：主經世致用之說者，幾皆以明朝的國運衰微，為激起學者經世致用之學的原因。而持科舉反動說者，幾皆將之與對理學的反動劃上等號，而對理學的反動，乃因其空談心性而無實用，因此，又與經世致用的要求是密切關聯的。

6　梁啟超：《中國近三百年學術史》（臺北：華正書局，1989年），頁14。

乃國勢不振所致。這樣的說法,當然在某種程度與角度上,可以解釋清朝各階段學術的演變,但是學術思想本身卻喪失了其活力與自主性。誠如皮錫瑞(1850-1908)所云:「學術隨世運為轉移,亦不盡隨世運為轉移。」[7]在清代學術的研究上,隨世運為轉移者,已為學界充分論述,但不盡隨世運為轉移的部分,或仍有再深入探討的空間。

較早打破此一思維,而由學術本身來解釋學術演變者,當首推余英時先生的內在理路說。[8]余先生指出清代考證學的興起,是儒學內部智識主義傾向的進一步發展,而這個智識主義的傾向,早在朱熹(1130-1200)的時候就存在。朱、陸之異的關鍵,便是智識主義與反智識主義傾向之異,只是當時二者壁壘並不分明。到了明代,二者之異推至極點而形成兩極化,於是智識主義者要歸宿到實踐,以使義理的是非取決於經典,而有清代考證學之興起。[9]此說打破了以往解釋學術演變時,受時代環境的限制,使學術本身有了自主性,同時打破了清朝學術三階段劃分中,清初與乾嘉二階段的隔閡,使之具內在的連貫性。[10]

余先生處理的是思想史的問題,故由思想史的角度,分析清代考證學興起的內在「思想」理路。其方法則是分析自宋明理學至考證學興起的過程中,不同傾向學者的話語,尤其是關於「尊德性」、「道問學」二者的相關論述,加以時間順序排列,而得出的一個概括度極高之「思想」線索。事實上,余先生相關的論述中,已多次提示回歸原典的觀念,如他提到,明代智識主義者對反智識主義者最大的不滿,在於其「離經」而空談儒家的道理[11],又以為「儒家由

7　皮錫瑞:《經學歷史》,頁193。

8　見余英時:《論戴震與章學誠》(臺北:華世書局,1980年),余氏並以此觀點,寫成了〈清代思想史的一個新解釋〉、〈從宋明儒學的發展論清代思想史〉、〈清代學思想史重要觀念通釋〉等文,前二文收入其《歷史與思想》(臺北:聯經出版事業公司,1978年),後文收入其《中國思想傳統的現代詮釋》(臺北:聯經出版事業公司,1992年)。

9　詳參余英時:〈從宋明儒學的發展論清代思想史〉,《歷史與思想》,頁87-119。

10　按:強調清學與前代學術之相承者,當然前已有錢穆先生,但錢先生之說,不為解釋清代學術之形成與轉變,而頗有張皇宋明理學的意向,詳參陳勇:〈不知宋學,無以平漢宋之是非──讀錢穆先生中國近三百年學術史〉,《錢賓四先生逝世十周年紀念專刊》(2000年12月),頁194-205。

11　余英時:〈從宋明儒學的發展論清代思想史〉,《歷史與思想》,頁110。

『尊德性』轉入『道問學』的階段，最重要的內在線索便是羅整菴所說的義理必須取證於經典。」[12]他以為：「每個自覺得到了儒學真傳的人，總不免要向古經典上去求根據。」[13]證據是以陸象山（1139-1193）之具獨立精神，仍要說他是受到孟子的啟示；將儒學內部反智識主傾向推拓盡致的王陽明（1472-1528），也要撰寫〈五經臆說〉、重定古本《大學》，以證明己說的合理性；到了顧炎武（1613-1682）提出了「經學即理學」的說法，這條思想史的線索就越發彰顯了。[14]余氏在〈清代學術思想史重要觀念通釋〉一文中，更明確指出清初學術思想史有「回向原典」的現象。[15]其實回歸原典的觀念，在余氏文章中已呼之欲出，但余先生畢竟以治思想史者自居，其關注點為內在的「思想」，所以他用回向原典解釋「尊德性」與「道問學」兩個思想傾向的抗衡消長，而不以之解釋晚明以後學術轉變的樞紐。簡言之，余氏乃是以回歸原典的現象為證據，證明儒學自明以後逐漸轉入道問學的趨勢。他以為思想的改變，是引起學術演變的原因，或者反過來說，晚明以後學術往考據學的方向發展，是為了解決思想上的問題。林慶彰先生受余先生啟發，而提出了回歸原典說[16]，與余氏相異之處在於，林氏為經學研究者，他關注的是歷代經典研究的情形及其發展、演變等，環繞著經典而形成的學術內容，因此，雖然二人都認為論清代考據學的形成，必追溯至明代乃至宋代，林氏得出的是以經典研究為核心的「回歸原典」說，它是導致學風轉變的主因，也是學術研究的目的。[17]

　　對於晚明以後學風轉變之解釋，回歸原典說所引起的回響，比內在理路說似要大得多，分析使用回歸原典概念的文章，即可見箇中緣由。為數極多的使用回歸原典概念的文章，都是討論清代學術的論題，清代學術的核心便是經學，因此，作探本溯源的工作時，以經學的角度，採用回歸原典說，似是極合理的事。然除此之外，回歸原典概念之為學界廣泛運用，應還有其他原因，試

12　余英時：〈清代思想史的一個新解釋〉，《歷史與思想》，頁143。

13　同前註，頁144。

14　同前註。

15　余英時：〈清代學術思想史重要觀念通釋〉，《中國思想傳統的現代詮釋》，頁413。

16　林慶彰：〈中國經學史上的回歸原典運動〉，《中國文化》2009年第2期，頁1。

17　同前註。

舉相關論述觀之。朱修春〈試析戴震論理與性〉一文，以為清中期「由故訓上
推義理，由字以通其詞，由詞以通其道的學術路數」形成了「回歸原典的學術
背景」；[18]涂耀威〈從《四書》之學到《禮記》之學——清代《大學》詮釋的
另一種向度〉以為清乾嘉時期，尊經崇漢，主張回歸原典的漢學與考據學已開
始占據學術界主導地位。[19]類似的例子，是最常見的使用回歸原典的說法，即
以較客觀地考據訓詁方式研究經典，為回歸原典的意義，因此，晚明以來的學
風轉變，以致乾嘉考據學之大盛，乃是回歸原典的結果。但也有其他使用回歸
原典的用法，如朱松美以為康有為「回歸原典」的努力，即為了由中國內部尋
找出與西學相應的部分，以為西化的基礎。[20]何俊以為宋儒對儒家的理解和解
釋，乃是以回到原典的方式來建構，並引湯用彤所述耶穌教、佛教要求返回最
初之經典的現象而說：「哲學家們不斷地返回古老的經典，在他們永無止境的
資源中尋求新的靈感。」[21]他以為批駁宋儒，而開闢有清一代考據學的思
想——經學即理學的宗旨，仍不過是要求回歸原典，與宋儒對漢唐諸儒的批評
並無不同，並下結論云：「這種批評的不斷延續，實際上構成了中國思想文化
的發展。」[22]林安梧以為在西方文化霸權下，要談中西文化溝通之困難，必需
以回歸原典的方法，熟讀如《論語》、《道德經》等經典，而林氏所謂中西文化
溝通，指的是哲學方面的互動。[23]餘不枚舉。這三個例子，都是用回歸原典，
解釋哲學／思想的發展，值得注意的是，被視為與乾嘉考據截然相異的宋儒思
想，及已為學界公認具強烈主觀意識的康有為，都被學者以「回歸原典」解釋
或形容其學術內涵，而林安梧所述乃對哲學的展望而非經典的研究。這提示我
們，無論哲學／思想，或晚明以後漸盛的對經典之考據訓詁，在傳統學人觀念

18　朱修春：〈試析戴震論理與性〉，《天府新論》2005年第1期，頁25。

19　涂耀威：〈從《四書》之學到《禮記》之學——清代《大學》詮釋的另一種向度〉，《中國哲學史》
　　（2009年4期），頁98。

20　朱松美：〈創新以經世：康有為對《孟子微》的詮釋〉，《山東師範大學學報》（人文社會科學版）
　　2005年第2期，頁143。

21　何俊：〈葉適與道統〉，《溫州大學學報》2000年第2期，頁5。

22　同前註，頁6。

23　林安梧、歐陽康、鄭曉芒、郭齊勇：〈中國哲學的未來：中國哲學、西方哲學、馬克思主義哲學
　　的交流與互動（上）〉，《學術月刊》2007年第4期，頁29。

中，都屬經典研究的範疇。余英時先生在論述內在理路的相關文字中，已透露他對這個現象的察覺，尤其他在〈清代思想史的一個新解釋〉中提出，知識問題是宋明理學傳統的中心問題，圍繞著這個問題而有尊德性／道問學，或智識主義／反智識主義的兩條路線。因此，我們都不能否認，不論傾向尊德性或傾向道問學者，在其異之上還有一個更高層次的同，即聖人／孔子。誠如余先生所引胡瑗（993-1059）弟子劉彝（1029-1086）的說法，聖人之道包括了體、用、文三方面，宋明理學是講「體」的部分的學問，陳亮（1143-1194）、葉適（1150-1223）等人則重「用」，承朱子的重智主義以至乾嘉考證學，則重「文」的部分。[24]顯然，無論宋明理學或乾嘉考證學，都是在聖人的大罩子底下，即如反智識主義極致的王陽明，亦以成聖人為終極目標，而聖人即孔子，王陽明之所以不能對知識問題全避而不談，原因即在於此。最徹底的儒家反智識主義者顏元（1635-1704）、李塨（1659-1733），「最後還是擺脫不掉儒家經典文獻的糾纏，並且終於走向自己立場的反面，和智識主義匯了流。」[25]正因為其講求實用思想，也是以孔孟聖人為依歸，而聖人之道就在經典之中，古文《尚書》與《周禮》便是顏、李致用理論的最主要依據。可見余先生實清楚意識到，在當時學人自我感知的主觀意識中，清楚存在經典、孔孟、聖人的概念，宋明儒如此，反智識主義者如此，余氏列為具智識主義傾向者，更是如此。明末王學之被譏為空疏不實，正是以經典／聖人為標準，所謂空疏，便是不以經典為據，不以聖人為歸，考據學者如顧炎武等，以此反駁之；王學者如劉宗周（1578-1645）等亦以此批評之。因此，不論是智識主義傾向或反智識主義傾向者，都有個共同的終極目標──儒家經典／聖人之道。由此我們不難理解，為何「回歸原典」如此為學者廣泛接受並使用。

但在學界廣泛使用「回歸原典」一詞或概念時，也出現不可忽視的問題。如果宋明理學與考據學的建立、今文學與古文學之形成，都建立在回歸原典的基礎上；如果乾嘉時期具科學精神的考證，與康有為具主觀意識的考辨，都是為了回歸原典，那麼，回歸原典是否還足以解釋學風之轉變？是否還能用以形

---

24 余英時：〈清代思想史的一個新解釋〉，《歷史與思想》，頁129-131。
25 同前註，頁141。

容各別學人的學術特色？整合目前所能見到的論述，自宋明理學之形成，至乾嘉之考證訓詁，乃至今文學之發揮議論，都以回歸原典來形容，那麼，「回歸原典」一詞實不能描繪出各種不同類型的學術特色；宋明理學之形成，及對之批駁甚屬的考據學之興起，都是為了回歸原典，那麼，回歸原典亦無法解釋晚明以後學風轉變之因。至此，我們看到了回歸原典說所具有的優點及缺失，它指出中國學術的特質之一，即今日學術分類中的思想、哲學、文字學、聲韻學乃至制度、地理等學問，在中國都與經典意識有分不開的聯繫，此其優點。但太過普遍使用「回歸原典」的結果，卻模糊了不同時代、各具風格的學術之特色，此其缺失。這提示我們，「回歸原典」的確表述出中國學術之特色，及各代學人的主觀願望，但不必然是各代、各種不同學術型態的客觀結果，因此，對各代、各學人、各種學術型態的論述，除了大範圍的回歸原典風氣及學人之主觀願望外，應還要輔以相關的細部分析，否則，「回歸原典」四字，並無法道盡其底蘊。另一方面，我們也可由此知道，為何使用回歸原典概念的文章，以論述清代學術，尤其是明末至乾嘉時期者為多，因為自晚明開始至乾嘉時期大盛的考據學，符合吾人今日的學術標準——客觀而有據，即梁啟超所云：「以實事求是為學鵠，饒有科學的精神。」[26]以我們今日的學術標準看來，回歸原典，即追尋經典的「客觀」解釋，考據的方法，無疑較符合我們的這個標準。但就前所分析，回歸原典在相當大的程度上，表述出各代學人的主觀願望，但不必然即為其學術研究之客觀結果，因此，今日集中於考據方法的「回歸原典」之論述，顯示今日學界以主觀意識取擇研究對象的情形，而今人對「回歸原典」現象之研究，仍有發展的空間，亦即此可見。

三、晚明的回歸原典運動

　　前已述及，今日學界對「回歸原典」太過普遍地使用，使「回歸原典」一詞無法充分解釋學風之轉變，但因回歸原典的確表述出中國學術之特質，及歷

---

26 梁啟超：〈自序〉，《清代學術概論》（臺北：臺灣商務印書館，1985年），頁2。

代學人的主觀願望，故筆者以為，因為相同的回歸原典之願望，而形成的大規模之學術風潮，以回歸原典運動形容之，仍不失為可行之道，從明中葉開始萌芽，於晚明逐漸擴大的學術活動，便是一例。這是歷代回歸原典運動中，最受矚目的一個階段，今人的相關論述已相當豐富，故此處僅對之作大略的敘述，以見此次回歸原典運動的特色，同時使後文對晚明與晚清的回歸原典運動之比較，有明確的標準。

所謂晚明，指萬曆以後，隆慶期間六年亦可計入，此現代學者及明清之際的學人皆已指出。[27]試觀此時諸學人之語，可知以回歸原典形容這段時間的學術活動是站得住腳的。顧憲成（1550-1612）於〈東林會約〉列舉的四要之一云：

> 一曰尊經。尊經云何？經，常道也，孔子表章《六籍》，程子表章《四書》，凡以昭往示來，維世教，覺人心，為天下留此常道也。[28]

費密（1623-1699）云：

> 聖人之道，惟經存之，舍經，無所謂聖人之道。[29]

27 如林慶彰云：「所謂晚明，應該從萬曆年間算起較合理。」（林慶彰：〈晚明經學的復興運動〉，《明代經學研究論集》〔臺北：文史哲出版社，1994年〕，頁82）龔鵬程也說：「論思潮，萬曆、天啟、崇禎、順治以迄康熙初年，應該視為一個階段，在這個階段中，後半期的表現其實為前半期的延續與發展。」（《晚明思潮‧自序》〔臺北：里仁書局，1994年11月〕，頁9）明清之際的學人如張爾岐指出明朝學術衰敗之跡始於隆慶、萬曆年間（《蒿菴閒話》〔臺北：廣文書局，1970年〕，卷2，頁33），以釋老解儒書之風氣亦始於萬曆（〈與吳仲木〉，《楊園先生全集》〔北京：中華書局，2007年〕，卷3，頁65）。呂留良（1629-1683）以萬曆為文風轉變之樞紐（〈五科程墨序〉，《呂晚村先生文集》〔臺北：鐘鼎文化出版公司，1967年6月〕，卷5，頁372），而文章之轉變，正繫乎學術之升降。朱鶴齡及徐乾學則曾針對詩、文演變指出萬曆的關鍵性（朱說見〈吳弘人示余漢槎秋笳集感而有作〉，《愚菴小集》〔上海：上海古籍出版社，1979年〕，卷2，頁78。徐說見〈脩史條議六十一條〉（之四十六），《憺園文集》〔臺北：漢華文化事業股份有限公司，1977年〕，卷14，頁729-730。類此之說極多，不枚舉。

28 〔明〕顧憲成：〈東林會約〉，見高廷珍等輯《東林書院志》（臺北：廣文書局，1968年初版），卷2，頁7。

29 〔明〕費密：〈道脈譜論〉，《弘道書》（《叢書集成續編》〔臺北：新文豐出版社，1989年〕，第154冊），卷上，頁23。

欲求聖人之道，必以經文為準。[30]

黃宗羲（1610-1695）云：

六經皆載道之書。[31]

朱彝尊（1629-1709）〈傳道錄序〉云：

聖人之道，著在《六經》。[32]

焦竑（1540-1620）〈書文音義便考序〉云：

嗟乎！士未有不通古人之經，而能知其義者，亦未有不通古人之字，而能知其經者。學者尚（倘）繇此編而觸類以得之，毋謂古道之終難還也。[33]

同時還有梅鷟（約1483-1553）、陳士元（1516-1597）、胡應麟（1551-1602）、郝敬（1558-1639）等人，類似的言論極多，無法枚舉。故以聖人之道存於經典，欲由治經求得聖人之道，為此時諸學人之共同願望，即所謂「回歸原典」。這個眾多學人共同努力的方向，引起大規模的學術運動，造就晚明學術的特色。茲就幾個重點約略述之。

其一，研究方法上，相對於宋明理學，講究客觀證據的研究方法逐漸普遍，為乾嘉考據學之前導，這也是晚明回歸原典運動最受今人矚目的部分。論

---

30 同前註，頁17。

31 〔明〕黃宗羲：〈學禮質疑序〉，《黃宗羲全集》（杭州：浙江古籍出版社，2004年），冊10，頁23。

32 〔清〕朱彝尊：〈傳道錄序〉，《曝書亭集》，《四部叢刊》（臺北：臺灣商務印書館，1979年）本，卷35，頁5。

33 〔明〕焦竑：〈書文音義便考序〉，《焦氏澹園序》（明萬曆三十四年刻本，收入《四庫禁燬書叢刊》〔北京：北京出版社，2000年〕，第61冊），卷15，頁143。

清代考據學之興起，而追溯至明代的楊慎[34]（1488-1559），今已為學界所普遍
接受。應當注意的是，楊慎出生於弘治年間，卒於嘉靖年間，比吾人認定明朝
國勢衰弱指標的萬曆年間還要早，因此，我們可以說，明代學界對經典研究的
興起，與明朝的國勢盛衰，在時間上並不完全一致。雖然親見明朝覆亡的諸學
人，在提倡經學研究的相關言論中，經世致用為主要的論點，這的確與當時的
政治、時代背景有極大的關聯，但若追源溯始，則知在此之前，較客觀的經學
研究已漸為學界重視，後來尋求經世致用者在學術上的訴求會是經學，且是具
考據傾向的經學研究，應與此時已然興起的經學研究風氣有關，而非為了因應
明亡，為了尋求經世致用，才開始經典的研究。故明之衰亡，對經學研究之興
起，的確起了相當大的推動作用，而其前已然形成的回歸原典風氣，則為其基
礎。其次，明代王學之盛，與當時的政治政策，恰為相反的方向，方苞
（1668-1749）說：

> 自陽明王氏出，天下聰明秀傑之士，無慮皆棄程、朱之說而從之。[35]

朱澤澐（1666-1732）在《朱子聖學考略》中論及朱、陸（王）二學之升降亦
表示：

> 正德以後，則朱、陸爭詬；隆慶以後，則陸竟勝朱。[36]

隆慶之後，便已進入晚明時期，陸學、王學乃一系，因朱、陸為同一時代之二
種學風代表，故習慣上以朱、陸並稱，則明末學界王學勝於朱學。但是我們不
能忘記，當時的科舉考試乃以朱註為據。又且楊慎與王陽明的生卒年極其相
近，楊慎生於弘治而以考據方法治經學，至萬曆後則響應者繼起；陽明生於成

34　詳參林慶彰：《明代考據學研究》（臺北：臺灣學生書局，1986月10月）第二章第二節，頁22-28。

35　〔清〕方苞：〈學案序〉，《方苞集》（上海：上海古籍出版社，1983年），卷4，頁89-90。

36　〔清〕永瑢等：《四庫全書總目》（臺北：藝文印書館，1989年1月六版），卷97，子部「儒家存目
三」，《朱子聖學考略》提要，頁1926。

化而與朱學爭競,至隆慶後則凌於朱學之上,則明代經學、考據學之興起時間,與王學之興盛時間,其實是互相重疊的,因此,今人所習稱的因懲王學末流、明朝衰弱而提倡經學、考據學之說,實不得成立。那麼,這股經學研究風氣是如何興起?研究方法之轉變,是如何開始?或許心繫儒學,嚮往孔聖,而欲回歸原典,是較適切的解釋。伴隨於此的經書辨偽,及文字、聲韻、訓詁學之興盛,則前人論之已詳,此不贅述。

與此回歸原典之意識,及相應的研究方法之轉變相隨的,是研究對象的轉移,學人的關注點,由《四書》轉為《五經》。明中葉之前,朱學為利祿之途,隆慶後,王學開始擄獲讀書人的心,二者皆重《四書》過於《五經》,或至少在讀書進程上,先《四書》後《五經》。《朱子語類》記朱子(1130-1200)語云:

> 《四子》,《六經》,之階梯;《近思錄》,《四子》之階梯。[37]

朱子以為在治學順序上,《四書》當先於《六經》。朱子卒後,其門人編集《朱子語類》,亦《四書》在先,《五經》在後。《語類》一百四十卷,《四書》部分共占五十一卷,當全書篇幅三分一以上;《五經》部分二十九卷,不及《四書》部分篇幅之半;其他《語類》各卷,涉及《四書》者,亦遠勝其涉《五經》之篇幅。朱子云:

> 子程子曰:「《大學》,孔氏之遺書,而初學入德之門也。」於今可見古人為學次第者,獨賴此篇之存,而《論》、《孟》次之。學者必由是而學焉,則庶乎其不差矣。[38]

可見在程、朱的觀念裡,治學當從《四書》下手,而《四書》中又以《大學》

---

37 〔宋〕朱熹:《朱子語類》,《景印文淵閣四庫全書》(臺北:臺灣商務印書館,1983年)本,卷105,〈近思錄〉條下,頁2629。

38 〔宋〕朱熹:《大學章句》卷首之語,《四書章句集注》(臺北:大安出版社,1994年11月),頁4。

為首。朱子更明確指出「獨有」《大學》可見出古人為學次第,《論》、《孟》尚
在其次,〈大學章句序〉中又以古人為學次第來說明《大學》的重要:八歲入
小學,小學既成,十五歲入大學,而《大學》即「古之大學所以教人之法
也。」[39]再者,朱子之註《四書》,對於《大學》的改動最大,其思想亦歸約
在《大學章句》,尤其是〈格致補傳〉。則不僅治學上《四書》先《五經》,朱
子本人用力處,亦《四書》勝於《五經》。正如錢穆先生所云:「退《六經》於
《四書》之後,必使學者先《四書》後《六經》,更為中國學術史上有旋乾轉
坤之大力。」[40]後來居上的王學,亦重《四書》過於《五經》,尤以《大學》
為甚,錢德洪(1496-1574)說:

> 《大學問》,師門之教典也。學者初及門,必先以此意授。[41]

王陽明對《大學》之重視,即此可見。王氏所用本子為古本《大學》,並因此
對朱子《章句》有嚴厲的批評。錢德洪云:

> 吾師接初見之士,必借《學》、《庸》首章以指示聖學之全功,使知從入
> 之路。[42]

可見明時不論朱學或王學,在經典上皆重《四書》過於《五經》、《四書》中又
以《學》、《庸》更受重視。而朱、王思想之異,表現為經典解釋甚至經典文本
之爭,此為明證。因此,欲求聖人之道而回歸原典,實乃中國學術之特質使然。

在晚明的回歸原典運動中,《四書》、《五經》的地位有所轉變,《五經》逐
漸受到重視,並凌駕《四書》之上;《四書》中則反過來《論》、《孟》較受重
視,而與《五經》並列。如明末焦竑的《筆乘》中關於《四書》的文章僅有

---

39 〔宋〕朱熹:〈大學章句序〉,《四書章句集注》,頁1。

40 錢穆:《朱子新學案》(臺北:三民書局,1989年11月三版),第4冊,頁226。

41 〔明〕錢德洪:〈大學問〉後附註,《王陽明全集》(上海:上海古籍出版社,1992年12月),卷
   26,頁973。

42 〔明〕錢德洪:〈大學問〉起始附註,《王陽明全集》,卷26,頁967。

《論》、《孟》而不及《學》、《庸》；《陳確集》中有「講義」二卷，分別發明
《論語》、《孟子》之義，而全不及《學》、《庸》；廖燕著有〈四書私談十八
則〉，發明《四書》之義，其排列先《論語》，後《學》、《庸》，而且《學》、
《庸》各只有三條，餘皆《論語》。因此，《五經》與《論》、《孟》同時成為判
斷是非的標準，如萬斯大（1604-1677）序《周官辨非》有云：

> 愚則謂此書（指《周官》）所載，止詳諸官職掌，其法制典章，取校於
> 《五經》、《論》、《孟》，殊多不合，夫不合於《五經》、《論》、《孟》，則
> 是非有在矣。[43]

其以《五經》、《論》、《孟》為辨別是非的標準，顯然可見。顧炎武云：

> 今之所謂理學，禪學也，不取之《五經》而但資之語錄，校諸帖括之文
> 而尤易也。又曰：「《論語》，聖人之語錄也。」舍聖人之語錄，而從事
> 於後儒，此之謂不知本矣。[44]

他指理學之淺易，在於不取之《五經》而但言語錄，而且是後儒之語錄，蓋指
程朱、陸王後學而言；但他並不否定同樣是語錄形式的《論語》，並且認定
《論語》乃聖人語錄。顏元評胡安國（1074-1138）稱楊時（1053-1135）天資
夷曠之語云：

> 無論其他，只「積於中者純粹而宏深」一語，非大賢以上能之乎？其中
> 之果純粹與否，宏深與否，非僕所知，然朱子則已譏其入於禪矣，禪則
> 必不能純粹宏深，純粹宏深則必不禪也。至混跡同塵氣象，《五經》、
> 《論》、《孟》中未之見，非孟子所謂同流合污者乎？充此局以想，夷

---

43 語見〔清〕萬斯大：《經學五書‧周官辨非》（臺北：廣文書局，1977年1月），卷首，頁1。

44 〔明〕顧炎武：〈與施愚山書〉，《顧亭林詩文集》（《蔣山傭殘稿‧顧亭林詩文集》，臺北：世界書
局，1988年），卷3，頁62。

曠、簡易、平淡、和樂、可親諸語，恐或皆孟子所狀鄉原光景也。[45]

楊龜山之學，除了性善說是根據《孟子》外，都是以《大學》、《中庸》為據而
發揮之，所謂「發明《中庸》、《大學》之道」是也；顏元反駁之語，則以《五
經》、《論》、《孟》為據。餘不枚舉。因此，清代以後，關於《學》、《庸》的專
文極少，由王重民《清代文集篇目分類索引》便可見之。清人文集中，關於
《大學》、《中庸》的文章數量，遠不及《論語》與《孟子》，即有之，亦視之
為《禮記》中之一篇，相對的，《論語》、《孟子》的相關論著極多，著名的專
書便有劉臺拱（1751-1805）的《論語駢枝》、劉寶楠（1791-1855）著，其子
劉叔俛（1824-1883）續成之《論語正義》、焦循的（1763-1820）《論語通
釋》、方觀旭（生卒年不詳）的《論語偶記》、戴望（1837-1873）的《論語
注》等；《孟子》則有焦循的《孟子正義》、戴東原（1723-1777）的《孟子字
義疏證》等。其餘關於《五經》的專著，自晚明以降，不勝枚舉，因此，皮錫
瑞稱清代為經學復盛時代。[46]

與研究對象之轉移相應的，此時儒學的典範人物，由程朱、陸王變回孔
孟。誠如陳確（1604-1677）所云：「唯是世儒習氣，敢於誣孔孟，必不敢倍程
朱。」[47]程朱之學挾政治科舉的優勢，而被奉為圭臬；王門中人則喜道「師
門」[48]或陽明，晚明以前，程朱、陽明無疑具極大的權威性。回歸原典之後，
孔孟（或加上顏、曾）之名，則較程子、朱子、紫陽、陽明、文成等，更具說
服力，如邵廷采（1648-1711）云：

> 今之講學者，患在喜於語上，而所以由之者疏，故吾欲以夫子之四教，
> 糾而正之，自宋以後語錄諸書，一切且束勿觀，而惟從事於《六經》、

---

45 〔清〕顏元：〈性理評〉，《存學編》卷2，《四存編》（臺北：世界書局，1984年3月再版），頁61-62。

46 按：皮錫瑞《經學歷史》第十章論清代經學，其標題為「經學復盛時代」。

47 〔清〕陳確：《陳確集》（北京：中華書局，1979年4月），上冊，頁147-148。

48 此錢德洪述王陽明之語，見王陽明：〈大學問〉後附註，《王陽明全集》，卷26，頁973。

孔、顏、曾、孟之教……期於實行實用，確然有得。[49]

《六經》之學即孔、顏、曾、孟之教，是用以判斷學術思想是非的標準，因為
聖人之道即蘊於經書之中。邵廷采矯當時學風之弊的方法，乃「惟」《六經》
是正，以孔、顏、曾、孟為判準。又如呂留良（1629-1683）云：

今不特儒者絕於天下，即文章訓詁皆不可名學，獨存者，異端耳。……
自是講章之派日繁月盛，而儒者之學遂亡，惟異端與講章，觭互勝負而
已……此余謂講章之說不息，孔孟之道不著也。[50]

可見著孔孟之道即其學之目標。當時學人或用夫子、仲尼、先聖先師、孔孟等
詞，因論述主題或批判對象不一，用詞抑或有異，然其所指為孔、孟、顏、曾
等聖賢典範則同，此為回歸原典的必然結果。

再者，回歸原典之後的學術精神，同時兼顧內聖與外王兩個面向。論者多
謂晚明以後經世思想之興起，為對理學之反動，其實宋明理學未嘗不講外王之
道，程朱之闢釋氏，朱子之解《大學》八目；王陽明之平宸濠、靖粵西，皆究
心經世外王之學的表現。如果把晚明以後重視經世思想的學者名單瀏覽一過，
我們不難發現，其中不乏朱門或王門中人，朱門之人如張履祥（1611-1674）、
呂留良、王懋竑（1668-1741）等；王學中人如顧憲成等東林學人，黃宗羲等
復社成員，另有非朱、王門中人，亦不反理學者如顧炎武[51]、朱舜水（1600-

49 〔清〕邵廷采：〈學校論下〉，《思復堂文集》（臺北：華世出版社，1977年），卷8，頁348。

50 〔清〕呂留良：〈程墨觀略論文〉，《呂留良先生文集》（臺北：臺灣商務印書館，1977年），卷5，
頁400-402。

51 按：此所謂理學，指廣義的，探討心性、天道等問題的學問（詳後文），顧炎武雖絕口不談心
性，卻仍然推崇理學家「行己有恥」之教，並極為尊敬朱子，張爾岐在一封給顧炎武的信中有
云：「性命之理，騰說不可也，未始不可默喻；侈於人不可也，未始不可驗諸己。強探力索於一
日不可也，未始不可優裕漸漬，以俟自悟。」（〈答顧亭林書〉，《蒿菴文集》卷1，引自〈蒿菴學
案學術思想史料選編〉，楊向奎：《清儒學案新編》〔濟南：齊魯書社，1985年〕，第2卷，頁385）
此語可謂顧氏之代言。故朱一新以為顧炎武之不言心性，乃「特鑒於明末心學之流弊，故有激而
云，然非竟廢方寸之良田，使之蕪薉不治也。」（《無邪堂答問》〔北京：中華書局，2000年〕，卷
3，頁119-120）筆者所謂不反理學，意即在此。

1682）等，可見經世思想的興起，與反理學並不是必然的關聯。回歸原典，發掘孔孟思想之並重內聖、外王，應是經世之學受重視的主要原因。而當時之學風；守朱註者，以應試取第為務；循王學者，以靜坐談心為高；加以萬曆以後之衰頹，以至明朝之覆滅，都對回歸原典運動，起了相當大的推動作用。而晚明諸學人，以其理學根柢而倡經世之學，造就了內聖、外王兼重的博大氣象，顧炎武的「博學於文，行己有恥」之教，及其《日知錄》中篇專論治道的安排[52]，便是最著名的例證。

四、晚清的回歸原典運動

林慶彰先生指出中國最後一次回歸原典運動，發生在清末民初，但這一次的回歸原典運動，與其前數次並不相同。新文化運動者，經由整理國故的方式，欲還給古代經典一個本來面目——聖人起作用之前的真面目，其結果是消解了經典的神聖性。[53]筆者則以為這個消解經典的學術活動，不應與歷代回歸原典運動並論。因為現代學者使用「回歸原典」一詞的情況雖不一，但「典」字之義皆指經典，絕大多數人使用「回歸原典」一詞時，皆用以描述研究對象以經典為歸的特質，因為歷次回歸原典的結果雖不相同，其以經典具神聖地位，欲由經典中求聖人之意的意圖是一貫的。但林先生所述清末民初的回歸原典，並不是回到經典求聖人之意，反而欲打破經典的崇高位置，既與「回歸原典」一詞之意不相應，亦與其前數次回歸原典運動之性質不相類，故應該分開看待。倒是整理國故之前，晚清另有一波與前數次性質相同，而與乾嘉學術具連貫性的回歸原典運動，值得我們注意。

前述晚明的回歸原典運動，筆者以為應以清初為界，乾嘉以後的學術誠與此階段相銜接，但應視為晚明回歸原典運動的結果之繼續發展，承續晚明清初

---

52 〔明〕顧炎武〈與友人書〉有云：「君子之為學，以明道也，以救世也。……著《日知錄》，上篇經術、中篇治道，下篇博聞，共三十餘卷。有王者起，將以見諸行事，以躋斯世於治古之隆，而未敢為今人道也。」（《亭林文集》，卷4，頁103，收入《顧亭林詩文集》，臺北：世界書局，1988年）

53 林慶彰：〈中國經學史上的回歸原典運動〉，《中國文化》2009年第2期，頁6-9。

回歸原典運動的結果：研究方法的改變——重視講究證據的考證方法；研究對象的轉移——由重《四書》變為重《五經》、《論》、《孟》；典範人物的轉變——由程朱、陸王變回孔、孟；學術精神的變化——由較重內聖之學，轉為內聖、外王兼重。這些學術特徵，普遍存在於乾嘉學人著作中，這些學術觀念，已成為當時理所當然的概念，不必刻意強調，因此，筆者以為它不再是一進行式的運動，而是一事實的延續。雖然乾嘉學術招來埋首餖飣、不關心世事之譏，但那是乾嘉學術大盛，考據成風後，眾多末流之輩所造成的弊病[54]，而且對乾嘉學術之反省成為一股風氣，已至道光年間，此即筆者所謂晚清的回歸原典運動。

乾嘉學術乃因晚明的回歸原典運動而形成，因此，我們可以說，回歸原典為乾嘉學術的本質。從現今講究客觀證據、科學方法的標準來看，乾嘉學術的確相當程度地達到了回歸原典的目的，這也是晚明的回歸原典運動最受重視，乾嘉學術亦常被列入這一波運動之中的原因。但是，這是以我們今日的主觀意識及學術標準衡量的結果，是否符合晚明及乾嘉學人的願望，恐怕值得商榷。前已述及晚明回歸原典運動的諸項成果，皆為乾嘉學術所繼承，但當考據學向更深細的方向發展，文字、聲韻等學問，甚至成為可以獨立於經典之外的學門；當考據學成為一種意識形態[55]，以致「家家許、鄭，人人賈、馬」[56]；當

---

[54] 乾嘉時期經世致用的精神仍未消失，可由魏源主編之《皇朝經世文編》見之，雖然其書書成於道光六年（1826），但其中所收錄的文章，最早為乾隆乙酉（1765）舉人羅有高（1733-1778）所作，其餘也以乾、嘉時期的作品為主，乾、嘉學者如程晉芳（1718-1784）、錢澧（1740-1795）、戴震、章學誠（1738-1801）、孫星衍（1753-1818）、凌廷堪（1755-1809）等人，皆有文章以錄。另外，《皇朝經世文編》的底本為陸燿（1722-1785）的《切問齋文鈔》，其書成於乾隆四十一年（1776）；今人公認為晚清經世致用之代表的今文學，其奠基者莊存與便是乾、嘉時人。故余英時以為在乾、嘉考證鼎盛的時代，「『經世』的意識並沒有從中國思想史上完全消失」，「第一流的學人也始終不能忘情於致世致用」（余英時：〈清代學術思想史重要觀念通釋〉，《中國思想傳統的現代詮釋》，頁429）。近幾年來關於乾、嘉學者的義理與經世精神，學界也有不少討論，可參萬榮晉主編《中國實學思想史》（北京：首都師範大學出版社，1994年）、林慶彰、張壽安主編：《乾嘉學者的義理學》（臺北：中央研究院中國文哲研究所，2003年）、張壽安《以禮代理——凌廷堪與清中葉儒學思想之轉變》（石家莊：河北教育出版社，2001年）、張麗珠《清代義理學新貌》（臺北：里仁書局，2002年）等書。

[55] 余英時以為乾嘉學者自以為得孔孟之真，又強調訓詁明而後義理明，也可以說是他們的「意識形態」，見余英時：〈再論意識形態與學術思想〉，《中國思想傳統的現代詮釋》，頁90。

[56] 梁啟超：《清代學術概論》，頁121。

考據這藉以尋求聖人真意的方法，走入「考之不可勝考」的困境[57]；當字字有據之治學方法，不能使追求涵詠創獲的絕特之士饜服[58]，回歸原典的意義，恐已失焦。因此，再一次的回歸原典，便成為儒者的共同願望。

晚明的回歸原典，對學風起了相當大的轉變作用，因此極受矚目。晚清的回歸原典運動，對乾嘉學術卻有相當程度的承續，故不易為人察知，然承續之中，亦有所變，故可稱之為運動。亦以前所述晚明建立而乾嘉延續的數項特徵略述之。

其一，講究證據的研究方法。晚清學術最受注目者，莫過於今文經學，其闡發微言大義的方法，尤其康有為（1858-1927）著名的「往往不惜抹殺證據或曲解證據，以犯科學家之大忌」[59]之方式，總予人晚清時期考據學已然衰落的印象，今日學界持此論點者亦極多。[60]筆者則以為與其視之為考據學之轉衰，不如視之為考據學的擴大。試回顧今文經學的演變，被推為今文學之祖的莊存與（1719-1788），「於《六經》，皆能闡抉奧旨，不專專為漢、宋箋注之學，而獨得先聖微言大義於語言文字之外。」[61]其治學方法與當時盛行的考據學大異，誠如梁啟超所說：「存與著《春秋正辭》，刊落訓詁名物之末，專求其所謂微言大義者，與戴、段一派所取塗徑，全然不同。」[62]也因此，莊氏之學「頗為承學者詬病」。[63]但是莊氏外孫劉逢祿（1776-1829），則浸淫考據之學，

57　按：此陳澧（1810-1882）之語，陳澧原亦究心考據之學，但中年之後卻有考之不可勝考的慨嘆，詳參拙著〈陳澧的為學與著述歷程〉，《東華人文學報》第15期（2009年7月），頁129-163。

58　龔自珍形容莊存與云：「本朝別有絕特之士，涵詠白文，創獲於經，非漢非宋，亦惟其是而已矣。」（〈與江子屏箋〉，《龔自珍全集》〔上海：上海古籍出版社，1999年〕，第五輯，頁347）

59　梁啟超：《清代學術概論》，頁128。

60　如錢穆說今文學之興起乃：「考據既陷絕境，一時無大智承其弊而導之變，徬徨回惑之際，乃湊而偶泊焉。」（《中國近三百年學術史》〔臺北：臺灣商務印書館，1995年〕，頁582）陸寶千云：「然至有清中葉，此學（按：指《公羊》學）忽放異彩，研究者接踵而起，影響所及，不僅經學而已。興起之故，蓋由於考證之途窮而思返。」（《清代思想史》〔臺北：廣文書局，1978年〕，頁222）後來承其說，而以晚清考據學衰者極多，不枚舉。

61　〔清〕阮元：〈莊方耕宗伯經說序〉，《味經齋遺書》（光緒八年陽湖莊氏刊本），卷首，頁1。

62　梁啟超：《清代學術概論》，頁121-122。

63　〔清〕龔自珍：〈資政大夫禮部侍郎武進莊公神道碑銘〉，《龔自珍全集》，第2輯，頁141-142。（清）李慈銘也說：「（《尚書既見》）出而世儒群大詬之。」（《越縵堂讀書記》〔臺北：世界書局，1974年再版〕，頁1167）是以莊存與在世時，其書「不刊板行世」（董士錫：〈易說序〉，《味經齋遺書》，卷首，頁4）。

故莊存與輕視辨偽之學[64]，劉逢祿則藉辨偽立說[65]；其姪子莊述祖（1751-
1816）、孫輩莊綏甲（1774-1828），更利用考證的方法[66]，為莊存與的思想系統
尋求文獻上之證據。[67]可見考證的方法已廣為學人使用，以至如莊氏家族等，
欲闡發獨得之微言大義之「非考據學家」，亦使用考據的方式立說。其後如魏
源（1794-1856）、龔自珍（1792-1841）[68]等亦循此方向，至康有為而成為「考
證學中之陸、王」。[69]故考據的方法並未在晚清消失，但「以考據證我」的考據
方法，與乾嘉時期盛行者已然不同，晚清學術對乾嘉學術之承與變，即此可見。

　　蘊藏於乾嘉學人「由字以通其詞，由詞以通其道」[70]，「非別有義理出乎
訓詁之外者也」[71]，「訓詁、聲音明而小學明，小學明而經學明。」[72]等方法論
述背後的，即言必有據的學術標準，及經由客觀的證據即可求得聖人之道的預
設。由於欲求聖人之道，故必以經典為據，乾嘉學人認為，只要求得經典用

64　〔清〕龔自珍在〈資政大夫禮部侍郎武進莊公神道碑銘〉一文中引莊存與語云：「辨古籍真偽，
　　　為術淺且近者也。」（《龔自珍全集》，第2輯，頁142）

65　按：劉逢祿承莊述祖《左氏》不傳《春秋》之意，以為《左傳》乃《呂氏春秋》之類，為記載春
　　　秋之史書而非解經之作，並作了辨偽的工作，證明《左傳》乃劉歆偽作，著成《左氏春秋考
　　　證》，詳可參蔡長林：《論崔適與晚清今文學》，第3章第2節「莊述祖與劉逢祿」。

66　李慈銘云：「其從子葆琛氏（按：即莊述祖），始究心於郤、鄭，所著如《五經小學述》、《弟子職
　　　集解》諸書，不可謂非聞漢學專門也。其《尚書今古文攷證》亦絕不同其世父之言。卿珊閣
　　　（按：即莊綏甲）亦為漢學，非專守家傳者。」（《越縵堂讀書記》，頁1169）孫海波則以為莊述
　　　祖之學異於莊存與，而頗有近於吳、皖者。（〈莊方耕學記〉，《中國近三百年學術思想論集》〔香
　　　港：存粹學社，1978年〕，頁134）王汎森亦以為：「我們不但可以很容易從莊述祖、劉逢祿、宋
　　　翔鳳、魏源等學者的著作中，找到大批聲音、訓詁的文字，更可以找到許多證據證明他們追尋古
　　　音、古字以明《六經》本義的決心，是與考據家一樣強烈的。」（《古史辨運動的興起》〔臺北：
　　　允晨文化實業股份有限公司，1987年〕，頁79）

67　蔡長林以為：「述祖、綏甲一生所致力者，在維護存與經說所留下聖王天道系統，彼等雖以漢學
　　　方法治其家學，然所為考證之目的，實欲為存與之言尋求文獻上之證據。」（《常州莊氏學術新
　　　論》〔臺北：臺灣大學中國文學研究所博士論文，2000年〕，頁23）

68　關於龔、魏二人，可參張壽安：《龔自珍學術思想研究》（臺北：文史哲出版社，1997年）、賀廣
　　　如：《魏默深思想研究——以傳統經典的詮說為討論中心》（臺北：臺灣大學中國文學研究所博士
　　　論文，1998年）。

69　錢穆：《中國近三百年學術史》，頁723。

70　〔清〕戴震：〈與是仲明論學書〉，《戴震文集》（北京：中華書局，1980年），卷9，頁140。

71　〔清〕錢大昕：〈經籍纂詁序〉，《潛研堂集》（上海：上海古籍出版社，1989年），頁392。

72　〔清〕王念孫：〈說文解字注序〉，見段玉裁：《說文解字注》（臺北：藝文印書館，1989年），卷
　　　首，頁1。

字、用詞之客觀規律，或依證據考證出名物、制度之實況，聖人之道自然顯現。晚清時期，「由字以通其詞」雖不再是金科玉律，但回歸原典的願望，使言必有據的標準，仍為晚清學人所繼承。康有為的《新學偽經考》及《孔子改制考》可為典型之代表，其所表述的內容雖不客觀，然其以「考」字名書，以示言必有據方能服人的學術判斷標準，卻無庸置疑。因為這個標準的延續，考據方法繼續為學人運用；但聖人之道可經由客觀證據之累積求得的預設，則不盡為晚清學人所接受，這使得晚清時期的考據與乾嘉有異。試以方東樹（1772-1851）為例作說明。

方氏於《漢學商兌》中引錢大昕（1728-1804）語：「訓詁者，義理之所從出，非別有義理出乎訓詁之外也。」及「訓詁之外別有義理，非吾儒之學也。」後駁之云：

> 夫謂義理即存乎訓詁，是也，然訓詁多有不得真者，非義理何以審之？竊謂古今相傳，里巷話言，官牘文書，亦孰不由訓詁而能通其義者，豈況說經，不可廢也，此不待張皇。若夫古今先師相傳，音有楚夏，文有脫誤，出有先後，傳本各有專祖，不明乎此，而強執異本異文，以訓詁齊之，其可乎？又古人一字異訓，言各有當，漢學家說經，不顧當處上下文義，第執一以通之，乖違悖戾，而曰義理本于訓詁，其可信乎？[73]

可見方東樹並不否定訓詁在治經上的正面作用，不同的是，如錢大昕等乾嘉學人，以為可由訓詁而得到字、詞的客觀確解，並藉此客觀之解釋，求得原始聖人之真意，而不落入宋明理學般的主觀臆說。方東樹則見到訓詁方法之侷限，因為經典在流傳過程中，經歷了異文、異本、異說、異解等複雜的情況，漢學家欲一概以訓詁通則衡之，卻落入「乖違悖戾」之境而不自知，方氏類此批判乾嘉學術之語極多。[74]簡單的說，乾嘉學人以為聖人之道可藉由客觀的考察得

---

73 〔清〕方東樹：《漢學商兌》（臺北：臺灣商務印書館，1978年），頁79。

74 詳可參王汎森：〈方東樹與漢學的衰退〉，收入《中國近代思想與學術的系譜》（臺北：聯經出版事業有限公司，2003年），頁3-33。

之；方東樹則以為訓詁誠然有據，但並不能百分之百呈現經典原義。再觀方氏
對戴震「訓詁明則古經明」之說的反駁：

> 若謂義理即在古經，訓詁不當歧而為二，本訓詁以求古經，古經明而我
> 心同然之義理以明，此確論也。然訓詁不得義理之真，致誤解古經，實
> 多有之，若不以義理為之主，則彼所謂訓詁者，安可恃以無差謬也。[75]

方東樹此論並不在否定訓詁的價值，而是對由訓詁求聖人真意的「有效性程
度」提出質疑，其背後隱含的，即為對乾嘉考據方法背後之預設——聖人之道
可經由客觀證據之累積求得——之否定。因為聖人之道並不等於客觀證據，故
不能用純客觀的方法得之，再具科學精神的文字、音韻之學，也無法保證能求
得聖人之道。因此，求得聖人之道的方法，反而是客觀「程度」較「低」的義
理思想。從對待偽古文《尚書》的態度，可以說明這種分別。

自閻若璩（1636-1704）《尚書古文疏證》出，古文《尚書》之偽成定讞，
乾嘉學人便口不道古文篇目，江聲（1721-1799）《尚書集注音疏》、段玉裁
（1735-1815）《古文尚書撰異》、王鳴盛（1722-1798）《尚書後案》、孫星衍
《尚書今古文注疏》等，最能代表乾嘉時期治《尚書》之總成績的四大著作，
皆不注古文篇章，因為從「客觀」的證據來看，古文諸篇為偽，偽則非聖人之
書，非聖人之道所在，故「偽」之即必廢之。然而，與江、王諸人同時的莊存
與，對偽書則持相異的態度，其語云：

> 辨古籍真偽，為術淺且近者也，且天下學僮盡明之矣，魁碩當弗復言。
> 古籍墜湮十之八，頗藉偽書存者十之二，帝冑天孫，不能旁覽雜氏，惟
> 賴幼習《五經》之簡，長以通於治天下。昔者〈大禹謨〉廢，「人心道
> 心」之旨、「殺不辜寧失不經」之誡亡矣；〈太甲〉廢，「儉德永圖」之
> 訓墜矣；〈仲虺之誥〉廢，「謂人莫己若」之誡亡矣；〈說命〉廢，股肱

良臣啟沃之誼喪矣;〈旅獒〉廢,不寶異物賤用物之誠亡矣;〈冏命〉
廢,左右前後皆正人之美失矣。今數言幸而存,皆聖人之真言,言尤痌
瘝關後世,宜貶須臾之道,以授肆業者。[76]

他以為偽古文《尚書》是否有價值,不應由純客觀的角度及證據來認定,而應
由其中所蘊涵的義理思想來判斷,雖然這個思想內容無法獲得當時盛行的客觀
標準及證據之支持,但由「我心同然」的角度來看,其價值卻是無疑的。其
後,莊氏子孫運用考據的形式,由文獻中尋求支持莊存與思想的證據,正是方
東樹所說「以義理為之主」的解經方法,康有為的「先立一見,然後攗攬群書
以就我」[77],則是將此法推至最極致的結果。從晚清大儒陳澧身上也可看到相
同的情況。陳氏早年致於考據訓詁之學,但到了中年,卻有「考之不可勝考」
的感慨,於是「幡然而改」,「乃尋求微言大義,經學源流正變得失所在,而後
解之、考之、論贊之。」[78]陳澧(1810-1882)原也欲經由對客觀證據之考察,
來求得聖人真義,但年近五十才發現,不斷的考證,結果是面對永遠累積不完
的證據。他幡然而改後的治學模式,與今文學家及方東樹所說以義理為之主的
方法,實相一致,即以義理思想為引導考據的依據。[79]用今人習用的考據與義
理兩大範疇概括而言之,乾、嘉學術欲以考據為基礎,以求客觀之義理;晚清
之後,則轉變為以義理引導考證,其主從關係正好相反。但因為言必有據仍為
晚清學界所共同認定的標準,故晚清學人仍多用考據的形式與話語,以表現其
學術內涵。

正因為言必有據的標準,晚清學術不致走回宋明理學的路。也由於不認同
乾嘉考據學的預設,而轉為以義理引導考據,故晚清的考據著作與乾嘉學人有
所不同。其最顯著者,為文獻取材至獲得結論過程中的主、客觀成分之異。
《四庫全書》《日知錄》提要云:

76　〔清〕龔自珍:〈資政大夫禮部侍郎武進莊公神道碑銘〉引莊存與語,《龔自珍全集》,第2輯,頁
　　142。

77　錢穆:《中國近三百年學術史》,頁723。

78　〔清〕陳澧:〈復劉叔俛書〉,《東塾集》(臺北:文海出版社,出版年不詳),卷4,頁20a。

79　詳參拙著:〈陳澧的為學與著述歷程〉,《東華人文學報》第15期(2009年7月),頁138-151。

炎武學有本原，博瞻而能貫通，每一事必詳其始末，參以證佐，而後筆
之於書，故引據浩繁，而抵牾者少。[80]

這段文字雖在說明顧氏為學之特質，也可作為對乾嘉考據學之概括形容。所謂
「必詳其始末」、「引據浩繁，而抵牾者少」，指出考據著作的結論獲得之客觀
性。晚清之後則多以義理引導考據，而所謂義理，阮元（1764-1849）謂莊存
與之微言大義為「獨得」「于語言文字之外」[81]；陳澧謂義理必需「紬繹」[82]、
「引而入於身心」[83]；連戴震都說義理要「深思自得」[84]、「可以養心」[85]，則
義理之獲得本身，便具一定程度的主觀性，以義理為主導的考據工作之具主觀
性，自不待言，考據學中之陸王，便是此義。與此相應的，為文章風格之異。
乾、嘉紮實的考證之作，有一分證據說一句話，故其所欲言者，不出證據範圍
之外，文風質實而剛硬。但表現義理之作，則所欲言者，有在文字之外者，陳
澧自謂讀《論語》時於虛字「亦一一警策」[86]，謂由〈音學五書序〉中，可知
顧氏用心之苦[87]，並說自己著書時，於「離合之間，大費斟酌」[88]；梁啟超說
康有為的著作如「颶風」，具「火山噴火」[89]的效果，並自謂自己筆鋒常帶感
情。這類著作，即使以考據的形式表現，但文字間帶有感性之特質，甚至於飛
揚跳脫。難怪陳澧要稱自己晚年之作為「文章」，不視之與「考據訓詁」同
列。由此而更進一步，則為著作表達效果之異。乾嘉學人實亦欲求聖人真意，

80　《四庫全書》《日知錄》提要，《續修四庫全書》（上海：上海古籍出版社，1995年），冊1143，卷
　　首附，頁1b。

81　〔清〕阮元：〈莊方耕宗伯經說序〉，《味經齋遺書》，卷首，頁1。

82　〔清〕陳澧：〈陳蘭甫先生澧遺稿〉，《嶺南學報》第2卷第3期（1931年7月），頁185。

83　〔清〕陳澧：〈復王峻之書五首〉（之一），《東塾集》，卷4，頁31a。

84　〔清〕戴震：〈與姚孝廉姬傳書〉，《戴震全書》（合肥：黃山書社，1994年），第6冊，頁373。

85　〔清〕焦循：〈申戴〉，《雕菰集》（《叢書集成初編》〔北京：中華書局，1985年〕，第219冊），卷
　　7，頁95。

86　〔清〕陳澧：〈與桂皓庭書二十二首〉（之十一），《東塾續集》（臺北：文海出版社，1971年），卷
　　4，頁158。

87　〔清〕陳澧：〈與桂皓庭書二十二首〉（之三），《東塾續集》，卷4，頁151。

88　同前註，頁153。

89　梁啟超：《清代學術概論》，頁129。

然其羅列證據的寫作方式，使讀者不易察知著作中所欲表述的聖人之意。顧炎武的弟子潘耒（1646-1708）為其《日知錄》作序時，特別強調，顧氏考據精覈、文辭博辯的著述形式，實因經世之志不得實踐，不得已而然的結果。[90]潘氏為何要特意強調此點呢？全祖望（1705-1755）曾引王不庵（生卒年不詳）之言云：

> 而使後起少年，推以多聞博學，其辱已甚。安得不掉首故鄉，甘於客死？噫！可痛也！[91]

可見在顧氏身後，其博學多聞頗為後學推崇，但他學術著作中最根本的經世之志卻鮮為人知。這也是今日學術史所共認顧炎武為乾、嘉考據學之源的原因，雖則因此留名千古，卻與顧氏本意大相逕庭。同樣的情況也發生在惠、戴二大考據學家身上。戴震論惠棟（1697-1758）云：

> 彼歧故訓、理義而二之，是故訓非以明理義，而故訓胡為？理義不存乎典章制度，勢必流入異學曲說而不自知，其亦遠乎先生之教矣。[92]

惠棟從事考據乃為求經典義理，然當時群趨於考據學者，卻但明訓詁而不求義理，對於惠氏而言，豈非遺其精而存其粗？段玉裁論戴震云：

> 先生之治經，……蓋由考覈以通乎性與天道，既通乎性與天道而考覈益精，文章益盛。用則施政民，舍則垂世立教而無弊。淺者乃求先生於一名、一物、一字、一句之間，惑矣。[93]

---

90 〔清〕潘耒：〈日知錄序〉，《日知錄集釋》（石家莊：花山文藝出版社，1990年），卷首，頁1-2。

91 〔清〕全祖望：〈亭林先生神道表〉，《鮚埼亭集》（臺北：華世出版社，1977年），頁1470。

92 〔明〕戴震：〈題惠定宇先生授經圖〉，《戴震文集》，卷11，頁168。

93 〔清〕段玉裁：〈戴東原集序〉，同前註，卷首，頁1。

與顧、惠二人相同，戴震被視為是「博學」之士，長於考辨。隱藏於考證的學術形式背後之義理、思想，原本才是其學術主體，但在眾多淺學者眼中，卻本末倒置，誤以名物訓詁即為其學術主體，無怪乎戴震要自我表明：「六書、九數等事，如轎夫然，以异轎中人也。以六書、九數等事盡我，是猶誤認轎夫為轎中人也。」[94]乾嘉學人考據著作中所蘊涵的義理思想，直至近十年來，才有較多的討論[95]，但與惠、戴同時的莊存與，其欲追求聖賢之意的願望，從不曾為人誤解，講究客觀證據的寫作方式之缺失，即此可見。晚清許多具考據形式的著作，並不是以客觀羅列證據的方式寫成；其結論之獲得，亦不全然具客觀性；甚至寫作之出發點，亦不欲求客觀之結果，而欲表出主觀體會所得之思想與感情，除了今文學者具主觀意識的考據著作，今日所述晚清興盛的經世致用之學，很大成分便是由晚清著作中透顯出的作者之精神意趣。[96]

其次，關於學術研究的對象。晚明的回歸原典運動，使學人的關注點由《四書》轉為《五經》、《論》、《孟》，這點由乾嘉學術所繼承，並大體上為晚清學人延續。晚清最為人樂道的今文學，研究的便是經學；總結清代治經之總成績的《皇清經解》、《皇清經解續編》，亦於晚清時期輯刻[97]，故經學研究仍是晚清學術的主軸，應是不容置疑的，但承繼之中亦有所變。主要是在回歸原典的同時，晚清學術發展出原先意想不到的結果——諸子地位之提升。乾嘉時期，為了能精確客觀地解讀經典，學者們致力於文字、音韻、訓詁等小學，為了得出更具普遍性、客觀性的文字、音韻等發展規律，其所取證的對象，除了經書，還擴及史書、子書、方志之書等，以子證經，尤其是乾嘉學人常用的方法。[98]雖然研究諸子書，原是為了證經，但為了對諸子書有更確切的了解，以

---

94 同前註。

95 詳可參林慶彰、張壽安主編：《乾嘉學者的義理學》、張壽安：《以禮代理——凌廷堪與清中葉儒學思想之轉變》等書。

96 經世致用的精神在乾嘉時期並未消失，此前已述及，但乾嘉時期卻被視為經世精神衰歇的時代，與其質實的文字風格不無關係。

97 按：《皇清經解》由阮元主持編刊，於道光九年（1829）輯刻完畢。王先謙認為此書刊刻之後，數十年間「海內經生纂述相仍，流風未沫」（《葵園自訂年譜》〔臺北：臺灣商務印書館，1978年〕，光緒十二年，頁200）。《皇清經解續編》由王先謙於光緒十二（1886）年編刊。

98 〔清〕朱一新（1846-1894）說：「子者，經之緒餘，周秦諸子文字訓詁又多與經相出入，故王氏

提供更堅確的證據，以為解經之助，對諸子書的校勘、輯佚甚至註釋，漸漸便成為一具獨立生命的學問，對諸子書的了解，也就不僅止於訓詁、校勘而已，而在不知覺中，已進入諸子的思想內涵。[99]惟乾嘉學人較偏重在訓詁、校勘等外圍的工作，雖然在校勘訓釋的過程中，他們也理解了諸子思想的內涵，但與經學相同，由於考據著作的形式，讀者不易察知其於諸子思想之理解，因此，較完整而且能系統表現諸子思想的著作，到了晚清才出現，如孫詒讓（1848-1908）的《墨子閒詁》，郭慶藩（1844-1896）的《莊子集釋》，王先謙（1842-1917）的《荀子集解》等。但晚清這類著作的出現，不僅代表諸子學研究的進展而已，而對當時儒學的回歸原典運動有所影響。乾嘉學人即使在校勘訓釋諸子書時，已有了相當程度的對諸子書之理解，但並不把表出諸子思想作為一項工作，因此，當汪中（1745-1794）公然稱許荀子、墨子時，翁方綱（1733-1818）稱之為「名教之罪人」[100]；孫星衍欲刻《墨子》書時，翁氏也強烈反對。[101]但到了晚清，曾國藩（1811-1872）公然稱許諸子思想之長，將諸子思想與儒學，同時作為自己人生的指導原則[102]；章炳麟（1869-1936）在光緒二十九年（1903）到光緒三十九年（1913）繫獄期間，甚至以佛學與莊子取代儒學，成為他生命的依歸，並「為研究『莊子哲學』者開一新國土。」[103]康有為

（按：指王孫念、引之父子）並治之。」（《無邪堂答問》〔北京：中華書局，2000年〕，卷2，頁75）即道出乾嘉學人以子證經的原因與情形。俞樾於〈諸子平議序目〉中說諸子書：「往往可以考證經義，不必稱引其文，而古言古義，居然可見。故讀《莊子・人間世》篇曰：『大枝折，小枝泄。』泄即『抴』之假字，謂引牽引也。而《詩・七月》篇『以伐遠揚，狩彼女桑』之義見矣。讀《賈子・君道》篇曰：『文王有志為臺，令匠規之。』而《詩・靈臺》篇『經始靈臺，經之營之』之義見矣……凡此之類，皆秦火以前《六經》舊說，孤文隻字，尋繹無窮。烏呼！西漢經師之緒論，已可寶貴，況又在其前歟？」（〈諸子平議序目〉，《諸子平議》〔北京：中華書局，1957年〕，頁1）乾嘉學人如此類以諸子書材料，作為考證經義的輔助者極多，不枚舉。

99　詳參拙著《論朱一新與晚清學術》（臺北：大安出版社，2007年），第五章第一節「晚清諸子學概況」。

100 〔清〕翁方綱：〈書墨子〉，《復初齋文集》（臺北：文海出版社，1969年），卷15，頁619。

101 其言曰：「有翰林孫星衍者，鋟梓墨子之書，予舊嘗見其書而不欲有其刻本也。」（〈書墨子後〉，同前註）

102 其語云：「周末諸子各有極至之詣……若游心能如老、莊之虛靜，治身能如墨翟之勤儉，齊民能如管、商之嚴整，而又持之以不自是之心，偏者裁之，缺者補之，則諸子皆可師，不可棄也。」（《求闕齋日記類鈔》〔清光緒二年刊本〕，頁20）

103 梁啟超：《清代學術概論》，頁158。

辨偽古文經時，頗引諸子書為證，甚而導致顧頡剛（1893-1980）辨古史時信諸子而不信《六經》[104]；康氏的學生梁啟超更明言，自己的興趣所在不是經傳、理學，而在周、秦諸子與佛典。[105]因此，乾嘉時期為了證經之助而研究諸子，同時開啟了對諸子思想理解之門；到了晚清則因對諸子思想的理解，又更開闊儒者的學術視野，並為「思想解放」[106]提供了助力與資源，諸子已不再是經學的附庸，甚而至於「夷孔子於諸子之列」。[107]因此，從大的角度來看，晚清學人的關注點，除了《五經》、《論》、《孟》，還多了諸子書，這個結果雖然看似與回歸原典的本義不相合，但卻是循著晚明以來的回歸原典之路，繼續往前邁進的結果。

然而，需注意的是，「夷孔子於諸子之列」，為康有為引諸子以為證的弔詭結果，卻不必然是當時學界的客觀現象，由以下諸事可以見出此點。荀子之受重視，被視為是諸子學興起的重要表徵，但是，荀子之受青睞，並不是由於子的身分，而是因為傳經之功[108]，故對荀子思想的研究、闡揚，還是得借助已入經書之列的《孟子》[109]；墨子因為晚清的西學中源中說而成為顯學，其救世之

---

[104] 如顧頡剛便在《古史辨》第二冊的的自序中引葉德輝的話：「有漢學之攘宋，必有西漢之攘東漢，吾恐異日必有以戰國諸子之學攘西漢者矣。」然後說：「想不到他的話竟實現在我身上，真想拿戰國之學來打破西漢之學，還拿戰國以前的材料來打破戰國之學。」（《古史辨》〔臺北：藍燈文化事業公司，1987年〕，第2冊，頁7）

[105] 其言曰：「草堂常課，除《公羊傳》外，則點讀《資治通鑑》、《宋元學案》、《朱子語類》等，又時時習古禮，千秋、啟超弗嗜也，則相與治周秦諸子及佛典，亦涉獵清儒經濟書及譯本西籍，皆就有為決疑滯。」（《清代學術概論》，頁138）

[106] 梁啟超認為，晚清諸子學復活為思想界一大解放，見其《中國近三百年學術史》，頁273。

[107] 梁啟超說《孔子改制考》的影響之一是：「極力推挹孔子，然既謂孔子之創學派與諸子之創學派，同一動機，同一目的，同一手段，則已夷孔子於諸子之列，所謂『別黑白而定一尊』之觀念，全然解放，導人以比較的研究。」（《清代學術概論》，頁132）

[108] 最早注意《荀子》者為汪中，他在〈荀卿子通論〉中提出：「荀卿之學出於孔氏，而尤有功於諸經典。」（汪中：〈荀卿子通論〉，《述學·補遺》〔臺北：臺灣商務印書館，1967年〕，卷4，頁8）並略對《五經》傳授作考證，而下結論云：「蓋自七十子之徒既沒，漢諸儒未興，中更戰國暴秦之亂，《六藝》之傳賴以不絕者，荀卿也。周公作之，孔子述之，荀卿子傳之，其揆一也。」（同前引書，頁9）其後注意荀子者便日漸增多。後來的嚴可均（1762-1843）主張將荀子列入祭孔時「從祀」的位置，理由也是荀子「非但傳禮、傳樂也，又傳《魯詩》、《韓詩》、《毛詩》及《穀梁春秋》、《左氏春秋》。」（〈荀子當從祀議〉，徐世昌編：《清儒學案》〔北京：中國書店，1990年〕，卷19，頁253）

[109] 馬積高便以為清中葉以後對荀學研究、闡揚的重要方式能一，便是「以調和孟、荀的方式為荀子

熱情，也對國勢衰頹中的志士仁人，起了相當大的激勵作用，但是，作為子書的墨子思想之精髓，並未獲得相應的理解與重視，甚且不斷受到來自儒學的批判[110]；魏源著有《老子本義》、《墨子注》、《孫子集注》等書，並企圖由《老子》中求得針對當時的治世良方[111]；康有為引諸子書為證，目的是證成新學偽經及孔子改制的理論，以為改制的理論基礎。總而言之，晚清諸子學之興起，一因治經的需求，一因經世致用的取向，而此二者，都是回歸原典的結果，故筆者將諸子學的興起，視為晚清回歸原典的特色之一。而夷孔子於諸子之列要成為一學術現象，恐怕要到民國初年，整理國故之後，那已進入現代學術的階段，應與晚清分開看待。

經過晚明的回歸原典運動，儒學的典範人物由程朱、陸王變回孔孟。晚清的回歸原典運動，則因治經之助而導致諸子學之興起，除了治學之需，諸子思想並在某種程度內，也成為學人效法的對象。如曾國藩編的《經史百家雜鈔》，在姚鼐（1731-1815）所提出的義理、考據、詞章之學外，又增加「經濟」一項[112]，而其選文則較姚鼐多了經、史、子三類的文章，可見曾國藩認為

爭地位」（《荀學源流》〔上海：上海古籍出版社，2000年〕，頁296），羅檢秋也認為「孟、荀人性論的調和」是考證家處理孟、荀對立的人性論的方法（《近代諸子學與文化思潮》〔北京：中國社會科學出版社，1998年〕，頁45-46）。即使晚清表彰《荀子》甚力的王先謙，雖未於孟、荀之間作牽合，卻為荀子辯解道：「昔唐韓愈氏以荀子書為大醇大疵。逮宋，攻者益眾，推其由，以言性惡故。余謂性惡之說非荀子本意也……夫使荀子而不知人性有善惡，則不知木性有枸直矣。然而其言如此，豈真不知性邪？」（〈序〉，《荀子集解》〔臺北：華正書局，1993年〕，頁1）他為荀子申言的方法，不是回到《荀子》本身，論其性惡說之用心，及其於荀子思想體系中的意義，而認為性惡論非荀子本意，其所謂「明於人性」，當指荀子除了惡性之外，亦明於人之善性，這顯然是受到孟子性善說的牽制。

110 如陳澧以為墨子思想狂悖又矛盾（《東塾讀書記》〔香港：三聯書店，1998年〕，卷12，頁11），並極認同孟子「無父」的批評（同前，頁11）。俞樾（1821-1907）、黃紹箕（1854-1908）等對《墨子閒詁》的讚賞，也是基於《墨子》為西方科技之源。俞說見其〈墨子序〉（《定本墨子閒詁》〔臺北：世界書局，1986〕，頁2），黃說見〈墨子閒詁跋〉（《定本墨子閒詁·附錄》，頁75）。朱一新以為墨子欲兼攬儒、道二家，但都不得二家要旨，故學儒家之仁而變為兼愛，學老氏之儉而變為節葬，見《無邪堂答問》（北京：中華書局，2000年），卷4，頁160-161。

111 關於此點，可參賀廣如：《魏默深思想研究——以傳統經典的詮說為討論中心》，第三章；另外，羅檢秋也注意到魏源在提出治世之道時，頗有取於老子思想，詳參：《近代諸子學與文化思潮》，頁55-60。

112 顧學頡：〈重印《經史百家雜鈔》序〉，《經史百家雜鈔》（長沙：岳麓書社，1987年），頁1。

諸子學是求經世致用不可少的學門之一。他又曾在日記中寫道：

> 聖人有所言，有所不言，積善餘慶，其所言者也；萬事由命不由人，其
> 所不言者也；禮樂政刑，仁義忠信，其所言者也；虛無清靜，無為自
> 化，其所不言者也。吾人當以不言者為體，以所言者為用，以不言者存
> 諸心，以所言者勉諸身，以莊子之道自怡，以荀子之道自克，其庶為聞
> 道之君子乎！[113]

這樣的說法顯然與純粹的儒學有異。成為聞道君子的方法，不只是讀經、體聖
人之道而已，對於聖人所不言者，也要加以體會，而這聖人所不言的道理，就
在諸子之中。路德認為，欲矯當時人心澆漓的社會，墨學可能比儒學更為有
效，其言曰：

> 吾假道于墨，不猶愈於假道於儒而歸宿於楊者乎！謂吾援儒入墨，不猶
> 愈於冒儒之名以取楊之實者乎！[114]

他雖然沒有以墨代儒之意，但墨子確然成為其心目中的典範人物，路氏並認為
如果孟子生於當時，必也對墨子嘉嘆、獎勵。[115]康有為在萬木草堂教學時，所
立學綱的「義理之學」下有一項便是「周秦諸子學」[116]，並說：

> 本原既舉……宋、明義理之學，自朱子書外，陸、王學為別派，四朝
> 《學案》為薈萃。至於諸子學術，異教學派，亦當審焉。博稽而通其
> 變，務致之用，以求仁為歸。[117]

---

[113] 〔清〕曾國藩：《曾文正公日記》（臺北：老古出版社，1979年），卷上，頁7。

[114] 路德：〈墨子論〉，《檉華館文集》（上海：上海古籍出版社，1995年），卷1，頁287。

[115] 其言曰：「使孟子生於今日，遇有墨子其人者，必且嘉嘆之、獎勵之，以為愛人濟物者勸。」（同前註，頁286）

[116] 見陳漢才：〈長興學記前言〉所畫「長興學說系統表」，〔清〕康有為：《長興學記》（廣州：廣東高等教育，1991年），頁2。

[117] 康有為：《長興學記・講學》，頁54。

可見康有為也認為欲求致用，不可不讀諸子。在康氏影響下，梁啟超不但讀諸子書，而且偏好諸子；當他自己身為人師，在湖南時務學堂任教時，諸子學也是不可或缺的部分。[118]另外如龔自珍明言其人性論宗告子[119]，並稱讚楊、墨大公無私[120]；魏源著《老子本義》，將老子書中的概念推衍到個人修養與時勢變化上。[121]因此，我們可以說，晚清學人心目中的典範人物，除了儒學中的孔孟，還多了先秦諸子，包括儒家的荀子，道家的老子、莊子，及墨家的墨子等，這種情形，奠定了民國以後，現代諸子學興起的基礎。

最後，與晚明的回歸原典相同，晚清的學術同時兼顧內聖與外王兩個面向。晚清講究經世致用，乃學界所共認，儒學傳統中的外王面向，於晚清有充分的發揮，此不待言。至於內聖的部分，我們可以從晚清理學的情形，來了解晚清學人對於內聖面向的關注。

相較於乾嘉時期，晚清理學有復盛之勢，已為今日學界所共認。[122]但今人討論晚清理學，多將焦點集中在曾國藩、羅澤南（1807-1856）二位立功沙場的湘籍之人[123]，及在官僚體系中居高位的倭仁（1804-1871）、李鴻章（1823-1901）、左宗棠（1812-1885）等。[124]筆者以為這樣的論述方式，並不能表現晚

118　梁啟超：〈湖南時務學堂學約十章〉，見《皇朝經世文統編》（臺北：文海出版社，1980年），卷9，頁362。

119　其言曰：「龔氏之言性也，則宗無善無不善而已矣。善惡皆後起者。夫無善也，則可為桀矣；無不善也，則可以為堯矣。……告子曰：性無善無不善也。」（〈闡告子〉，《龔自珍全集》，第1輯，頁129）

120　龔自珍：〈論私〉，《龔自珍全集》，頁91-93。

121　賀廣如：《魏默深思想探究──以傳統經典的詮說為討論中心》，頁60-61。

122　如陸寶千云：「乾、嘉時代，淹雅之士，沉酣於《說文》、《爾雅》、鄭注、馬說之中，棲神於秦權、漢瓦、晉甓、唐碑之內，偶有一二治心性之學者，則相共訕笑之，民族文化之生命幾已陷於斷潢絕港矣。然人類之道德意志終不能久遭壓抑，於是洞庭之濱，湘水之側，仍有理學萌蘖抽芽，成為晚清學界之另一新興藝囿。」（《清代思想史》〔臺北：廣文書局，1983年三版〕，頁323）梁啟超云：「當洪、楊亂事前後，思想界引出三條新路，其一，宋學復興。乾、嘉以來，漢學家門戶之見極深，『宋學』二字，幾為大雅所不道，而漢學家支離破碎，實漸已惹起人心厭倦。羅羅山、曾滌生在道、咸之交，獨以宋學相砥礪，共後卒以書生犯大難成功名，他們共事的人，多屬平時講學的門生或朋友，自此以後，學人輕蔑宋學的觀念一變。」（《中國近三百年學術史》，頁29）史革新並著有《晚清理學研究》（臺北：文津出版社，1994年），專門探討晚清時期的理學。

123　錢穆的《中國近三百年學術史》便以曾滌生為一章，羅羅山附於其下，並以為考證之學，「獨湖、湘之間被其風最稀」（頁638）。後來以曾、羅二氏為晚清理學復興代表人物者極多，不枚舉。

124　史革新便持此論，並認為「理學『中興』具有明顯的政治化的傾向」。參：《晚清理學研究》，頁26。

清學界對內聖之學的普遍重視。因為曾、羅二人一生多獻身疆場，未在學術上用太大的心力；倭仁等人之受注意，則恐是因其政治與歷史上的名聲，而非學術上的成果，因此，這兩組人似都無法作為學界的代表。其次，以曾、羅二人作為理學復興人物之因，在於將理學等同於程朱思想，因乾嘉學者多批判程朱，曾、羅二人則力主程朱，於是曾、羅二人出，便是理學復興。事實上，經過宋、元、明的發展，「理學」已成為一學門的名稱，而非僅指程朱學派，所以即使與朱子思想相異的陸象山、王陽明及王門之人，都在吾人所說「理學」的範疇之內，其思想內容誠然有異，但都是因探討宇宙、人性、修養等儒學內聖面向的問題，所發展出的學問，今日學界普遍使用的「宋明理學」一詞，用的便是這個廣義的「理學」定義。從這個角度來看，我們會發現，與乾嘉時期「以言心、言性、言理為厲禁」[125]迥異，言心、言性、言理，乃晚清學界普遍的現象。被推舉晚清理學代表的曾國藩與羅澤南固不待言。考據學的大力提倡者阮元，便有〈性命古訓〉、〈論語論仁論〉、〈孟子論仁論〉諸作，並肯定宋儒的義理學成就。連以漢學自任、倡導小學的陳澧，在《漢儒通義》也有二卷專門討論理、氣、心、性等論題，《學思錄》大指也有「發明性善」一條。[126]被視為「考據派文學家」[127]的李慈銘（1830-1895），不但服膺宋儒，還以為王畿（1498-1583）〈與唐荊問答語〉「字字鍼砭意氣之失，可謂名言」，〈與王遵巖問答語〉之語「能開發神智」，並自云讀其書時「殊有會心」。[128]被視為今文學家的魏源，於長沙嶽麓書院就讀時，便受到濃厚的理學傳統感染，在離開書院後，還持續與李克鈿、何慶元等人保持聯繫，切磋彼此在心性修養上的經驗與觀點；即使在結識胡承珙（1776-1832）等漢學家，開始注意《公羊》及今文經學後，仍未放棄對理學的關注，並數度與姚學塽（1766-1826）討論《大學》古本的問題。[129]連通常論晚清理學不會被提及的康有為，也出於理學大師朱次琦（1807-1882）之門，康氏並自云從學於朱氏後，「如旅人之得宿，盲人

125 方東樹：〈漢學商兌序例〉，《漢學商兌》，卷首，頁1。

126 陳澧：《陳蘭甫先生遺稿》，《嶺南學報》第2卷第2期（1931年7月），頁169。

127 查時傑：〈李慈銘與越縵堂日記〉，《史原》第4期（1973年10月），頁158。

128 李慈銘：《越縵堂讀書記》（臺北：世界書局，1974年再版），頁45-46。

129 詳參賀廣如：《魏默深思想研究──以傳統經典的詮說為討論中心》，第二章第二節「成學背景」。

之睹明」[130]，並從此「謝絕科舉之文，土芥富貴之事，超然立於群倫之表，與古賢豪君子為群。」[131]雖然康氏後來的思想與朱氏已有不同，但在志期聖賢、心存天下這點上，卻從沒有改變；及至其自為人師，在長興里講學，理學相關論題，亦為其教學中不可或缺的部分。[132]又有從漢學入手，卻以宋學為歸，且於學界有相當影響力的朱一新，於大半生的教學涯中，亟力倡導理學。[133]更值得注意的是，晚清還產生了不少延續朱、陸（王）之辨議題的著作，如唐鑑的《清學案小識》、羅澤南的《姚江學辨》、方東樹的《漢學商兌》等，另外光緒年間，賀瑞麟刊行了七部主程朱、辨陸王的辨學著作。[134]這都顯示，在晚清時期，理學已成為學界共同的關注點，然而，真正以理學在學術上成家的，卻寥寥無幾，這是因為晚清理學為其經世致用的一環，如曾國藩〈復彭麗生〉云：

> 足下所稱「今日不可救藥之端，惟在人心陷溺，絕無廉恥」云云，則國藩之私見實與賢者相吻合。竊嘗以為無兵不足深憂，無餉不足痛哭，獨舉目斯世，求一攘利不先，赴義恐後，忠憤耿耿者，不可亟得。[135]

他所說「無兵不足深憂，無餉不足痛哭」，並非意指兵、餉等不重要，身為疆臣，親率鄉兵討伐太平軍，曾國藩對於軍旅之事既知之稔，又深涉其中，因此，此論實具相當的意義。一位國家重臣，抗亂名將，他深切體會到，只有充

---

[130] 康有為：《康南海自訂年譜》（北京：中華書局，1992年），頁8。

[131] 同前註。

[132] 按：《長興學記》所列學表，以志道、據德、依仁、游藝為四學綱，並分註條目為：「志於道：格物，屬節，辨惑，慎獨。據於德：主靜出倪、養心不動，變化氣質，檢攝威儀。依於仁：敦行孝弟，崇尚任恤，廣宣教惠，同體饑溺。游於藝：禮，樂，書，數，圖，繪。」（「長興學說系統表」，見《長興學記》，頁3）這四個綱目中，有三項與理學有分不開的關係，其中格物、慎獨、主靜、養心等條目，更是直接取自理學。另外，《長興學記》中所列「四科之學」中的「義理之學」下之條目為：「孔學，佛學，周、秦諸子學，宋、明學，泰西哲學」（「長興學說系統表」，《長興學記》，頁3）。康氏並曾對朱一新說自己教學「皆宋儒之遺法」（〈致朱蓉生書〉，《康子內外篇（外六種）》〔北京：中華書局，1988年〕，頁156）。

[133] 詳參拙著：《論朱一新與晚清學術》，第四章「朱一新與晚清理學」。

[134] 詳參史革新：《晚清理學研究》，第二章第一節「程朱、陸王之辨」。

[135] 曾國藩：〈覆彭麗生〉，《曾國藩文集‧書札》（北京：九洲圖書出版社，1997年），卷12，頁683。

足的兵與餉，並不足以止亂，還要從人心風俗上著手，才能根本杜絕亂源，故
云：「今日局勢，若不從吏治人心上痛下工夫，滌腸盪胃，斷無挽回之理。」[136]
由此可以想見理學在晚清重獲重視的原因。羅澤南說：

> 賢人以健行，故能盡道義而全性天……凡扶綱常、傳聖學、位天地、育
> 萬物，莫非分內當為之事，亦莫非盡人所能為之事……然而……求其能
> 盡乎此者不可多得……物欲害之故也。[137]

他認為「扶綱常、傳聖學、位天地、育萬物」是「分內當為之事」，也是「盡
人所能為之事」，但是當時能在這方面盡力而有所貢獻的卻「不可多得」。又說
當日學問卑陋極矣，原因在於時人「不知君子之學，淑身淑世，為性分內所當
為」而「徒向枝葉上用功」。[138]羅氏因此對時局的解釋，而呼籲士人要留心
「修己治人之道」[139]，形成「推本橫渠，歸極孟子，以民胞物與為體，以勉強
力行為用」[140]的思想。康有為的理學觀點，則與其今文學理論是一體的，他
說：「僕以為必有宋學義理之體，而講西學政藝之用，然後收其用也。」[141]陳
澧中年後由考據訓詁之學轉為「群經子史文章」，並有《漢儒通義》之作，討
論理學相關論題，同時重視體會經典義理對於身心、人品的作用，也是積於經
世的考量。朱一新之致力於理學的教學，也是同樣的經世關懷使然。他們都認
為，由士人之人品、氣節、道德上著手，為當時有效的救弊之道，從大範圍的
角度說，就是要導正風俗人心，而這正是理學之長，理學在晚清之受重視，並
非無由。乾、嘉時期被斥為空虛無用的理學，這時竟因致用的考量，而再度受
到重視與提倡，正因為孔子兼顧內聖、外王的全面關懷，在回歸原典的過程
中，重新為晚清學人發掘，並在乾嘉學術的基礎上，明確將其回歸原典的成

---

136 曾國藩：〈與胡宮保〉，同前註，頁873。
137 羅澤南：〈健菴說〉，《羅山遺集》（清咸豐同治間刊本），卷5，頁26。
138 羅澤南：〈與郭意城書〉，同前註，卷6，頁26。
139 同前註。
140 錢穆：《中國近三百年學術史》，頁567-568。
141 康有為：〈答朱蓉生書〉，《康子內外篇（外六種）》，頁171。

果，展現於學術內涵中。

以經典為神聖之書，欲由經典中求得聖人之道，並因此而形成大規模的，具特色的學術風潮，為晚明與晚清學術的共同點，故皆可以「回歸原典」形容之，但兩個時期的學術成果與內涵卻不盡相同，可見「回歸原典」足以表出儒者的主觀願望，卻無法道盡不同時期、不同學風的內蘊。以此檢視當今學界對「回歸原典」一詞及概念的使用情形，可見今人對回歸原典運動研究的缺失，一在於對此一詞的過度普泛使用，一在於研究對象的取擇之侷限。前者模糊了不同學人、學風的獨特性，以致「回歸原典」無法作為解釋學風轉變的理由；後者使當今對回歸原典現象的研究，集中於晚明及乾嘉時期，而減少對其他階段回歸原典現象的關注。

五、結論

本文比較晚明與晚清的回歸原典運動，以其相承之處，指出學術發展的連貫性，及二者「回歸原典」的同質性；以其相異處，突顯回歸原典一詞不足以道盡此二時期學術內蘊的情形，以見「回歸原典」說的侷限性。同時藉由對晚清時期回歸原典運動的論述，指出當今對回歸原典現象關注不夠全面的缺失。

經由今人對「回歸原典」一詞的使用情形，可見回歸原典說，足以表出中國學術的特質及演變動力，即中國學人以經典為歸，由治經以求聖人之道的主觀願望，此其優點。但「回歸原典」並無法曲盡歷代學人、學風的獨特風格，及其學術研究的客觀成果，此其缺失。經由對晚明與晚清回歸原典運動的論述與比較，足以印證上述對回歸原典說的檢討。

晚明與晚清的回歸原典運動，皆具有以下特色：一，相對於宋明理學，講究客觀證據的研究方法，廣為學者採用；二、研究對象以經典為主；三、儒學的典範人物為孔、孟等聖賢；四，同時兼顧內聖與外王兩個面向。但這只是大方向的敘述，仔細分析，在同之中，有著不小的異。晚清考據工作的客觀程度，相對於晚明便降低許多，而有以考據證我的傾向，因此，文章風格亦有質實與感性之異。晚清時期的研究對象，除了儒家的經典，還多了諸子書；儒者

心目中的典範人物，除了孔、孟，還多了老、莊、墨子等諸子；晚清的外王意向與情感，表現得分外明顯而直接。這都是晚清與晚明在相同的回歸原典路上，但有相異特質的表現。由此可見回歸原典說的優點與缺失，今人對回歸原典現象的研究，仍有再深入的空間，亦即此可見。

——原刊於楊祖漢、楊自平主編：《黃宗羲與明末清初學術》（桃園：國立中央大學出版中心，2011年9月），頁75-125。

〈明末清初經學研究的回歸原典運動〉評介

曾　軍

　　中國經學史上有一種有趣的現象，那就是思想的發展總是以復古的形式出現，復古又總是以回歸經學原典為依托。林慶彰先生於經學研究之中獨具卓識，概括出經學史上的這一獨特現象，名之為「回歸原典」。發表於1989年的《明末清初經學研究的回歸原典運動》，首次提出這一說法，現已被大家普遍採用，應當特別提及。

　　林慶彰（1948-），臺灣臺南人。青少年時代刻苦自勵於學，東吳大學中國文學研究所碩士、國家文學博士。早年師從於著名經學家屈萬里先生，奠定了扎實的經學根底。曾任國文天地雜誌社社長、日本九州大學文學部訪問研究員。現任「中央研究院」中國文哲研究所研究員，東吳大學中國文學系、臺北大學古典文獻學研究所兼任教授，中國詩經學會顧問，「中華民國」經學研究會理事。

　　林慶彰致力於中國經學史、思想史及文獻學研究長達二十餘年，尤以中國經學史特別是明清經學的研究引人注目，享譽海內外學界。他的研究主要集中在明代經學、清初的群經辨偽學和經學史論著研究目錄及經學研究資料的編纂三個方面（參見王俊義、趙剛《林慶彰及其中國經學史研究》，《中國文化》第15、16期）。林祥徵評價說：「就《詩經》而言，他（林慶彰）在文獻整理、編纂研究目錄、翻譯日本《詩經》論著和考證、辨偽等方面均有重要的成果。」（參看〈林慶彰教授《詩經》研究述評〉，《泰安師範專科學院學報》2000年第2期）

　　林慶彰先生早期專注於明代經學研究方面,著有《豐坊與姚士粦》、《明代考據學研究》、《明代經學研究論集》等,較早發表關於明代經學的公允之論,肯定明代經學復興漢學的成績對於清代乾嘉學術有奠基之功。之後,林先生將研究領域進一步擴展到清代經學,著有《清初的群經辨偽學》、《清代經學研究論集》,並由辨偽學中的姚際恆,推及《詩經》學的研究,編有《楊慎研究資料彙編》、《姚際恆著作集》六冊、《姚際恆研究論集》三冊,協助整理出版《詩經說約》,結集兩部《詩經》研究論文《詩經研究論集》(一、二)。

　　林先生在中國經學史領域的成就和貢獻,不僅表現在上述領域,而且表現在他組織編纂了多種有關中國經學史研究的論著目錄和各種經學史研究資料。他先後主持編纂了《經學研究論著目錄》(1912-1987)、《經學研究論著目錄續編》(1988-1992)、《日本研究經學論著目錄》(1900-1992)、《朱子學研究書目》(1990-1991)、《楊慎研究論著目錄》(1934-1992)、《乾嘉學術研究論著目錄》(1990-1993)等六部。每一種目錄都親自制定〈凡例〉,並寫有〈自序〉說明編製的緣起與其中的甘苦,務求在體例上科學,在內容上詳備,便於讀者利用。林先生還主持點校補正朱彝尊的《經義考》。

　　為推動經學史研究,加強海內外經學史研究的交流,林先生譯有《近代日本漢學家》、《經學史》、《論語思想史》三種,還創辦了《經學研究論叢》,該叢刊自1992年創刊以來,已出版多期。他編輯整理了《日據時期臺灣儒學參考文獻》、《經學研究論叢》、《國際漢學論叢》與多種《經學研討會論文集》等,另有學術論文兩百餘篇。另外,林先生還主編了《民國時期經學叢書》,預計出版四百八十冊,已出版第一、二輯,共計一百二十冊,為民國經學研究做著扎扎實實的資料整理工作。

　　〈明末清初經學研究的回歸原典運動〉是林先生關於明清經學研究的代表作。本文關注經典詮釋中回歸經學原典這一現象,指出明清之際經學轉變是歷次回歸原典運動中規模最龐大、影響最深遠的一次。林先生將明末以前經典詮釋過程中的現象歸納為七種:闕脫亡佚、誤認作者、偽造仿冒、依托附會、刪改填補、羼雜佛老、離經言道,並明確揭示出這些經典詮釋行為背後隱含的經學思想和理論。他認為,明末清初的經學家已經從這些經典詮釋現象裏提升出

明確的理論主張，他們為了糾正前述種種經學研究的偏失，一方面強調理學即經學，來糾正「離經言道」的弊病，重申經學與經世致用的關係；另一方面強調要重返經學，他們將這些觀念作為回歸原典運動的立論根據和原動力。

林先生還指出，明末清初的經學家回歸原典理論具體表現為三種不同方式：經學即理學，提出不能離經言道；經學與經世，提倡通經致用；說經應以孔、孟為正，將經典從程朱理學的解釋下解放出來。在這種思想理論指導的回歸原典風氣下，明末清初的經學研究取得了較大的成果：他們將經書中問題較嚴重的《易圖》、《古文尚書》、《詩傳》、《詩說》、《周禮》、《大學》、《中庸》、《石經大學》等，一一加以考辨，並追溯其來源，使附會的、誤認作者的、偽造的、被抽離的，皆一目了然。這三個問題都指向去除後世經典詮釋所帶來的意義的偏離，要求回歸經典本身。明末清初經學家完成了回歸原典中最主要的工作——「正經」。這就讓後來的清代學者的經典詮釋有了較好的基礎。

可見，林先生實際是將明末清初經學家面臨三個重大經學問題所做出的理論選擇，歸結為回歸原典這一思想運動。回歸原典的經典詮釋實踐推動了回歸原典的思想理論的形成。回歸原典的思想理論又指導著經典的正本清源。本文作這樣的梳理，其實是為了說明，明末清初之際的經學，在宋儒疑經改經等舉動之後，完成正經的任務，為後來的乾嘉考據學張目。如果沒有這一段時間的糾偏正經，清代的文字音義的考辨無法開始。這就大大提升了明清之際經學研究回歸原典運動在整體經學史上的意義，肯定了明代經學尤其是明末清初經學對於清代經學的先導作用。

林先生對於回歸原典這一思想的堅持是一以貫之的。他認為，回歸原典在中國經學史上至少有三次，它是一個普遍現象。林先生已另外寫成〈中國經學史上的回歸原典運動〉一文，對整個經學史上的回歸原典學術現象作鳥瞰。

林慶彰經學論著目錄：

（一）專著

《豐坊與姚士粦》，東吳大學中國文學研究所，碩士論文，1978年。

《明代考據學研究》，臺灣學生書局1987年版。

《清初的群經辨偽學》，文津出版社1990年版。

《明代經學研究論集》，文史哲出版社1994年版。

《清代經學研究論集》，「中央研究院」中國文哲研究所2002年版。

（二）經學資料的編輯整理

《經學研究論著目錄》（1912-1987）

《經學研究論著目錄》（1988-1992）

《經學研究論著目錄》（1993-1997）

《朱子學研究書目》

《乾嘉學術研究論著目錄》

《晚清經學研究文獻目錄》

《日本研究經學論著目錄》

《日本儒學研究書目》

《日據時期臺灣儒學參考文獻》

重新點校朱彝尊《經義考》（「中央研究院」文哲研究所1998年版）。

（三）翻譯日本經學著作

已完成的有《經學史》、《近代日本漢學家》、《論語思想史》和單篇論文二十餘篇。

（四）主編刊物（期刊、叢書）

經學研究論叢（1～15）

國際漢學論叢（1～3）

民國時期經學叢書（已出版120冊，預計出版480冊）

（五）合編

《詩經研究論集》（一），臺灣學生書局1983年版，收論文35篇。

《詩經研究論集》（二），臺灣學生書局1987年版，收論文38篇。

《楊慎研究資料彙編》（與賈順先合作），「中央研究院」中國文哲研究所1992年版。

《姚際恆著作集》，「中央研究院」中國文哲研究所1994年版。

《姚際恆研究論集》（與蔣秋華合作），「中央研究院」中國文哲研究所1996年版。

協助整理出版《詩經說約》,「中央研究院」中國文哲研究所影印本1996
年版。

—— 原刊於《經學檔案》（武漢：武漢大學出版社，2011年12月），頁73-
77。

談《點校補正經義考》

王紹曾*

彩鈞先生著席：

　　久疏問候，時以興居為念。三年來屢承惠寄《集刊》、《通訊》，開我茅塞，無以為報，深感歉疚。旬日前又奉到林慶彰、楊晉龍、汪嘉玲諸先生「點校補正」朱彝尊《經義考》八鉅冊，尤當銘諸肺腑。朱氏《經義考》為一代鉅著，自乾隆間德州盧氏補刊完璧以來，沾溉學人，有目共睹，惟以卷帙繁富，從未敢有人著手整理點校，且大興朱氏。雖有《補正》，而各自為書，使用極為不便。今由貴所合而為一，復加點校，使朱氏煌煌鉅著，煥發新彩，其有功藝林，自不待言。

　　《經義考》於每書著錄時，均分別加注「存」、「佚」、「闕」、「未見」，開我國目錄學史上四柱法之先例，其後孫詒讓著《溫州經籍志》即用其例，深為學界所稱道。惟朱氏所見「存」書，概不著錄版本，究係刊本、抄本、稿本，不得而知。時移世遷，更難考求。即以宋范浚《易論》一卷為例，朱氏著錄「存」。但紹曾徧稽各家書目，均無其書，後於《四部叢刊續編》所收《范香溪先生文集》（二十二卷）中，發現有《易論》一篇，篇幅不足二頁。可見朱氏當年著錄，並不以成書為限，如不加注於何所，則頗難為人所利用。且范氏《易論》一篇，不足千字，既可入錄，循是以求，則清人論《易》之作見於王重民《清人文集篇目索引》著錄者，均得收入書目，則將專著與文章無別、竊意此次貴所整理，似須將「存」、「佚」、「闕」、「未見」之書，重新利用現有公私簿錄，重行查證。蓋朱氏當年所謂「存」者，今日未必「存」，所謂「佚」

---

* 山東大學古籍整理研究所教授。

者未必「佚」，所謂「未見」者，未必不重顯於世，尤為重要者，似須將現存版本（包括刻本、抄本、稿本）詳加著錄，蓋朱氏當年，雖藏弆頗豐，復四出通假，所見者多，然以環宇之大，以個人之力，而欲徧觀天下之書，實勢所不能。今日海宇澄清，公私名簿，咸得參稽，如不將「存」、「佚」、「未見」之書，重行考校，則《經義考》之整理，似猶功虧一簣。

根據點校說明，此書以盧見曾補刻本為底本，再以文淵閣《四庫全書》本、《四部備要》本為輔本，詳加校勘，作成校記。再迻入羅振玉《經義考校記》，可見校記既有羅校，復有點校者所校，然書內所有校記，何者為羅校，何者為點校者所校，並未加以區分。如此則羅氏原文，無從窺見。又如卷一百七十六，春秋九（六八三頁）著錄啖助《春秋例統》，馬國翰《玉函山房輯佚書》有輯本一卷，此書與《春秋集傳》分別著錄，於「佚」字下未出校記，似係偶疏。

若就全書點校整理而論，秩然有序，用力至勤，未可以小疵而掩大醇也。便中請代向林慶彰等諸先生致以崇敬感謝之忱。近幾年來，紹曾負責整理張元濟先生《百衲本二十四史校勘記》，前年已寄陳《史記校勘記》一冊，去歲又續出《漢書》、《後漢書》、《三國志》校勘記三種，已於元月十七日掛號寄上，收到後請轉交貴所圖書館，俾供眾覽。預計今年下半年續出魏晉南北朝七種，屆時再當郵陳。《衲史校勘記》原稿，頭緒紛繁，且限於水平，舛訛之處，所在多有，尚祈有以

指正。專此　敬叩

道安

王紹曾　拜上

二〇〇〇年元月二十二日

附：林慶彰教授的回應

林慶彰

紹曾先生：

　　大函由鍾主任轉來，謝謝先生對我們整理朱彝尊《經義考》一書的褒美。我們祗不過略盡作為經學研究者的責任而已，談不上有什麼貢獻。

　　關於先生述及《點校補正經義考》二事，晚擬略作說明：其一，朱氏《經義考》，對各書僅註明存、佚、闕、未見，並未註明版本，實一大缺憾。此一如《四庫全書總目》，僅註明某某官府採進本，今人覆按為難。為能彌補《經義考》之不足，且又兼能保持《經義考》之原貌，數年前，已委託張廣慶、陳恆嵩等先生著手編輯《群經著述現存版本目錄》，後因張廣慶先生病逝而中斷。從去年起已由陳恆嵩先生以專題計畫之方式，先就《尚書》部分向國科會提出申請補助。已獲通過，現正執行中。將來，如能每年編輯一至二經，五年後就可全部完成。《經義考》未註明版本的缺憾，將可由這本《群經著述現存版本目錄》來彌補。

　　其二，關於《點校補正經義考》中的校記問題，並非將羅振玉的《校記》和我們所作的校記混在一起，而是將翁方綱的《經義考補正》（簡稱「補正」）、《四庫全書總目》涉及《經義考》部分（簡稱「總目」）、羅振玉《經義考目錄校記》（簡稱「校記」），分別插入各該條之後。讀者可以從「補正」、「總目」、「校記」等標目，分出是屬於何人的書。至於我們點校時所作的校勘，都排在各頁的最左邊。先生如果仔細翻閱，就可看出其分別，絕不會有相混的可能。

以上據所知略作說明。再度感謝先生之指教。耑此，敬頌

教安

晚林慶彰　謹上

二○○○年三月十日

——原刊於《中國文哲研究通訊》第10卷第1期（2000年3月），頁289-291。

《點校補正經義考》第六、七冊
《孝經》部分標點疑誤

彭　林*

　　林慶彰先生主持點校之《經義考》，卷帙繁冗，工程浩大，經百般艱辛，終得行世，是為學界之盛舉。近讀是書第六、七冊《孝經》部分，某些標點似有可商之處。今就一時所見，將破句之處，盡行羅列；當斷而未斷之處甚眾，擇要錄之。某學殖淺陋，所舉未敢以為必，僅供點校者參考。

第六冊

1.第八〇五頁倒二行：

　　《答臨碩難禮駁許慎異義》

　　《答臨碩難禮》與《駁許慎異義》當斷開。

2.第八〇七頁第一行：

　　《後漢史書》存於代者

　　「後漢史書」非書名，不當用書名號。

3.第八三六頁倒六行：

　　先王奉法則，乾象著明，哲后尊親，則山川表瑞。

　　當作：

　　先王奉法，則乾象著明，哲后尊親，則山川表瑞。

---

*　北京清華大學思想文化研究所教授。

4.第八四一頁倒六行：

謹打石臺《孝經》本分之上下兩卷。

當斷作：

謹打石臺《孝經》本，分之上下兩卷。

5.第八四四頁倒四行：

而簡編多有殘缺傳行者，惟孔安國、鄭康成兩家之注，……乃詔群儒學官俾其集議。

當斷作：

而簡編多有殘缺，傳行者惟孔安國、鄭康成兩家之注，……乃詔群儒學官，俾其集議。

第七冊

1.第一頁倒三行：

四年九月，以獻賜宴國子監進秩有差。

當斷作：

四年九月，以獻賜宴國子監，進秩有差。

2.第二十三頁第三行：

如「孝天之經地」之義至「因地之利」。

當斷作：

如「孝，天之經、地之義」至「因地之利」。（「孝，天之經、地之義」為《孝經》原文。）

3.第二十四頁第一行：

秀夫幼而讀之，莫覺其非長而疑焉。

當斷作：

秀夫幼而讀之，莫覺其非，長而疑焉。

4.第二十四頁第二行：

既入仕，濫次西藏勾當得朱元晦《刊誤》一編而玩味之。

當斷作：

既入仕，濫次西藏勾當，得朱元晦《刊誤》一編而玩味之。

5.第二十六頁倒三行：

蓋三代以前理道明風俗，一人皆曉，知孝之為孝。

當作：

蓋三代以前，理道明，風俗一，人皆曉知孝之為孝。

6.第二十七頁倒三行：

予既鋟梓與學士共之。

當斷作：

予既鋟梓，與學士共之。

7.第二十八頁倒三行：

而象山之傳，獨盛于四明正獻、正肅父子。

此處「四明」為地名，乃正獻、正肅之貫。故專名線當作「四明」。

8.第三十八頁第六行：

患謂禍敗言雖有其始而無其終。

當斷作：

患謂禍敗，言雖有其始而無其終。

9.第四十三頁第二行：

今觀邢氏疏說則古文之為偽審矣。

當斷作：

今觀邢氏疏說，則古文之為偽審矣。

10.第四十三頁倒六行：

廣陵郡學訪道諏經者日至。

當斷作：

廣陵郡學訪道，諏經者日至。

11.第四十三頁倒二行：

蓋溫公資質厚重于《孝經》，《今文》尚且篤信，則謂古文猶可尊也。

當斷作：

蓋溫公資質厚重，于《孝經》今文尚且篤信，則謂古文猶可尊也。

12.第四十四頁倒三行：

同門諸友請為鋟木以公其傳。

當斷作：

同門諸友請為鋟木，以公其傳。

13.四十六頁倒五行：

士嘗學問必能考聖賢之成法，而或有愧于庶人之孝，行且不可以名人，矧可以名士乎？愚嘗欲松谷采文忠公《孝友堂記》不知孝者不論，知孝而不知友，非孝妻子具而孝衰于親，異姓婦人入門而賊同氣之愛，以戚其親世之犯此者，尤可痛也。

當斷作：

士嘗學問，必能考聖賢之成法，而或有愧于庶人之孝行，且不可以名人，矧可以名士乎？愚嘗欲松谷采文忠公《孝友堂記》，不知孝者不論，知孝而不知友非，孝妻子具而孝衰于親，異姓婦人入門而賊同氣之愛，以戚其親，世之犯此者，尤可痛也。

14.四十六頁倒一行：

一家一宗，蒸蒸仁孝，抑又生理優裕于前人間，全福幾備膺之，天之報仁孝君子，端不誣也。

當斷作：

一家一宗，蒸蒸仁孝，抑又生理優裕于前，人間全福，幾備膺之，天之報仁孝君子，端不誣也。

15.第四十七頁倒七行：

聖天子以孝治天下，篤意是書，表章尊顯圖鏤以行自家，而國自國而天下。

當斷作：

聖天子以孝治天下，篤意是書，表章尊顯，圖鏤以行，自家而國，自國而天下。

16.第五十二頁第三行：

惜此書不廣傳，僅以之教家，學士度大理䚡侍御時來相繼成名士，而士棟又

以教士,聲籍甚《孝經》何負于人哉!

當斷作:

惜此書不廣傳,僅以之教家學,<u>士度</u><u>大理</u>粲侍御時來,相繼成名士,而士棟又以教,士聲籍甚。《孝經》何負于人哉!

17.第五十六頁倒二行:

嗣是而後有以孝治天下之明王,在上而四海仁人孝子興起,而振作之。

當斷作:

嗣是而後,有以孝治天下之明王在上,而四海仁人孝子興起而振作之。

18.第五十八頁第四行:

先是自天子至庶人五章惟皇侃標其目,冠于章首,至是用儲儒議章,始各有名,如開宗明義等類,為之疏者,元行沖也。

當斷作:

先是,自天子至庶人五章,惟皇侃標其目,冠于章首,至是用諸儒議,章始各有名,如開宗明義等類,為之疏者,元行沖也。

19.第五十九頁倒六行:

乃與儒者議彙,次其先後,

當斷作:

乃與儒者議,彙次其先後,

20.第五十九頁倒二行:

其必人曾參而家閔、損。

當斷作:

其必人曾參而家閔損。(「損」為閔子騫之名)

21.第六十七頁倒七行:

成化中貢士歸德訓導。

當斷作:

成化中貢士,歸德訓導。(「歸德」為地名,今商丘)

22.七十一頁倒二行:

《大學》以所以事君,為治國平天下之要。《中庸》亦以為政在于修身而歸

之，親親為大。

當斷作：

《大學》以所以事君為治國平天下之要，《中庸》亦以為政在于修身，而歸之親親為大。

23.七十三頁第一行：

先君授以《孝經》一帙，俾塾師授之章句而口誦之時，漫不知省也。

當斷作：

先君授以《孝經》一帙，俾塾師授之章句而口誦之，時漫不知省也。

24.第七十九頁第一行：

魏晉以後，王肅、韋昭、謝萬、徐整之徒注者無慮，百家莫有言古文者。

當斷作：

魏晉以後，王肅、韋昭、謝萬、徐整之徒，注者無慮百家，莫有言古文者。

25.第八十七頁第三行：

聖主承乾，百行惟先于立孝，明王保養萬幾莫要于尊經，衍孔壁之真傳，證唐皇所謬尚，事如有待，道不虛行，……後倉已誤謬稱玄、晏之疏，顏、孔并行，魚目無辨。……比及大建貞觀科目家獨尊孔氏，……年當萬曆四十載，八荒濟仁，覆之休萃，尊富享保于聖人，重華再見，凝祿位名壽于大德，皆本大孝之推實，是尊經所致。……古文原無脫落，首五言孝引起，原以《詩》《書》，次三發端隨問，咸歸旨趣。

當斷作：

聖主承乾百行，惟先于立孝；明王保養萬幾，莫要于尊經。衍孔壁之真傳，證唐皇所謬尚。事如有待，道不虛行，……復倉已誤，謬稱玄、晏之疏，顏、孔并行，魚目無辨。……比及大建貞觀科目，家獨尊孔氏，……年當萬曆四十載，八荒濟仁覆之休，萃尊富享保于聖人，重華再見；凝祿位名壽于大德，（此處疑有脫漏，經檢《經義考》原文，確當有「歷代希聞」四字。如此，文義始足）皆本大孝之推，實是尊經所致。……古文原無脫落，首五言孝引起，原以《詩》《書》，次三發端隨問，咸歸旨趣。

26.第一〇二頁倒二行：

周賓興六行曰……

「周賓興」非人名,不可用人名線。《周禮‧大司徒》「以鄉三物教萬民而賓興之,一曰六德,……二曰六行,……」。「周賓興」即指此。

27.第一〇二頁倒二行:

齊內政公問卿子之鄉有孝于父母者,有則以告有,而不告謂之蔽明。

當斷作:

齊內政公問卿子之鄉有孝于父母者,有則以告,有而不告謂之蔽明。

28.第一〇五頁第三行:

是經無多字句移晷可畢。

當斷作:

是經無多字句,移晷可畢。

29.第一〇五頁第四行:

令人尋味累日,莫竟何其纏綿弘遠。

當斷作:

令人尋味累日莫竟,何其纏綿弘遠。

　　——原刊於《經學研究論叢》(臺北:臺灣學生書局,2001年1月),頁287-294。

《點校補正經義考》平議

張　宗　友*

　　朱彝尊（1629-1709）名著《經義考》，凡三百卷，著錄先秦至清初經學著述八千多條，輯錄相關文獻資料上萬條，並附有朱氏按語近千條，是中國古代集大成式的經學目錄鉅著，成為學人研治經學源流、取裁諸儒說經資料之淵藪。該著成書以降，刊印不斷，學人校正、續補、擬仿之作，遞有問世；而探究版本源流與優劣，進行文本整理與標點，業已成為學界關注重心之一。於文本校勘、整理方面，已有代表性成果問世，即由「中央研究院」中國文哲研究所經學研究室林慶彰先生等主持整理的《點校補正經義考》（以下簡稱「點校本」）。[1]林先生帶領的優秀團隊，執行「清乾嘉經學研究計畫」等多項專題研究計畫，召開「元代經學國際研討會」等多次經學研討會議，整理並出版《陳奐全集》、《朱彝尊經義考研究論集》等經學家著作集或研究專集，計畫周詳，成果豐碩，引領經學研究方向，無可替代，有力地推動了對中國經學的研究與傳承。《點校補正經義考》是該室標點和整理經學典籍的重要成果，作為目前公開出版的唯一的《經義考》標點本，實具有集成式的典範意義，同時，也存在著一些不足。本文即對其成就與不足，分三部分予以平議。[2]

---

* 南京大學文學院副教授。

　本文為全國高等院校古籍整理研究工作委員會直接資助項目（編號：0846）成果之一。

[1] 《點校補正經義考》由林慶彰、蔣秋華、楊晉龍、張廣慶等主持人擔任編審，參與點校工作的學者有馮曉庭、許維萍、江永川、陳恆嵩、黃智信、汪嘉玲、游均晶、黃智明、張惠淑、侯美珍等。見《點校補正經義考‧出版說明》「中央研究院」中國文哲研究所籌備處，1997年，頁1-3。該書勒口名單顯示，第一冊點校者還有江永川。

[2] 楊果霖先生專著《朱彝尊《經義考》研究》第一章「六、全書文句的點校」，對《點校補正經義考》一書得失有簡要討論，詳參本文第二部分注引。花木蘭文化出版社，2005年，頁16-17。

一、《點校補正經義考》之成就

《點校補正經義考》，核其名實，則所謂「點校」，即斷句、標點與校對；所謂「補正」，即附著翁方綱《經義考補正》、羅振玉《經義考校記》、四庫館臣《四庫全書總目》（點校本分別簡稱為「《補正》」、「《校記》」、「《總目》」）相關考辨內容；點校者有所是正，則作成校記，於腳注部分注出。其成就，一言之蔽之，可稱為目前《經義考》最為精善之版本。具體而論，有以下數端：

首先，底本與參校本選擇精審。《經義考》版本眾多，[3]有初稿本、初刻本、德州盧氏續刊本（點校本中稱作「盧見曾補刻本」）、四庫全書本系列（擒藻堂《四庫全書薈要》本、《四庫全書》諸閣本〔如文淵閣本、文津閣本等〕）、錢唐汪氏補修刊本（點校本中稱作「汪汝瑮補刻本」）、浙江書局本、《四部備要》本（點校本中簡稱作「《備要》本」）、秀水朱氏重修刊本等。點校者選取盧氏續刊本作為底本，參校以《文淵閣四庫全書》本（點校本中簡稱為「《四庫》本」，本文從之）、《四部備要》本。朱氏初稿本雖然珍貴，但並非定本，且僅殘存十冊；初刻本惟成《易》、《書》、《詩》、《禮》、《樂》等五類（凡一百六十七卷）。盧氏續刊本是在初刻本的基礎上，續刻成為完帙的，是《經義考》的第一個全本（實有二百九十七卷），其後各種刊本，均溯源於此本。因此，以盧氏續刊本為底本，最能保持《經義考》全本原貌，是進行點校工作的最佳選擇。四庫全書本系列，係抄錄盧氏續刊本而成，按四庫館成例而有所刪削改易，[4]不乏改動與是正之處。點校者取其中文淵閣本作為參校本，蓋以該閣本流傳較廣且易為採獲之故。《四部備要》中所採《經義考》之底

---

[3] 關於《經義考》各種版本之源流與關係，參吳政上〈經義考提要及版本介紹〉（吳政上《經義考索引》附錄，漢學研究中心，1992年，頁1-5）、日本學者杉山寬行〈論朱彝尊的《經義考》——主論《經義考》之諸版本〉（《朱彝尊經義考研究論集》，林慶彰、蔣秋華主編，「中央研究院」中國文哲研究所籌備處，2000年，頁91-126）等文。後者對《經義考》版本探討最詳。林慶彰、蔣秋華所編《朱彝尊經義考研究論集》之〈編者序〉中，亦有精當之介紹。

[4] 關於四庫館臣如何刪改《經義考》的問題，楊晉龍〈《四庫全書》處理《經義考》引錄錢謙益諸說相關問題考述〉、林慶彰〈四庫館臣篡改《經義考》之研究〉兩篇專文可參（均收入《朱彝尊經義考研究論集》，頁407-440、頁441-474）。

本,其來源也可上溯至盧氏續刊本,點校者選取該本作為參校本,蓋以其經過遞修,[5]提供了另一個可供校對的異本。對參校本的選擇,可見出點校者力求包羅代表性刊本的用心。

其次,點校本吸收了主要校正著作的成果,具有集成性質,從而提高了《經義考》文本的準確性,極大地方便了對《經義考》的取資利用。被採錄的校正著作主要有翁方綱《經義考補正》、羅振玉《經義考校記》與《四庫全書總目》。翁氏《補正》凡十二卷,共校正了《經義考》一千六百多處訛誤,對其所收條目、著錄體例,也有是正,在校正諸作中成果最為豐碩,「實有足為竹垞功臣者」(伍崇曜〈《經義考補正》跋〉)。[6]羅氏《校記》既對《經義考》著錄之失予以訂正,又於相關條目下附列清儒輯本,為學者進一步考索提供了便利。[7]《經義考》校正著作雖多,以上兩種為點校者所僅見,[8]故將其成果全部納入點校本中。《四庫全書總目》中大量借鑒了《經義考》的成果,尤其是經部的引據,大大超過了《漢書·藝文志》、《隋書·經籍志》等史志目錄,以及晁公武《郡齋讀書志》、陳振孫《直齋書錄解題》等私家書目。館臣在提要中,對《經義考》訛失之處,也頗多指正。[9]點校者廣羅已有校正成果,隨文相附於相關條目之下,提高了《經義考》的利用價值,對《經義考》的文本整理而言,這種處理堪稱良善,具有集成式的典範意義。

其三,點校本出校頗精,不僅能據《經義考補正》、《經義考校記》、《四庫

5　吳政上認為《四部備要》本以浙江書局本為底本,而浙江書局本是以盧氏續刊本為底本而重新製版印行的。杉山寬行則認為《四部備要》本的底本是據盧氏續刊本原版補修的汪氏補修刊本。

6　關於《經義考補正》校正成果及得失諸問題,拙撰《《經義考》研究》第七章〈論《經義考》之學術影響〉第二節「論《經義考補正》」,有詳細討論。中華書局,2008年,頁264-299。

7　楊果霖先生曾總結其校勘義例如次:1.根據各書傳本,以補其漏列;2.根據文字訓詁,以求其異例;3.根據相關內容,以補其缺例;4.根據相涉史事,以改其誤例;5.根據學術見解,以斷其歧例;6.根據相關名物,以校其錯例。見楊氏〈羅振玉《經義考目錄、校記》研究〉,載《朱彝尊經義考研究論集》,頁557-592。

8　〈點校說明〉稱:「清儒繼起續補者有之,校正者有之……然多未見傳本,僅翁、羅二家之書見存。」《點校補正經義考》,頁3。

9　關於《四庫全書總目》對《經義考》的引據、校正及其得失諸問題,拙撰《《經義考》研究》第七章〈論《經義考》之學術影響〉第三節「論《四庫全書總目》與《經義考》」,有詳細討論,頁299-340。

全書總目》以正《經義考》之誤,也能自斷其誤,並校正《補正》、《校記》、《總目》之誤。以下略為舉例發明之:

《經義考》卷一百一十二「王氏(禕)《詩草木鳥獸名急就章》」條,點校本出校云:「『禕』,各本皆同,應作『褘』。王褘,《明史》卷二八九有傳。」(4:159)[10]此校正《經義考》條目之誤,並指示作者傳記線索例(《經義考》通例,於條目下首載作者生平資料)。

又卷一百一十八「毛氏(晉)《毛詩草木蟲魚疏廣要》條載「晉《自序》略曰」:「陸璣《草木鳥獸蟲魚疏》相傳日久,愈失其真。予為潤其簡略,正其淆譌,更有陸氏所未載,如葛、桃、燕、鵲之類,循本經之章次而補遺焉。命之曰《廣要》,雖不敢比於解頤折角之倫,亦僅效王景文《十聞》之一爾。」點校本出校云:「『倫』,應依《四庫》本作『論』。」(4:271)此據他本改正所據底本文字之誤。

又卷一百五十二「朱子(熹)《中庸輯略》」條載「唐順之《序》曰」:「蓋古之亂吾道者,常在乎《六經》、孔氏之外;而後之亂吾道者,常在乎《六經》、孔氏之中。……六家、九流與佛之與吾《六經》、孔氏並也,是門外之戈也。六家、九流與佛之說竄入於《六經》、孔氏之中,而莫之辨也,是室中之戈也。雖然,六經、九流之竄於吾《六經》、孔氏也,其為說也粗,而其為道也小,猶易辨也。佛之竄於吾《六經》、孔氏也,則其為道也宏以閎,而其為說也益精以密。……」點校本於「六經、九流之竄於吾《六經》、孔氏也」句,出校云:「『六經』,疑為『六家』之誤。」(5:165)點校者實據前後文而下斷語,猶如「疑」字,以示審慎。此校正《經義考》輯錄文獻之誤例。

又卷一百零九「段氏(昌武)《叢桂毛詩集解》」條下,點校本附載《四庫全書總目》卷十五《毛詩集解》提要云:「原書三十卷,明代惟朱睦㮮萬卷堂有宋槧完本,後沒於汴梁之水,此本為孫承澤家所鈔,僅存二十五卷,其《周頌·清廟之什》以下並已脫佚。朱彝尊《經義考》載是書三十卷,注曰:闕。

---

[10] 本文通例,對點校本凡有引據,均於夾注中注出冊數、頁碼,以省繁文;前一數字表明冊數,後一數字表明頁數,如4:159,即第4冊第159頁。

又別載《讀詩總說》一卷，注曰：存。今未見傳本，而卷首《學詩總說》、《論詩總說》，今在原目三十卷之外，疑即所謂《讀詩總記》者，或一書而彝尊誤分之，或兩書而傳寫誤合之，則莫可考矣。」又錄《校記》云：「《四庫》本存二十四卷，《周頌·清廟之什》以下闕。」出校兩條，一云：「『記』，應作『說』。」一云：「按：《毛詩集解》著錄於《四庫全書總目》及《文淵閣四庫全書》者皆作二十五卷，《校正》所言『二十四卷』與之不合。」（4：90）前一條指正《總目》「《讀詩總記》當作「《讀詩總說》」，後一條指出《校記》（案：點校本偶誤作「《校正》」）所載卷數之誤。此校正《總目》與《校記》之誤例。

又卷一百一十七「錢氏（澂之）《田間詩學》」條，點校本附錄《補正》云：「《四庫全書》作二十卷。」又錄《校記》云：「《四庫》本十二卷。」出校謂：「按：《四庫全書總目》、《文淵閣四庫全書》著錄作『十二卷』，《補正》所言『二十卷』與之不合。」（4：265）此校正《補正》之誤例。

此外，點校本體例謹嚴，操作規範。其中如對《補正》、《總目》、《校記》的引據，對標點符號的使用，對字體的選擇等，均制定了堪稱精當的原則（《點校凡例》於此有詳細說明）。這在技術層面為本書具有高水平提供了保證。而且全書板式疏朗，紙質精良，分裝八冊之鉅，較其他出版機構影印時動輒縮版印行、文字細密而幾不可識相比，自具氣象，頗便利學人使用。

綜上，林慶彰先生等主持整理的《點校補正經義考》，版本選擇精審，集中了《經義考補正》、《經義考校記》、《四庫全書總目》的校正成果，出校頗精，體例謹嚴，是目前最為精善的《經義考》版本，「足為竹垞功臣」，嘉惠學林，功德無量。

二、《點校補正經義考》指瑕

無可諱言的是，點校本仍然存在著一些不足之處。在點校規劃方面，就有以下幾點應當引起注意：

首先，就版本而論，《經義考》版本眾多，盧氏續刊本、《文淵閣四庫全

書》本、《四部備要》本之外,其他版本必有可資參校之處。例如初稿本(藏臺北故宮博物院)反映了《經義考》最初的編纂形態,如能旁參該本,揭出與盧氏續刊本不同之處,則可顯示朱彝尊編纂全書之過程。《四庫全書》現存諸本,在抄錄時必然存在差異。盡可能地羅致眾本,比勘異同,對點校典籍而言,至為重要。

其次,點校本彙集了校正《經義考》的三部主要著作(《補正》、《校記》、《總目》),具有集成性質,是其長處。實則《經義考》校正、續補、擬仿之作頗夥(目前可知者已有十八種之多),已有的校正成果,實不限於前揭三種著作。例如,全祖望《讀易別錄》三卷、盧文弨《經籍考》(不分卷)二種,其書現存;沈廷芳《續經義考》四十卷,尚存數條於蔣光煦《東湖叢記》內。[11]對《經義考》有所是正的,當然也不止於上述專門之作。例如館臣在辦理《四庫全書》事務時,對著錄諸書均有校正,與《經義考》相關的成果則集中反映在《欽定四庫全書考證》卷四十六、四十七這兩卷內。[12]

再次,《經義考》著錄條目,能注出卷數及文獻依據,以及存、佚、闕、未見等流存狀況,提供了較多的學術信息;惟於版本,未能著錄。章學誠仿《經義考》體例以修《史籍考》,於「所據何本,較訂何人,出於誰氏,刻於何年,款識何若,有誰題跋,孰為序引,板存何處,在無缺訛,一書曾經幾刻,諸刻有何異同」,詳考備載,以「補朱氏經考之遺」。[13]錢東垣續補朱著,對現存之書「注明某氏刊本、鈔本、宋刊本、元刊本、影宋鈔本」等。[14]王重民撰《老子考》,仿《經義考》成例,而以其不注版本為「美中不足」,遂「于刻本特欲致其詳」。[15]對版本源流予以揭示,無疑能大大提高整理本的學術價

[11] 對《經義考》續補諸作,拙文〈《經義考》續補諸作考論〉可參。載《古典文獻研究》第11輯(南京:鳳凰出版社,2008年),頁319-336。

[12] 《欽定四庫全書考證》,王太岳、曹錫寶、王燕緒、朱鈐、倉聖脈、何思鈞等編輯,書目文獻出版社,1991年據清內府抄本影印,頁1131-1181。

[13] 章學誠〈論修史籍考要略〉,載《章學誠遺書》,文物出版社影印吳興嘉業堂刻本,1985年,頁116。

[14] 關於《經義考》未著錄版本及錢東垣所作補闕等問題,拙撰《《經義考》研究》第二章〈論《經義考》之條目體系〉第三節「《經義考》條目之不足」部分,有所討論,頁80-81。

[15] 關於《老子考》對《經義考》體例之承繼與創新等問題,拙撰《《經義考》研究》第七章〈論《經義考》之學術影響〉第一節「《經義考》學術影響概論」部分,有所發明,頁251-255。

值。三氏成例，頗資仿效，已為《經義考》整理工作指示了能有作為的一種方向。點校者於此似未措意。

此外，《經義考》著錄宏富，條目下輯錄之資料過萬條，成為學人考論經義、取裁文獻之淵藪。惟所輯文獻，多以「某某曰」形式揭出，不明具體出處；又頗多節引、約引，與原文不盡相同；所錄序、跋，文末常略去年月。這種現狀，大大影響了對其所輯文獻的直接取資，在一定程度上削弱了《經義考》的利用價值。學人於此，每引為撼。[16]這就為《經義考》的點校工作提供了大有作為的空間。但可能受時間限制，點校者於此似未能有所施為。[17]

以上舉其大端而論。若就整理細節而言，點校本也不無瑕疵。在對《經義考》原文、所錄《經義考補正》與《四庫全書總目》相關考辨文字的處理上，在出校（注）、標點等方面，點校本均有不足之處，尤以標點問題為最。以下對各方面處理未當之處，略予舉例明之（標點問題，本文第三節專予討論）。

（一）處理《經義考》文本未當之舉例

對《經義考》本文，點校者頗有處理未當之處，約有以下幾種情形：

1、脫漏例

如《經義考》卷七十三「《百篇尚書》」條載「王肅曰」：「上所言，下為史所書，曰《尚書》也。」此條盧氏續刊本、《四庫》本、《四部備要》本均有，而點校本失載（3：134）。

又如《經義考》卷二百八十七刊石類「漢《一字石經》」條載「趙明誠《金石錄》曰」：「……《洛陽記》又云：『《禮記碑》上有諫議大夫馬日磾、議

---

16 楊果霖先生指出：「（點校本）《校文》的部份，則僅收錄《四庫全書》本、《四部備要》本等二種版本，僅能反映異本之間的差異，若能還原引文的原始出處，取以校勘，將能發現更多的改動情況，且能將查考的引書來源，仿錢熙祚補訂《古微書》之例，附記於引文之末，如此一來，將能提高校勘的價值。此外，若能再補充原經籍的相關版本，甚至補充其藏地的資料，除有助於查考經籍的存佚之外，將更便於讀者的使用。昔日章學誠嘗欲補充《經義考》缺錄版本的缺失，惜其理想未能實現，以今日的學術環境，將較易達成此一目標，若能群策群力，補齊其缺錄版本的不足，將能提高全書的參考價值。」參氏著《朱彝尊〈經義考〉研究》，頁17。

17 據〈點校說明〉，林先生等主持的點校工作始於一九九四年三月，完成於次年六月。《點校補正經義考》，頁5。

郎蔡邕等名，今《論語》、《公羊》後，亦有堂谿典、馬日磾等姓名尚在，據《邕傳》稱，邕以經籍去聖久遠，文字多謬，俗儒穿鑿，疑誤後學，乃奏求正定，自書於碑，於是後儒晚學，咸取正焉。……』（8：591）案：其中「議郎蔡邕等名，今《論語》、《公羊》後，亦有堂谿典、馬日磾」等二十字，為點校本所脫，蓋因前後均有「馬日磾」而目誤。

2、誤以注文為正文例

注文指《經義考》原文中夾注內容，點校本均以小號楷體字標示。然而亦有誤作正文者。如《經義考》卷八十四王氏（柏）「《書疑》」「《書經章句》」「《尚書附傳》」諸條下，朱彝尊按語云：「……《書》則於《舜典》『舜讓於德弗嗣』下補入《論語》『堯作帝曰咨爾舜，天之歷數在爾躬。允執其中，四海困窮，天祿永終』二十四字……」（3：387）諸本「堯作帝曰」均作正文，點校者亦未詳察，強予標點，扞格不通。實則經文但作「堯曰」，「作帝」二字乃朱氏注文。

又如卷八十九「豐氏（坊）《古書世學》」條，所載「顧炎武曰」文中「鄞人言出其子坊偽撰」一句，為顧氏自注之文，而點校本誤作正文（3：479）。

又如卷九十四「傅氏（寅）《禹貢集解》」條，記其存佚曰：「存闕。」（3：579）按朱氏著錄通例，「存闕」二字並列，殊為不倫，實則「闕」字當為注文，為後補以明其現狀者。

3、誤以原文為引文例

點校本通例，凡引《經義考補正》等《經義考》原本之外的文字，俱作引文格式處理（另起段落，以《補正》、《總目》、《校記》字樣領起，引文作楷體，均低一格書寫）。而點校本卷九十三程氏（大昌）「《禹貢論》」「《禹貢論圖》」「《禹貢後論》」諸條下，在引用《補正》一條文字後，所載「大昌《自序》曰」、「又自序《後論》曰」兩條《經義考》原有文字，卻誤作引文處理（3：572-574）。

4、誤以輯錄文獻為朱氏按語例

輯錄文獻指《經義考》條目之下所輯序、跋、諸儒論說等，為輯錄體提要之主體；朱氏有所考論，則以按語形式附於輯錄文獻之後。《經義考》卷二百

二十五「李氏（公麟）《孝經圖》」條，點校本載朱彝尊按語云：「按《中興聖政錄》：『紹興五年，建國公初出資善堂，冲書李公麟《孝經圖》以進。』陸完曰：龍眠居士圖《孝經》，雖曰『隨章摭其一二』，然自天子以至於庶人，威儀動作之節，與夫郊廟之規模、閭里之風俗、器物之制度、畜產之性情，亦略備矣。」（7：12）案：上文自「陸完曰」以下，實為朱氏輯錄之資料，點校本誤作按語格式處理（較正文低三格）。

（二）引據《經義考補正》處理未當之舉例

點校本對翁方綱《經義考補正》的引據，亦有誤引文為《經義考》原文者（如《經義考》卷二百一十二「孟氏（整）《論語注》」條下所引），但以脫漏、誤置者為多。

1、脫漏例

如《經義考》卷二百四十二「楊氏（安國等）《五經精義》」條載《玉海》曰：「……十一月甲寅，御邇英閣，侍讀上《尚書解節》三十卷。……」（7：362）《補正》卷十對此有所是正，謂：「《玉海》條內《尚書解節》當作『節解』。」[18]此條校正材料，點校本失載。

又如卷二百九十八通說類《隋書・經籍志》文，點校本錄《補正》一則，云：「按：《後漢書方術傳注》有脫；又案《後漢書方術傳注》此《推度災》至《援神契》五種俱在七緯之內，此云七緯三十六篇外又有此五篇，疑誤，檢《隋志》與此同，姑仍之。」（8：868-869）核諸《補正》，可知點校本於「有脫」二字之前，脫去「載《七緯篇目》，止三十五，而此云三十六，疑《後漢書》注」[19]二十字。

點校本通例，引用《補正》時，必于文末注出卷次、頁碼。然亦有未能注出者。如卷二百七十一「邵子（雍）《皇極經世書》」條下，點校本錄《補正》一則（8：170），並未循例注出卷次與頁碼，蓋偶脫之。

---

18 翁方綱《經義考補正》，《叢書集成初編》本，商務印書館，1937年，頁152。

19 翁方綱《經義考補正》，頁191。

2、誤置例

　　點校本通例，引用《補正》、《校記》及《總目》時，所引內容緊接相關條目之下，隨文標示。但也有誤置者。如《經義考》卷七十三「《百篇尚書》」條末有朱氏按語兩條，一談高麗、日本《古文尚書》流傳事，一輯《白虎通德論》所引《尚書》文並論其歸屬。點校本於第二條按語下錄《補正》云：「竹垞案語引《日本刀歌『傳聞其國居大海』，『海』當作『島』。方綱按：竹垞既援歐詩《日本刀歌》，固不能以奄然不獻即驗其必無，亦不能以高麗之無，決日本不當有也。又按：高麗宣宗以乙丑歲嗣立，其八年是宋元祐八年，亦非六年也。」（3：142）審其內容，此條《補正》當置於第一條朱氏按語後。

　　又卷七十四「《今文尚書》」條，點校本於「劉知幾曰」一條下，引《補正》云：「孔穎達條內『大航頭』，『航』字，丁杰據《經典釋文序錄》及字書改『舴』。」（3：164）此條補正顯然當附於上條「孔穎達曰」之下。

　　又卷二百六十九「王氏（涯）《太玄經注》」條，點校引《補正》云：「案：今萬玉堂刻本有之，並不闕。」（8：109）《補正》言「並」者，實兼包下文王氏《說玄》條而言，故本條《補正》當置於王氏「《說玄》」條之下。

　　此外如卷一百二十九「周氏（夢暘）《考工記評》」條，點校本於「林兆珂曰」下所引《補正》資料（4：558），當置於上文「郭正域《序》曰」後；卷一百七十一「董子（仲舒）《春秋繁露》」條，點校本於「黃震曰」下所引《補正》資料（5：557），當置於上文「陳振孫曰」之後；卷二百二十二「《古文孝經》」條，點校本於「許冲曰」下所引《補正》資料（6：795），當上置於「班固曰」之後；又卷二百三十二「趙氏（岐）《孟子注》」條，點校本於「《後漢書》」下所引《補正》之案語部分（7：128），實應下置於「晁公武曰」之後。

（三）引據《四庫全書總目》處理未當之舉例

　　點校本引據《四庫全書總目》諸提要，多為節引。處理未當處，除誤以注文為正文者（如卷七十八「孔氏（穎達等）《尚書正義》」條所引《尚書正義》條提要）外，主要有以下兩類：

1、誤拆例

點校本通例，引據《總目》時，於文末注出卷次、頁碼及所屬提要。而《經義考》卷八十一「呂氏（祖謙）《書說》」條下，點校本引《總目》云：

> 是編《文獻通考》作十卷，趙希弁《讀書附志》作六卷，悉與此本不合，蓋彼乃祖謙原書，未經編次，傳抄者隨意分卷，故二家互異。此本則其門人時瀾所增修也。原書始〈洛誥〉，終〈秦誓〉，其〈召誥〉以前〈堯典〉以後，則門人雜記之語錄，頗多俚俗。瀾始刪潤其文，成二十二卷，又編定原書為十三卷，合成是編。（卷十一，頁十四，《書說》提要）（3：326）
>
> 吳師道曰：「清江時鑄，字壽卿，呂成公同年進士，與弟鐌率羣從子弟十餘人，悉從公遊。若澐、若瀾、若涇，尤時氏之秀。成公輯《書說》，瀾以平昔所聞纂成之，今所行書傳是也。」然則是書一名為《書傳》矣。（卷十二，頁十五，《書說》提要）（3：326-327）

案：以上兩條《總目》，文字相承，實為一條（即《總目》卷十一《書說》條提要），點校者將其拆為兩條，末條並誤其所屬卷次。

2、重出例

指同一條提要重復引據。如點校本於卷一百零八「謝氏（升孫）《詩義斷法》」條（注云：「佚。」4：84）、卷一百一十亡名氏《詩義斷法》條（注云：「一卷。」「佚。」4：125）下，均引《總目》云：

> 朱彝尊《經義考》載宋謝叔孫《詩義斷法》，不列卷數。注引《江西通志》曰：「叔孫，南城人，舉進士，官翰林編修。」又載《詩義斷法》一卷，不著名氏。注曰：「見《菉竹堂書目》」，並云已佚。此本五卷，與後一部一卷之數不符，其叔孫之書歟？（卷十七，頁七，《詩義斷法》五卷提要）

案：《總目》既已判定其書為五卷本，且謝升孫條下已有引據，則不當重出於亡名氏一卷本條下。

又如卷二百零五「王氏（震）《左傳參用》」條、卷二百零八「王氏（名未詳）《春秋左翼》」條，點校本所引《總目》「《春秋左翼》」條提要亦重出。

（四）出校未當舉例

點校本通例，凡《經義考》文本不同版本之間存在差異，或對其文本有所是正，均予出校，當頁注出；如《經義考補正》、《經義考校記》、《四庫全書總目》等對《經義考》文本有所辨正，點校者也採其結論，予以出校；如認可其辨正成果，點校者即在注釋中據以校正。出校體例，頗稱謹嚴。惟《經義考》著錄宏富，頭緒紛繁，出校難免有不妥之處。細按全書，約有以下幾種情形：

1、失校例

點校本失校之處，有以下幾類：

（1）《經義考》版本之間存在差異，點校者未能校出。如鄭氏（玄）「《尚書大傳注》」條，為《四庫》本所無，點校者即未能出校。此條目失校例。

版本之間更大的差異是在文本上。如卷一百「漢楚王（交）《詩傳》」條載「劉城曰」，「秦、漢間急攻戰」句，點校本脫去「間」字（3：742）；卷一百零一「鄭氏（元）《毛詩箋》」條朱彝尊按語中「古之人無擇」句，《四庫》本脫去「之」字（3：770）卷一百零二「蔡氏（謨）《毛詩疑字》」條，據下文朱彝尊按語，知當作「《毛詩疑字議》」，諸本皆脫「議」字（3：792）。此類失校極夥。

（2）《補正》等有所考辨，點校者未按通例出校。如《經義考》卷一百四十一「張子（載）《禮記說》」條，《補正》指出魏了翁《序》內「若有聞焉」，「聞」當作「問」（4：814），點校本即無注加以說明。

（3）《經義考》版本之間雖無差異，而原文實有誤，點校者未能校出。如卷七十二「《三皇五帝之書》」條載「方孝孺曰」：「書之名真而實偽者多矣，何從而信之哉？亦在慎辨之爾。」（3：128）此文實出自方氏《遜志齋集》卷四〈讀三墳書〉一文，其中「慎」當作「審」。又如卷九十九「卜子（商）《詩

序》」條載「許孚遠曰」一條（3：730-732），其中引《史記》語云：「古者《詩》三千餘篇，孔子去其重，取其施於禮義……」案：「取其施於禮義」，「其」當作「可」。

2、誤校例

如卷九十九「卜子（商）《詩序》」條載蔣悌生「又曰」：「論者謂《詩大序》非聖人不能作……意者采詩之時，皆總諸國史，條其篇類，明其義理，然後轉授瞽矇，使誦於王之左右。不然，則矇乃無目之人，若非他人相而詔之，又何從知其條類義理而誦之邪？」點校本出校云：「『轉』，《四庫》本同，應依《備要》本作『傳』。」（3：729）實則國史與瞽矇，所屬不同，當用「轉授」。檢蔣氏《五經蠡測》卷三，正作「轉」字。

又如卷一百二十九「周氏（夢暘）《考工記評》」條載「郭正域《序》曰」，點校本注云：「『萬』，《補正》、《四庫》本作『萬』。」（4：556）檢《四庫》本，實作「萬」字。

3、有校無斷例

指點校本雖予出校，但並未作出應有的推斷。如卷七十八「亡名氏《尚書閏義》」條，據《隋志》著錄為「一卷」。點校本出校謂：「『閏』，《備要》本作『潤』。」（3：251）檢《隋志》，即知《備要》本作「潤」字之誤。

又如卷一百三十「《儀禮》」條載朱子「又曰」，引「陳振叔說《儀禮》」云云。點校本出校謂：「『陳振叔』，《四庫》本作『陳振孫』。」（4：576）案：據下文所引「陳振孫曰」，即可斷所謂「陳振叔」當作「陳振孫」。

又如卷二百七十三「張氏（霸）《偽尚書》」條載《漢書》所記張霸《百兩篇》事，點校本出校云：「『霸以能百兩徵』，《四庫》本『能』下有『為』字。」（8：224）下文又引《補正》云：「《漢書》條內『以能百兩徵』，『能』下脫『為』字。」（8：225）按《補正》所校，此「為」字當補。

4、出校不全例

指點校本雖予出校，而未能對相關現象予以全面概括。如卷二百三十八「羅氏（願）《爾雅翼》」引「顧璘《跋》曰」一條，點校本出校云：「《四庫》本本條全闕。」（7：276）實則此下「都穆《序》曰」一條，《四庫》本亦全

闕，點校本未能出校。

此外，《經義考》諸本之間有規律性的文字差異，如加總括性說明，即可省去一一出校之繁瑣。如「註」，《四庫》本每作「注」；「邱」，《四庫》本每作「丘」；避諱字「玄」，《四庫》本常作「元」等。

三、《點校補正經義考》之標點問題

點校古籍，最難在斷句與標點。點校本雖由名家主持，優良團隊操作，仍不免於標點上出現失當之處。筆者對其易類標點之失，曾有是正。[20]除無意脫漏者外（此類頗多，不予舉例），大都因為誤解文意致標點不當。若綜其形式，大致有以下幾種：

1、斷句有誤例

此類極尠。如《經義考》卷一百零五「董氏（逌）《廣川詩故》」條引《中興藝文志》：「建炎中，逌載是書而南其志，公學博不可以人廢也。」（4：5）[21]實當作：「建炎中，逌載是書而南，其志公學博，不可以人廢也。」

又如卷一百二十五「吳氏（當）《周禮纂言》」條載「陸元輔曰」：「臨川吳當伯尚，至正二年以薦授國子助教……明太祖至江州召見，長揖不屈，隱居吉水之谷坪，卒羅一峰。嘗言吳文正公考《周官》以正六典，以《大司徒》之半補《冬官》之缺，蓋取俞氏、丘氏之論也。……」（4：463）蓋以羅一峰為地名。羅氏名倫，《明史》有傳。

又如卷一百三十三「敖氏（繼公）《儀禮集說》」引敖繼公又《後序》曰」：「夫《記》者，乃後人述其所聞，以足經意者也，舊各置之於其本篇之後者，所以尊經而不敢與之雜也。朱子作《儀禮經解》，乃始以記文分屬於經文每條之下，謂以從簡，便予作集說，而於此則不能從也，予非求異於朱子也，顧其

---

20 拙文〈《點校補正經義考》易類標點商榷舉隅〉（載《古典文獻研究》第12輯，南京：鳳凰出版社，2009年，頁462-474）拈取九例加以訂正，並總結云：「合而觀之，大都因不明名物制度，失於察考，或未能檢核相關文獻等而致誤。此外，還頗有因對文化或學術常識有所忽視，或對文獻層次未加措意而標點失當者。」檢視全書，致誤之由大抵如此。

21 本節引用《經義考》文字，如無特殊說明，標點全依點校本。

勢有所不可耳……」（4：636-637）案：細繹其文，「謂以從簡，便予作集說」，「便」字當上繫，與「簡便」成詞。下文有「雖未必盡如其所謂以從簡便之說」等語，可為旁證。

又如卷二百一十二李氏（充）「《論語釋》」條下朱彝尊按語：

> 按：《釋文》：「予所否者，引李氏《釋》云。否，備鄙反。」（6：617）

案：所斷不通。宜作：

> 按：《釋文》「予所否者」引李氏釋云：「否，備鄙反。」

李氏指李充。見陸德明《經典釋文》卷二十六《論語·雍也第六》部分音義。

又如卷二百二十一「王氏（肯堂）《論語義府》」條下「王綱振曰」：

> 損庵先生見世所行講說類多蕪陋，不足發明聖賢本旨，乃裒集儒先語錄，下及近儒諸說經者，凡數百家，選而輯之，時折衷以數語，名曰《義府》論語最先脫槁，計四十餘萬言，因先刻之。（6：779-780）

案：繹其文，王氏「義府」之作，《論語》只是其中一種，故宜斷作：「名曰《義府》。《論語》最先脫槁……」。

2、誤斷書名例

《經義考》通考歷代經義著作，廣錄諸儒論說，所涉古人著述極多，點校本因此在書名的標示上，常有誤判。大致有以下幾種情形：

（1）誤合書名例。如卷一百七十八「馮氏（繼先）《春秋名號歸一圖》」條載「岳珂曰」：「《春秋名號歸一圖》二卷，馮繼先撰。刊本多訛錯，嘗合京、杭、建、蜀本參校……廖本無《年表歸一圖》，今既刊《公》、《穀》，併補二書以附《經》、《傳》之後。」（5：752-753）《年表》、《歸一圖》即下文所言之「二書」，此誤合為一。

（2）誤判為書名例。如卷一百五十一「胡氏（瑗國《中庸義》）條載「晁說之曰」：「小人之《中庸》也，王肅本『之』下有『反』字，胡先生、溫公、明道皆云然。」（5：141）案：首句乃《禮記》中語，「中庸」非書篇名，不當有書名號。又如卷二百一十三「韓子（愈）《論語注》」「《論語筆解》」條下引「王楙曰」，有句作「僕又觀《退之別集》《答侯生問論語》一書有曰」（6：640）。「退之別集」並非書名。

（3）應加書名號例。如卷九十四「韓氏（邦奇）《禹貢詳略》」條載「邦奇《自序》曰」：「略者，為吾家初學子弟也。復講說者，舉業也。詳釋之者，俟其進而有所考也。」（3：587）案：「略」指《禹貢詳略》，故當加書名號。

（4）人名、書名互淆例。如卷二百零九劉氏（城）「《竹書師春》」條載「黃伯思曰」：「晉太康二年，汲郡民不準盜發魏襄王冢，得古竹書，凡七十五篇。晉征南將軍杜預云：別有一卷，純集《左傳》卜筮事，上下次第及其文義皆與《左傳》同，名曰《師春》。《師春》似是鈔集人名也。今觀中秘所藏，師春乃與預說全異……」（6：552）末數句宜標點作：「『師春』似是鈔集人名也。今觀中秘所藏《師春》，乃與預說全異……」。

（5）誤以篇名為書名例。如卷一百七十六「孔氏（穎達等）《春秋正義》」條載「穎達《序》曰」：「按《家語》、《本命》云……」（5：679）案：《本命解》是《孔子家語》的篇名，故宜標點作：「按《家語·本命》云……」。

此外，如卷一百六十九「左丘子（明）《春秋傳》」條載呂大圭「又曰」：「蓋《左氏》曾見國史，而《公》、《穀》乃經生也。」（5：523）案：《經義考》中雖多處用《左氏》、《公》、《穀》作為《左氏傳》、《公羊傳》、《穀梁傳》之簡稱，但此處顯係人名，不得加書名號。點校本中這一錯誤頗多。

3、應標引號例

如文獻中復有引文，點校本常標引號以明示之，體例頗善。然亦有應標未標者。如卷一百四家「成氏（伯璵）《禮記外傳》」條下朱氏按語：「按：《禮記外傳》，今逸不傳。《太平御覽》每引之，有曰吉、凶、軍、賓、嘉五禮之目也。吉禮者，祭祀郊廟社稷之事是也……唐、虞之際，五禮明備，周公所制文物極矣。觀此，則一書之大綱略可見也。」（4：809-810）案：其中「有曰」

以下為所引之文，至「極矣」而止，當標引號，以免與朱彝尊之語混為一談。其中文字差異處，亦應出校。[22]

又如卷一百八十三「張氏（根）《春秋指南》」條載「汪藻《序》曰」：

> 《六經》惟《春秋》為仲尼作，聖人見其所志之書也。……然其褒貶一出乎天下是非之公，豈故為殊絕甚高之論，使後人有不可及之歎哉！不知班固何所授之，立為弟子，退而異言之說，開後世諸儒相詰之端。……（5：857-859）

案：「立為弟子，退而異言之說」，不通。班固《漢書‧藝文志》春秋類序作「弟子退而異言」，當據此標示引號。

又如卷二百一十四「程子（頤）《論語說》」條載「康紹宗曰」：「伊川先生《論語解》，時氏本至麻冕禮也，一章而止。然以《大全集》校之閣本，詳略不同。」（6：659）案：「麻冕禮也」為《論語解》內容，康氏用以表明起訖，當加引號，並與下文連屬。

4、誤斷直接引文範圍例

如卷一百六十八「《百國春秋》」條下朱彝尊按語：

> 按：《公羊傳》有「不修《春秋》，則魯之《春秋》也。」周、燕、齊、宋皆有《春秋》，載在《墨子》，合以晉《乘》、楚《檮杌》、鄭《志》、《百國春秋》之名，僅存其八而已。（5：510）

案：「不修《春秋》」為《公羊傳‧莊公七年》文，「則魯之《春秋》也」為朱氏按語。

又如卷二百一十五「劉氏（弇）《論語講義》」條載「弇《自序》曰」：

---

22 檢《太平御覽》卷五百二十三《禮儀部二‧敘禮下》，知朱氏所引賓禮、軍禮次序相反。又，「記」當改為「紀」，「雖尤」當作「蚩尤」，「焉」字當改為「為幣」。見中華書局影印上海涵芬樓影宋本，1960年，頁2375。

……雖然若孔子者，非學也，故曰：「予非多學而識之，吾道一以貫之
而已矣。」故曰：「我非生而知之，好古敏以求之而已矣。」……（6：
674）

案：「而已矣」非孔子語，故宜標點為：

……雖然，若孔子者，非學也，故曰「予非多學而識之」、「吾道一以貫
之」而已矣，故曰「我非生而知之」、「好古敏以求之」而已矣。……

5、前後未能一貫例

點校本標點，頗多前後未能一貫者，甚至一段之中，即有差異。如卷八十
「林氏（之奇）《尚書集解》」條載「之奇《自序》曰」一段，時作「伏生之
書」、「孔壁續出之書」，時作「伏生之《書》」、「孔壁續出之《書》」（3：295-
298）。又如卷二百一十「張氏（以寧）《春王正月考》」條，凡「經」字俱作
「《經》」字，致「《經》史傳記」並列，頗為不倫（6：565-568）。標點有差異
的詞語，點校本中常見的有以下幾組：經、《經》，傳、《傳》，古文、《古文》，
今文、《今文》，《春秋三傳》、《春秋》三傳，《四庫》本、《四庫本》，注云、
《注》云，等等。另外在標記六十四卦卦名時，書名號時加時無，亦未能統
一。

需要指出的是，點校本標點未善之處，有時並不限于上舉某一類之情形，
而是混合雜糅，層次紊亂，頗失理據。茲舉兩例：

《經義考》卷二百二十一亡名氏「《孔子三朝記》」條，點校本引《補正》
云：

聘珍按：《漢藝文志》「《孔子三朝》七篇」，師古注：「今《大戴禮》有
其一篇《高帝紀注》，臣瓚曰『《孔子三朝記》』云『蚩尤，庶人之貪
者』，師古曰『瓚所引者同是《大戴禮》，出用兵篇而非《三朝記》也。
《蜀志・秦宓傳》：『昔孔子三見哀公，言成七卷。』裴松之注：『劉向

《七略》曰孔子三見哀公，作《三朝記》七篇，今在《大戴禮》。臣松之案中經部有孔子《三朝》八卷，一卷《目錄》，餘者所謂七篇。今撿《大戴記》中「千乘四代虞戴德誥志小辨用兵少閒」皆對哀公之言，然《大戴》無「三朝記」之名，未知師古所謂「一篇」者，意何屬也？（6：786）

案：「用兵」二字，點校本標以專名線。實宜標點作：

聘珍按：《漢藝文志》「《孔子三朝》七篇」，師古注：「今《大戴禮》有其一篇。」《高帝紀注》，臣瓚曰：「《孔子三朝記》云：『蚩尤，庶人之貪者。』」師古曰：「瓚所引者同是《大戴禮》，出《用兵篇》，而非《三朝記》也。」《蜀志・秦宓傳》：「昔孔子三見哀公，言成七卷。」裴松之注：「劉向《七略》曰：『孔子三見哀公，作《三朝記》七篇，今在《大戴禮》。』臣松之案：《中經部》有《孔子三朝》八卷，一卷《目錄》，餘者所謂七篇。」今撿《大戴記》中「千乘四代虞戴德誥志小辨用兵少閒」，皆對哀公之言，然《大戴》無「三朝記」之名，未知師古所謂「一篇」者，意何屬也？

又如卷二百五十八「樊氏（良樞）《四書參解》」條載「良樞《自序》曰」，點校本作：

參於古之謂參，參於師友之謂參，參於獨見之謂參，兩人相商之謂參，兩書相證之謂參，《易》曰「參天倚數必參之，而數可極也」，又曰「參伍以變，必參之而變可通也」，荀卿曰「窺敵制變，欲伍以參」，韓非曰：「參之以比物，伍之以合參。」說、參莫辨於此矣。然必如《中庸》之天地參而後謂之參，吾所謂「參與聖賢」，「參」之謂也，參則解矣，今之讀書本直也，而曲解之本易也，而僻解之本深也，而淺解之有甚不費解，而終身索解不得者；有強作分解，而究竟不知其解者，所由

不自參照之故也。（7：661-662）

案：宜標點作：

> 參於古之謂參，參於師友之謂參，參於獨見之謂參，兩人相商之謂參，
> 兩書相證之謂參。《易》曰：「參天倚數必參之，而數可極也。」又曰：
> 「參伍以變，必參之而變可通也。」荀卿曰：「窺敵制變，欲伍以
> 參。」韓非曰：「參之以比物，伍之以合參。」說「參」，莫辨於此矣。
> 然必如《中庸》之「天地參」而後謂之「參」，吾所謂「參」，「與聖賢
> 參」之謂也，參則解矣。今之讀書，本直也，而曲解之；本易也，而僻
> 解之；本深也，而淺解之。有甚不費解，而終身索解不得者；有強作分
> 解，而究竟不知其解者，所由不自參照之故也。

以上申論《點校補正經義考》之成就，並指陳其瑕。必須說明的是，點校本雖
然存在不足，但並未掩其成就，作為最精善的《經義考》版本，該本理所當然
地成為學人利用的最佳選擇。筆者從事《經義考》專題研究，即頗拜該本之
賜，並承林慶彰先生惠贈該書。期望本文的撰寫，能對該本之利用微有助益。

──原刊於《古典文獻研究》第13輯（南京：鳳凰出版社，2010年6月），
　　頁356-376。

《點校補正經義考》易類標點商榷舉隅

張　宗　友*

　　《點校補正經義考》是目前公開出版的唯一的《經義考》點校本，也是《經義考》最為精善的版本。朱彝尊（1629-1709）的這部學術名著，共分三十類，著錄先秦至清初經學著作凡九千八百餘種，每種均詳載其作者、書名、卷數、存佚，輯錄歷代學者之考論，附以按語，凡三百卷，係中國古代集大成式的經學總目，為研治中國學術、文化者所必資。自刊布後，補作、續作、擬作，以及補正、校記之作，遞有問世，[1]惜多不存，搜討為難。且《經義考》版本較多，[2]各本皆有闕誤，又未施新式標點，學者利用，頗為不便。一九九四年，林慶彰、蔣秋華、楊晉龍等先生，主持了專題研究計劃「點校補正《經義考》」，對該著進行整理。其方法是：以盧見曾補刻本為底本，加以新式標點，並以文淵閣《四庫全書》本、《四部備要》本為輔本，詳加校勘，作成校記；再將前賢之補正資料，如翁方綱《經義考補正》、羅振玉《經義考校記》、《四庫全書總目》（辨正《經義考》失誤之內容）等，附於相關條目之下。[3]這

---

*　南京大學文學院副教授。

　本文為全國高等院校古籍整理研究工作委員會直接資助項目（編號：0846）成果之一。

1　這些著作有十八種之多，詳參拙文〈《經義考》續補諸作考論〉，載《古典文獻研究》第11輯（南京：鳳凰出版社，2008年），頁319-336。

2　《經義考》版本，有初稿本、初刻本、盧見曾補刻本、摛藻堂《四庫全書薈要》本、文淵閣《四庫全書》本、文津閣《四庫全書》本、汪汝瑮補刻本、浙江書局本、《四部備要》本、秀水朱氏重修刊本等。詳參吳政上《經義考提要及版本介紹》（吳政上《經義考索引》附錄，〔臺灣〕漢學研究中心，1992年，頁1-5）、日本學者杉山寬行《論朱彝尊的〈經義考〉——主論〈經義考〉之諸版本》（載《朱彝尊〈經義考〉研究論集》，林慶彰、蔣秋華主編，〔臺北〕「中央研究院」中國文哲研究所籌備處，2000年，頁91-126）等文。

3　《點校補正經義考·出版說明》，朱彝尊原著，林慶彰、蔣秋華、楊晉龍、張廣慶等編審，〔臺北〕「中央研究院」中國文哲研究所籌備處，1997年，第5-6頁。參與點校工作的學者還有：許維

項工作於次年六月完成,《點校補正經義考》即其最終成果。該本除校勘文字、加以新式標點外,還彙集了翁方綱、羅振玉等學者的校補成果,取資便利;且版式疏朗,紙質精良,精裝為煌煌八大鉅冊,令人撫讀之下,不忍釋卷。林先生等主持的這項點校工作,嘉惠學林,可謂功德無量。

但是,由於卷帙繁富,成於眾手,完工較速,《點校補正經義考》頗有未饜人意者。如前賢校補成果,未能全收;失校之處,所在多有;標點有待商榷者,亦復不少。今不揣冒昧,將《點校補正經義考》易類標點頗須斟酌者,略舉數例,加以條辨,以就教方家。

一、《經義考》卷十一「徐氏(苗)《周易筮占》」條引《晉書》:

> 徐苗字叔胄,高密淳于人。與弟賈就博士濟南宋鈞受業,遂為儒宗,作《五經同異評》。郡察孝廉,州辟從事、治中、別駕,舉異行,公府五辟博士,再徵,並不就。(1:220)[4]

按:本段文字為朱彝尊約取《晉書》而成。《經義考》卷二百四十「徐氏(苗)《五經同異評》」條下,亦錄此則材料:

> 苗字叔胄,高密淳于人。就博士濟南宋均受業,遂為儒宗,作《五經同異評》。郡察孝廉,州辟從事治中別駕,舉異行公府,五辟博士,再徵,並不就。(7:317-318)

「公府五辟博士再徵」等句,《點校補正經義考》兩處標點並不一致。中華書局點校本《晉書》,與其前一處標點相同:「徐苗字叔胄,高密淳于人也。累世相承,皆以博士為郡守。……弱冠,與弟賈就博士濟南宋鈞受業,遂為儒宗。作《五經同異評》,又依道家著《玄微論》,前後所造數萬言,皆有義味。……

萍、馮曉庭、江永川、陳恆嵩、侯美珍、張惠淑、黃智信、汪嘉玲、游均晶等。

[4] 為省繁文,茲將所引《點校補正經義考》文字之頁碼,附注於後:前一數字表明冊數,後一數字表明頁數;「1:220」,即第1冊第220頁。

郡察孝廉，州辟從事、治中、別駕，舉異行，公府五辟博士，再徵，並不就。
武惠時計吏至臺，帝輒訪其安不。永寧二年卒，遺命濯央瀚衣，榆棺雜塼，露
車載尸，葦席瓦器而已。」[5]「舉異行」的主語承前省，與「公府」無關，自
當以斷開為宜。而「公府五辟博士再徵」句，中華書局點校本與《點校補正經
義考》的標點均有問題，需加是正。

　　所謂公府，指三公或具有特殊地位的王侯的官府，可以自行任命屬官。如
《晉書·王祥傳》：「父融，公府辟，不就。」〈歐陽建傳〉：「辟公府，歷山陽
令、尚書郎、馮翊太守，甚得時譽。」〈盧志傳〉：「志字子道，初辟公府掾、
尚書郎，出為鄴令。」〈劉毅傳〉：「同郡王基薦毅於公府，曰：『毅方正亮直，
挺然不羣。』……太常鄭袤舉博士，文帝辟為相國掾。」〈程衛傳〉：「名振遐
邇，百官屬行。遂辟公府掾，遷尚書郎、侍御史，在職皆以事幹顯。補洛陽
令，歷安定、頓丘太守，所蒞著績，卒於官。」〈劉頌傳〉：「（劉）友辟公府
掾、尚書郎、黃沙御史。」〈束晳傳〉：「晳博學多聞，與兄璆俱知名。……還
鄉里，察孝廉、舉茂才，皆不就。璆娶石鑒從女，棄之。鑒以為憾，諷州郡公
府不得辟，故晳等久不得調。」[6]以上諸人，或被薦舉於公府，或為公府所
辟；或不就，或先任公府屬官，再出為外官。

　　至於博士，《晉書·職官志》載：「太常，有博士、協律校尉員，又統太學
諸博士、祭酒及太史、太廟、太樂、鼓吹、陵等令，太史又別置靈臺丞。」
「太常博士，魏官也。魏文帝初置，晉因之。掌引導乘輿。王公已下應追謚
者，則博士議定之。」「晉初承魏制，置博士十九人。及咸寧四年，武帝初立
國子學，定置國子祭酒、博士各一人，助教十五人，以教生徒。博士皆取履行
清淳、通明典義者，若散騎常侍、中書侍郎、太子中庶子以上，乃得召試。及
江左初，減為九人。元帝末，增《儀禮》《春秋公羊》博士各一人，合為十一
人。後又增為十六人，不復分掌《五經》，而謂之太學博士也。孝武太元十

5　房玄齡等《晉書》卷九十一，中華書局，1974年，頁2351-2352。
6　以上諸人，分見房玄齡等《晉書》卷三十三、四十四、四十五、四十六、五十一、頁碼分別為
　987、1009、1256、1271-1272、1282、1308、1427。

年，損國子助教員為十人。」[7]明博士為太常官職，而非公府之屬官。其人員
可以薦舉，但由朝廷或太常任命或徵召，公府不得辟除。如《晉書・文苑傳》
載成公綏受到張華的薦舉：「張華雅重綏，每見其文，歎伏以為絕倫。薦之太
常，徵為博士。歷祕書郎，轉丞，遷中書郎。」[8]〈隱逸傳〉：「郭荷字承休，
略陽人也。六世祖整，漢安順之世，公府八辟，公車五徵，皆不就。自整及
荷，世以經學致位。荷明究羣籍，特善史書。不應州郡之命。張祚遣使者以安
車束帛徵為博士祭酒，使者迫而致之。及至，署太子友。荷上疏乞還，祚許
之，遣以安車蒲輪送還張掖東山。」[9]郭整「公府八辟，公車五徵」，正與徐苗
事類。

綜上，本則《晉書》材料末句宜標點作；「郡察孝廉，州辟從事、治中、
別駕，舉異行，公府五辟，博士再徵，並不就。」

二、《經義考》卷十二「朱氏（异）《集注周易》」條引《梁書》：

> 朱异字彥和，吳郡錢唐人。遍治《五經》，尤明《禮》、《易》。明山賓表
> 薦异，高祖召見，使說《孝經》、《周易》義，甚悅之，召直西署，俄兼
> 太學博士。其年高祖自講《孝經》，使异執讀，累遷右衛將軍。時城西
> 開士林館，以延學士。异與左丞賀琛遞日述高祖《禮記》、《中庸義》。
> 皇太子又召异於玄圃講《易》，改加侍中，遷左衛將軍，遷中領軍。侯
> 景舉兵反，以討异為名。及寇至，文、武咸尤之，异憝憤發病卒。所撰
> 《禮》、《易講疏》及《儀注》、《文集》百餘篇，亂中多亡逸。（1：258）

按：點校者蓋以《禮記》、《中庸》為獨立之書，故標點作「《禮記》、《中庸
義》」。實則僅為講義而已，並非獨立著作，故「義」字當置於書名號外，與
「《孝經》、《周易》義」相類。又，其時與朱子表彰《禮記》中《大學》、《中
庸》兩篇，相距六七百年，《中庸》尚未從《禮記》中獨立出來，因而這種標

7　房玄齡等《晉書》卷二十四，頁735-736。
8　房玄齡等《晉書》卷九十二，頁2375。
9　房玄齡等《晉書》卷九十四，頁2454。

點方式無疑是欠妥的。中華書局本點校本《梁書》卷三十八〈朱异傳〉標點作「《禮記中庸義》」，[10]當成一種著述來處理，也是不妥的，而且未能體現《禮記》與《中庸》的包含關係。如果標作「《禮記・中庸》義」，則既能體現出不同的層次，又能與「《孝經》、《周易》義」相呼應，或許更為允當。

三、《經義考》卷十三「關氏（朗）《易傳》」條引「王應麟曰」：

> 子明《易傳》，《卜百年義》第一，次以《統言》、《易義》、《大衍》、《乾坤策》、《盈虛》、《闔闢》、《理性》、《時變》、《動靜》、《神義》，終於《雜義》第十一。（1：270）

按：此文出自王氏《玉海》卷三十六。文中明言關朗《易傳》有十一篇，而《點校補正經義考》標點所顯示的篇名有十二篇。檢《說郛》（明陶宗儀撰。文淵本[11]）卷二下所舉《關氏易傳》篇目，作〈卜百年義〉第一、〈統言易義〉第二、〈大衍義〉第三、〈乾坤之策義〉第四、〈盈虛義〉第五、〈闔闢義〉第六、〈理性義〉第七、〈時變義〉第八、〈動靜義〉第九、〈神義〉第十、〈雜義〉第十一；又清宮夢仁《讀書紀數略》（文淵本）卷三十一載關朗《易傳》十一篇，篇目為〈卜百年義〉、〈統言易義〉、〈大衍〉、〈乾坤策〉、〈盈虛〉、〈闔闢〉、〈理性〉、〈時變〉、〈動靜〉、〈神義〉、〈雜義〉。點校者未審其目，誤判《統言易義》為二書。「統言」，猶總論之意。

四、《經義考》卷十三「關氏（朗）《易傳》」條引「吳萊後《序》曰」：

> 予始讀文中子《中說》，頗載關郎子明事，後得天水趙蕤所注關子《易傳》十有一篇，大槩《易》上、下《繫》之義疏耳。首述其出處本末，次分卜百年數，別為一篇，似皆出之王氏。或曰：「王氏《中說》本於

---

10 姚思廉《梁書》卷三十八，中華書局，1973年，頁538。

11 「文淵本」，以下用作「文淵閣《四庫全書》本（電子版）」的簡稱。臺灣商務印書館1986年出版了文淵閣《四庫全書》的影印本，上海人民出版社和迪志文化出版有限公司於1999年合作出版了該本的電子版。

阮逸，關氏《易傳》肇於戴師愈。師愈，江東老儒也。觀其傳統，言消息、盈虛、爻象、策數之類，獨與張彝相問答。彝嘗薦之魏孝文，而王氏之贊《易》，世傳關氏學也。」是又豈盡假託而後成書歟？夫《易》之道大矣，世之言《易》者，往往不求其道之一，卒使其學鑿焉而各不同，是故談理數者多溺於空虛，守象數者或流於讖緯，此豈聖人之意哉？蓋天地之初，未始有物也，聖人特因其自然之理，故推七八九六之數，非苟畫焉，將以著其未盡之妙而已。……（1：270-271）

按：此文為吳萊〈關子明易傳後序〉，見其《淵穎集》（文淵本）卷七，朱氏所引文字全同。《點校補正經義考》標點較通順，惟「觀其傳統，言消息、盈虛、爻象、策數之類」，當作：「觀其《傳》，統言消息、盈虛，爻象、策數之類」。蓋「統言」為「總論」之意；「消息」指一個卦體的陰陽爻消長變化造成爻動而變成另一卦，陽爻去而陰爻來叫「消」，陰爻去而陽爻來叫「息」，如由初爻至上爻循序「消息」，則成十二消息卦。「盈虛」為關朗《易傳》篇名之一。消息與盈虛，為象數之學的內容。下文「爻象、策數之類」，是對關氏《易傳》內容的總體判斷。象數之學與義理之學，乃易學兩大分野。朱睦㮮序李鼎祚《周易集解》云：「自商瞿之後，注《易》者百家，而鄭氏玄、王氏弼為最顯。鄭之學主象數，王之學主名理，漢晉以來，二氏學並立。」[12]吳萊認為關朗之學為象數之學，因此下文又對義理、象數二派的缺點提出批評。點校者顯以「傳統」為詞，故有誤斷。

五、《經義考》卷十六「龍氏（昌期）《周易注》」條引「王闢之曰」：

龍昌期，陵州人。祥符中，別注《易》、《詩》、《書》、《論語》、《孝經》、《陰符》、《道德經》，攜所著遊京師，范雍薦之朝，不用。韓魏公安撫劍南，奏為國子四門助教。文潞公又薦授校書郎講說。府學明鎬再奏，授太子洗馬，明堂汎恩，改殿中丞。又注《禮論》、《政書》、《帝王

---

12 《經義考》卷十四「李氏（鼎祚）《周易集解》」條下引（1：308）。

心鑑》、《八卦圖》、《精義入神》、《絕筆書》、《河圖》、《照心寶鑑》、《春
秋復道》、《三教圖》、《通天保正名》等論。是期該洽過人，著撰雖多，
而所學雜駁。（1：357）

按：韓魏公指韓琦，文潞公指文彥博。朱彝尊於此條下又引《宋史》一則，謂
龍氏「初用薦者補國子四門助教，文彥博守成都，召至府學，奏改祕書省校書
郎」。點校者蓋以「校書郎講說」為官職，故於其後加句號。實則並無「校書
郎講說」之官，當以「講說府學」成句。本則材料出自王氏《澠水燕談錄》，
其卷七「貢舉」類（文淵本）載有是文，而「安撫」作「按撫」，「《政書》」前
有一「注」字，「等論」後有「竹軒小集」四字，「而所學」作「然所學」。蓋
朱彝尊引用之時，有所省、脫。檢《宋詩紀事》（文淵本）卷八「龍昌期」
條：「昌期字起之，陵州人。祥符中遊京師，明鎬奏授太子洗馬。明堂汎恩，
改殿中丞。有《竹軒小集》。」知文淵本《澠水燕談錄》脫去「有《竹軒小
集》」之「有」字。又，《宋詩紀事》於此條下注引《宋史‧劉敞傳》云：「蜀
人龍昌期著書傳經，以詭僻惑眾。文彥博薦諸朝，賜五品服。敞與歐陽修俱
曰：『昌期違古畔道，學非而博，王制之所必誅，未使即少正卯之刑，已幸
矣，又何賞焉。乞追還詔書。』昌期聞之，懼不敢受賜。」[13]與王氏記載，互
為佐證。本則材料，中華書局點校本《澠水燕談錄》置於卷六「文儒」類，文
曰：

龍昌期，陵州人，祥符中，別注《易》、《詩》、《書》、《論語》、《孝
經》、《陰符》、《道德經》，攜所注遊京師。范雍薦之朝，不用。韓魏公
安撫劍南，奏以為國子四門助教。文潞公又薦，授校書郎，講說府學。
明鎬再奏，授太子馬致仕。明堂泛恩，改殿中丞。又注《禮論》，注
《政書》、《帝王心鑑》、《八卦圖精義》、《入神絕筆書》、《河圖》、《焌心
寶鑑》、《春秋復道三教圖》、《通天保正名等論》、《竹軒小集》。昌期該

---

[13] 按：此處所引《宋史》，於「乞追還詔書」後，省去「毋使有識之士，窺朝廷深淺」句。參脫脫
等《宋史》卷三百一十九，中華書局，1985年，頁10386。

洽過人,著撰雖多,然所學雜駁,又好排斥先儒,故為通人所罪,而其書亦不行。年八十九,卒,鮮於子駿為誌其墓。[14]

中華本於「薦授校書郎講說府學明鎬再奏授太子洗馬」等句,標點頗為允當,其後書名與標點,則不免有誤。「精義入神」,語出《易・繫辭》:「尺蠖之屈,以求伸也。龍蛇之蟄,以存身也。精義入神。以致用也。利用安身,以崇德也。」其意指精通事物義理,進入神妙境界,目的則在於達到運用。因此,「精義入神」不當拆屬兩名。鄭樵《通志・藝文略》有龍昌期「《春秋復道論》十五卷」(朱睦㮮《授經圖義例》卷十六同),《經義考》卷一百七十九即據此設立條目,故「春秋復道」不得與「三教圖」納入同一書名號內。《宋史・藝文志》有「龍昌期《天保正名論》八卷」,則「通」字當上繫,按「三教圖通」斷句。因此,「等論」二字,乃總括之語,亦不得納入書名號內。《竹軒小集》既為龍氏著作,宜當從《宋詩紀事》,補上「有」字,自成一句。又,王闢之既於《禮論》、《政書》前各加「注」字,以示區別,此二書顯與以下所舉者不同。龍氏既有《春秋復道論》、《天保正名論》,文中又有「等論」二字加以總括,可知自《帝王心鑑》以下,均為龍氏自撰之論,惟蒙後省略一「論」字而已。《宋史・胡則傳》謂龍氏「嘗註《易》、《詩》、《書》、《論語》、《孝經》、《陰符經》、《老子》,其說詭誕穿鑿,至詆斥周公。……著書百餘卷」,[15]以上所列,或正其所著諸作之名。予頗疑《帝王心鑑》之前,原著一「有」字。如這一推測屬實,《竹軒小集》前「有」字亦可承前省。

六、《經義考》卷十七「胡氏(瑗)《易傳》」條引「陳振孫曰」:

新安王晦叔嘗問南軒曰:「伊川令學者先看王輔嗣、胡翼之、王介甫三家《易》,何也?」南軒曰:「三家不論互體故云爾,然雜物撰德,具於中爻、互體,未可廢也。」南軒之說雖如此,要之程氏專主文義,不論象數,三家者文義皆坦明,象數殆於掃除略盡,非特互體也。(1:386-387)

---

14 王闢之《澠水燕談錄》(呂友仁點校本),中華書局,1981年,頁73。
15 脫脫等《宋史》卷二百九十九,頁9942。

按：王晦叔，指王炎；南軒，指張栻；伊川，指程頤；王輔嗣、胡翼之、王介甫，分別指王弼、胡瑗、王安石。互體，指內外兩卦交互組成新卦（互卦），即由二、三、四爻組成新的內卦（叫下互），由三、四、五爻組成新的外卦（叫上互）。如：《坎》卦的互卦為《頤》卦，《既濟》與《未濟》互為互卦。互體也是象數之學的內容。《易·繫辭》：「《易》之為書也，原始要終，以為質也。六爻相雜，唯其時物也。其初難知，其上易知，本末也。初辭擬之，卒成之終。若夫雜物撰德，辨是與非，則非其中爻不備。」指出各卦用初爻之辭以比擬事物的開始，用上爻之辭來確定其結束，而錯雜事物，陳述體性，辨別是與非，則有賴於中間的二、三、四、五這四爻（中爻）。程頤不論象數，故主張學者先習王弼、胡瑗、王安石三家《易》學。張栻則以中爻不可廢。陳振孫認為，程頤等置象數不論，「掃除略盡」，不僅限於互體而已。因此，「中爻」與「互體」不是並列關係，當分別從其前後文字斷句。今點校本《直齋書錄解題》標點作：「三家不論互體，故云爾。然雜物撰德，具於中爻，互體未可廢也。」[16]較為允善。

七、《經義考》卷十七「石氏（汝礪）《乾生歸一圖》」條引「陳振孫曰」：

> 汝礪，嘉祐初人。序取《乾》為生生之本，萬物歸於一也。有論有圖，亦頗與劉牧辨，然或雜以釋、老之學。其所謂一者，自注云：「一則靈寂真元。」首篇論道，專以靈明無體無生為主。又曰：「因靈不動而生寂體。」豈非異端之說乎？（1：400）

又引《廣東通志》：

> 石汝礪，英德人。號碧落子。《五經》都有解說，於《易》尤契微妙。嘗曰：「《易》不須注，但熟讀自見，互相發明，總一『《乾》，元亨利貞之道』。」晚年進所著《易解》、《易圖》於朝，為荊公所抑。蘇軾謫惠州，遇之聖壽寺，與之談《易》，至暮方散。（1：401）

---

16 陳振孫《直齋書錄解題》（徐小蠻、顧美華點校本），上海古籍出版社，1987年，頁10。

按：前一則係採自《文獻通考》卷一百七十六「《乾生歸一圖》二卷」條所引「陳氏曰」，惟首多「汝礪」二字。嘉祐（1056-1063）為宋仁宗年號，僅八年。石氏既為王安石（1021-1086）所抑，又與蘇軾（1037-1101）在惠州談《易》（蘇氏被貶此地在宋哲宗紹聖元年〔1094〕），即使其時當石氏晚年，亦不得謂其為「嘉祐初人」。檢點校本《直齋書錄解題》卷一「《乾生歸一圖》十卷」條：

> 英州石汝礪撰。嘉祐元年序。取「乾」為生生之本，萬物歸於一也。有論有圖，亦頗與劉牧辨，然或雜以釋老之學。其所謂一者，自注云：「一則靈寂。」其元首篇論道，專以靈明（原注：「靈」字恐誤，或當作「虛」）無體無生為主。又曰：「因靈不動，而生寂體。」豈非異端之說乎？[17]

此則材料，文字完整，標點正確，可惜《點校補正經義考》點校者未能利用。又，「元亨利貞」為《乾》卦卦辭，「之道」則否，是引《廣東通志》中「總一『《乾》，元亨利貞之道』」，宜作「總一『《乾》，元亨利貞』之道」。

八、《經義考》卷二十晁說之「《錄古周易》」、「《易規》」、「《京氏易式》」諸條下，引「朱子曰」：

> 晁氏、呂氏大同小異，互有得失。先儒雖言費氏以《彖》、《象》、《文言》參解《易》爻，然初不言其分《傳》以附《經》也。至謂鄭康成始合《彖》、《象》於《經》，則《魏志》之言甚明，而《詩疏》亦云：「漢初為傳訓者，皆與經別行，《三傳》之文不與《經》連，故《石經》書《公羊傳》皆無經文，而《藝文志》所載《毛詩故訓傳》亦與《經》別。及馬融為《周禮注》，乃云：『欲省學者兩讀，故具載本文而說《經》為《注》焉。』」鄭相去不遠，蓋倣其意而為之爾。故呂氏於此義為得之，而晁氏不能無失。……（1：468-469）

---

17 陳振孫《直齋書錄解題》，頁13。

按：朱子所談，乃《周易》經、傳的分合問題，兼論晁氏、呂氏（祖謙）之得失。文中馬融所云「欲省學者兩讀，故具載本文而說《經》為《注》焉」，扞格難通。考《經義考》本則文字，朱子諸書中均未見，實本於宋稅與權《易學啟蒙小傳·周易古經發題》（文淵本）「朱文公晁呂二氏古易得失辨」條：

> 熹按：晁氏此說，與呂氏《音訓》，大同小異，蓋互有得失也。先儒雖言費氏以彖象文言參解易爻，然初不言其分傳以附經也。至謂鄭康成始合彖象於經，則《魏志》之言甚明，而《詩疏》亦云：「漢初為傳訓者，皆與經別行，《三傳》之文不與經連，故《石經》書《公羊傳》皆無經文，而《藝文志》所載《毛詩故訓傳》亦與經文別。及馬融為《周禮注》，乃云：『欲省學者兩讀，故具載本文。』而就經為注。」馬、鄭相去未遠，蓋倣其意而為之耳。故呂氏於此義為得之，而晁氏不能無失。……

《經義考》卷三十立有呂祖謙「《古易音訓》」條（二卷，存）。由本條材料可知，上引朱子文中「說經為注」，當為「就經為注」；「焉」當作「馬」，指馬融，鄭玄曾師事之，二人自然「相去未遠」。此蓋朱彝尊手誤，而點校者未能校出，強作標點，致文意難通。朱子所引《詩疏》之文，亦屬節引，但是有誤。檢《毛詩正義》卷一「鄭氏箋」下孔穎達正義有云：

> 漢初為傳訓者，皆與經別行，《三傳》之文，不與《經》連，故石經書《公羊傳》皆無《經》文。《藝文志》云：《毛詩》經二十九卷，《毛詩故訓傳》三十卷。是毛為詁訓，亦與《經》別也。及馬融為《周禮》之注，乃云：「欲省學者兩讀，故具載本文。」然則後漢以來，始就經為注，未審此詩引經附傳，是誰為之。其鄭之箋，當元在經傳之下矣。其《毛詩》經二十九卷，不知併何卷也。自「周南」至「鄭氏箋」凡一十六字，所題非一時也。「周南關雎」至「第一詩國風」，元是大師所題也。「詁訓傳」，毛自題之。「毛」一字，獻王加之。「鄭氏箋」，鄭自題之。[18]

18　鄭玄箋、孔穎達正義《毛詩正義》（阮元校刻《十三經注疏》本），中華書局，1980年，頁269。

由此可知，馬融有「就經為注」之實，而此四字，乃孔穎達之說，自不得繫於馬氏名下。

九、《經義考》卷二十一「潘氏（鯁）《易要義》」條引「張耒《志墓》曰」：

> ……君諱鯁，從周希孟學，登元豐已未進士，初調蘄水縣尉，遷和州防禦推官，知江州瑞昌縣，監楚州，都鹽倉，吉州軍事推官，改宣德郎，監漢陽軍酒稅，以奉議郎致仕。有《春斷義秋》十二卷、《講義》十五卷、《易要義》三卷。（1：477）

按：「監楚州，都鹽倉」，標點有誤。都鹽倉，非動賓結構，實為名詞，指貯鹽之所。李心傳《建炎以來繫年要錄》（文淵本）卷一百三十八：「（宋高宗）辛卯，祕閣修撰柳約復敷文閣待制，仍舊提舉江州太平觀。左朝奉郎、監廣州都鹽倉施庭臣復直祕閣與宮祠，皆用刑部檢舉也。」《宋史全文》卷二十五下：（宋孝宗乾道九年）三月乙巳，侍御史蘇崞奏：「伏覩關報，廣南提舉官廖顒劄子：廣州都鹽倉有積下支不盡鹽本銀計錢十一萬一千四百五十四貫文。」[19] 趙希弁《讀書附志》編年類「《丁未錄》二百卷」條提要：「右左修職郎、監臨安府都鹽倉李丙所編也。」[20]《宋史・高宗本紀》：「（紹興八年十一月）辛亥，以樞密院編修官胡銓上書直諫，斥和議，除名，昭州編管；壬子，改差監廣州都鹽倉。」[21]《乾淳臨安志》（文淵本）卷二稱：「都鹽倉在天宗門裏。」故「監楚州，都鹽倉」當合為一句，不宜斷開。

以上摘取《點校補正經義考》易類數條，討論其標點。合而觀之，大都因不明名物制度，失於察考，或未能檢核相關文獻等而致誤。此外，還頗有因對文化或學術常識有所忽視，[22] 或對文獻層次未加措意[23] 而標點失當者。點校者

---

[19] 佚名《宋史全文》（李之亮點校本），黑龍江人民出版社，2005年，頁1762。

[20] 趙希弁《讀書附志》（孫猛《郡齋讀書志校證》本），上海古籍出版社，1990年，頁1112。

[21] 脫脫等《宋史》卷二十九，頁537。

[22] 如《經義考》卷二「《連山》」條，引朱元昇「又曰」（1：22），誤「夏時」為「夏《時》」。

[23] 如《經義考》卷四「《周易》」條引羅泌「又曰」：「三《易》之書，其書一，其法異，其為卦皆六

如能細加考析，或參考已有點校成果，當能有效減少標點之誤，大大提高《點
校補正經義考》的利用價值。

——原刊於《古典文獻研究》第12輯（南京：鳳凰出版社，2009年7月），
頁462-474。

·

位。經卦皆八而別卦皆六十四，書一也。⋯⋯」（1：56-57）當作：「三《易》之書，其書一，其
法異。其為卦皆六位，經卦皆八而別卦皆六十四，書一也。⋯⋯」又如《經義考》卷九荀爽
「《九家易解》」係引「李心傳曰」：「《九家易·說卦·坤》有為牝，為迷，為方，為囊，為裳，
為黃，為帛，為漿字。」（1：164）當作：「《九家易·說卦·坤》有『為牝，為迷，為方，為
囊，為裳，為黃，為帛，為漿』字。」

《點校補正經義考》
〈孝經類〉、〈孟子類〉標點指瑕

石 立 善*

　　清儒朱彝尊（1629-1709）所撰《經義考》共二百六十四卷，分為二十六類，乃經學研究者案頭必備的經學總目式著作。乾隆以後《經義考》屢經翻刻，其中以民國《四部備要》本流傳最廣，日本京都中文出版社（1978年8月）與北京中華書局（1998年11月）曾先後影印出版。

　　臺灣中央研究院中國文哲研究所籌備處於一九九九年四月出版的《點校補正經義考》，則是《經義考》迄今唯一一部點校本，堪稱臺灣學界集體合作的整理成果。此本共分八冊，以乾隆二十年（1755）盧見曾雅雨堂補刻本為底本，參以文淵閣《四庫全書》本、《四部備要》本，施以新式標點，詳加校勘，並吸收翁方綱《經義考補正》、羅振玉《經義考校記》、《四庫全書總目提要》等前人成果，予以補訂。

　　筆者旅居東瀛多年，欲獲此本而不得。庚寅春蒙畏友林月惠女史寄贈一套，捧閱之餘，且愛且惜。愛之者，裝幀精美，字大便覽。惜之者，標點錯訛極多，幾充斥全書，其甚者或一頁破句多達十幾處，令人難以置信。今舉其書〈孝經類〉[1]九卷（第六冊、第七冊所收，卷二百二十二至二百三十）、〈孟子類〉六卷（第七冊所收，卷二百三十一至二百三十六），試為勘誤，以酬答林女史之厚誼，並求教於此書編審及點校者諸君。

---

* 上海師範大學哲學學院教授、博士生導師。

[1] 〈孝經類〉之標點問題，彭林〈《點校補正經義考》第六、七冊《孝經》部份標點疑誤〉曾指出29例。《經學研究論叢》第9輯（臺北：臺灣學生書局，2001年1月），頁287-293。

〈孝經類〉

（1）第六冊，卷二百二十二，〈孝經〉一，792第4～5行

《孝經》者，孔子為弟子曾參說孝道，因明天子庶人五等之孝、事親之法，亦遭焚燼。河間人顏芝為秦禁藏之，漢氏尊學。芝子貞出之，是為《今文》。

善按：「漢氏尊學」後當逗，不當句。

（2）同上，792頁倒數第4～2行

又曰：「《孝經》疑非聖人之言，且如先王有至德要道，此是說得好處，然下面都不曾說，切要處如《論語》中說『孝』皆親切有味，都不如此。」又曰：「《孝經》獨篇首六七章為本經，其後乃傳文，然皆齊、魯間陋儒，纂取《左氏》諸書之語為之。……」

善按：「先王有至德要道」乃引《孝經・開宗明義章》之文，當加引號。「切要處」三字當屬上讀。「然皆齊、魯間陋儒」後逗號當刪。又，「其後乃傳文」，《文淵閣四庫全書》本（以下簡稱「四庫本」）「乃」作「為」，此本失校。重點如下：

又曰：「《孝經》疑非聖人之言，且如『先王有至德要道』，此是說得好處，然下面都不曾說切要處。如《論語》中說『孝』皆親切有味，都不如此。」又曰：「《孝經》獨篇首六七章為本經，其後乃傳文，然皆齊、魯間陋儒纂取《左氏》諸書之語為之。……」

（3）同上，794頁第4～5行

世所傳《今文》直解，即石臺本也。

善按:「直解」二字亦當加書名線,其即《孝經今文直解》。

（4）同上,794頁第8～9行

學者於聖言,但當默識心融,身體力行可也。奚必論篇數多寡?章次先後也哉?

善按:「多寡」後問號當改作頓號。

（5）同上,795頁第2～3行

劉向曰:「《古文》字也,〈庶人〉章分為二也,〈曾子敢問〉章為三,又多一章。凡二十二章。」

善按:句首「《古文》字也」,書名線當刪。此句意謂《古文孝經》是用古文字書寫。

（6）同上,795頁第5～6行

《孝經》,漢興長孫氏、博士江翁、少府君后蒼、諫大夫翼奉、安昌侯張禹傳之,各自名家,經文皆同。

善按:「漢興」後當逗。又,「少府君后蒼」,《四部備要》本(以下簡稱「備要本」)同,《四庫》本無「君」字,此本失校。

（7）同上,795頁倒數第1行～796頁第1行

李士訓曰:「大曆初,予帶經鉏瓜于灞水之上得石函,中有絹素《古文孝經》一部,二十二章,一千八百七十二言。」

善按:「灞水之上」後當逗。

（8）同上,796頁第4行

黃震曰:「按《孝經》一爾,《古文》、《今文》特所傳,微有不同,如首

章：……」

善按：「傳」後逗號當刪，「《古文》、《今文》特所傳微有不同」當作一句讀。

（9）同上，797頁第2～3行

世儒疑〈閨門〉一章乃劉炫偽造，不知古文流傳，本末亦有可據。

善按：「流傳」後逗號當刪。

（10）同上，797頁第7行

至宋王安石從而擯棄之，其罪又浮於貞矣。

善按：「貞」即唐人司馬貞，按本書校點體例，當加專名線。

（11）同上，798頁第1～2行

虞淳熙曰：「《孝經》自魏文侯而下至唐、宋傳之者，百家九十九部二百二卷，由元迄今，抑又多矣。」

善按：「百家」二字當屬上讀。重點如下：

虞淳熙曰：「《孝經》自魏文侯而下至唐、宋，傳之者百家，九十九部二百二卷。由元迄今，抑又多矣。」

（12）同上，798頁倒數第4行

《家語》後序：「孔安國為《古文論語訓》二十一篇，《孝經傳》三篇，皆壁中科斗本也。」

善按：「後序」二字亦當加書名線。

（13）同上，798頁倒數第3行～799頁第1行

《隋書》：「梁代，安國及鄭氏二家並立國學，而安國之本，亡於梁亂。陳及周、齊惟傳鄭氏，至隋祕書監王劭於京師訪得《孔傳》，送至河間劉炫。炫因序其得喪，述其義疏，講於人間，漸聞朝廷，遂著令與鄭氏並立，而秘府先無其書，儒者誼誼皆云『炫自作之』，非孔舊本。」

善按：「陳及周、齊惟傳鄭氏」後當句，「至隋」後當逗。又，句末「非孔舊本」亦儒者誼誼之語，當括入引起中。

（14）同上，799頁第3行

下云「孔安國《傳》，梁未亡逸」，今疑非古本。

善按：「未」字乃「末」之誤。

（15）同上，799頁第7行

舊本題漢孔安國《傳》，日本信陽太宰純《音》。

善按：文中「傳」、「音」皆為動詞，書名線當刪。

（16）同上，799頁第8行～800頁第5行

前有太宰純〈序〉稱：古書亡於中夏，存於日本者頗多。……其經文與宋人所謂「古文」者，亦不全同，今不敢從彼，改此《傳》中間有不成語，雖疑其有誤，然諸本皆同，無所取正，故姑傳疑以俟君子。今文唐陸元朗嘗音之，古文則否。今因依陸氏音例並音經傳，庶乎令讀者不誤其音云云……。考世傳海外之本，別有所謂《七經孟子考文》者，亦日本人所刊，稱「西條掌書記山井鼎輯。東都講官物觀補遺中有《古文孝經》一卷，亦云古文《孔傳》中華所不傳而其邦獨存。又云其真偽不可辨，末學微淺不敢輒議云云……，則日本所傳原有是書，非鮑氏新刊贋造此本，核

其文句與山井鼎等所考，大抵相應，惟山井鼎等稱每章題下有「劉炫直解」，其字極細寫之，與注文麄細弗類。

善按：此段標點錯訛甚多，如「今不敢從彼改此」當作一句讀等，茲不贅舉，重點如下：

前有太宰純〈序〉，稱「古書亡於中夏，存於日本者頗多。……其經文與宋人所謂『古文』者，亦不全同，今不敢從彼改此。《傳》中間有不成語，雖疑其有誤，然諸本皆同，無所取正，故姑傳疑，以俟君子。《今文》唐陸元朗嘗音之，《古文》則否。今因依陸氏音例並音經傳，庶乎令讀者不誤其音」云云。考世傳海外之本，別有所謂《七經孟子考文》者，亦日本人所刊，稱「西條掌書記山井鼎輯，東都講官物觀補遺」，中有《古文孝經》一卷，亦云《古文孔傳》中華所不傳，而其邦獨存。又云「其真偽不可辨，末學微淺，不敢輒議」云云，則日本所傳原有是書，非鮑氏新刊贗造。此本核其文句，與山井鼎等所考大抵相應。惟山井鼎等稱每章題下有「劉炫直解」，其字極細寫之，與注文麄細弗類。

（17）同上，800頁第6～7行

雖證以《論衡》、《經典釋文》、《唐會要》所引亦頗相合，然淺陋冗漫不類漢儒釋經之體，併不類唐、宋、元以前人語。

善按：「所引」、「然淺陋冗漫」後皆當逗。此段當斷為：

雖證以《論衡》、《經典釋文》、《唐會要》所引，亦頗相合。然淺陋冗漫，不類漢儒釋經之體，併不類唐、宋、元以前人語。

（18）同上，800頁倒數第3～1行

特以海外秘文，人所樂觀，使不實見其書，終不如所謂《古文孝經孔傳》不過如此轉為好古者之所惜，故特錄存之而列其始末如右。

善按:「不過如此」後當逗。又,「故特錄存之而」下脫「具」字。重點如下:

特以海外秘文,人所樂觀,使不實見其書,終不知所謂《古文孝經孔傳》不過如此,轉為好古者之所惜,故特錄存之,而〔具〕列其始末如右。

(19) 同上,806頁第3~5行

晉《中經簿》、《周易》、《尚書》、《尚書中候》、《尚書大傳》、《毛詩》、《周禮》、《儀禮》、《禮記》、《論語》凡九書,皆云鄭氏《注》名玄,至於《孝經》則稱『鄭氏解』,無『名玄』二字,其驗五也。

善按:劉子玄此處所云皆依據晉《中經簿》,此段當斷為:

晉《中經簿》『《周易》、《尚書》、《尚書中候》、《尚書大傳》、《毛詩》、《周禮》、《儀禮》、《禮記》、《論語》』凡九書,皆云《鄭氏注,名玄》,至於《孝經》則稱『鄭氏解』,無『名玄』二字,其驗五也。

(20) 同上,806頁倒數第4~2行

又宋均《孝經緯注》引鄭《六藝論》敘《孝經》云玄又為之注』,司農論如是,而均無聞焉。有義無辭,令予昏惑,舉鄭之語而云無聞,其驗七也。

善按:此段標點文意錯亂,茲重施句讀如下:

又宋均《孝經緯注》引鄭《六藝論》敘《孝經》云『「玄又為之注」,司農論如是,而均無聞焉。有義無辭,令予昏惑』,舉鄭之語而云『無聞』,其驗七也。

(21) 同上,807頁倒數第4~3行

觀夫言語鄙陋,義理乖疎。固不可以示彼,後來傳諸不朽。

善按：「固不可以示彼，後來傳諸不朽」破句，「後來」二字當屬上讀。

（22）同上，808頁倒數第2行～809頁第1行

且〈閨門〉之義，近俗之語，非宣尼之正說。按其文云『〈閨門〉之內，具禮矣乎，嚴兄妻子臣妾。繇百姓徒役也』，是比妻子於徒役，文句凡鄙，不合經典。

善按：「宣尼」乃孔子之諡號，「宣」字亦當加專名線。又，「〈閨門〉之內」書名線當刪。「具禮矣乎」後逗號當改為感嘆號，「臣妾」後當逗，不當句。

此段當斷為：

且〈閨門〉之義，近俗之語，非宣尼之正說。按其文云『閨門之內，具禮矣乎！嚴兄妻子臣妾，繇百姓徒役也』，是比妻子於徒役，文句凡鄙，不合經典。

（23）同上，809頁第3～4行

至注用天之時，因地之利，其略日脫衣就功，暴其肌體，朝暮從事，露髮塗足，少而習之，其心安焉。

善按：又，「其略日」之「日」乃「曰」之訛，《四庫》本、《備要》本不誤。「脫衣就功」至「其心安焉」乃注文，當加引號。重點如下：

至注「用天之時，因地之利」，其略曰：「脫衣就功，暴其肌體，朝暮從事，露髮塗足，少而習之，其心安焉。」

（24）同上，809頁第5～6行

與鄭氏之所云：分別五土，視其高下，高田宜黍稷，下田宜稻麥，優劣懸殊，曾何等級。

善按：此段標點訛亂，重點如下：

與鄭氏之所云「分別五土，視其高下」、「高田宜黍稷，下田宜稻麥」，優劣懸殊，曾何等級！

（25）同上，810頁第5～6行

陸德明曰：「鄭《注》，相承以為鄭玄。按《鄭志》及《中經簿》，無惟中朝穆帝講習《孝經》，云以鄭玄為主。檢《孝經注》與康成注五經不同，未詳是非？」

善按：「無惟中朝穆帝講習《孝經》」之「無」字當屬上讀，意謂《鄭志》及《中經簿》並無鄭玄注《孝經》的記載。又，句末「未詳是非」後問號當改為句號。此段當標點如下：

陸德明曰：「鄭《注》，相承以為鄭玄。按《鄭玄》及《中經簿》無，惟中朝穆帝講習《孝經》，云以鄭玄為主。檢《孝經注》與康成注五經不同，未詳是非。」

（26）同上，810頁第7行

梁載言《十道志》解南城山引《後漢書》云：……

善按：「梁載言」乃人名，「言」字亦當加專名線。

（27）同上，811頁倒數第2行～812第6行

「先王有至德要道」，《注》云「禹三王最先者五帝官天下三王，禹始傳於殷，於殷配天，故為孝教之始，至德孝悌也。要道，禮樂也。以顯父母」，《注》云「父母得其顯譽也」。「資於事父」，《注》云「資者，人之行也」。「用天之道」，《注》云「謂春生、夏長、秋收、冬藏，分地之利」。《注》云「分別五土，視其高下，若高田宜黍稷，下田宜稻麥，邱陵阪隰，宜種桑、栗、棗、棘是也。「謹身節用以養父母」，《注》云「行不為

非，度財為費，什一而出，無所復謙，其政不嚴而治」，《注》云「政不煩苛也」。「先王以敬讓，而民不爭」，《注》云「若文王敬讓於朝，虞芮推畔於田，則下效之。

善按：此段不僅數處破句，且《孝經》正文與鄭注亦誤混不分。末句「虞」、「芮」乃西周國名，當加專名線。重點如下：

「先王有至德要道」，《注》云「禹三王最先者，五帝官天下，三王禹始傳於殷，於殷配天，故為孝教之始。至德，孝悌也。要道，禮樂也。」「以顯父母」，《注》云「父母得其顯譽也」。「資於事父」，《注》云「資者，人之行也」。「用天之道」，《注》云「謂春生、夏長、秋收、冬藏」。「分地之利」，《注》云「分別五土，視其高下，若高田宜黍稷，下田宜稻麥，邱陵阪隰，宜種桑、栗、棗、棘是也」。「謹身節用以養父母」，《注》云「行不為非，度財為費，什一而出，無所復謙」。「其政不嚴而治」，《注》云「政不煩苛也」。「先王以敬讓，而民不爭」，《注》云「若文王敬讓於朝，虞、芮推畔於田，則下效之」。

（28）同上，816頁第9～10行

王應麟曰：「《孝經》序六家異同。今考《經典序錄》有孔、鄭、王、劉、韋五家，而無虞翻《注》。《隋》、《唐志》，皆不載。」

善按：「序」即玄宗〈序〉，當加書名線；又「六家異同」四字乃〈序〉中文字。此段當點作：

王應麟曰：「〈孝經序〉『六家異同』，今考〈經典序錄〉有孔、鄭、王、劉、韋五家，而無虞翻《注》，《隋》、《唐志》皆不載。」

（29）第六冊，卷二百二十三，〈孝經〉二，819頁第4～5行

元帝〈序〉曰：「天經地義，聖人不加原始，要終莫踰孝道。能使甘泉自涌，鄰火不焚，地出黃金，天降神女。感通之至，良有可稱。」

善按:「天經地義,聖人不加原始,要終莫踰孝道」破句,「原始要終」當作一句讀。此段當斷作:

元帝〈序〉曰:「天經地義,聖人不加。原始要終,莫踰孝道。能使甘泉自涌,鄰火不焚,地出黃金,天降神女。感通之至,良有可稱。」

（30）同上,823頁第5行

《晉書》:「字武子,南平人,輔國將軍丹陽尹遷吏部尚書。」

善按:末句當標為:「輔國將軍、丹陽尹,遷吏部尚書。」

（31）同上,828頁第1行

《梁書・武帝紀》:「中大通四年三月,侍中領國子博士蕭子顯上表……」

善按:「中大通」為梁武帝年號,「中」字亦當加專名線。

（32）同上,830頁第4～5行

館在潮溝,生徒常百數,講說有區段次第,析理分明。每當登講五館,生畢至,聽者千餘人。

善按:「五館」當屬下讀,此段當點作:

館在潮溝,生徒常百數,講說有區段次第,析理分明。每當登講,五館生畢至,聽者千餘人。

（33）同上,836頁第7～12行

琳著《辨正論》曰:「《孝經》者,自庶達帝,不易之典。從生暨死,終始具焉。略十八章,孝治居其一,揆吏任所奉,民胥是賴貫。神明蠻道風俗,先王奉法則,乾象著明,哲后尊親,則山川表瑞,遂有青鷹合節,白雉馴飛,墳柏春枯,潛魚冬躍;行之邦國,政令刑於四海。用之鄉人,從

教加於百姓。故云孝者，始於事親，中於事君，終於立身也。秦懸《呂論》，一字番成可責，蜀□揚言，千金更招深怪。惟《孝經》川阜無資，功侔造化，比重則五嶽山輕，方深則四海流淺，風雨不能亂，其波濤處，虛未足棲其令譽。」

善按：彭林指出「先王奉法則」之「則」字當屬下讀，[2]是也。此外，此段破句與標點錯誤亦眾，且諸本「貫」字下脫「通」字，茲重施句讀並補苴如下：

琳著《辨正論》曰：「《孝經》者，自庶達帝，不易之典。從生暨死，終始具焉。略十八章，〈孝治〉居其一揆，吏任所奉，民胥是賴，貫〔通〕[3]神明，釐道風俗。先王奉法，則乾象著明；哲后尊親，則山川表瑞。遂有青鷹合節，白雉馴飛；墳柏春枯，潛魚冬躍。行之邦國，政令刑於四海；用之鄉人，從教加於百姓。故云『孝者，始於事親，中於事君，終於立身也』。秦懸《呂論》，一字番成可責；蜀□揚言，千金更招深怪。惟《孝經》川阜無資，功侔造化，比重則五嶽山輕，方深則四海流淺，風雨不能亂其波濤，處虛未足棲其令譽。」

（34）同上，837頁第5行

靈裕，鉅鹿曲陽人，相州演空寺僧。隋大業中，卒釋《孝經義記》。

善按：隋大業中，卒釋《孝經義記》」破句，「卒」字當屬上讀，意謂靈裕卒於隋大業年間。

（35）同上，838頁倒數第2～1行

魏氏遷洛，未達華語，孝文帝命侯伏、侯可，悉陵以其言，譯《孝經》之旨，教於國人，謂之《國語孝經》。

2　前揭〈《點校補正經義考》第六、七冊《孝經》部份標點疑誤〉，頁287-288。
3　「通」，諸本無，據《大正大藏經》本補。

善按：「悉陵」乃人名，須加專名線，且當屬上讀。「以其言」三字當屬下讀。此段當斷作：

魏氏遷洛，未達華語，孝文帝命侯伏、侯可、悉陵，以其言譯《孝經》之旨，教於國人，謂之《國語孝經》。

（36）第六冊，卷二百二十四，〈孝經〉三，839頁倒數第2～1行

經曰：「昔者明王之以孝治天下也，不敢遺小國之臣，而況於公侯伯子男乎！朕嘗三復斯言，景行先哲，雖無德教加於百姓，庶幾廣愛刑于四海。」

善按：「朕嘗三復斯言」至「庶幾廣愛刑于四海」乃唐玄宗之語，非引《孝經・孝治章》經文，不當括在引號內。

（37）同上，840頁第1～2行

況泯絕於秦得之者，皆煨燼之末；濫觴於漢傳之者，皆糟粕之餘。故魯史《春秋》，學開五《傳》，國風、雅、頌分為四《詩》，去聖逾遠，源流益別。

善按：此段數處破句，重點如下：

況泯絕於秦，得之者皆煨燼之末；濫觴於漢，傳之者皆糟粕之餘。故魯史《春秋》，學開五《傳》；國風、雅、頌，分為四《詩》。去聖逾遠，源流益別。

（38）同上，840頁第6～7行

劉炫明安國之本，陸澄譏康成之注；在理或當，何必求人？

善按：「安國」即孔安國，當加專名線。

（39）同上，841頁第1～3行

仍以太學王化所先《孝經》聖理之本，分命壁沼特建石臺義展睿詞，書題御翰以垂百代之則，故得萬國之歡。

善按：此段數處標點錯誤，重點如下：

仍以太學王化所先，《孝經》聖理之本，分命壁沼，特建石臺，義展睿詞，書題御翰，以垂百代之則，故得萬國之歡。

（40）同上，841頁第4～5行

豈比《周官》之禮，空懸象魏，孔氏之書但藏屋壁，臣之何幸，躬覩盛事！

善按：「空懸象魏」後逗號當改作分號，「孔氏之書」後當逗，「但藏屋壁」當句，不當逗。重點如下：

豈比《周官》之禮，空懸象魏；孔氏之書，但藏屋壁！臣之何幸，躬覩盛事！

（41）同上，843頁第3～5行

「……朝散郎行醫學博士兼直監解休一文林郎行國子錄事王思恭明皇勑曰：『孝者，德之本，教之所由生也。』故親自訓注，垂範將來。今石臺畢功，亦卿之善職，覽所進本。深嘉同心。」

善按：「王思恭」後當句。又「王思恭」乃人名，「恭」字亦當加專名線。「亦卿之善職」後當句，「覽所進本」後當逗。重點如下：

「……朝散郎行醫學博士兼直監解休一文林郎行國子錄事王思恭。明皇勑曰：『「孝者，德之本，教之所由生也。」故親自訓注，垂範將來。今石臺畢功，亦卿之善職。覽所進本，深嘉同心。』」

（42）同上，843頁倒數第5～4行

五載二月，詔《孝經》書疏。雖犕發現未能該備，今更敷暢，以廣闕文，令集賢院寫頒中外。

（43）同上，843頁倒數第2～1行

薛放曰：「漢立《論語》於學官：光武令虎賁士習《孝經》、玄宗親為註訓。《論語》，六經菁華；《孝經》，人倫之本也。」

善按：「漢立《論語》於學官」後冒號當改為逗號，「光武令虎賁士習《孝經》」後頓號當改為句號。重點如下：

薛放曰：「漢立《論語》於學官，光武令虎賁士習《孝經》。玄宗親為註訓。《論語》，六經菁華；《孝經》，人倫之本也。」

（44）同上，844頁第1～2行

夫《孝經》者，孔子之所述作也。述作之旨，聖人蘊大聖德。生不偶時，適周室衰微，王綱失墜，君臣僭亂，禮樂崩頹……

善按：「聖人蘊大聖德」後當逗，不當句。

（45）同上，844頁倒數第4行～845頁第2行

至有唐之初，雖備存秘府，而簡編多有殘缺傳行者，惟孔安國、鄭康成兩家之注，并有梁博士皇侃《義疏》，播於國序。然辭多紕繆，理昧精研至唐玄宗朝，乃詔羣儒學官僢其集議。是以劉子玄辨鄭《注》有十謬七惑、司馬堅斥孔《注》多鄙俚不經，其餘諸家注解皆榮華其言，妄生穿鑿，明宗遂於先儒注中，摭拾菁英，芟去煩亂，撮其義理允當者，用為注解，至天寶二年注成，頒行天下。仍自八分御札勒於石碑，即今京兆石臺《孝經》是也。

善按：彭林指出「傳行者」三字當屬下讀，「乃詔羣儒學官」後當逗，[4]是也。此外，「理味精研」後當句。「司馬堅」即司馬貞，作「堅」字者為避宋仁宗諱，故亦當加專名線。文末「仍自八分御札」後當逗。重點如下：

至有唐之初，雖備存秘府，而簡編多有殘缺，傳行者惟孔安國、鄭康成兩家之注，并有梁博士皇侃《義疏》，播於國序。然辭多紕繆，理味精研。至唐玄宗朝，乃詔羣儒學官，俾其集議。是以劉子玄辨鄭《注》有十謬七惑、司馬堅斥孔《注》多鄙俚不經，其餘諸家注解皆榮華其言，妄生穿鑿。明宗遂於先儒注中，摭拾菁英，芟去煩亂，撮其義理允當者，用為注解，至天寶二年注成，頒行天下。仍自八分御札，勒於石碑，即今京兆石臺《孝經》是也。

（46）同上，845頁第3行

按：孫奭〈序〉或作「成都府學主鄉貢傅注奉右撰」。

善按：「傅注」、「奉右」乃名與字，皆當加專名線。

（47）同上，846頁倒數第2～1行

長安三年，元感表進《書》、《禮》、《春秋》并所注《孝經》草槁，請官給紙寫上秘閣詔曰：……

善按：末句「請官給紙寫上秘閣詔曰」文意不明，重點如下：

長安三年，元感表進《書》、《禮》、《春秋》并所注《孝經》草槁，請官給紙，寫上秘閣。詔曰：……

（48）同上，847頁倒數第4～3行

國初有孝子王漸作《孝經義》成五十卷，事亦該備，而漸性鄙朴。凡鄉里

4　前揭〈《點校補正經義考》第六、七冊《孝經》部份標點疑誤〉，頁288。

有闘訟，漸即詣門高聲誦《義》一卷，反為漸謝。

善按：「而漸性鄙朴」後當逗，不當句。

（49）同上，848頁第4行

《唐書》：「玄宗自注《孝經》，詔行沖為《疏》立於學官。」

善按：「詔行沖為《疏》」後當逗。

（50）同上，849頁第1～2行

李嗣真，滑州匡城人，永昌中拜右御史中丞知大夫事。為來俊臣所陷，配流嶺南，萬歲通天年徵還，至桂陽卒。神龍初，贈御史大夫。

善按：「萬歲通天」乃武周年號，「萬歲」二字亦當加專名線。

（51）同上，849頁第5～9行

《韓子記略》曰：「李監陽冰能篆書。貞元中，愈事董丞相幕府，於汴州識開封令服之者，陽冰子授予以其家《科斗孝經》、予寶蓄之而不暇學。後來京師為四門博士。識歸公登歸，公好古書能通之，愈曰古書得其據依，蓋可講因進其所有書屬歸氏元和來思，凡為文辭，宜略識字，因從歸公乞觀留月餘，張籍令進士賀拔恕寫以留，愈蓋得其十四五而歸其書於歸氏。」

善按：「服之」、「歸公登」、「歸公」皆當加專名線。此段標點錯訛多達十幾處，重點如下：

韓子〈記〉略曰：「李監陽冰能篆書。貞元中，愈事董丞相幕府於汴州，識開封令服之者，陽冰子，授予以其家科斗《孝經》，予寶蓄之而不暇學。後來京師，為四門博士，識歸公登，歸公好古書，能通之，愈曰：『古書得其據依，蓋可講。』因進其所有書屬歸氏。元和來，思凡為文辭

宜略識字，因從歸公乞觀，留月餘，張籍令進士賀拔恕寫以留愈，蓋得其十四五，而歸其書於歸氏。」

（52）同上，850頁倒數第1行

《高麗史》：「光宗光德十年秋，遣使如周，進《別敘孝經》一卷。」

善按：「周」即五代之後周，當加專名線。

（53）第七冊，卷二百二十五，〈孝經〉四，1頁第7行

四年九月，以獻賜宴國子監進秩有差。

善按：彭林指出「國子監」後當逗，[5]是也。此外，「以獻」二字當屬上讀。

（54）同上，3頁倒數第5～4行

及傳授滋久，章句浸差，孔氏之人，畏其流蕩失真，故取其先世定本，雜虞、夏、商、周之書及《論語》藏諸壁中，苟使人或知之，則旋踵散失，故雖子孫，不以告也。

善按：「雜虞、夏、商、周之書」之「書」乃指《尚書》，當加書名線。

（55）同上，4頁第1行

是以歷載累百，而孤學沈厭無人知者。

善按：「孤學沈厭」後當逗。

（56）同上，4頁倒數第2行～1行

今秘閣所藏，止有鄭氏、明皇及《古文》三家而已；其《古文》有經無

5　前揭〈《點校補正經義考》第六、七冊《孝經》部份標點疑誤〉，頁288。

傳，按孔安國以古文，時無通者，故以隸體寫《尚書》而傳之，……

善按：「而已」後分號當改逗號，「其《古文》有經無傳」後當句，不當逗，「按孔安國以古文」後逗號當刪。重點如下：

今秘閣所藏，止有鄭氏、明皇及《古文》三家而已，其《古文》有經無傳。按孔安國以古文時無通者，故以隸體寫《尚書》而傳之，……

（57）同上，5頁第4～6行

其《今文》舊注有未盡者，引而伸之；其不合者，易而去之。亦未知此之為是，而彼之為非？然經猶的也，一人射之，不若眾人射之，其為取中多也。臣不敢避狂僭之罪，而庶幾於先王之道，萬一有所裨焉。

善按：「亦未知此之為是」後逗號當刪，「而彼之為非」後問號當改作句號，「先王之道」後逗號當刪，「而庶幾於先王之道萬一有所裨焉」當作一句讀。重點如下：

其《今文》舊注有未盡者，引而伸之；其不合者，易而去之。亦未知此之為是而彼之為非。然經猶的也，一人射之，不若眾人射之，其為取中多也。臣不敢避狂僭之罪，而庶幾於先王之道萬一有所裨焉。

（58）同上，7頁第1～2行

此乃聖性自然，不聞亦式，實天祐皇家，宗廟、社稷，生民之盛福也。

善按：「實天祐皇家」後逗號當刪。

（59）同上，8頁第1～4行

王應麟曰：「至和元年十二月，殿中丞直秘閣司馬光上《古文孝經指解》。〈表〉曰：『聖人之德，莫加於孝，猶江河之有源，艸木之有本，源遠則流大，本固則葉繁。秘閣所傳《古文孝經》，先秦舊書傳注，遺逸孤學。埋

微不絕如線，妄以所聞為《指解》一卷，詞送祕閣。』」

善按：「遺逸孤學」後句號當改作逗號。又，「詔送祕閣」四字非司馬光表文，當括在雙引號外。

（60）同上，9頁第6～7行

臣伏覩國史章獻明肅太后嘗命侍讀宋綬，擇前代文字可以資孝養補政治者，以備仁宗觀覽。

善按：「章獻明肅太后」當加專名線。

（61）同上，9頁第8～10行

《孝經》有《古文》、有《今文》。《今文》即唐明皇所注十八章，《古文》凡二十二章。由漢以來，惟孔安國、馬融為之《傳》，自餘諸儒多疑之，故學者罕習。

善按：「由漢以來」以下皆解說《古文》傳承，故「十八章」後當句，不當逗；「古文凡二十二章」後當逗，不當句。重點如下：

《孝經》有《古文》、有《今文》。《今文》即唐明皇所注十八章。《古文》凡二十二章，由漢以來，惟孔安國、馬融為之《傳》，自餘諸儒多疑之，故學者罕習。

（62）同上，9頁倒數第1行

其《古文孝經》說，謹繕寫為一冊上進。

善按：「說」字亦當加書名線。

（63）同上，10頁第3～4行

宋元祐中，秘書省著作郎兼侍讀范祖禹淳夫經筵所進，刊板在成都。

善按：「成都」二字當加專名線。

（64）同上，10頁第8行

克孝中上科任越州管內觀察使，神宗朝著《孝經傳》上進，賜詔稱諭。

善按：「克孝中上科」後當逗。

（65）同上，12頁第6～11行

按《畫譜》所載御府伯時畫一百有七中有《孝經》。相此卷蓋宣和所藏，然無當時印識而有紹興小璽，豈南渡後又嘗入祕府耶？伯時喜畫古賢故事，每簿著訓誡則《孝經》相當非特一本，此殆別本也。伯時之畫論者，謂出於顧、陸、張、吳，集眾善以為己，有能自立意，不蹈習前人而陰法其要。其成染精緻，俗工或可學，至於率略簡易處，終不及也，此昔人定論，余不容贅言。

善按：「孝經相」即李公麟所繪〈孝經圖〉，「相」字亦當加專名線。又，「每簿著訓誡後當逗，「伯時之畫論者」之「論者」二字當屬下讀，「陰法其要」後當逗，「終不及也」後當句。重點如下：

按《畫譜》所載御府伯時畫一百有七中有〈孝經相〉，此卷蓋宣和所藏，然無當時印識而有紹興小璽，豈南渡後又嘗入祕府耶？伯時喜畫古賢故事，每簿著訓誡，則〈孝經相〉當非特一本，此殆別本也。伯時之畫，論者謂出於顧、陸、張、吳，集眾善以為己有，能自立意，不蹈習前人而陰法其要，其成染精緻，俗工或可學，至於率略簡易處，終不及也，此昔人定論，余不容贅言。

（66）同上，13頁第1～2行

項元汴曰：「龍眠〈孝經圖〉載《雲烟過眼錄》。藏西人王芝子慶所，後三百餘年，余獲觀之，何多幸也。」

善按：「藏西人王芝子慶所」，「藏」乃動詞，專名線當刪，「子慶」即王芝之字，當加專名線。句末「何多幸也」後句號當改為感歎號。

（67）同上，14頁第8行

紹興十年十二月，程全一進《孝經解命》，為太學識事。

善按：「命」字非書名，書名線當刪，並屬下讀。

（68）同上，16頁倒數第1行小注

《載澹菴集》。

善按：「載」字非書名，不當加書名線。

（69）第七冊，卷二百二十六，〈孝經〉五，21頁第5行～22頁第1行

朱子〈後序〉曰：「熹舊見衡山胡侍郎《論語說》，疑《孝經》引《詩》非經本文，初甚駭焉。徐而察之，始悟胡公之言為信，而《孝經》之可疑者，不但此也。因以書質之沙隨程可久丈，程畣書曰：『頃見玉山汪端明亦以為此書多出後人傅會，於是乃知前輩讀書精審，其論固已及此。又竊自幸有所因述，而得免於鑿空妄言之罪也。因欲掇取他書之言可發此經之旨者，別為外傳，顧未敢耳。』淳熙丙午八月十二日記。」

善按：此段標點錯誤連連，重點如下：

朱子〈後序〉曰：「熹舊見衡山胡侍郎《論語說》，疑《孝經》引《詩》非經本文，初甚駭焉，徐而察之，始悟胡公之言為信，而《孝經》之可疑者，不但此也。因以書質之沙隨程可久丈，程畣書曰：『頃見玉山汪端明，亦以為此書多出後人傅會。』於是乃知前輩讀書精審，其論固已及此。又竊自幸有所因述，而得免於鑿空妄言之罪也。因欲掇取他書之言可發此經之旨者，別為外傳，顧未敢耳。淳熙丙午八月十二日記。」

（70）同上，22頁第2～3行

《刊誤》謂《今文》六章，《古文》七章以前為經，後為傳經之首，統論孝之終始，乃敷陳天子、諸侯、卿、大夫、士、庶人之孝。

善按：「《今文》六章」後逗號當改為頓號，「經之首」三字當屬下讀。重點如下：

《刊誤》謂《今文》六章，《古文》七章以前為經，後為傳，經之首統論孝之終始，乃敷陳天子、諸侯、卿、大夫、士、庶人之孝。

（71）同上，23頁第8～10行

『嚴父配天』一章，晦庵謂孝之所以為大者，本自有親切處，使為人臣子者，皆有今將之心反陷於大不孝，此非天下通訓而戒學者，詳之其義為尤精。

善按：此段標點錯誤連連，重點如下：

『嚴父配天』一章，晦庵謂『孝之所以為大者，本自有親切處，使為人臣子者，皆有『今將』之心，反陷於大不孝，此非天下通訓而戒學者詳之，其義為尤精。』

（72）同上，24頁第2～5行

既入仕，濫次西藏勾當得朱元晦《刊誤》一編而玩味之，夫然後心目之開朗欣然，若有所得，於是在館諸同志，因元晦之議，從而刪削次第之。然而敢以粟絲己意，妄有所參涉於其間，以得罪於先正，庶幾是經，燦然可復，而元晦刊正之功不泯。

善按：彭林指出「勾當」後當逗，[6]是也。此外，「一編」，《四庫》本作

6　前揭〈《點校補正經義考》第六、七冊《孝經》部份標點疑誤〉，頁288-289。

「一篇」，此本失校。「欣然」當屬下讀，「是經」後逗號當刪。重點如下：

既入仕，濫次西藏勾當，得朱元晦《刊誤》一篇而玩味之，夫然後心目之開朗，欣然若有所得，於是在館諸同志，因元晦之議，從而刪削次第之。然而敢以粟絲己意，妄有所參涉於其間，以得罪於先正，庶幾是經燦然可復，而元晦刊正之功不泯。

（73）同上，24頁倒數第6～5行

曰費直以〈彖〉、〈象〉、〈文言〉附《卦辭》，非移《易》乎？曰直受之於師，則然非直自移之。

善按：「《卦辭》」之書名線當刪，又「則然」二字當屬上讀。重點如下：

曰：費直以〈彖〉、〈象〉、〈文言〉附卦辭，非移《易》乎？曰：直受之於師則然，非直自移之。

（74）同上，25頁第6～7行

朱子嘗欲掇取他書之言，可發《孝經》之旨者，別為《外傳》，未及屬草，勉齋繼其志，輯《孝經本旨》二十四篇。

善按：「他書之言」後逗號當刪。

（75）同上，27頁第6行

故為之序，而切磋講究之，庶以永其傳云。

善按：「而」乃順接，「故為之序」後逗號當刪。

（76）同上，28頁第7～8行

正肅於余為鄉先生，先伯大父雲臺府君託同甲戌進士第，為通家尊行餘言緒論講問為多。

善按：「為通家」後當逗，「尊行餘言」後當加頓號。重點如下：

正肅於余為鄉先生，先伯大父雲臺府君託同甲戌進士第，為通家，尊行餘言、緒論講問為多。

（77）同上，28頁第9～10行

豈惟正肅公自洛學東行，諸大儒各以所聞分門授徒：……

善按：「豈惟正肅公」後當逗。

（78）同上，28頁倒數第1行～29頁第2行

正肅公既貴，嘗持江東憲節，數數為士大夫講象山之說，行部之貴溪乃為象山改創祠塾，故江東之人自正肅公而尊象山之道，益嚴貴溪姜翔仲之先世，故當時講下士大夫一人之數。

善按：「行部之貴溪」後當逗，「益嚴」二字當屬上讀。重點如下：

正肅公既貴，嘗持江東憲節，數數為士大夫講象山之說，行部之貴溪，乃為象山改創祠塾，故江東之人自正肅公而尊象山之道益嚴。貴溪姜翔仲之先世，故當時講下士大夫一人之數。

（79）同上，31頁第1～3行

年至慮易，境變心移，齠齔之所，咿啞而習讀，祖父之所保抱，而教誨棄若土梗，漫不復省於孝。其親之書如此？於其親為何如，尚何望其孝弟興行，而民用和睦，如吾聖人之云耶。

善按：此段破句連連，重點如下：

年至慮易，境變心移，齠齔之所咿啞而習讀，祖父之所保抱而教誨，棄若土梗，漫不復省，於孝其親之書如此，於其親為何如？尚何望其孝弟興行，而民用和睦，如吾聖人之云耶。

（80）同上，31頁第4～6行

繼自今人，皆以養晦之心為心。而暢然自反，無一日而忘《孝經》，亦將無一日而忘孝，世道其庶矣乎。

善按：此段破句連連，重點如下：

繼自今人皆以養晦之心為心而暢然自反，無一日而忘《孝經》，亦將無一日而忘孝，世道其庶矣乎。

（81）同上，32頁第1～2行

人紀之修孰大乎？是文、武、周公帥是而行備，見於紀禮所載。

善按：「是」字當屬上讀，「備」字當屬下讀。重點如下：

人紀之修，孰大乎是？文、武、周公帥是而行，備見於紀禮所載。

（82）同上，32頁第4～5行

《孝經》一書，即其遺法也。世入《春秋》皇綱紐解，孔子傷之，……

善按：「春秋」非書名，書名線當刪，其後當逗。重點如下：

《孝經》一書，即其遺法也。世入春秋，皇綱紐解，孔子傷之，……

（83）同上，32頁第7～8行

書成而道可舉，雖不能行之，一時猶可詔之來世，今此經之可考者，不過漢《藝文志》而已。

善按：「一時」二字當屬上讀，「漢」即《漢書》，專名線當改作書名線。重點如下：

書成而道可舉，雖不能行之一時，猶可詔之來世。今此經之可考者，不過

《漢‧藝文志》而已。

（84）同上，34頁第2行

語曰如有王者，必世而後仁。愚何幸身親見之。

善按：「語」即「論語」，當加書名線。「愚何幸」後當逗。重點如下：

《語》曰：『如有王者，必世而後仁。』愚何幸，身親見之！

（85）同上，34頁第4行

至宋大儒朱文公始取《古文》為之考訂，刊其繆誤，次其簡編，而後經傳，各有統紀。

善按：「而後經傳」後逗號當刪。

（86）同上，34頁第6～7行

惜乎是書板行者少，而窮鄉下邑之士不得盡天觀也，予近按泉偶於蔡介甫進士家得是書舊本，遂命工鋟梓以傳，……

善按：「而窮鄉下邑之士不得盡天觀也」後當句，不當逗；「天」字衍文，當刪。又，「予近按泉」後當逗，「泉」即泉州，當加專名線。

（87）同上，37頁第5～6行

唐陸德明亦云古文，世既不行，隨俗用鄭康成《注》十八章本，……

善按：「唐陸德明亦云古文」後逗號當刪。

（88）同上，38頁第1～3行

紹興五年七月，皇上踐阼，有詔求言公以八月進此書，未幾，中書舍人陳公傳威又為之繳進於今經筵，初度刻於廣信而不及。

善按:「有詔求言」後當逗,又「廣信」乃地名,當加專名線。

（89）同上,〈孝經〉六,41頁第5～7行

按:《中州集》載貢詩一首題曰:「客有求觀予《孝經傳》者,感而賦詩。其詩句云:『跋涉經險阻,鑽研閱寒溫。仰觀及俯察,萬象入見聞。不勞施斧鑿,筆下生烟雲。高以君唐虞,下以覺斯民。』蓋高自矜詡若是,惜乎其不傳也。」

善按:此段標點數處訛亂,「蓋高自矜詡若是,惜乎是不傳也」,乃朱彝尊之評語,當移出引號外。重點如下:

按:《中州集》載貢詩一首,題曰:「客有求觀予《孝經傳》者,感而賦詩。」其詩句云:「跋涉經險阻,鑽研閱寒溫。仰觀及俯察,萬象入見聞。不勞施斧鑿,筆下生烟雲。高以君唐虞,下以覺斯民。」蓋高自矜詡若是,惜乎其不傳也。」

（90）同上,42頁第2行

按:連江陳氏《一齋書目》有之,作《孝經注》。

善按:「《孝經注》」三字當加引號。

（91）同上,43頁第8～10行

隋人以《今文孝經》增減數字,分析兩章,又偽作一章,名之曰《古文孝經》,其得之也絕無來歷。左驗《隋·經籍志》及唐開元時集議,顯斥其妄,邢昺《正義》具載詳備可考。

善按:「左驗」二字當屬上讀,「具載」後當逗。重點如下:

隋人以《今文孝經》增減數字,分析兩章,又偽作一章,名之曰《古文孝經》,其得之也,絕無來歷左驗。《隋·經籍志》及唐開元時集議,顯斥其

妄，邢昺《正義》具載，詳備可考。

（92）同上，44頁第5～6行

中有格言，朱子每於各章注出，而小學書所纂《孝經》之文，其擇之也精矣。

善按：「小學」二字當加書名線。

（93）同上，45頁第7～8行

元至元中，南充江直方摘《孝經》中指示切要，條為之說，仍集經、史、子、集中，嘉言善行合經義者，依經分類，為之羽翼，凡二十二卷。

善按：「仍集經、史、子、集中」後逗號當刪。

（94）同上，46頁倒數第4～2行

愚嘗欲松谷采真文忠公〈孝友堂記〉不知孝者不論，知孝而不知友，非孝妻子具而孝衰於親，異姓婦人入門而賊同氣之愛，以戚其親世之犯此者，尤可痛也。

善按：「知孝而不知友，非孝妻子具而孝衰於親」，彭林謂「非」字當屬上讀，[7]其說非是。當於「非孝」後逗，「以戚其親」後當逗。重點如下：

愚嘗欲松谷采真文忠公〈孝友堂記〉不知孝者不論，知孝而不知友，非孝，妻子具而孝衰於親，異姓婦人入門而賊同氣之愛，以戚其親，世之犯此者，尤可痛也。

（95）同上，47頁第9行

乃一日傳教示以錢氏《直解》，俾某為之序，謂欲傳之版本，以廣斯文。

7　前揭〈《點校補正經義考》第六、七冊《孝經》部份標點疑誤〉，頁290。

善按：「乃一日傳教」後當逗。

（96）同上，49頁第2行

導江張塹達善魯齋高弟，其學行於北方。

善按：「達善」後當逗。

（97）同上，50頁第9行

一卷，又圖一卷。

善按：「圖」字當加書名線。

（98）同上，51頁第6～7行

此書久祕家塾，垂二百餘年，後有孫茂才士棟梓之而錄〈蔬食先生傳〉附焉。

善按：「茂才」、「士棟」乃人名，當加專名線。

（99）同上，51頁倒數第4～3行

余嘗觀六朝高人名士崇信《孝經》，或以殉葬，或以薦靈病者誦之輒愈，……

善按：「或以薦靈」後當逗。

（100）同上，52頁第3～4行

惜此書不廣傳，僅以之教家，學士度大理粲侍御時來相繼成名士，而士棟又以教士，聲藉甚《孝經》何負於人哉！

善按：「僅以之教家，學士度大理粲侍御時來相繼成名士」，彭林謂「學」

字當屬上讀，[8]非是。「大理」乃官名，按本書體例，專名線當刪。又，「度」、「粲」即沈度、沈粲兄弟；「時來」即吳時來，當加專名線，「士棟」亦當加專名線。「聲藉甚」後當逗。重點如下：

惜此書不廣傳，僅以之教家，學士度、大理粲、侍御時來相繼成名士，而士棟又以教士，聲藉甚，《孝經》何負於人哉！

（101）同上，53頁第1～3行

王緔之勉注書甚夥，晚乃用力於《孝經》，章分句析，條紀粲然，博考諸家之說。擇其要者，梓而錄之，而大要以朱氏為宗。

善按：「博考諸家之說」後當逗，不當句。

（102）同上，54頁第4～7行

愚以為二帝三王之建極於身者立心。極也立心，極者，端極於孝也。孝者，良心之切近精實者也，以其所切近精實者推之，則為惻隱、為辭讓、為羞惡、為是非，又推之為齊家、為治國、為平天下，何莫不是出也，已舍是而求適於治，無由也。

善按：此段破句連連，重點如下：

愚以為二帝三王之建極於身者，立心極也。立心極者，端極於孝也。孝者，良心之切近精實者也，以其所切近精實者推之，則為惻隱、為辭讓、為羞惡、為是非，又推之為齊家、為治國、為平天下，何莫不是出也已，舍是而求適於治，無由也。

（103）同上，55頁倒數第4～2行

二帝三王之治，本於道；二帝三王之道，本於身；二帝三王之身，極本於

8　前揭〈《點校補正經義考》第六、七冊《孝經》部份標點疑誤〉，頁290-291。

心；二帝三王之心，極本於孝；孝乃齊治均平之準也。

善按：此段破句連連，重點如下：

二帝三王之治，本於道；二帝三王之道，本於身；二帝三王之身極，本於心；二帝三王之心極，本於孝；孝乃齊、治、均、平之準也。

（104）同上，56頁第9行～57頁第1行

雖然卞氏之璧，不終於塵埋；趙氏之珠，豈久為淵沒；聖人之經，安得竟廢而不行哉？五百年必有王者興，其間必有名世者，嗣是而後有以孝治天下之明王，在上而四海仁人孝子興起，而振作之，則必輯錄。是經發明奧蘊，將蒐羅而纂集之，愚言幸存，或亦為芻蕘之采，得備籠中之藥物，未可知矣！

善按：彭林謂「在上」二字當屬上讀，[9]是也。此外，句首「雖然」二字後當逗，「豈久為淵沒」後分號當改為問題，「是經」二字當屬上讀。重點如下：

雖然，卞氏之璧，不終於塵埋；趙氏之珠，豈久為淵沒？聖人之經，安得竟廢而不行哉？五百年必有王者興，其間必有名世者，嗣是而後有以孝治天下之明王在上，而四海仁人孝子興起而振作之，則必輯錄是經，發明奧蘊，將蒐羅而纂集之，愚言幸存，或亦為芻蕘之采，得備籠中之藥物，未可知矣！

（105）同上，58頁第2～3行

炫遂分〈庶人〉章為二，〈曾子敢問〉章為三，又多〈閨門〉一章以足二十二章之數，且序其得喪講於人間，時議皆疑炫所自作，而《古文》非復孔氏之舊矣。

9　前揭〈《點校補正經義考》第六、七冊《孝經》部份標點疑誤〉，頁291。

善按：此段破句連連，重點如下：

炫遂分〈庶人〉章為二，〈曾子敢問〉章為三，又多〈閨門〉一章，以足
二十二章之數，且序其得喪，講於人間。時議皆疑炫所自作，而《古文》
非復孔氏之舊矣。

（106）同上，58頁第6～7行

至宋邢昺為《正義》訓詁，益復加詳，而當世大儒司馬溫公、范蜀公則皆
尊信古文。

善按：「訓詁」二字當屬下讀，重點如下：

至宋邢昺為《正義》，訓詁益復加詳，而當世大儒司馬溫公、范蜀公則皆
尊信古文。

（107）同上，58頁倒數第3～1行

迨朱文公為《刊誤》，亦復多從《古文》，以《古文》七章，《今文》六章
已前合而為經，刪『子曰』者二，引《書》者一，引《詩》者四，凡五十
七字，以餘章為傳刪『先王見教』以下六十九字，……

善按：「以《古文》七章」後逗號當改為頓號，「者二」、「者一」後逗號當
改為頓號，「以餘章為傳」後當逗。

（108）同上，59頁第4～5行

以許慎《說文》所引、桓譚《新論》所言，考證皆不合，決非漢世孔壁中
古文，……

善按：「考證」二字當屬上讀。

（109）同上，〈孝經〉七，62頁第6～8行

尊《今文》者，則謂劉向以顏芝本參校《古文》，省除繁惑，而定為《今文》，無有不善之為傳者。縱曰非玄所作而義旨實敷暢。若夫《古文》并安國之《注》其亡已久，……

善按：「無有不善」後當逗，「為之傳者」後句號當刪，「非玄所作」後當逗，「若夫《古文》并安國之《注》」後當逗。重點如下：

尊《今文》者，則謂劉向以顏芝本參校《古文》，省除繁惑，而定為《今文》，無有不善，之為傳者縱曰非玄所作，而義旨實敷暢。若夫《古文》并安國之《注》，其亡已久，……

（110）同上，63頁第1～2行

諸儒於經之大指，未見有所發揮而獨斷斷然，致其紛紜，若此抑亦末矣。

善按：「而獨斷斷然」五字當屬下讀。重點如下：

諸儒於經之大指，未見有所發揮，而獨斷斷然致其紛紜若此，抑亦末矣。

（111）同上，63頁第4～5行

元室之初，吳文正公出於臨川，又以《今文》為正，頗遵《刊誤》，章目重加訂定，而為之訓解，其旨益明而無遺憾矣。

善按：「章目」二字當屬上讀。

（112）同上，67頁倒數第3～2行

……殆或不免於是，考《古文》、《今文》合為新《考定孝經》一書，不分章第傳釋，似亦可觀。

善按：「於是」當屬下讀，「《今文》」後當逗。

（113）同上，72頁第1～2行

然考其中，似猶有增加離析，及多參差之語不可以思，……

善按：「及多參差之語」後當逗。

（114）同上，72頁第5～7行

然予每念之往昔，事二先人，日能盡其歡愛，勉加祗慎。則推之今日所以
接人與物者，往往亦由此出。

善按：「勉加祗慎」後當逗，不當句。

（115）同上，72頁倒數第3～2行

引而伸之，觸類而長之於以盡天經地義之懿，篤始終之義，以安其親。

善按：「觸類而長之」後當逗。

（116）同上，73頁第4～5行

今詳經文首統論孝之終始，中分論孝之散殊，而總結之於末。

善按：「今詳經文」後當逗。

（117）同上，〈孝經〉八，75頁第6～7行

夫聖言，言之至也，天下後世之準也，何俟於會而通之也；以晦於秦也，
鑿於漢也，襲於唐也，至宋朱子始正之也，……

善按：「晦」字專名線當移於「秦」字上。

（118）同上，75頁第8行～76頁第1行

我太祖高皇帝首頒教民榜文，成祖文皇帝集孝順事實垂示模範，即古先哲

王以孝治天下之心也，列聖繼承有隆勿替，第《孝經》雜出行者，《今文》一十八章，童子誦習，……

善按：「孝順事實」後當逗，「列聖繼承」後當逗，「行者」二字當屬下讀。重點如下：

我太祖高皇帝首頒教民榜文，成祖文皇帝集孝順事實，垂示模範，即古先哲王以孝治天下之心也，列聖繼承，有隆勿替，第《孝經》雜出，行者《今文》一十八章，童子誦習，……

（119）同上，76頁第2～5行

嗟乎！聖言具在也，無增損也，以聖言明聖言記述者意也。……蓋欲人敦本窮原，是則是效同臻至理也。

善按：「以聖言明聖言」、「是則是效」後皆當逗。重點如下：

嗟乎！聖言具在也，無增損也，以聖言明聖言，記述者意也。……蓋欲人敦本窮原，是則是效，同臻至理也。

（120）同上，77頁第3～5行

初任太湖令，陞刑部主事，歷郎中出守寧國，再守東昌，遷雲南副使，歷參政歸。先生惟道是慕，功名富貴不入其心，逢人必誨貴賤賢愚不知其類，由其學以眾人之立達，為學勿執己見也。

善按：此段數處破句，重點如下：

初任太湖令，陞刑部主事，歷郎中，出守寧國，再守東昌，遷雲南副使，歷參政歸。先生惟道是慕，功名富貴不入其心；逢人必誨，貴賤賢愚不知其類。由其學以眾人之立達為學，勿執己見也。

（121）同上，78頁第7～8行

學者誠即疏明義，反身立本，無形而優然，如見無聲而愀然如聞，舉足跬
步而兢兢然如臨履，姑胥張公曰『疏義一出，宜與《大學》並立學官』，
張公可謂知言者也。

善按：「如見」當屬上讀，「疏義」當加書名線。重點如下：

學者誠即疏明義，反身立本，無形而優然如見，無聲而愀然如聞，舉足跬
步而兢兢然如臨履。姑胥張公曰『《疏義》一出，宜與《大學》並立學
官』，張公可謂知言者也。

（122）同上，79頁第4～5行

故嘗以《古文孝經》與《古文尚書》俱自孔氏而廢興，隱見於漢，隋之
際，其迹略同，而其可疑一也。

善按：「廢興」後逗號當刪，「漢」後逗號當改為頓號。

故嘗以《古文孝經》與《古文尚書》俱自孔氏而廢興隱見於漢、隋之際，
其迹略同，而其可疑一也。

（123）同上，80頁第1行

蓋見新羅、日本之別序，而近京兆之石臺也。

善按：「別序」即《別序孝經》，當加書名線。

（124）同上，80頁第3～6行

昔孔子嘗不對或人之問禘矣，其言明王之以孝治天下，至於刑四海，事天
地，言大而理約，豈非極萬殊一本之義，意其所以告曾子者如此哉，雖然
其書非孔氏之舊書，宋、元大儒固卓然獨見於千載之下，以破諸儒之惑矣。

善按：「雖然」後當逗，「意其所以告曾子者如此哉」後逗號當改作感歎號。重點如下：

昔孔子嘗不對或人之問禘矣，其言明王之以孝治天下，至於刑四海，事天地，言大而理約，豈非極萬殊一本之義，意其所以告曾子者如此哉！雖然，其書非孔氏之舊書，宋、元大儒固卓然獨見於千載之下，以破諸儒之惑矣。

（125）同上，87頁第3行

聖主承乾，百行惟先於立孝，明王保養萬幾莫要於尊經，……

善按：彭林謂「百行」、「萬幾」當屬上讀，[10]非是。重點如下：

聖主承乾，百行惟先於立孝，明王保養，萬幾莫要於尊經。……

（126）同上，87頁第5～7行

蓋自秦火既灰，原經藏於孔壁，迨漢初弛禁，《今文》先出，顏芝、孔惠繼來，方獻全經之寶。后蒼已誤謬稱玄、晏之疏，顏、孔並行，魚珠無辨。及魯恭得《古文》於孔壁，與惠隻字僉同，而安國《注惠本》以正顏，……

善按：「顏芝」二字當屬上讀，又「而安國《注惠本》以正顏」，「注」乃動詞，書名線當刪。重點如下：

蓋自秦火既灰，原經藏於孔壁，迨漢初弛禁，《今文》先出顏芝，孔惠繼來，方獻全經之寶。后蒼已誤，謬稱玄、晏之疏。顏、孔並行，魚珠無辨。及魯恭得《古文》於孔壁，與惠隻字僉同，而安國注惠本以正顏，……

10　前揭〈《點校補正經義考》第六、七冊《孝經》部份標點疑誤〉，頁292。

（127）同上，87頁倒數第4～5行

尊唐一序，流贋三朝，司馬光曾進呈《古文》而阻於新法，朱仲晦晚為《刊誤》，而未逮先資。

善按：「《古文》」後當逗。

（128）同上，90頁第3行

愚既注《孝經》，本義已復櫛比諸家之同異出入，……

善按：「本義」二字當屬上讀，加書名線，即呂維祺撰《孝經本義》。

（129）同上，90頁倒數第2行～91頁第1行

乙亥履端業已繕寫為表上之，會以恩放歸田不果，深山之暇，閒簡原草，重加箋訂，而《孝經或問》成，尚有續著《衍義》、《圖說》、《外傳》等若干卷，俱藏諸笥以訓子弟及門之士云爾。

善按：「繕寫」、「俱藏諸笥」後皆當逗。

（130）同上，〈孝經〉九，94頁第1～2行

蓋孝為教本，禮所由生，語孝必本敬，本敬則禮從。此起非必《禮記》，初為《孝經》之傳注也。

善按：「此起」二字當屬上讀，「《禮記》」後逗號當刪。重點如下：

蓋孝為教本，禮所由生，語孝必本敬，本敬則禮從此起，非必《禮記》初為《孝經》之傳注也。

（131）同上，95頁第3～5行

有聖人作，將修周公之業於《傳》乎？取之將明孔子之道於《傳》乎？取

之先生嘗云《孝經》千七百七十三字合乎天行，……

善按：此段數處破句，重點如下：

有聖人作，將修周公之業，於《傳》乎取之；將明孔子之道，於《傳》乎取之。先生嘗云：《孝經》千七百七十三字合乎天行，……

（132）同上，95頁倒數第1行～96頁第1行

微義五、著義十二，則公之自序其節目也。旨該而義切，其為《集傳》也若是，至德要道不粹然明備也耶！

善按：「則公之自序其節目也」後當逗，不當句。

（133）同上，96頁第2～3行

紫陽朱子《孝經刊誤》，因文刪定，無所增加，嘗欲掇取他書之言，別為《外傳》，以發此經之義而自謂未敢，蓋若有待焉！

善按：「以發此經之義」後當逗。

（134）同上，102頁第5行

旭奇進〈表略〉曰：「臣惟享祚之久，……

善按：「略」字書名線當刪。

（135）同上，102頁第8～9行

隋蘇威：『言惟《孝經》一卷，足以立身治國，何用多為！』隋主納其言。以《孝經》賜。

善按：「言」字當屬上讀，「隋主納其言」後當逗，不當句。重點如下：

隋蘇威言：『惟《孝經》一卷，足以立身治國，何用多為！』隋主納其

言，以《孝經》賜。

（136）同上，103頁第1行

唐制，舉明經《孝經》為九經之首。

善按：「舉明經」三字當屬上讀。

（137）同上，103頁第2～3行

後來廣輯經書大全，發題試士，《孝經》偶遺，實有待於皇上也。

善按：「大全」二字當加書名線。

（138）同上，104頁第6～9行

李茹春曰：「伯械《古文衍義》，根極理要，每傍〈繫辭〉立解。嘗為論以駁。作《忠經擬孝經》者曰：『《春秋》固忠經也。孔子曰：「資於事父，以事君而敬同。」曾子曰：「事君不忠，非孝也。」人臣委身事主，凡經國子民之業，盡在無忝所生之中，豈必求端於《孝經》外哉！識者韙之。』」

善按：此段標點錯誤連連。重點如下：

李茹春曰：「伯械《古文衍義》，根極理要，每傍〈繫辭〉立解。嘗為論以駁作《忠經》擬《孝經》者，曰：『《春秋》固忠經也。孔子曰：「資於事父，以事君而敬同。」曾子曰：「事君不忠，非孝也。」人臣委身事主，凡經國子民之業，盡在無忝所生之中，豈必求端於《孝經》外哉！』識者韙之。」

（補）第六冊，卷二百二十二，孝經一，807頁第1行

《後漢史書》存於代者，……

善按：「後漢史書」非書名，書名號當刪。

〈孟子類〉

（1）第七冊，卷二百三十一，〈孟子〉一，109頁第6～7行

當是之時，秦用商君，富國彊兵；

善按：「商君」乃商鞅之封號，當加專名線。

（2）同上，110頁倒數第2行

顏師古《漢書注》作「子車」，《玉海》引《傅子》作「子輿」，此從《廣韻》。

善按：「傅子」乃書名，當加書名線。

（3）同上，111頁第7行

又曰：「《孟子》，醇乎醇者也。」

善按：「《孟子》」，書名線當改為專名線。

（4）同上，111頁倒數第1行

程晏曰：「孟子大達，遠盜蹠而遵正路者也。」

善按：「盜蹠」非地名，專名線當刪。

（5）同上，112頁倒數第1行

黃庭堅曰：「由孔子以來，求其是非趨舍，與孔子合者，惟孟子一人。」

善按：「求其是非趨舍」後逗號當刪。

（6）同上，114頁第2行

孟子有大功四道：性善，一也；明浩然之氣，二也；……

善按：「四」後當加分號，「道」字當屬下讀。重點如下：

孟子有大功四：道性善，一也；明浩然之氣，二也；……

（7）同上，116頁倒數第1行

齊湣王後又伐燕，燕王噲以燕與子之齊伐燕，下燕七十城，……

善按：「燕王噲以燕與子之」後當逗。又，「子之」乃人名，當加專名線。

（8）同上，117頁第5～6行

……謂有區區齊宣不足為聖世道說者，遂亦誤指伐噲為齊宣王事矣，此係鄉人蔣監簿曉之說。

善按：「說者」二字當屬下讀。又，蔣曉乃人名，「蔣」、「曉」當加專名線，其傳記見《延祐四明志》卷五。

（9）同上，117頁倒數第5～2行

馬端臨曰：「前史〈藝文志〉俱以《論語》入經類，《孟子》入儒家類，直齋陳氏《書錄解題》始以《語》、《孟》同入經類，其說曰自韓文公稱孔子傳之孟軻，軻死，不得其傳，天下學者咸曰孔、孟，《孟子》之書固非荀、揚以降所可同日語也。今國家設科，《語》、《孟》並列於經，而程氏諸儒訓解二書，常相表裏，故合為一類，今從之。」

善按：「自韓文公稱孔子傳之孟軻」至「故合為一類」為陳振孫之語，當加雙引號，句末「今從之」乃馬端臨之語。重點如下：

馬端臨曰：「前史〈藝文志〉俱以《論語》入經類，《孟子》入儒家類，直齋陳氏《書錄解題》始以《語》、《孟》同入經類，其說曰：『自韓文公稱孔子傳之孟軻，軻死，不得其傳，天下學者咸曰孔、孟，《孟子》之書固非荀、揚以降所可同日語也。今國家設科，《語》、《孟》並列於經，而程

氏諸儒訓解二書，常相表裏，故合為一類。』今從之。」

（10）同上，118頁第8～9行

而孟子生當斯時，獨能守仁義、性善、孝弟、中庸之教，發明顯微博約、下學上達之旨，斬然歸於一七篇之辭，彰明較著，……

善按：「斬然歸於一」後當句。

（11）同上，119頁倒數第4～3行

至於先王之禮，巡狩述職、班爵祿、井田學校皆治，天下大經大法，其說明徵典要可信可傳，

善按：「皆治」後逗號當刪，「其說明徵典要」後當逗。重點如下：

至於先王之禮，巡狩述職、班爵祿、井田學校皆治天下大經大法，其說明徵典要，可信可傳。

（12）同上，120頁第1～2行

而齊宣好士，未嘗不往仕，不受祿而宋、薛之餽未嘗不受；

善按：「未嘗不往仕」後逗號當改為分號，「不受祿」後當逗。重點如下：

而齊宣好士，未嘗不往仕；不受祿，而宋、薛之餽未嘗不受；

（13）同上，120頁第5～7行

是故以臧倉之謗不遇於魯，而未嘗怨。其沮己以王驩之佞悻，出弔於滕而未嘗不與之，朝暮雖往返不言，而終不激小人之怒。

善按：「其沮己」、「朝暮」皆當屬上讀，重點如下：

是故以臧倉之謗不遇於魯，而未嘗怨其沮己。以王驩之佞悻，出弔於滕而

未嘗不與之朝暮,雖往返不言,而終不激小人之怒。

(14)同上,120頁倒數第2行～121頁第1行

子思作《中庸》曰:『天命之謂性,率性之謂道,喜怒哀樂之未發謂之中,發而皆中節謂之和。』中也者,天下之大本。和也者,天下之達道,此子思之受指於夫子者也。

善按:「中也者,天下之大本。和也者,天下之達道也」亦《中庸》之文,當括入雙引號內。

(15)同上,121頁第1～2行

孟子因夫子子思之說,故曰天下之言性則故而已矣。故者以利為本,乃若其情則可以為善矣,乃所謂善。

善按:「天下之言性則故而已矣」以下皆孟子語,當加雙引號。又「故者以利為本」後當句。重點如下:

孟子因夫子子思之說,故曰:『天下之言性則故而已矣。故者以利為本。乃若其情則可以為善矣,乃所謂善。』

(16)同上,121頁第3～4行

七篇法嚴而精,義為至。惻隱之心,雖禽獸亦有羞惡之心,惟聖賢能充小大之分也。

善按:「雖禽獸亦有」、「惟聖賢能充」後皆當加分號。重點如下:

七篇法嚴而精,義為至。惻隱之心,雖禽獸亦有;羞惡之心,惟聖賢能充;小大之分也。

(17)同上,122頁第5～6行

故曰繆公無人乎！子思之側則不能安。子思,《孟子譜》謂孟子卒於周赧王二十六年,……

善按:此段標點破句,重點如下:

故曰『繆公無人乎子思之側,則不能安子思。』《孟子譜》謂孟子卒於周赧王二十六年,……

(18)同上,卷二百三十二,〈孟子〉二,124頁第1～2行

刺史董勤辟為從事,轉治中同郡。謝夷吾上書薦其才學,肅宗特詔公車徵,病不行。

善按:「同郡」二字當屬下讀。重點如下:

刺史董勤辟為從事,轉治中。同郡謝夷吾上書薦其才學,肅宗特詔公車徵,病不行。

(19)同上,125頁第1～2行

三桓子孫既以衰微,分適他國,孟子生有淑質,夙喪其父,……

善按:「分適他國」後當句,不當逗。

(20)同上,125頁第4～5行

孟子閔悼堯、舜、湯、文、周、孔之業將遂湮微,正塗壅底仁義荒怠,佞偽馳騁,紅紫亂朱,……

善按:「正塗壅底」後當逗。

(21)同上,125頁第7～8行

孟子亦自知遭蒼姬之訖錄,值炎劉之未奮進,不得佐興唐、虞雍熙之和,退不能信三代之餘風,……

善按：「進」字當屬下讀，與「退不能信三代之餘風」為對文。

（22）同上，126頁第4行

衛靈公問陳於孔子，孔子答以『俎豆』。

善按：「陳」非國名，專名線當刪。

（23）同上，127頁第2～3行

嘗息肩施擔於濟、岱之間，或有溫故知新。雅德君子，矜我劬瘁，睠我皓首，訪論稽古，慰以大道。

善按：「溫故知新」後當逗，不當句。

（24）同上，127頁第5～6行

於是乃述己所聞，證以經傳，為之章句，具載本文章別。其旨分為上下，凡十四卷，……

善按：「章別其旨」四字當做一句讀。重點如下：

於是乃述己所聞，證以經傳，為之章句，具載本文，章別其旨，分為上下，凡十四卷，……

（25）同上，128頁第8行

〈趙岐〉傳《要子章句》，『要』當作『孟』，……

善按：「趙岐傳」即《後漢書》之本傳，「傳」字亦當加書名線。

（26）同上，129頁第8～9行

揚子載孟子曰：『夫有意而不至者有矣，未有無意而至者也，今書皆無之，則知散軼也多矣。』

善矣:「揚子」即《法言》,專名線當改為書名線。「今書皆無之,則知散軼也多矣」非《法言》之語,當括在引號外。

（27）同上,135頁倒數第4行

集賢殿學士盧杞忌銑名重,道直無以陷之,……

善按:「道直」二字當屬上讀。

（28）同上,136頁第1行

張氏《音義》云「瞋瞋脡讒」,側目視貌,言瞋瞋然,怒目相嫉而相讒也。

善按:「言瞋瞋然」後逗號當刪。

（29）同上,136頁第2行

「栝捲」,屈木為之,其趨一也,趨讀趣,言其趣而正道無異也。

善按:「其趨一也」四字當加引號。

（30）同上,136頁第4～5行

子噲,燕易王子。

善按:「子」字專名線當刪。

（31）同上,136頁倒數第1行～137頁第1行

「願比死者一洒之,音『洗』,謂『洗雪其恥也。』」

善按:此段標點訛亂。重點如下:

「願比死者一洒之」,音「洗」,謂「洗雪其恥也」。

（32）同上，138頁第1～2行

「一匹雛」，「匹」作「疋」，音節疋。「雛」，「小雛」也。

善按：此段標點訛亂破句。重點如下：

「一匹雛」，「匹」作「疋」，音節，疋雛，小雛也。

（33）同上，138頁倒數第3～2行

「變其彀率」，「率」，循也。謂彀張其弩，又當循其射，道令必中。「於表躍」，如猶言「卓爾」。

善按：此段兩處破句。重點如下：

「變其彀率」，「率」，循也，謂彀張其弩，又當循其射道，令必中於表。「躍如」，猶言「卓爾」。

（34）同上，139頁第4～5行

謂其開卷，慕孟軻為人，所著《翼孟》三卷，於聖人之旨、作者之風，往往而得，惜乎所著書散佚無存也。

善按：「開卷」後逗號當刪。又，「開卷慕孟軻為人」至「往往而得」為白樂天之語，「惜乎所著書散佚無存也」則為缺名氏之評語。重點如下：

謂「其開卷慕孟軻為人，所著《翼孟》三卷，於聖人之旨、作者之風，往往而得。」惜乎所著書散佚無存也！

（35）同上，卷二百三十三，〈孟子〉三，142頁第2行

《孟子疏》乃邵武士人假作，蔡季通識其人其書，全不似疏體，……

善按：「其書」二字當屬下讀。

（36）同上，143頁第4～5行

則曰「此蓋史傳之文」而云，然未免疏矣。

善按：「然」字當屬上讀。

（37）同上，144頁第1行

《揮麈錄》載張咸，漢州人，應制，初出蜀，過夔州郡，將知名士也。一見，遇之甚厚，……

善按：「郡」字當屬下讀。「名士也」後當逗，不當句。

（38）同上，146頁第4～5行

儀衍肆其詭辨，楊、墨飾其淫亂。……

善按：「儀衍」即張儀、公孫衍，「儀」後當加頓號。

（39）同上，147頁第1行

惟《旴江集》中有常語非《孟子》，其文意淺陋，且非〈序〉者所載，……

善按：「常語」二字當加書名線，「《孟子》」書名號當刪。

（40）同上，147頁倒數第5行

高宗以《孟子》發揮王道。說之何人？乃敢非之？勒令致仕。

善按：此段標點訛亂，重點如下：

高宗以「《孟子》發揮王道，說之何人，乃敢非之！」勒令致仕。

（41）同上，147頁倒數第3～2行

昔武王伐紂，舉世不以為非？而伯夷、叔齊獨非之。

善按:「舉世不以為非」後問號當改為逗號。

（42）同上，149頁倒數第4～3行

司馬父子同在館閣，而其好尚不同，乃如此然，以父子至親而不為苟同，亦異乎阿其所好者矣。

善按:「乃如此」三字當屬上讀，「然」字當屬下讀。重點如下：

司馬父子同在館閣，而其好尚不同乃如此。然以父子至親而不為苟同，亦異乎阿其所好者矣。

（43）同上，149頁倒數第2行

雖文辭微涉豐縟，然觀者咸知勸講，自有體也。

善按:「勸講」後逗號當刪。

（44）同上，151頁第5～7行

幸而聖人嘗言之，幸而弟子能存之，今其書財此耳，不幸言之，不及言及而不存者固多矣，有如仁，有如性，有如命，皆一時之罕問，問而習不及之，皆孔子所不對也。

善按:「不及」二字當屬上讀。

（45）同上，151頁第10～11行

令嘗自孔子之後，考古之書合於《論語》者，獨得孟子以其言信其人，與孔子不異，惜古之人學是書者稀矣。

善按:「孟子」二字後當逗，並當加書名線。「信其人」後逗號當刪。重點如下：

令嘗自孔子之後，考古之書合於《論語》者，獨得《孟子》，以其言，信

其人與孔子不異，惜古之人學是書者稀矣！

（46）同上，152頁第2～4行

昔韓愈有言曰：『夫沿河而下，苟不止，雖有疾遲，必至於海。如不得其道，雖疾不止，終莫幸而至焉。』故學者必慎其所道求。觀聖人之道，必自《孟子》始，雖愈斯言則然，今其書具存而可考，……

善按：「求」字當屬下讀。「故學者必慎其所道，求觀聖人之道，必自《孟子》始」亦韓愈之語，亦當括入雙引號內。重點如下：

昔韓愈有言曰：『夫沿河而下，苟不止，雖有疾遲，必至於海。如不得其道，雖疾不止，終莫幸而至焉，故學者必慎其所道。求觀聖人之道，必自《孟子》始。』雖愈斯言則然，今其書具存而可考，……

（47）同上，152頁第7～8行

然或失如此，使孟子而在，三子者同時固應有辨也。

善按：「三子者同時」當屬上讀。重點如下：

然或失如此，使孟子而在三子者同時，固應有辨也。

（48）同上，153頁第3行小注

《通考》同《集》止一卷。

善按：「同」後當逗，意謂《文獻通考》與《宋史‧藝文志》同作「十四卷」。

（49）同上，155頁第6～7行

可與有為如齊宣王者，其所問惟威文之事；

善按：「威文」即齊桓公與晉文公，故「威」後當加頓號，二字當各加專

名線。

（50）同上，155頁倒數第4〜3行

孟子於此時上下無知，而信之者操不售之具以周遊其間，不少貶焉，非以道自任而能若是乎？

善按：「上下無知而信之者」當作一句讀。重點如下：

孟子於此時，上下無知而信之者，操不售之具以周遊其間，不少貶焉，非以道自任而能若是乎？

（51）同上，156頁第7行

雖然使楊、墨之道息，孔子之道著，……

善按：「雖然」後當逗。

（52）同上，156頁倒數第4〜2行

有出於唐而能知之者，莫如韓子，故論其道則曰『醇乎醇』，論其功則曰『不在禹下』。非苟知之也，竊自比焉。則庶幾孟子之道攘斥佛、老，則庶幾孟子之功，……

善按：「竊自比焉」後當逗，不當句。「則庶幾孟子之道」後當加分號。重點如下：

有出於唐而能知之者，莫如韓子，故論其道則曰『醇乎醇』，論其功則曰『不在禹下』，非苟知之也。竊自比焉，則庶幾孟子之道；攘斥佛、老，則庶幾孟子之功。……

（53）同上，157頁第1〜2行

誦孟子之書，非難深明其意之所在，為難深明其意之所在；非難能以其所

以自任者，矜式而行之為難。

善按：此段數處破句。重點如下：

誦孟子之書非難，深明其意之所在為難，深明其意之所在非難，能以其所以自任者，矜式而行之為難。

（54）同上，卷二百三十四，〈孟子〉四，162頁倒數第3～2行

後二卷則王充《論衡》、《刺孟》，及東坡《論語說》中與《孟子》異者亦辨焉。

善按：〈刺孟〉乃《論衡》之篇名。重點如下：

後二卷則王充《論衡・刺孟》，及東坡《論語說》中與《孟子》異者亦辨焉。

（55）同上，162頁倒數第1行

余氏《尊孟辨》五卷，今惟辨溫公《疑孟》十一條、史剡一條……

善按：「史剡」亦司馬光所著，專名線當改為書名線。

（56）同上，165頁第1～2行

發諸身，措諸用，捨皆所以行道也。

善按：「捨」字當屬上讀。

（57）同上，166頁第9～11行

其言則孟子之言，其書則門人之手不可必也。趙臺卿以謂孟子當蒼姬之記錄，值炎劉之未奮進，不得佐興唐、虞雍熙之治，退不能信三代之餘風，恥沒世而無聞，……

善按：「其書則門人之手」後當逗。「進」當屬下業，參照本類第（21）例。

（58）**同上，167頁第1～2行**

堯、舜之道，仁義為尚，故以梁惠王問『利國』，對以『仁義』，為首篇仁義根於心，然後可以大行其政。

善按：「為首篇」後當逗。

（59）**同上，169頁第7～8行**

龜山以孟子飢者甘食，渴者甘飲，與夫人能無以飢渴之害為心害，則不及人不為憂矣。令仲素思索，……

善按：此段標點訛亂。重點如下：

龜山以孟子『飢者甘食，渴者甘飲』與夫『人能無以飢渴之害為心害，則不及人不為憂矣』，令仲素思索，……

（60）**同上，170頁第3～4行**

既錄一本以備玩味，今歸其書，併以仲素之所授〔受〕於龜山者，語之以俟異日，觀其學之進，則此語不無助焉。

善按：「語之」二字當屬上讀。

（61）**同上，170頁倒數第2～1行**

廖仲辰於龜山門下與仲素為友，得其本，錄之庚戌。辛亥中來，聚生徒於南齋，……

善按：「錄之」當屬上讀，「庚戌」當屬下讀。重點如下：

廖仲辰於龜山門下與仲素為友，得其本錄之，庚戌、辛亥中來，聚生徒於南齋，……

（62）同上，172頁第8行

明年冬，會有嚴陵之命，未及終篇。

善按：「嚴陵」乃地名，當加專名線。

（63）同上，173頁第2～3行

雖然予之於此蓋將終身焉，豈敢以為成說以傳之人哉！

善按：「雖然」後當逗。

（64）同上，175頁第4行

《四庫著錄》作《孟子傳》二十九卷。

善按：「著錄」二字非書名，書名號當刪。

（65）同上，177頁倒數第2行

視漢儒所記檀弓、蒼梧之語，孰近孰遠？孰信孰疑？

善按：「蒼梧」乃《禮記‧檀弓》之語。重點如下：

視漢儒所記〈檀弓〉「蒼梧」之語，孰近孰遠？孰信孰疑？

（66）同上，177頁倒數第1行

且舜居河東，歷山、雷澤，各有其地，……

善按：「雷澤」乃地名，當加專名線。

（67）同上，178頁第5～7行

藏其本殆三十年，今嗣子新融水尉孝溥追敘先志，請序卷首，始為推而廣
之。昔唐彭城劉軻慕孟子而命名，著《翼孟》三卷，白樂天記其事，賴以

不朽。嘉材視劉何愧！特予非樂天，比其能使嘉材不朽乎？

善按：陸嘉材之嗣子名新，「融水」纔是地名，當加專名線。末句「比」字當屬上讀。

（68）同上，179頁倒數第5～4行

淳熙四年，文公年四十八，注《孟子》『子產聽鄭國之政』，謂成周改歲首而不改月，則晚年之確論也。嘗欲更注，而其書已行於世，……

善按：「注《孟子》」後當句，此段意謂朱子早晚之說有別也。

（69）同上，181頁倒數第4行～182頁第1行

雖然學者之於道，豈苟知而已耶？昔嘗聞先生與其門人論輯此書之意而誨之曰：『觀書不可僅過目而止，必時復玩味，庶幾忽然感悟到得義理與踐履處，融會乃為自得。』嗚呼！是又先生教人之要指也！予之刻此書也豈苟然哉？侯以〈序〉引見屬退，惟末學未能窺先生之門牆，故於侯之命雖不敢辭，而亦不敢以《序》自任也。故論次《侯本》語系諸編末，為朋友共講云。

善按：句首「雖然」後當逗，「融會乃為自得」之「融會」二字當屬上讀。「侯以〈序〉引見屬退」，「序」字書名號當刪，「退」字當屬下讀。句末「《侯本》」非書名，書名線當刪。重點如下：

雖然，學者之於道，豈苟知而已耶？昔嘗聞先生與其門人論輯此書之意而誨之曰：『觀書不可僅過目而止，必時復玩味，庶幾忽然感悟到得義理與踐履處融會，乃為自得。』嗚呼！是又先生教人之要指也！予之刻此書也豈苟然哉？侯以序引見屬，退惟末學未能窺先生之門牆，故於侯之命雖不敢辭，而亦不敢以〈序〉自任也。故論次侯本語系諸編末，為朋友共講云。

（70）同上，184頁第1～2行

二公所為是誠有益於後世，而今世補文公之遺書夸多務博雜，然前陳莫知簡擇，予獨病之，……

善按：「雜然前陳」當作一句讀。重點如下：

二公所為是誠有益於後世，而今世補文公之遺書夸多務博，雜然前陳，莫知簡擇，予獨病之，……

（71）同上，184頁第5～6行

黃公之澤已斬，輔氏為未墜，是可哀也，已是可嘉也，已願勉哉！正學之興，其必在是也。

善按：此段數處破句，重點如下：

黃公之澤已斬，輔氏為未墜，是可哀也已，是可嘉也已。願勉哉！正學之興，其必在是也。

（72）同上，卷二百三十五，〈孟子〉五，189頁第8行

魏了翁〈志墓〉曰：「公字仲甫，……

善按：「志」乃動詞，「〈志墓〉」書名線當刪。

（73）同上，192頁第2行

魏了翁〈志墓〉曰：「君諱惟正，……

善按：同上例，「〈志墓〉」之書名線當刪。

（74）同上，194頁第4～5行

聖人盛德，大業日新，而富有其存神過化，固有在言語之外者，……

善按：此段數處破句。重點如下：

聖人盛德大業，日新而富有，其存神過化，固有在言語之外者，……

（75）同上，194頁第9～10行

天不愛道，濂溪周子生焉，為民先覺絕學，賴以復續再傳，而得河南二程子，然後孔、孟之教復行，其書稍稍尊信於世。

善按：此段數處破句。重點如下：

天不愛道，濂溪周子生焉，為民先覺，絕學賴以復續，再傳而得河南二程子，然後孔、孟之教復行，其書稍稍尊信於世。

（76）同上，195頁第6～7行

嘉熙己亥，杭需次家食伯氏覺軒，相與語及過庭舊聞，慨然旁搜博取以就先志。

善按：「伯氏覺軒」當屬下讀，「慨然旁搜博取」後當逗。重點如下：

嘉熙己亥，杭需次家食，伯氏覺軒相與語及過庭舊聞，慨然旁搜博取，以就先志。

（77）同上，196頁第2行

抑先君子有言，書之成也，不易讀其書者，可以易而得之乎？

善按：「不易」二字當屬上讀。重點如下：

抑先君子有言，書之成也不易，讀其書者可以易而得之乎？

（78）同上，198頁第8～9行

其言『仁、義、禮、智』，則曰『心之固有，非由外鑠；惻隱、羞惡、辭

讓、是非之情，則以為五性之端』。

善按：此段標點訛亂，重點如下：

其言『仁、義、禮、智』，則曰心之固有，非由外鑠；惻隱、羞惡、辭讓、是非之情，則以為五性之端。

（79）同上，199頁第2～3行

『喪親』，則曰自盡；『兼愛』則言一本不為。枉尺直尋，不肯背馳詭遇，安於義命，不慕乎人爵之榮富。貴利祿，則曰所性不存；

善按：此段數處破句。重點如下：

喪親則曰『自盡』；『兼愛』則言『一本』。不為枉尺直尋，不肯背馳詭遇，安於義命，不慕乎人爵之榮，富貴利祿則曰『所性不存』；

（80）同上，199頁倒數第3行

姑撮一二要旨以為《蒙訓》，庶幾思索而有得其意云。

善按：「蒙訓」非書名，書名線當刪。

（81）同上，201頁第3～5行

蘇氏解《論語》與《孟子》辨者八，其論差勝自以去聖人不遠，及細味之，亦皆失其本旨。張九成最號深知者，而復不能盡，如論行仁政而王，王者之不作，曲為護諱，不敢正言而猥曰：『王者，王道也。』此猶是鄭厚輩所見。

善按：「蘇氏解《論語》」、「其論差勝」後皆當逗，句末「鄭厚」乃人名，「厚」字亦當加專名線。重點如下：

蘇氏解《論語》，與《孟子》辨者八，其論差勝，自以去聖人不遠，及細

味之,亦皆失其本旨。張九成最號深知者,而復不能盡,如論行仁政而
王,王者之不作,曲為護諱,不敢正言,而猥曰:『王者,王道也。』此
猶是鄭厚輩所見。

（82）同上,201頁第5～6行

至於對齊宣、湯、武之問,辨任人、食色之惑,皆置而不能措口。

善按:此段標點錯訛連連,且「任」字當加專名線。重點如下:

至於對齊宣『湯、武』之問,辨任人食色之惑,皆置而不能措口。

（83）同上,204頁倒數第4行

言《孟子》一書中間,詞氣抑揚太過,……

善按:「間」字當屬下讀。

（84）同上,205頁倒數第2行

且闢楊、墨,拒儀衍,而獨尊之。

善按:「儀」後當加頓號,「儀」、「衍」皆當加專名線,參照本類第（37）
例。

（85）同上,206頁第4行

論經界喪禮見命世亞聖之大才也,歷敘群聖,見自任之重也。

善按:「論經界喪禮」後當逗。重點如下:

論經界、喪禮,見命世亞聖之大才也;歷敘群聖,見自任之重也。

（86）同上,210頁第6～7行

《大學》、《中庸》本皆一篇,朱子析為章句,其次第貫通之脈絡,自在不

必添說。《論語》、《孟子》注疏,《集注》於一章下有小引,而有無詳略不同。

善按:「自在」二字當屬上讀,「注疏」二字當加書名線,屬下讀。重點如下:

《大學》、《中庸》本皆一篇,朱子析為章句,其次第貫通之脈絡自在,不必添說。《論語》、《孟子》,《注疏》、《集注》於一章下有小引,而有無詳略不同。

(87) 同上,卷二百三十六,〈孟子〉六,214頁第4行

《史記》於所歷鄒、任、滕、薛、魯、宋之事略不一,書惟曰:……

善按:「書」字當屬上讀。重點如下:

《史記》於所歷鄒、任、滕、薛、魯、宋之事,略不一書,惟曰:……

(88) 同上,217頁第2～4行

又六年當臧倉之沮而適宋,則孟子年八十五年矣。……但距臧倉之沮為九十五年,……

善按:文中兩「沮」字之專名線當刪。又,「八十五」之「年」字為衍文。

(89) 同上,218頁倒數第3行

之郜為宋滅其子孫為告告子之相見,疑即此時,……

善按:「之郜為宋滅其子孫為告」後當逗。

(90) 同上,218頁倒數第2行

時滕文公為世子,將之楚過宋,見孟子而往來及之,……

善按:「過宋」二字當屬下讀。

（91）同上，219頁倒數第5～3行

而惠王之志在於報怨，乃欲雪齊、秦、楚之恥，非愛民之仁也，故孟子歎其不仁。而他日為公孫丑言之，居魏而與之論仕者，又僅有周霄焉，……

善按:「故孟子歎其不仁」後當逗，不當句。「而他日為公孫丑言之」後當句，不當逗。

（92）同上，220頁第1行

而孟子於其間任為卿之重居喪母之憂，其日宜不如是淺也，……

善按:「為卿之重」後當逗。

（93）同上，220頁第7～8行

故其弟滕更及門卒業，亦可以知在滕之非一日矣。

善按:「滕更」乃人名，「更」字亦當加專名線。

（94）同上，223頁武數第5～4行

《綱目》書:去齊於伐燕之歲，則太早矣。竊意宣王之年再加二年於湣王之世，庶得事實也。魯欲使樂正子為政，孟子聞之，喜復至魯。

善按:「《綱目》書」之「書」乃動詞，其後冒號當刪。句末「喜」字當屬上讀。重點如下:

《綱目》書去齊於伐燕之歲，則太早矣。竊意宣王之年再加二年於湣王之世，庶得事實也。魯欲使樂正子為政，孟子聞之喜，復至魯。

（95）同上，224頁倒數第1行

而於宋剔成及魯平公之事皆略不書，乃獨於適滕言之？

善按：句末問號當改為句號。

（96）同上，225頁第5行

蓋其賦受充養精神血氣，有不偶然而任重道遠，殆有死而後已者矣。

善按：「有不偶然」後當逗。

（97）同上，226頁第3～4行

庶人不委質為臣不敢見於諸侯，禮也。

善按：「庶人不委質」後當逗。

（98）同上，226頁倒數第3行

不言魯。明乎弁、武城、鄒皆魯下邑也。

善按：「不言魯」後當逗，不當句。

（99）同上，227頁第4～5行

《說文》云：『鄒，孔子鄉，即叔梁紇所治地。』所謂鄹人之子也，孔子所生名，故鄒城去孟子所居五十里，⋯⋯

善按：「即叔梁紇所治地」非《說文》語，不當括在雙引號內。又，「名故鄒城」當作一句讀。重點如下：

《說文》云：『鄒，孔子鄉』，即叔梁紇所治地，所謂『鄹人之子』也，孔子所生，名故鄒城，去孟子所居五十里，⋯⋯

（100）同上，228頁第9～10行

《古紀》《世本》諸侯之世，滕國有考公麋、元公弘則文公後也。

善按：「古紀」非書名，書名號當刪。

（101）同上，229頁倒數第1行

孟子願學孔子頌《詩》讀《書》，教授弟子，……

善按：「孔子」後當逗。

（102）同上，230頁第5～6行

觀《孟子》書，『不侵及魯三桓』一語，獨稱孟獻子百乘之家友德不挾以比於小國，……

善按：「不侵及魯三桓」非引文，雙引號當刪。又，「友德」後當逗。

（103）同上，232頁第1～2行

首孟軻，繼鄒衍奭、淳于髡、慎到、荀卿、墨翟、尺佼、長盧子，……

善按：「奭」即鄒奭，「衍」後當加頓號。「尺」乃「尸」之訛。

（104）同上，232頁第6行

卒以為迂緩不合人且謂其好辯而已。

善按：「卒以為迂緩不合」後當逗。

（105）同上，232頁第7～8行

〈周本紀〉、〈十二諸侯世家〉，則又皆書曰『孔丘』，卒尊之也至矣！

善按：「卒」字當屬上讀。

（106）同上，232頁倒數第4～3行

> 東漢趙岐始注《孟子》，其〈序〉曰『孟子幼被慈母三遷之教』，《史》不載，今猶見，故《列女傳》且言孟子將去齊，母老擁楹而歎有憂色，母乃引《詩》、《易》詔之。

善按：此段標點錯訛連連。重點如下：

> 東漢趙岐始注《孟子》，其〈序〉曰『孟子幼被慈母三遷之教』，《史》不載，今猶見故《列女傳》，且言孟子將去齊，母老，擁楹而歎，有憂色，母乃引《詩》、《易》詔之。

（107）同上，233頁倒數第1行

> 又況鄒衍奭、淳于髡、墨翟以下諸子違離怪誕者甚矣，何可與同《傳》哉？

善按：「衍」後當加頓號，參照本類第（103）例。

　　附記：拙劄始錄於二〇一〇年五月，當時隨讀隨記，批改於書端，本無心發表。不意同年秋與本書編審之一蔣秋華先生邂逅於南京，席間偶及拙劄，蔣先生告知此書即將於上海古籍出版社出修訂版，囑善儘快發表。隨後，蔣先生與林慶彰先生來滬校對修訂版清樣，提出願意吸收拙劄之內容，以期完善。盛情切意之下，遂不揣謭陋，以拙劄及手批原書PDF呈示。而時值立善歸國執教之初，手批原書尚在京都，學弟福谷彬君為製成PDF文檔傳至手中，方未貽誤。更感念者，林慶彰先生不願淹沒他人成果，將拙劄推薦給《經學研究論叢》發表，而林月惠女史當初所贈乃其架藏之書。深荷同道厚誼，而自愧非才，謹記發表之始末云。

謹記於長春淨月潭

　　——原刊於《經學研究論叢》第18輯（臺北：臺灣學生書局，2010年9月），
　　頁205-254。

培育經學幼苗的園地

——《經學研究論叢》簡介

何　淑　蘋[*]

一、前言

　　如果想要積極推動學術風氣、提升研究水準，專門刊物的設置絕對有其必要性。中國大陸因幅員廣大，人口眾多，相對地研究資料與人力也豐富，就文史哲領域而說，早已設立不少專刊，例如《中國詩學》、《詞學》、《道家文化研究》、《宋代文化研究》等，相較而言，臺灣則缺乏這類專門的學術刊物，難以凝聚力量。中央研究院中國文哲所研究員林慶彰教授有感於此，決定創辦一份屬於經學的定期性論文集，在聖環圖書公司負責人徐耀環先生的贊助下，一九九四年一月，海峽兩岸第一本經學研究專刊——《經學研究論叢》（以下簡稱「本《論叢》」）於焉誕生。十多年來，這份學術刊物由林教授主持，加上學者、研究生攜手努力，或投稿發表，或協助校對，或撰寫提要，迄今出版十五輯，早已成為經學愛好者關心的一處園地。而它所刊登的兩百多篇論著，對經學發展也形成不容忽視的影響力。

[*]　成功大學中國文學系博士生。

二、內容與特色

《論叢》由林慶彰教授擔任主編，迄今出版十五輯。茲羅列每輯執行編輯暨出刊時間、總頁數如下：

輯數	執行編輯	出版時間	頁數
1	簡啟楨	1994年 1 月	391
2	簡啟楨	1994年10月	403
3	汪嘉玲	1995年 4 月	399
4	徐耀環	1997年 4 月	396
5	游均晶	1998年 8 月	359
6	游均晶	1999年 6 月	366
7	游均晶	1999年 9 月	379
8	張穩蘋	2000年 9 月	389
9	張穩蘋	2001年 1 月	331
10	張穩蘋	2002年 3 月	343
11	張穩蘋	2003年 6 月	485
12	張穩蘋、葉純芳	2004年12月	429
13	張穩蘋、黃智明	2006年 3 月	397
14	張穩蘋、黃智明	2006年12月	405
15	馮曉庭、張穩蘋	2008年 3 月	447

由上可知，本《論叢》歷經簡啟楨、汪嘉玲、徐耀環、游均晶、張穩蘋、黃智明、馮曉庭等擔任執行編輯。他們不僅從事經學研究，也都具有豐富的編務經驗，例如馮曉庭、張穩蘋皆專研《春秋》學，前者編有《日本研究經學論著目錄》（臺北市：中央研究院中國文哲研究所，1993年10月），後者編有《啖助新春秋學研究論集》（臺北市：中央研究院中國文哲研究所，2002年9月）。其中，張穩蘋擔任編輯至今八年，可謂勞苦功高。這幾位皆是林教授高足，因為有他們的義務投入，本《論叢》才得以順利地不斷出刊。對於林教授和編輯們的辛勞和貢獻，我們應給予肯定的掌聲。

　　另外，由上表所列，可知本《論叢》自一九九四年一月創刊以來，每輯均維持三五〇頁以上的篇幅。十五輯累積文章，除新書資訊外，計有二七三篇之多。至於設立的欄目，包括：經學總論、周易研究、尚書研究、詩經研究、三禮研究、春秋三傳研究、四書研究、讖緯研究、孝經研究、小學研究、儒學研究、郭店楚簡研究、經學文獻、經學家研究、經學人物、古史研究、序跋選錄、日本儒學、越南儒學、專題書目、經學學會、學術機構、學術會議、新書評論、出版資訊。從此即可看出本《論叢》刊載專題研究、文獻整理、資訊介紹等各種文稿，內容非常豐富多元。

　　至於投稿對象，除學有專精的教授、副教授、助理教授外，更多是初生之犢的碩士生，或稍窺門徑的博士生，可知本《論叢》一方面刊登高水準的研究論文，一方面也給予青年學者發表機會，洵見提攜後進的用心。另外，本《論叢》在臺灣發行，投稿者以臺籍人士為主，也兼收大陸和域外學者論文。大陸學者，例如北京師範大學劉家和教授、中國社會科學院陳祖武教授、清華大學彭林教授；外籍學者，例如美國史丹福大學倪德衛教授、日本京都大學古勝隆一教授、北京大學歷史系橋本秀美（喬秀岩）教授。

　　至於本《論叢》特色，大抵有兩方面：

　　第一，反映域外研究成果。由於主編林教授對於域外研究情況非常關注，他個人即主編《日本研究經學論著目錄》、《日本儒學研究書目》，翻譯日本經學家所寫的《經學史》、《論語思想史》，利用編目及翻譯方式，將域外成果引介給國人參考，期能達到「他山之石，可以攻玉」的目的，可謂用心良苦。因此，本《論叢》刊有不少翻譯之作，例如岩本憲司〈董仲舒災異說的構造解析〉（林慶彰教授譯，見第七輯）、佐野公治〈《四書》註釋書的歷史〉（張文朝譯，見第九輯）、諸橋轍次〈朱子學大系《朱子學入門》序〉和宇野哲人〈陽明學大系《陽明學入門》序說〉（兩文皆簡曉花譯，見第十一輯）等。

　　第二，見證人才培育歷程。本《論叢》創辦迄今已十餘年，部分作者初次投稿時猶是青澀的碩士生，再度投稿已成為博士生，甚至任職於大專院校。例如侯美珍教授初次發表〈古典的新義——談聞一多解《詩》對弗洛伊德學說的應用〉（見第三輯），尚就讀政治大學中文系碩士班，行文猶見生澀；再度發表

〈鍾惺《詩經》評點成書時間考──辨證《鍾惺年譜》一誤〉（見第十輯），就
讀政治大學中文系博士班，該文匡正訛誤，論斷頗見功力；如今，她是臺南科
技大學專任副教授，近年來發表多篇明清八股文、評點學文章，頗受好評。除
侯教授外，現任教於中央大學的丁亞傑教授、政治大學的車行健教授、嘉義大
學的馮曉庭教授，都是由碩士班開始便積極投稿。回顧本《論叢》內容，即可
窺見他們從事研究的歷程。

三、價值與建議

作為全球第一份經學專刊，本《論叢》價值可從下列四方面言之：

第一，提供園地。作為經學專屬刊物，本《論叢》集中收錄經學相關論
著，可提供研究者參考。其次，刊載經學學會、學術機構、學術會議、新書評
論、出版資訊等報導性文字，具有公布消息、介紹推廣的意義。另外，定期整
理的「博碩士論文目錄」也便於瀏覽，藉此了解哪些論題已有成果，可避免選
題重複，造成學術資料浪費。簡言之，本《論叢》提供豐富多樣的研究成果和
學界訊息，稱得上是經學界交流的重要平臺。

第二，鼓吹風氣。瀏覽十五輯目次，可發現「欄目」變化，是由少到多，
種類愈趨完備。隨著每輯刊登文章性質的不同，欄目也隨之調整更動。這些欄
目名稱包括：經學總論、周易研究、尚書研究、詩經研究、三禮研究、三傳研
究、四書研究、孝經研究、讖緯研究、小學研究、郭店楚簡研究、經學文獻、
經學家研究、經學人物、古史研究、序跋選錄、日本儒學、越南儒學等。由此
觀之，本《論叢》一方面刊載各種成果，推動研究風氣；另方面拓寬經學範
圍，舉凡小學、出土文獻、古史、域外儒學等，均予納入，頗見鼓吹多元研究
之用意。

第三，填補空白。本《論叢》刊登的專輯與部分文章，過去屬於乏人問津
的題目，經由林教授用心策劃，以專輯或單篇文章形式刊載後，可填補前人研
究之不足。專輯方面，例如第四、五輯刊載「姚際恆專輯」，計收文十六篇，
使沈寂多年的姚氏研究頓時興盛起來。文章方面，例如馮曉庭〈五代十國的經

學〉(見第五輯)、陳純適〈周廣業《孟子四考》評騭〉(見第六輯)、葉純芳〈魏晉經學的定位問題〉(見第十輯)等,只要翻檢林教授主編的《經學研究論著目錄》,即知這些俱是前人未曾關注的問題。

第四,整理文獻。林教授投入經學研究長達三十年,對於文獻蒐羅始終不遺餘力,因此主持本《論叢》,對文獻徵存、整理、編目尤其重視。例如第十三輯刊登〈論《孟子》〉,係梁啟超早年在湖南時務學堂講學之遺稿,是窺探梁氏《孟》學觀的重要文獻。又例如第八輯刊登許學仁〈尹灣漢簡研究文獻要目〉、〈長沙子彈庫戰國楚帛書研究文獻要目〉兩篇,將相關研究成果彙整編目,頗便檢閱。再例如第十五輯刊登「民國時期經學家著作目錄專輯(續輯)」,羅列馬其昶、吳承仕、錢玄同、于省吾、陳夢家諸家著作目錄,可供有心研究民國經學者參考。

本《論叢》對經學研究之交流與推廣卓有貢獻,自創刊以來,因體例完備、內容豐富、資訊多元,久為學界所重視。筆者不揣淺陋,嘗試提出幾點建議,謹供編者參考。

首先,建議紙本與網路功能互補。以「新書資訊」而言,旨在供讀者選購或查找書籍參考,往往講求時效性,故除利用《論叢》固有紙本形式刊登外,建議將這些訊息公布在中研院文哲所經學研究室網頁(http://classic.litphil.sinica.edu.tw/classic/)上,如此更有助於資訊快速流通。

其次,建議不定期刊登「徵稿訊息」,廣邀文稿,籌組專輯。例如「臺灣經學研究」、「民國經學研究」、「日治時期臺灣經學研究」、「經典詮釋學」等,皆是當前頗受關注的焦點,本《論叢》可以公開徵稿,籌劃專輯,藉此推廣研究,帶動風氣。

第三,在域外漢學方面,統觀本《論叢》十五輯內容,日本論著翻譯數量較多,如能再積極向歐美、德、俄、韓、越南等域外學者邀稿,經翻譯後彙成專輯,此對引介域外經學研究成果,促進國際間交流,定有更大的助益。

第四,在編輯體例方面,建議再增加「關鍵字詞」、「摘要」、「英文目次」等。現今學術規範日趨嚴謹,中、英文關鍵字詞和摘要雖非正文內容,卻也應予檢附。而英文目次則是為促進資訊流通,讓國際間注意到華文界的豐碩成果,這樣對於世界學術交流具有相當的幫助,實不容忽視。

四、結語

　　作為全球第一部經學專門刊物，本《論叢》開闢天地、傳承學術的用心和價值，確是毋庸置疑。雖然中國大陸也創辦了《中國經學》（2005年創刊，清華大學彭林教授主編），反應出經學研究日益興盛的情勢，但與本《論叢》相比，足足晚出十年，顯示出林慶彰教授的眼光、魄力與毅力。如今，本《論叢》已是知名的專刊，在臺灣學生書局支持下，未來仍會不斷為學界服務。希望海內外愛好經學的朋友們，都能惠賜鴻文大作，以行動來支持這份刊物。我們衷心期待本《論叢》能長長久久，相信在大家共同努力下，這塊培育經學種子的珍貴園地，可以永不乾枯。

　　——原刊於《國文天地》第24卷第9期（2009年2月），頁90-93。

臺灣學者對姚際恆的研究（上）
——關於姚際恆研究文獻的整理

林　祥　徵[*]

　　姚際恆（1647-？），字立方，號首源。原籍安徽休寧，長期寓居浙江仁和（今屬杭州）。清代前期的著名經學家。他的一生分為兩個階段，早期從事詩文創作，今存《西窗絕句》、《贈毛奇齡長律二十韻》等。中年以後，專心致志於經學研究。著有《九經通論》、《庸言錄》、《好古堂書目》、《好古堂家藏書畫記》、《續收書畫奇物記》、《古今偽書考》等。由於姚氏沒有功名，沒有官職，他的家族不敢刊刻他的書，以至於他的著作有的亡佚，有的殘存於別人的著作之中，完整保存下來的只有三、五種。一九八七年八月，臺灣「中央研究院」中國文哲研究所成立，推展（一）古典文學、（二）近代文學、（三）中國哲學、（四）比較哲學、（五）經學文獻這五個方向的研究。他們為了弘揚傳統文化和更好地開展國學研究，先後整理出版朱彝尊《經義考》（八冊，三百卷）、《朱彝尊經義考論集》（上下兩冊）、《汪中集》、《二十七松堂集》、《啖助新春秋學派研究論集》、《劉壽曾集》、《楊慎研究資料彙編》（上下兩冊）、《乾嘉學者的治學方法》和《詩經說約》等。關於姚際恆的研究文獻的整理成果，則有林慶彰研究員主編的《姚際恆著作集》（六冊，臺北，「中央研究院」中國文哲研究所一九九四年四月版）和林慶彰研究員、蔣秋華副研究員合編《姚際恆研究論集》（上、中、下三冊，「中央研究院」文哲所一九九六年六月版）這兩部書互為配套，相輔相成。他們的整理工作，有值得借鑒和交流的地方，現介紹於下：

　*　泰安師範學院教授。

林慶彰主編的《姚際恆著作集》（六冊）

第一冊，《詩經通論》，顧頡剛點校。《詩經通論》，是姚氏《九經通論》中保存最為完整的一種，根據顧頡剛點校的《詩經通論》（一九五八年中華書局版）重新編排，因原書篇前沒有篇名，檢閱相當不便，重印時於各篇前都加篇名，有明顯錯誤的根據一八三七年韓城王篤琴山館本加以更正。顧本原有一篇中華書局的「出版說明」，先前臺灣各翻印本都加以刪除，這回重印將其恢復，表現了編者可貴的學術獨立精神。篇前有林慶彰寫的〈姚際恆著作集序〉，對姚際恆的生平、著作和在近代學術史上的地位作了詳細的介紹，為研究姚際恆提供嚮導。

第二冊收錄兩部書。其中《古文尚書通論輯本》，由張曉生輯校，書前有林慶彰寫的〈本冊輯校說明〉。姚際恆的《古文尚書通論》十卷，是《九經通論》之一。該書已亡佚。輯點者從閻若璩《古文尚書疏證》中曾經引用的二十六條中抉出。因為原書的體例已經無從知曉，將所輯資料按閻若璩的各條之順序編排，分總論、各篇分論和附錄三部分。所據的《尚書古文疏證》是採用王先謙《皇清經解續編》本。其二《禮記通論輯本》（上），簡啟楨輯佚，江永川標點。《禮記通論》是《九經通論》中的一種，清初以來的各家書目、史志及地方志都沒著錄，說明早已亡佚。本書的輯佚者從杭世駿《續禮記集說》加以輯出，並按杭世駿《續禮記集說》的順序，將《禮記》的本文，及所引姚氏《通論》的佚文逐條摘出，並依照今本《十三經注疏》本中《禮記》篇目的順序排列，有文字缺脫、訛誤者，另作校記。篇目前有林慶彰寫的《本冊輯校說明》。

第三冊，《禮記通論輯本》（下），簡啟楨輯佚，江永川標點。自宋代王應麟輯三家詩、鄭氏《易》注起，輯佚成為復活中華古典文獻的重要手段。臺灣學者在編《姚際恆著作集》過程中，抉剔爬梳，認真細緻，為此付出了辛勤的勞動，說明凡是有價值的事情都需要下苦功夫，一份耕耘，一份收獲。

第四冊，《春秋通論》，張曉生點校。《春秋通論》也是《九經通論》中的一種，收入該書的《春秋通論》十五卷，《春秋無例詳考》一卷（缺卷十一至十三）。姚氏的序也缺第一頁。該書是姚氏晚年的著作，清人各公私書目均無

著錄。直到西元一九二九年,明倫於北平書肆購得一個殘抄本,方得於面世。據張曉生〈本冊點校說明〉,明倫得書後即抄一副本,其一現存大陸圖書館;另一本現存臺灣「中央研究院」傅斯年圖書館。張曉生以傅斯年圖書館藏殘本為底本,再以日本東京大學影照北京圖書館藏本參校,並改正其訛脫衍奪多次。書中附校點《凡例》八則。

第五冊,《古今偽書考》,童曉鈴彙集。姚際恆認為考辨古書的真偽是「讀書的第一要義」,因而寫了這本書。原書附於《庸言錄》之後,清嘉慶年間,鮑廷博刊刻《知不足齋叢書》時,從《庸言錄》中析出,隨後《古今偽書考》獨立成書,《庸言錄》反而亡佚。

該書有兩個特點,其一是版本多達二十三種,為《古今偽書考》作考釋、補證的也有五家,說明《古今偽書考》篇幅不多,影響卻很大;其次,以往考辨偽書,不及經部,而姚氏則合經、史、子三部加以考辨。他認為集部的書作偽很少,故不列入。道教、佛教的偽書也不列入。收入《姚際恆著作集》中的《古今偽書考》以顧頡剛點校的一九五五年北京中華書局排印本為底本,並把為《古今偽書考》作考釋、補證的三種,按姚氏書考辨各偽書的順序分別繫入。他們分別是:一、金受申《古今偽書考釋》(一九二三年北平中華印刷局排印本),二、顧實《重考古今偽書考》(一九二五年上海大東書局排印本),三、黃雲眉《古今偽書考補證》(一九八〇年山東齊魯書社版)。

編輯方式是除本書外,彙集了各家的考辨文字,是一部《古今偽書考》的集大成之作。既方便研究又能使讀者更深地體會。值得提出的,隨著出土佚書的增多,以往被認為是偽書的並不是真偽書。讀該書時應特別留意,不能盲從。

第六冊收錄三部書。(一)《好古堂書目》,林慶彰點校。「好古堂」是姚際恆的書齋名。由於姚氏是書香世家,藏書豐富。《好古堂書目》是姚氏家藏書的目錄,為姚氏手定。該書分經、史、子、集、總五大類。書末附有闕書目二十六種,宋元版書目二十三種,共計一六九一種。該書在目錄學上的貢獻是,在經、史、子、集外,設立「經史子集總」一類,有人評之為「近代目錄家別立叢書部類之濫觴」。所據版本是一九二九年南京中社影印江蘇國學圖書館所藏丁丙舊藏抄本。並作校記。(二)《好古堂家藏書畫記》,林耀椿點校。(三)

《續收書畫奇物記》，林耀椿點校。

姚際恆不僅藏書豐富，而且古玩、書畫也不少。《好古堂家藏書畫記》二卷和《續收書畫奇物記》一卷是姚氏根據自家所藏的書畫、古玩編撰而成。該書點校依《讀畫齋叢書》（藝文印書館《百部叢書集成》之三九）為底本，並取《叢書集成初編》本（中華書局，一九八五年北京新一版，藝術類第一五七三冊）、《美術叢書》本（藝文印書館影印《美術叢書》第十四冊，三集第八輯，頁一三至一三二）互校，並作校記。

林慶彰研究員、蔣秋華副研究員鑒於研究姚際恆的論文散見於海內外期刊，學者檢閱相當不便，搜集研究姚氏的單篇論文四十多篇，編成《姚際恆研究論集》分上、中、下三冊。

（一）上冊除林慶彰、蔣秋華合寫的〈編者序〉外，收「學術總論」九篇，《古今偽書考》研究五篇，附姚名達〈宋（濂）、胡（應麟）、姚（際恆）所論列古書對照表〉、〈古文尚書通論〉研究一篇。

（二）《姚際恆研究論集》中冊，收《詩經通論》研究十三篇。

（三）下冊收錄《禮儀通論》研究一篇、《禮記通論》研究八篇、《春秋通論》研究三篇、《好古堂書目》研究一篇。附錄一，林慶彰編的〈姚際恆研究資料彙編〉。《姚際恆研究論集》，主要收研究姚際恆的研究論文，而〈姚際恆研究資料彙編〉主要收（1）傳記、方志中有關姚氏的生平、傳記資料；（2）學術專著中評論姚氏的零星材料；（3）筆記、雜記中有關姚氏的條目。按（1）傳記資料、（2）《庸言錄》、（3）《古今偽書考》、（4）《九經通論》、（5）《詩經通論》、（6）《周禮通論》、（7）《禮記通論》、（8）《好古堂書目》等八類排列。文末附〈引用書目〉。附錄二，林慶彰編〈姚際恆研究年表〉，自西元一九〇九年顧頡剛閱讀《古今偽書考》，影響了他一生研究方向起，至一九九五年十一月林慶彰發表〈姚際恆治經態度〉止，共八十八年。從中可以了解研究概況和研究歷程。附錄三，林慶彰編〈姚際恆研究文獻目錄〉，主要收錄清乾隆年間起至西元一九九五年間，姚際恆著作的各種傳本，和研究姚氏的書目和篇目，既可了解前人的研究成果，又可供進一步研究的參考。

梁啟超在談到古典文獻整理的價值時說：

吾儕今日宜篳路藍縷以辟此途。務求正確的史料作自己思想批評的基礎，且為後人計，使踵吾業者從此得節嗇其精力於考證方面，而專用其精力於思想批評方面，斯則吾今日對於斯學之一大責任也。(《清代學者整理舊學總成績》)

臺灣學者正是為了更好地弘揚傳統文化，而擔負起姚際恆的文獻整理與研究這副擔子的。我們認為，有以下的意義：

（一）一九二○年，在胡適的鼓勵下，顧頡剛開始點校《古今偽書考》，並著手搜集姚際恆的著作。自一九七八年九月起，顧氏開始編輯《姚際恆遺書匯輯》，到一九八○年十二月，因病逝世，編輯姚氏遺書的工作並未完成，可謂賚志以歿。《姚際恆著作集》和《姚際恆研究論集》的完成，不僅了卻顧氏一生未了的心願，也為清初的經學和思想研究提供了可靠的元典。

它充分說明弘揚傳統優秀文化是海峽兩岸學者的共同心願。最近北京大學有位學者在網上發表文章主張全盤西化，認為倡導國學即國將不國。我們不敢苟同。國學是中華民族的根，中華文明的命脈。斬斷它才真正國將不國，必將失去我們生存的精神家園。

（二）臺灣學者關於姚際恆研究文獻的整理是成功的，經驗之一是以學術現代化為指導，在整理過程中，他們要求出精品，一律按規範化的程序進行，從文獻術語到寫作格式都有統一的規定。嚴密的學術規範是學術現代化的迫切要求，也是當代學術工作必備的學術品格。應該承認，我們這方面起步晚，還沒有引起更多人的重視。為了文獻的完整性，他們採取開放態度，搜集並翻譯日本學者研究姚際恆的論文七篇並收入《姚際恆研究論集》之中，分別是：

（1）坂井喚三的〈姚際恆及其著述〉（林慶彰譯）

（2）村山吉廣的〈姚際恆的學問（上）〉

（3）村山吉廣的〈姚際恆的學問（中）——他的生涯和學風〉（林慶彰譯）

（4）村山吉廣的〈姚際恆的學問（下）——關於《詩經通論》〉（林慶彰譯）

（5）村山吉廣的〈姚際恆論〉（林慶彰譯）

（6）藤澤誠的〈關於清姚際恆之偽《中庸》說〉（張寶三譯）

（7）服部武〈關於姚際恆《春秋通論》〉（余崇生譯）。

　　日本學者研究漢學有其獨到之處，成果頗豐，但我們過去了解不多。一個突出的例子是，魯迅先生曾引用日本學者鈴木虎雄關於魏晉時代「是中國文學史上的自覺時代」的說法，被認為是魯迅先生自己的見解。林慶彰等人的翻譯既讓我們了解日本學者的獨特視角，也為不懂日文的學者提供方便。

　　（三）海峽兩岸學者攜手合作有利於中華學術的繁榮。臺灣地處海隅，經學研究的歷史又短，資料欠缺。這個不足可以在大陸得到補償。二十世紀九十年代，臺灣「中央研究院」中國文哲研究所要編《楊慎研究資料彙編》，林慶彰研究員邀請四川大學哲學系賈順先教授合作，並於一九九二年順利完成。這是一次兩岸學者攜手合作的範例。在這次《姚際恆著作集》的編纂中，也得到大陸學者的有力支持。南京大學中文系張宏生教授在該校園圖書館尋得顧實的《重考古今偽書考》一書並代為複印，充實了《古今偽書考》的補正資料。華東師範大學古籍研究所所長朱杰人所長提供程大章〈古今偽書考書後〉一文，被收入《姚際恆研究論集》之中；吳振棫《國朝杭郡詩輯》中有關姚際恆的資料的獲得，也得力於北京圖書館寒冬小姐的協助。同文同種的海峽兩岸的學術研究是可以互補的。這期間也反映了臺灣學者具有中華民族的認同感，在臺灣「去中國化」甚囂塵上的今天，仍堅持國學研究。他們的良知和學術勇氣令人敬佩。

　　《姚際恆著作集》所收的姚氏資料還有補充的餘地。欠收的姚氏《儀禮通論》，原為杭州崔永安家藏本，一九三二年，顧頡剛傳抄一本，現珍藏於大陸中國社科院歷史研究所圖書館，重印時可補足。至於篇幅長而未收錄的專著有：

　　（1）詹尊權《姚際恆的詩經學》（新加坡南安會館，一九八七年七月版）；

（2）張曉生《姚際恆及其尚書、禮記學》（臺北東吳大學中國研究所碩士論文）；（3）簡啟楨《姚際恆及其詩經通論研究》（臺北金賢圖書公司一九九三年

三月版）；（4）文鈴蘭（韓國學者）《姚際恆詩經通論研究》（臺北國立政治大學中國文學研究所博士論文，一九九四年六月）。重版時也可一併收入《姚際恆研究論集》中以窺全豹。

（以上資料大多為林慶彰研究員提供，特表謝忱）

　　──原刊於《閩臺文化交流》2008年第2期（2008年6月），頁21-24。

紬奇冊府，總前代之遺編
——《民國時期經學叢書》簡介

陳　惠　美[*]

　　經學是中華文化的根源。各個時期的經學研究，都有它獨特的內涵與豐富的學術著作。歷代經學研究著作，泰半已亡佚無存，透過各種叢書——尤其是經學叢書，如《十三經注疏》、《通志堂經解》、《皇清經解》、《續經解》的編纂，部分典籍尚且得以保存，而各個時期經學研究的特色，也藉之得以展現。叢書功用之大，由此可見。

　　十三經注疏合刻成為叢書，大約在宋末元初之間。直至清康熙年間，徐乾學為納蘭性德編刻《通志堂經解》，嘉慶、道光中阮元輯《皇清經解》，張金吾輯《詁經堂續經解》（未刻），王先謙輯《皇清經解續編》，經學叢書方纔進一步擴大收錄的範圍。《通志堂經解》收書一四〇種，《皇清經解》收書一八八種，《詁經堂續經解》收書八十八種，《皇清經解續編》收書二〇九種，雖可反映唐末至清代晚期經學研究的大概面貌，但所收經學著作仍稍嫌不足。其後陸續編纂的經學叢書，如嚴靈峰《無求備齋易經集成》、趙韞如《大易類聚初集》、杜松柏《尚書類聚初集》、中國詩經學會《詩經要籍集成》、嚴靈峰《無求備齋論語集成》、《無求備齋孟子十書》，這些叢書，稍稍彌補了《通志堂經解》、《皇清經解》的不足，但缺漏仍多，無法充分反映清末以後經學研究的全貌。

　　活躍多元的學術氛圍，繁榮昌盛的社會經濟，安定穩健的政治體制，加上

* 樹人醫護管理專科學校助理教授。

文教事業的普遍發達，好事者的鼓吹提唱，是輯刻叢書不可欠缺的充要條件。從清末以來，傳統學術遭遇空前的激盪，舊有的經典解釋受到質疑，創新的思維則尚未成形，於是舊義新說，疊見層出。可惜政治的紛擾，社會經濟的衰敗，使得學界對這一時期的著作並未特別留心保存整理，久而久之，許多帶有嶄新觀點的撰述不免就此散佚。

為了深入探究民國時期（指民國元年至民國38年新中國成立前的時段）經學研究的面貌，中央研究院中國文哲研究所在林慶彰先生的規劃下，自二〇〇七年一月起，開始執行為期六年的「民國以來經學研究計畫」。計畫執行之先，林教授深感文獻資料的收羅不易，於是帶領碩士班研究生，依據《經學研究論著目錄（1912～1987）》，找出一九一二至一九四九年間出版的經學專著，做成《民國時期經學專著總目》，然後遍查各書的典藏地點，做成記錄，以便尋訪。有鑑於時代斷限的不易劃分與此一時期學術資料的紛繁，特將心力集中於：（一）民國時期學者論述經學之專著，（二）歷代經學家之專著，經民國時期學者整理出版者，（三）跨清末和民國時期兩時段之學者，僅收其民國時期出版之著作；跨民國和新中國時期兩時段的學者，僅收其民國時期之著作。至於此一時段學者所編的非論述性專著，如索引、目錄等，則不在訪查之列。訪查工作歷時年餘，總計知見的民國時期重要經學著作約有一千餘種，比《經學研究論著目錄》所著錄多出四百至五百種。這一千餘種圖書，當前出版社有翻印本的約有五十種；曾經印行，現已絕版，但可在圖書館中尋獲的，約有一百餘種；原印本庋藏於臺灣各圖書館的，約有一百餘種；藏於香港各圖書館的，約五十餘種；藏於中國大陸各圖書館的，約八百餘種；私人收藏，則難以估計。先前林教授利用十數年間往返各地講學考察之便，已陸陸續續網羅許多民國時期經學著作。原擬將部分資料，影印提供給執行「民國以來經學研究計畫」的學者作為參考。近年得林登昱博士大力支持，選擇其中重要著作九百餘種，分批重印，彙編為《民國時期經學叢書》六至七輯，每半年出版一輯。待全書出版完畢，必然對研究民國經學有莫大的助益。

相較於前人編刻的各種叢書，《民國時期經學叢書》具有以下幾點特色：

（一）蒐羅完備

《通志堂經解》收錄唐末至明季經學專著一四〇種，收書比例不及見存古書的百分之四十。《皇清經解》收錄清初至清中葉經學著作一八八種，收書比例也不到百分之五十。是以後來張金吾輯《詁經堂續經解》，王先謙輯《皇清經解續編》，分別增補了八十八種及二〇九種。林教授憑藉二十多年專科目錄編輯的經驗，泛覽博採，足跡幾乎遍及大陸、港、臺、日本各大圖書館。本叢書預計收錄民國時期重要經學著作九百餘種，收書比例達百分之八十，幾乎將這一時期的經學著作全部網羅殆盡。

（二）多罕見之書

《民國時期經學叢書》除了收書完備豐富，其中不乏許多市面鮮少流通，不易見得的書籍。如第一輯收錄的江瑔《新體經學講義》，陳燕方《經學源流淺說》，本田成之著、江俠菴譯《經學史論》，李楷林《周易兩讀》，焦琳《詩蠲》，第二輯收錄的龔向農《經學通論》，陳鼎忠《六藝後論》，劉錦標《易理中正論》，張壽林《三百篇研究》，梁午峰《科學新解大學中庸》等，都是罕為人知的專門著作。

（三）原件重印，保存原貌

前人編刻叢書，為求簡省篇幅，往往刪去書中前後序跋，《皇清經解》甚至刪去書中與經學無關的篇章。殘毀古書，莫此為甚。本叢書力求保存各書舊觀，原書有封面和版權頁者，影印時儘量保留，無封面者以書名頁為封面，無版權頁者皆在書末註明影印時所根據之版本。原書有印刷模糊不清或頁面透字，妨礙閱讀者，儘量依原版式重新打字排版。有亂丁、闕頁者，則選用其他印本，一一加以訂補。

（四）版式畫一，便於收藏

張元濟輯《四部叢刊》，以「版型紙色畫一，便於插架」，為輯印叢書之善

法。本叢書秉承此項優點，每輯規劃為六十冊，每冊篇幅訂在四百至七百頁之間。篇幅小的著作，則合數種為一冊；篇幅大的著作，則分裝數冊。考慮到此時期經學著作的版式不一，凡原書版式小於十六開本者，略依實際需要稍做放大，力求版式大小畫一，方便插架與收藏。

（五）類例分明，便於檢索

本叢書各冊書目的編排，大抵依《經學研究論著目錄》的分類，分「經學通論」、「周易」、「尚書」、「詩經」、「三禮」、「春秋三傳」、「四書」、「孝經」、「爾雅」、「石經」、「讖緯」等類。眉目清晰，層次井然。且俟各輯出版完畢之後，將編輯「民國時期經學叢書總目暨索引」，以方便讀者檢索。

至於本書的價值，則在於：

（一）保存民國時期經學文獻

民國時期所出版的圖書，由於長期缺乏關注，往往就此殘損亡佚。藉由此次的重印，許多書葉破損殘缺、裝訂錯誤、紙張太薄而透字等問題，都得到妥適完善的處理，延續了這些著作的生命。篇幅較小的專書，也因為收入這套叢書而得以保存，不致散亡。

（二）彙聚民國時期經學專著於一編，方便求書

民國時期經學著作，分散於海峽兩岸、甚至海外圖書館，許多藏有民國時期圖書的機構，因害怕書籍受損，大都禁止借閱，礙於這些規定，能順利看到書成為一件困難任務，即使能看到書，必定也舟車勞頓，所費不貲。此次重印，將民國時期經學研究成果彙於一編，解決了蒐集不易的難題，並減少學者為搜尋資料，舟車勞頓之苦。

（三）呈現民國時期經學研究成果

晚近學者在描述民國時期經學研究時，總以為五四運動已終結了經學，但隨著《民國時期經學叢書》的出版，將推翻這個論點。本叢書提供了較全面的

研究文獻，可以正確瞭解民國時期經學的內涵和發展方向，修訂以前片面的經學發展觀。

（四）充實研究素材

隨著研究所普遍設立，多數的研究生都面臨找不到新論題的困擾。本叢書提供了大量罕見資料，可以拓展研究生新視野，尋找研究新論題。

（五）奠立「民國學術」研究的基石

《民國時期經學叢書》的出版，豐富了各圖書館民國時期藏書，對於民國學術史、儒學史、經學史等提供了更全面的研究素材，將為「民國學」的研究奠定堅實的基礎。

林慶彰教授投身學術研究三十餘年，對於提升經學與國際漢學學術地位，引以為己任。卻也感慨研究民國時期經學的檢索大為不易，其中最大的困難在於：（一）缺乏完備的目錄索引，（二）經學專著搜集不易，（三）期刊分散於各圖書館，搜集不易，（四）民國時期的經學家著作有待整理，（五）經學本身不受重視。而因應之道，在於：（一）在高校中重開經學課程，（二）編輯民國經學叢書，（三）編輯民國學者經學論文集成，（四）編輯民國經學家著作集，（五）申請研究計畫，（六）編輯經學家傳記資料索引，（七）訪問經學家的後代和親友、學生（說見〈研究民國時期經學的檢索困難與應對之道〉，《河南社會科學》，2007年1期，頁21-24）。基於學術熱忱與使命感，林教授先後申請執行「民國以來經學研究計畫」，規畫發表「民國時期經學家著作目錄專輯」（《中國文哲研究通訊》，第17卷四期，2007年12月），出版《李源澄著作集》、《張壽林著作集》，邀請王國維、顧頡剛、童書業後代親友來臺參訪，逐步為引領學者瞭解民國經學研究，貢獻心力。而《民國時期經學叢書》，更是徹底整理民國時期經學著作的畫時代鉅著。況且本套叢書更邀得中國科學院圖書館研究員羅琳、北京大學歷史系副教授橋本秀美、中國人民大學國學院教授兼清史編委會典志組專家詹杭倫、山東大學古籍研究所教授杜澤遜、中山大學中國古文獻研究所教授黃仕忠擔任副主編，文獻學名家劉兆祐教授擔任總顧問，編

輯團隊均為海內外學有專精的專門名家或研究生，合力從事此一大型斷代文獻纂輯工作，必將使長久以來不為人所重視的民國經說，得以化身千百，有助讀者一窺民國時期經學的全貌。

　　——原刊於《國文天地》第24卷第4期（2008年9月），頁98-101。

斯文延不墜，茂典振學風
——專訪林慶彰教授談《民國時期經學叢書》

何　淑　蘋*

一、前言

　　民國時期（1912-1949）的出版品，迭經社會動盪、戰亂兵燹及文革等摧殘燬壞，加上傳統「貴古賤今」觀念趨使，不若古籍善本獲得普遍的重視，於是隨時遞嬗，逐漸散佚、殘缺，亟待早作整理。有識之士逐漸察覺此一問題，先是在名歷史學家周谷城（1898-1996）先生倡議下，著手編印《民國叢書》，自一九八九年起由上海書店陸續出版，迄今已有五編面世，每編一百冊，合計五百冊，煌煌巨構，乃最早為「民國學」奠立研究基石的大型叢書，卓具指標意義。惟囿於圖書蒐羅不易、出版條件困難等諸多因素，原訂出版十編的《民國叢書》，始終未能達成預期規模。此外，該叢書雖廣泛蒐求，用心編輯，亦不免存在體例、內容等方面的缺失，且就建構「民國學」而言，《民國叢書》所收數量仍明顯不足。[1]中央研究院中國文哲研究所林慶彰教授深感工具書不僅為研究利器，更有俾於資訊交流、風氣提升，故陸續主編《經學研究論著目錄》、《乾嘉學術研究論著目錄》、《日本研究經學論著目錄》等多部專科目錄，[2]

---

* 　成功大學中國文學系博士生。

[1] 　關於《民國叢書》之價值與優缺點，可參拙作：〈《民國叢書》述論〉，收入林慶彰主編：《近現代新編叢書述論》（臺北：臺灣學生書局，2005年9月），頁299-334。

[2] 　林教授主編之目錄如下：（1）林慶彰主編，李光筠、張廣慶、陳恆嵩、劉昭明編輯：《經學研究論著目錄（1912-1987）》（臺北：漢學研究中心，1989年12月初版，1994年4月第2版。（2）林慶彰主編，汪嘉玲、侯美珍、張惠淑、游均晶編輯：《經學研究論著目錄（1988-1992）》（臺北：漢學

嘉惠學林甚巨。林教授認為，《民國叢書》所收經學書籍甚少，極易造成民國經學「衰微」之誤解。實則當時正值中西交攝碰撞、新舊激盪衝突，學人競相馳騁，著作蠡出，其中不少新見新說，觀點、方法俱有可觀，惜圖書飄零散落，尚乏整編而已。[3]林教授乃配合執行研究計畫，籌編《民國時期經學叢書》，自二〇〇八年起以每輯六十冊的規模陸續出版，期薈萃近代經學著作千種，允為經學界之出版盛事。[4]為讓讀者對這部叢書有更多的瞭解，於二〇〇九年一月二十四日商請林教授暢談編輯緣起、工作流程，並分享心得與未來規劃。[5]

二、編輯緣起與工作流程

何：請老師先談談編輯《民國時期經學叢書》的緣起。

林：我主編這套書的主要原因，是中央研究院中國文哲研究所經學文獻組近幾年執行「民國以來經學研究計畫」，需要尋找民國時期的經學著作，而現有可資利用的書目，大概就只有《民國時期總書目》[6]而已。這部目錄並沒有設立「經學」類，它是將全部條目都拆開，分散到各類去。不過，書末附有索引，如果知道書名再去查找，仍可查到一些資料。我總覺得這種拆散條目的作法不太理想，對想查找經學書目的人會感到很不方便。我將《民國時期總書目》的每一冊都找來看，從頭到尾逐頁翻檢，統計出裏面

研究中心，1995年6月初版，1999年5月修訂再版）。（3）林慶彰、陳恆嵩主編，何淑蘋、李盈萱、翁敏修、劉帥青編輯：《經學研究論著目錄（1993-1997）》（臺北：漢學研究中心，2002年4月）。（4）林慶彰主編，汪嘉玲、游均晶、侯美珍編輯：《乾嘉學術研究論著目錄（1900-1993）》（臺北：中央研究院中國文哲研究所籌備處，1995年5月）。

3　數年前林教授已提出整理民國文獻的呼籲，詳參林慶彰：〈研究民國時期經學的檢索困難及應對之道〉，《河南社會科學》第15卷第1期（2007年1月），頁21-24。

4　關於《民國時期經學叢書》的價值，可參陳惠美：〈紬奇冊府，總前代之遺編——《民國時期經學叢書》簡介〉，《國文天地》第24卷第4期（2008年9月），頁98-101。

5　本文以問答方式呈現，以下林慶彰教授簡稱「林」，何淑蘋簡稱「何」。另就林教授提及的部分詞語酌加註釋，以便讀者參考。

6　《民國時期總書目》由北京圖書館編印，自一九八六至一九九五年間陸續出版，依「哲學心理學」、「宗教」、「社會科學總類」等學科分類，計二十冊。

所收的經學著作大約兩百二十種。我之前主編的《經學研究論著目錄》，[7]
蒐集一九一二到一九四九年間的專書，大概六百六十種，這個數量就已是
《民國時期總書目》的三倍了。我們執行民國經學計畫，打算出版一些書
作為成果，所以就把這六百六十種另外編出一份總書目，準備根據它來查
找書籍。原以為這份書目應該算是相當完備了，但當我們拿著資料四處核
對，比如到南京大學圖書館核對館藏古籍書目，一比對才赫然發現遺漏的
太多。我們每一間圖書館，就補抄那些核對出來的遺漏資料，沒想到越抄
越多。後來又買到《東北地區古籍線裝書聯合目錄》，[8]裏面有數百種線裝
書是我們從未見過的。各圖書館蒐集所得，再加上《東北地區古籍線裝書
聯合目錄》的資料，半年間增補了三百種。去年（2008）我先後到南京和
哈爾濱開會，在此之前，書目大概有一千兩百種，到南京後又看到不少，
於是增至一千三百種，現在仍持續不斷地蒐集。這千餘種書中，坊間能看
到的不超過七、八十種，有些在圖書館內才能看到，有些或許在舊書攤才
能買到。我們覺得民國時期的著作數量這麼多，應將它們彙集起來，才有
可能做系統性、全面性的研究，也才能夠更進一步掌握民國時期的經學發
展樣貌。我們一直努力補充，希望讓書目更加完備。我去南京師範大學訪
書時發現一個情況，他們所編的藏書目錄中，約有四、五十種是臺灣沒有
的，包括錢基博[9]的書，像《國學必讀》、《春秋約纂》、《論語分類簡編》、
《喪禮今讀記》，這些書都請館方調出來翻看，他們也同意拍照複製。我
特別舉錢基博為例，是因為學界對他的了解實在太少。錢氏有不少經學著
作就只藏在南京師範大學和無錫圖書館，其他地方都看不到。但是南京師
範大學並未將館藏目錄建置上網，一般人並不知道他們藏有許多古籍。我
詢問原因，他們竟然回答：「資料公布在網上，來找的人就會變多，這樣

7　此指《經學研究論著目錄（1912-1987）》。

8　遼寧省圖書館、吉林省圖書館、黑龍江省圖書館主編：《東北地區古籍線裝書聯合目錄索引》（瀋
　陽：遼海出版社，2003年），共四冊。

9　錢基博（1887-1957），字子泉，別號潛廬，江蘇無錫人。學問淹貫四部，勤於著述，為一代國學
　大師。子鍾書，亦當代知名學者。生平詳參傅宏星編著：《錢基博年譜》（武漢：華中師範大學出
　版社，2007年2月）。

管理起來很麻煩。」因此,外人無從得知錢氏的這些著作。我也到南京大學中文系(現改制為中文學院)參觀,圖書館裏擁有四十萬冊藏書,但他們也說不會將資料放到網路上。由此可見,大陸某些圖書館的管理心態是怕麻煩,故意不將資料公開,如此一來編工具書的人又怎能蒐集到這些資訊呢?這樣的管理心態很不可取,應該改進才是。

何:這些圖書館的館藏有卡片可供檢索嗎?

林:連卡片也沒有,就只列印出一份清單給我們瀏覽而已。

何:老師是根據清單來找嗎?還是開放直接讀架?

林:只能看清單來找,書放在中文系,僅供系上師生閱讀。就是因為有太多單位不願讓別人看書,增加蒐集資料的難度。以前我在讀研究所的時候就曾想過,如果將來找到一些好書,可以按照經、史、子、集四部的順序,彙編成整套叢書,讓大家更方便參考利用。這個編輯叢書的構想其實已醞釀多年,近幾年因執行計畫的需要,就著手彙編「民國時期經學叢書」。這部叢書既然是以「經學」為範疇,內容全部都是經書,自然不能依四部來分類,而應按《周易》、《詩經》、《尚書》、《三禮》、《三傳》、《四書》、《孝經》、《爾雅》的群經順序編排。

何:老師為何請林登昱[10]先生負責出版這部叢書呢?

林:我之所以建議林登昱出版這部叢書,主要原因是他這個人非常有幹勁,能夠承擔起這份重責大任,否則其實也可以找萬卷樓來做。不過,萬卷樓是由一群教授合資成立的出版社,資金並不十分充裕。林登昱雖然也是以教授身分辦出版事業,資金也不是很多,但他年輕有衝勁,可以排除萬難來執行。我談到編輯叢書的構想,他一聽馬上表示很有興趣,聽我解說一些編輯體例後,就決定投入這項工作。至於顧問、副主編、助理編輯的人選,是由他擬訂名單,徵詢我的意見後,再逐一聯繫,親自邀請加入編輯團隊。

---

10 林登昱(1958-),高雄人。中正大學中文研究所碩士、博士。曾任東海大學、明道大學等校中文系副教授、華慶管理學院籌辦處主任委員,現為文听閣圖書公司執行長。著有《林之奇尚書全解研究》、《尚書學在古史辨思潮中的新發展》等。

何：林先生是全力投入出版事業嗎？

林：他離開教職後轉做出版，成立了「文听閣圖書公司」，[11]決定孤注一擲，所以是用很認真的態度在經營。我除了鼓勵，還答應幫忙編寫幾本單冊的書，讓學生可以買來讀，或當教科書推廣。不然大部分的人都沒聽過這家出版社，知名度打不開。

何：文听閣是不是和杜潔祥先生的花木蘭出版社一樣，都是出版文史哲類的大部頭著作？像花木蘭出版社將臺灣文史哲學位論文彙編成叢書出版，每套冊數很多，又不分冊零售，一般人無力購買，只有圖書館會訂購，普通讀者不容易知道這家出版社。

林：對！我幫花木蘭出版社主編「中國學術思想研究輯刊」，杜先生寫信向作者們邀約書稿，結果有不少人打電話向我求證，問說：「老師您有沒有幫他們編書？這是不是詐騙集團啊？」我回答說：「有啊！」他們才放心的答應。比如華梵大學中文系的林素玟教授、嘉義大學中文系的鄭月梅教授，都打電話來詢問過。所以我對林登昱說，除了大部頭的叢書之外，也應出版一些小書，這樣學生才會知道有你這家出版社，知名度就能打開。否則只出版整套叢書，專門賣給圖書館，館員又很少跟別人接觸，怎麼可能幫忙打開知名度？一旦具有知名度，來買書的人越來越多，業績就能逐漸提升，出版社才能經營的更穩健長久。所以我幫他規劃兩種書，期望變成這間出版社的特色，一是「臺灣學」，一是「民國學」。臺灣學方面，目前已出版《全臺文》和《日治時期臺灣小說彙編》。[12]民國學方面，除了我主編的《民國時期經學叢書》、《民國文集叢刊》、《民國時期經學論文集成》外，還請別的學者負責其他類，例如靜宜大學中文系的邱德修教授負責主持文字、聲韻、訓詁學類著作的彙編。

何：《民國時期經學叢書》工作主要由林先生負責嗎？

---

11 文听閣圖書公司由林登昱先生於二〇〇五年五月創立，公司地址設在臺灣臺中市西區逢甲路225巷9號。

12 黃哲永、吳福助主編：《全臺文》（臺中：文听閣圖書公司，2007年8月），全套七十五冊。吳福助、林登昱主編：《日治時期臺灣小說彙編》（臺中：文听閣圖書公司，2008年4月），全套四十六冊。

林：不是。主要工作是隨時增補書目，讓書目更加完備，這部分他特別聘請一位助理來專門負責。另外，出版前，大家一起檢查書裏有沒有圖書館藏書章忘記塗掉，或是缺頁有沒有補齊。

何：請問副主編、顧問負責的工作是？

林：因為書稿一出就是一百二十冊，數量這麼龐大，不可能全部寄給顧問們逐一審查，所以基本上這是榮譽職。

何：有贈書嗎？

林：這也沒有辦法，因為一套書訂價三十萬，費用實在昂貴，不可能贈送給每位顧問。

何：林先生在編輯過程中提供哪些協助？

林：他主要幫忙到各處蒐集書籍。另外應該特別提到他的太太。林太太畢業於大陸長沙某高中，學歷雖不算高，但對文字有很高的敏感度，特別擅長辨認。我們編的是民國時期的書，當時正值抗戰期間，物質條件不好，印刷的品質非常差，鉛字排版時常出現漏字的現象。但即使沒有正常的文本，林太太基本上都還能補回七八成，這已經非常厲害了。所以凡是影印或掃描回來的稿子，都要寄到臺中，讓林登昱和他太太看一遍，檢查有沒有缺頁、缺字的問題。

何：請問她的名字是？

林：他太太叫曾志華，我在寫《民國時期經學叢書》序言時沒有提到她，現在主編《民國文集叢刊》的序言就有特別誌謝。林太太的父親擔任湖南省衡陽市交通局局長，算是大家閨秀。她是非常賢慧的女性，平常雖然沈默寡言，但是做起事來任勞任怨，是先生的得力助手。我曾跟林登昱說：「你的上半輩子也許比較坎坷，但是現在娶到這位好太太，洗衣煮飯、照顧小孩外，還一起幫忙編書，真是你的福氣。」她打字、校對，認字的能力尤其厲害，像我們在編《李源澄著作集》[13]時，凡是無法辨認的字，都請她幫忙識別。

---

13 林慶彰、蔣秋華主編：《李源澄著作集》（臺北：中央研究院中國文哲研究所，2008年11月），四冊。

何：工作分配就是您提到的這些嗎？

林：差不多就是這些。先由助理將需要的書影印或掃描，然後寄到臺中交給林登昱的太太，檢查有沒有漏印或摺角的情況。因為影印有時會因手移動到而歪掉，或不小心摺到而缺角，將有字的地方切掉了，或不是摺角，是放不下去時原稿不在機器的影印範圍內，會出現很多各種狀況。林太太逐頁檢查後，列出一份清單，用電郵傳回文哲所，讓助理針對問題重新尋找、補齊。另外，還有整個版面全都模糊不清，這類情況還滿常見的，如果這本書一定得收進來，我們就寄到臺中，讓林登昱請人重新打字，所以叢書裏有幾本是重新打字的。另一種情況是可能影印時缺了一、兩頁，但是資料並不是在臺灣影印到的，就由助理寫信給大陸的某個圖書館，或看當時原本是請哪位學者影印的，請他再幫忙印一次。但有的即使重新再印一次，傳送過來仍然模糊不清，這種情況就請林太太按照原來的版式打字，她可以調整的很準確。做出來很類似，讓人看不出差異。

何：叢書的編排順序是由老師負責的嗎？

林：收書的編排順序跟各冊的篇幅有關。我們將每一冊的篇幅限定在四百至六百九十頁間，儘量平均，不能太大或太小本，頁數要差不多，太多或太少印出來擺在一起就不好看。我們蒐集到的書頁數多寡不一，為了要讓各冊的頁數比較接近。就必須分別衡量每本書的頁數，相互拼湊成冊。比如將三百二十頁和兩百一十頁的兩本書合在一起，這冊就有五百多頁，符合規定的頁數。這個拼頁數的工作是由我負責，拼好以後，他們再據以分裝，將可以合編在同一冊的書稿裝在一個紙袋裏。這個工作看似十分容易，好像只要按照分類順序直接編排就好，但實際上做了就會知道它的困難所在。我按《易經》、《尚書》、《詩經》這樣的順序來組合排列，竟然耗費好幾天的時間都處理不完，可見拼湊頁數是相當費時的。全部拼完後，分冊也就排好了，接著送到印刷廠製作數位印刷。編輯流程大概是以上這些。

三、編輯體例與相關問題

何：請問每套的規模為何是六十冊，而不是五十或一百的整數？

林：這是因為我個人覺得「六十」這個數字比較吉利，中國人說「六六大順」
　　嘛！而且事實上若每套一百冊，部頭太大，數量太多，當時打算先出版一
　　集來試試市場反應。我的意思是第一集六十冊，每冊以兩千元計算，整套
　　訂價十二萬。不過林登昱覺得這個價格還是偏低，後來調整成十五萬元。
　　叢書出版後剛好碰上經濟不景氣，到目前為止只賣出二十套左右，銷售情
　　況不如預期。

何：有向各圖書館積極促銷嗎？

林：這個很困難，因為一般人不一定只研究經學，這部叢書通常是研究經學的
　　人才會有意願購買。

何：目前為止大概有哪些單位購買？

林：大體上是臺灣的圖書館，大陸也買了兩、三套，像北京國家圖書館就有買。

何：下面是我看「體例」想到的一些編輯細節，想提出來請教老師。這部叢書
　　裏所收的某些書籍，原本已出版過了，比如胡毓寰的《孟子》著作，正中
　　書局不但出版，而且仍在持續印行。請問將這類坊間已出版的書一併收
　　入，是為了讓叢書內容更完整嗎？

林：對！民國時期的經學著作如果有一千多種，我希望這一千多種全部都能收
　　進叢書裏。

何：您是希望讓有心研究民國時期經學的人，可以利用這部叢書來檢視當時經
　　學的全貌嗎？

林：對！因為像《通志堂經解》、《皇清經解》、《皇清經解續編》這幾部著名的
　　經學專門叢書，所收宋、元或清人著作，根本連實際總數的五分之二都不
　　到，使用上還是很不方便。我的想法是，把屬於民國時期的著作通通都收
　　進來，而且採用的版本都是一九四九年以前的。

何：這樣沒有版權問題嗎？

林：應該比較沒有版權問題。如果作者的後代子孫仍在世，我們儘量和他們聯繫，比如張舜徽、楊樹達、李鏡池就是，甚至邀請他們到臺灣參加研討會。我希望這部叢書規模可以很完備，所以即使已出版過的書，也儘可能收入。而且坊間有些是根據後來版本重印的，我希望採用民國時期出版的本子，這樣才能保持書籍的原貌。

何：民國時期的書籍大部分是採用舊式標點，您曾考慮過重新標點排版嗎？

林：重新排版的優點是版面一致，看起來很漂亮，但缺點是成本太高，不但要重新打字排版，還得要找人校對多次，所以比較經濟的方法是直接翻印。我的想法是，如果原本看得清楚的就不必重打，如果版面已經毀損、破舊不堪，或漫漶不清的，就必須重新打字。書稿打完後都請林太太校對，她大概就是這樣被磨練成校對高手的。像《全臺文》也是由她負責校對的，因此練得一身好功夫。

何：需要重新打字排版的書有多少？

林：數量並不是很多，大概三、四種，像第一輯收的趙正平《半部論語與政治》，還有第二輯收的李源澄《經學通論》、馬紹伯《孟子學說底新評價》。

何：請問體例第八條提到的「亂丁」是什麼情況？

林：「亂丁」就是頁數不順的意思。如果書籍在第一次出版時頁數就亂掉，我們直接照著印也還是混亂的，這樣不太好，應該要調整回來。你提起這個亂丁情況，我想起來就覺得好笑。我們找出兩本書有亂丁的現象，都是文哲所圖書館藏的《無求備齋易經集成》裏的書，就到史語所傅斯年圖書館借出同樣的書來看。結果發現史語所的沒問題，而是文哲所的裝訂錯誤，而且錯的很離譜，錯漏的內容竟然跑到另一本去。我們就用史語所的書來影印，並且將文哲所那兩本錯漏的部分重新影印黏貼插入，把它復原。

何：民國學者的著作若是單篇論文就不會被收入叢書裏，但這些也屬於建構「民國學」的重要材料，請問這類文章將來會另外蒐集出版嗎？

林：對！這些我們也關注到了，打算要編「民國時期經學論文集成」，這個工作已經準備要做了，大概等叢書出版到第五、六輯後就會開始進行。

何：這部「民國時期經學論文集成」是不是也打算像《民國時期經學叢書》一

樣分成幾套出版？

林：不是。我的規劃是按照經學總論、經學史、《周易》、《尚書》、《詩經》……
這個順序來編。《周易》的部分比較多，也許可以編成五或六冊，將民國
時期的《易》學論文全部蒐集在一起。

何：是不是像藝文印書館編的《皇清經解易類彙編》那樣？

林：對！研究《易》學就只要買《周易》這部分，不需要全部買。這樣將各經
分開來賣，對讀者而言是比較方便的。

何：這項工作預計出版的數量會很多嗎？

林：《周易》部分我猜想最多不會超過七、八冊，至於整套加起來如果能有四
十冊應該就算很多了。雖然會遭遇到很多困難，但仍希望順利出版。因為
既然已經編了叢書，論文也應該要彙編起來，這樣整個民國時期經學的資
料就算整理的比較完備了。

何：論文可能比專書困難，因為文章分散在各個報章雜誌中，蒐集起來應該不
太容易。

林：對！比方說刊登的期刊找不到。《經學研究論著目錄》附錄的期刊表只能
做參考而已，因為還有很多刊物並沒有被收進去，比方說汪偽政權、上海
淪陷區、華北偽政權、滿洲國、延安解放軍，這類特殊地區或單位發行的
期刊都不容易蒐集到，所以當初編《經學研究論著目錄》的時候沒有收
進去。

何：這些資料現在都能找到了嗎？

林：像汪偽政權的可以翻查上海圖書館藏期刊、報紙的目錄，然後再去找資
料。像滿洲國的期刊，所幸現在已有一套《偽滿洲國期刊彙編》，[14]可以
讓我們增補到很多資料。將來我還希望有機會能把《經學研究論著目錄》
關於民國時期的部分，做一次徹底的重編。

何：您考慮修訂《經學研究論著目錄》重新出版，或乾脆再另外編一部《民國
時期經學研究論著目錄》？因為這些增補的期刊應該數量不少。

---

[14] 線裝書局匯編：《偽滿洲國期刊匯編》（北京：線裝書局，2008年5月），第一輯計六十四冊，收錄
《同軌》、《道慈雜誌》、《興仁季刊》等十三種滿洲國時期發行之刊物。

林：我想可能要另外出版比較好，而且要將專書和論文分開處理。先出版《民
　　國時期經學圖書總目》，再出版《民國時期經學論文總目》，這樣檢索起來
　　會比較方便。如果沒有一個完備的論文總目，缺乏根據就會亂印一通，這
　　樣想編好「論文集成」是不可能的事。

四、編輯心得與未來計畫

何：《民國時期經學叢書》目前已經出版兩套，您剛才也提到遭遇一些困難，
　　請問在編輯過程中有什麼令您印象深刻的事情？

林：大陸對於民國時期的書籍還沒有感覺到它的重要性，現在之所以另闢專室
　　收藏，並不是認為資料珍貴，而是怕影印弄壞，為了統一管理而已。民國
　　圖書距今已有些時間，都有酸化的現象，用手一摸很容易碎掉，所以圖書
　　館不開放影印是怕弄壞。當然也有部分單位覺得資料珍貴，只同意影印三
　　分之一，不過這跟古籍比起來，還是比較容易獲得。如果想要影印大陸地
　　區的資料，最好先想辦法聯繫圖書館的領導人，比方打聽哪位學者跟館方
　　比較熟，就請他幫忙溝通，大體上都能順利進行，不過也有碰到很不配合
　　的。前一陣子我去南京，想參觀南京圖書館，請南京大學中文系的張宏生
　　教授帶我前往。到了以後館員詢問來意，我解釋想看民國時期的書籍，他
　　馬上說不能影印，掃描則限定全書的三分之一，而且如果屬於珍貴的書就
　　只能掃描一頁。南京圖書館蓋得非常堂皇，硬體設備很好，但是管理人員
　　根本把書籍當作古董來看待，思想迂腐、觀念落後，這根本是「金玉其
　　外，敗絮其中」。我很不高興的告訴他們說：「你們圖書館有的書，別的地
　　方也可能會有，沒什麼了不起。」其中一位館員就說：「其實專書不重
　　要，期刊論文比較重要，你大概不知道《人文月刊》裏附有索引、目錄，
　　應該先去查目錄再來找期刊比較好。」我聽了更生氣，回答說：「我三十
　　年前讀大學時就翻過《人文月刊》，怎會不知道這個刊物？」就反問：「你
　　知道《人文月刊》何時創刊、何時停刊嗎？它是民國一、二十年到民國二
　　十五、六年的刊物，還沒進入抗戰就停刊了，我要找的是抗戰期間到一九

四九年的資料,而且我都已經編過《經學研究論著目錄》了,怎會不知道期刊的重要性?你們不讓人看書就算了,還隨便教訓人!」這是我碰到態度最惡劣的圖書館。很多人去過一趟南京圖書館回來都在罵。他們還設有溼度表,如果溼度不在許可範圍內就不准看,溼度彷彿代表他們的心情,心情不好就不給你看。

何:還有其他令您難忘的事嗎?

林:還有不少。比如影印資料,我遇過最離譜的情況,是請國家圖書館善本特藏部副主任孫學雷[15]女士幫忙,想要影印一部該館收藏的林履信著作,她告訴我說圖書館訂價印一拍要九十元。林履信的書大約五百頁左右,這樣印一份就得花費人民幣四萬五千元,換算成臺幣十八萬。連身為副主任的她幫忙交涉的結果竟然都還要十幾萬元,可見大陸影印資料的費用有多麼昂貴。後來我和任教於北京大學歷史系的喬秀岩[16]先生提到此事,喬先生說他的學生從事網路舊書拍賣,[17]或許可以幫忙尋找。結果去年(2008)我去北京,他就把找到的書交給我,而且要價僅人民幣三十元。幸好當時沒有衝動的馬上申請影印,省下十幾萬元。這個例子是影印時遇到比較離譜的情況,但大致上還算順利。像我請山東大學杜澤遜[18]先生幫忙影印山東省立圖書館藏的李源澄《經學通論》,該館特藏部的主任和副主任詢問是哪一位臺灣學者想影印資料,杜先生說是我想要這本書,他們很客氣的說:「如果是林先生的話就不用錢。」所以這本書透過關係很順利的獲

---

[15] 孫學雷(1965-),江蘇無錫人。北京大學歷史系中國史專業學士,武漢大學資訊管理系圖書館專業碩士。現為國家圖書館古籍館地方志家譜中心副研究館員。曾任國家圖書館分館副館長、國家圖書館善本特藏部副主任、中國圖書館學會秘書處副秘書長。編有《國家圖書館古籍藏書印選編》、《地方志·書目文獻叢刊》、《國家圖書館藏清代孤本外交檔案》等。

[16] 喬秀岩(1966-),本名橋本秀美,日本福島縣福島市人。東京大學人文科學研究科中國哲學專業碩士、博士,北京大學中文系博士。曾任東京大學東洋文化研究所助教授,現為北京大學歷史系教授。專研經學、文獻學。編著有《義疏學衰亡史論》、《楊復再修儀禮經傳通解續卷祭禮》(與葉純芳合編)。

[17] 指「孔夫子舊書網」(http://www.kongfz.com/)。

[18] 杜澤遜(1963-),山東滕州市人。山東大學古典文獻專業博士。現任山東大學文史哲研究院教授。專研古籍目錄版本學。著有《文獻學概要》、《四庫存目標注》,並參與編纂《清史稿藝文志拾遺》、《四庫全書存目叢書》、《山東文獻集成》、《清人著述總目》等。

得。[19]但也有遇到欠缺誠意的情況，像吳之英[20]的後代招待我們去他的故鄉名山縣，請吃飯、看表演，表達合作意願，我們聽了當然非常高興，希望能將吳之英的《壽櫟廬叢書》影印一份帶回臺灣，但是他卻不太願意，這樣的話要怎麼合作呢？所以《民國時期經學叢書》第三、四輯是根據《續修四庫全書》本，僅收入《壽櫟廬叢書》的一部分而已。也有一些學者的後代，我們很有誠意的和他們聯繫，希望將學者遺稿公諸於世，但他們卻認為祖先的東西很珍貴，如要授權出版，希望能索取一筆可觀的費用。另外，我們在編輯過程中還遭遇到尋找資料的困境，像是從《東北地區古籍線裝書聯合目錄》裏看到，有很多線裝的民國經學著作庋藏在東北地區，包括黑龍江圖書館、吉林大學圖書館、吉林圖書館。為什麼東北的圖書館收藏這麼多中原學者的著作呢？我猜想是因為日本人喜歡蒐集資料的緣故。那麼這些不容易蒐集到的資料要如何克服呢？我們就先看看別的地方有沒有相同書籍可代替，比如發現有些書也藏在中國社會科學院圖書館。但如果只藏在東北，其他地方沒有，就得想辦法取得。例如張西堂[21]的《經學史論》僅見藏於黑龍江圖書館，我請在哈爾濱學院任教的一位教授幫忙影印，本來規定只能印三分之一，但經過溝通後，館方知道是臺灣學者需要的，特別通融可以影印半本。張西堂有兩部經學史著作，除了

[19] 李源澄（1907-1958），字浚清，四川犍為縣人。曾任教於無錫國專、四川大學、四川教育學院、西南師範學院，著有《經學通論》、《諸子概論》、《秦漢史》等書，詳目可參林慶彰：〈李源澄著作目錄〉，《中國文哲研究通訊》第17卷第4期（2007年12月），頁61-74。林教授深感斯人斯學淹沒無聞，近年來肆力蒐羅，彙編成《李源澄著作集》，為學界研究李氏學術提供完善之材料。林教授並撰有〈我蒐集李源澄著作之經過〉一文，刊於《經學研究論叢》第15輯（臺北：臺灣學生書局，2008年3月），頁299-314，備述編輯始末，讀者披覽此文，即知民國時期著作蒐羅之不易。

[20] 吳之英（1857-1918），四川名川縣人。曾任曾任資州藝風書院及簡州通材書院講席、灌縣訓導、成都尊經書院都講等。吳氏憂心國勢，關切時政，參與發起《蜀學會》、創辦《蜀學報》，積極響應維新。變法失敗後，居鄉著述，所撰甚豐，匯為《壽櫟廬叢書》。其研經史，擅詩文，工書法，為晚清蜀學大家。今人並編撰有《吳之英詩文集》、《吳之英儒學論集》、《吳之英評傳》，可資參閱。

[21] 張西堂（1901-1960），名政，湖北漢川縣人。先後任教於多所大學，著作甚豐，有《尚書引論》、《詩經六論》、《春秋六論》、《穀梁真偽考》等，詳目可參陳恆嵩：〈張西堂著作目錄〉，《中國文哲研究通訊》第17卷第4期（2007年12月），頁47-52。

《經學史論》外，還有《經學史講義》，這本書也著錄在《東北地區古籍線裝書聯合目錄》裏，但中國社會科學院圖書館有藏，比較容易取得。剛才談到黑龍江圖書館藏的張西堂《經學史論》，透過當地學者也僅能影印到半部而已。結果我到哈爾濱參加「海峽兩岸四地學術期刊高層論壇」時，恰好黑龍江省對臺辦的李主任宴請與會學者，我便趁機提及此事，說明很多圖書館限定僅能複印、掃描資料的三分之一，這樣無法看到完整的著作，實在有礙學術發展。他聽完後同意盡力協助，我就將書單開列好寄去，請他跟各圖書館溝通，這也是一種解決的辦法。

何：每間圖書館訂立的影印價格似乎不一樣？

林：大家各自訂價，所以都不太一樣。

何：現在這部叢書已陸續出版，請問您有什麼感想？

林：我覺得編印叢書提供大家利用，讓更多學者或學生共同來參與民國經學的研究，這樣對徹底了解民國經學的內涵，具有相當重要的意義。這部叢書將來如果出版到第八、九輯，大概可以收入一千種書，裏面至少有五、六百種是一般人從未見過的。其中有一些滿重要的著作，比如曹元忠、元弼兄弟的書。學界以前很少關注到曹氏兄弟，認為鄭玄之學可能到乾嘉以後便逐漸乏人留意，其實這個說法並不正確。[22]像曹元弼有關鄭玄的著作不少，另外顧惕生也有《大學鄭注講疏》，可見鄭學一直延續到民國時期。其次，有些學者的經學著作很多，只是我們一直都沒有發現到，像錢基博就是一個明顯的例子。以前我只知道《經學通志》、《周易解題及其讀法》、《四書解題及其讀法》這幾種，前面提到還有《國學必讀》、《喪禮今讀記》、《春秋約纂》、《論語分類簡編》、《孔子家語解題及其讀法》，由這些著作可以更清楚地瞭解到，前人稱讚錢基博是經學大師，由此看來確有道理。我從前總覺得他如果只寫那兩、三本解題式的小書，這樣怎能稱作

---

22 江蘇吳縣曹氏兄弟係清末民初的知名學者，元忠（1865-1923）撰《箋經室遺集》，元弼（1867-1954）著作更豐，計有：《禮經校釋》、《禮經學》、《周易鄭氏注箋釋》、《尚書疏》、《詩箋釋例》、《禮注釋例》、《孝經學》、《孝經六藝大道錄》、《復禮堂文集》等書，《續修四庫全書總目提要》譽為「鄭賈之功人」。

經學大師呢？現在因為發掘到這些書的緣故，讓我們知道他擁有不少經學著作，視為經學大師可說是實至名歸。民國時期還有不少學者像錢氏一樣被後人誤解，或大家對他的瞭解還不夠多，現在有了這部叢書，學界可做更深入的研究，重新予以定位。另外，這部叢書收錄的很多著作，都是從未被人閱讀過的，學界對它們的優劣還不太清楚，尚待大家去評價。有了這批資料，至少為有心研究民國經學的人，提供了最簡便且充足的材料。現在研究生的數量越來越多，時常遇到找不到題目或選題相同的窘況。對於研究經學的人，我的建議是不妨從這部叢書中尋找方向，因為裏面有很多從未被探討、且值得研究的題目，可以多加利用。

何：民國之前的古代經學著作很多，您剛才提到《通志堂經解》、《皇清經解》、《皇清經解續編》都只收一部分而已，還有很多沒被收進叢書裏。請問繼彙編民國經學著作之後，您是否還有其他計畫？

林：林登昱是希望《民國時期經學叢書》編完後，能接著編《清經解三編》、《四編》。我告訴他這是很困難的事情，因為清代文獻都已經被列入善本古籍，想要影印或掃描更加困難，成本很高，雖然值得做，但是需要很多經費，所以這計畫是否付諸實踐，還要視將來的情況再作決定。

何：繼民國之後，您最希望接著彙編哪一朝的經學著作？

林：應該是清朝，清代經學著作可能有一千多種，我們現在常看到的就只有《皇清經解》、《皇清經解續編》所收的那四百多種而已，還有很多學者的著作從未被注意到。

何：最後想請教，您剛才提到編輯叢書的索引和提要，已準備開始執行了嗎？

林：《民國時期經學叢書總目及索引》是等叢書全部出版完畢後才會面世，叢書提要是要等第三、四輯出版後就可以邀請人來做。至於作法，我比較傾向於以「經」為單位，邀請專門研究那一經的人來參與，比如研究《易經》就負責撰寫《易經》提要。需要多少人力，體例應該怎麼擬定，到時候會再做仔細的規劃。另外，每篇提要預計支付稿費一千元，我想如果提高稿費，撰寫出來的提要水準應該會比較好。

何：今天非常感謝老師接受訪問，與我們分享編輯《民國時期經學叢書》的經

驗與心得。希望這部叢書的出版，能夠掀起一股研究民國經學的新風潮，
相信這也是老師最大的期盼。

　　——原刊於《經學研究論壇》第1期（臺北：蘭臺出版社，2012年11月），
　　　頁369-385。

經學史研究的總工程師
——林慶彰教授

葉　純　芳[*]

立定志向

　　民國三十七年，林老師出生於臺南縣七股鄉（現與臺南市合併，改制為臺南市七股區）玉成村，父母親靠著八分地的收成養育家中所有的小孩，不是書香世家，沒有顯赫的家世，卻造就出一個深深影響經學界的大學者。

　　民國五十八年，他考上東吳大學中文系，當時教授「國學導讀」課程的老師有著濃重的鄉音，造成同學們學習上的障礙，有些同學放棄不聽，他則找到屈萬里先生的《古籍導讀》來幫助自己了解「國學」，並因此漸漸對國學產生興趣。接著，他又閱讀屈先生的《書傭論學集》，雖然書中有許多內容對他來說相當艱難，卻讓他感受強大的吸引力，鼓舞著他立下想要研究經典的決心。對屈先生的景仰，成為報考研究所的動力，他一心想要到屈先生任教的臺大就讀，做屈先生的學生，但最終以七分之微落榜，只得先去當兵。

　　在澎湖當兵期間，擔任文書兵，使他可以在公餘之暇讀書。做為前線的澎湖，晚上十點之後必須熄燈，為了考上研究所，他買了手電筒，晚上在被窩裡讀《尚書》，白天則手抄《尚書》，並托就讀臺大法研所的表弟到中文系旁聽屈先生的《尚書》課程，抄成筆記，隨時寄到澎湖。民國六十三年，東吳大學中文系成立研究所，聘請屈先生等多位國學大師至東吳任教，林老師轉而報考母校的中研所，以第二名的成績錄取並保留學籍，於六十四年八月退伍。九月入

* 北京大學中國古代史研究中心講師。

學後，開始跟隨屈先生研究經學。

由於明代的經學被後人誤解太多，有必要加以釐清，屈先生給了林老師碩士論文《豐坊與姚士粦》、博士論文《明代考據學研究》兩個題目。碩士論文完成之後，甚至得到屈先生「打破三百年來成說」的讚賞。對一個年輕的研究生來說，無疑是不可取代的鼓勵，成為林先生今後學術研究強大的信心與精神支柱。優秀的表現，讓他碩士畢業後即留任母校，同時考上博士班。不過，就在林老師就讀博士班的第二年——民國六十八年二月十六日，屈先生卻因為肺癌病逝於臺大醫院。

內心的傷痛雖難以平復，但他認為「這是老師的遺志、是屈先生所給的題目，一定要完成」。即使後來才發現題目範圍過大，仍堅守著這個信念，經過五年的努力，並由當時的系主任劉兆祐先生、昌彼得先生共同指導，完成了博士論文。民國七十二年，獲得博士學位後，改聘為專任副教授。

撰寫博士論文的同時，他發現明末清初學者有一種考辨偽書的風氣。當時考辨《易圖》、《古文尚書》、《子貢詩傳》、《申培詩說》、《周禮》等經說的學者，都有一個願望，希望藉考辨這些書釐清儒學的真面貌，這樣的學術活動，林老師將之命名為——「回歸原典運動」。民國七十九年，他以《清初的群經辨偽學》一書，通過升等教授的申請。此後，他又陸續發現唐末宋初、清末民初也都有此現象，因而認為中國經學史的發展，每經過數百年，通常會有一次回歸原典運動，而將此論點清楚表述在〈中國經學史上的回歸原典運動〉一文中。而這部書所提出的「回歸原典運動」，成為現今研究經學史的學者經常提到的一個重要觀念。

民國七十八年八月，中央研究院中國文哲研究所成立籌備處。籌備處主任吳宏一先生非常欣賞林老師，建議他申請文哲所。民國七十九年五月，所方諮詢委員會通過林老師的申請，同年八月正式轉任中國文哲研究所經學組，從事研究工作，直到今日。

在這裡，他開始展現出自己領導統籌的能力。文哲所籌備初期，館內藏書缺乏，兩岸才剛開放，他就到北京的中國書店，將文史哲相關書籍全部買下，共裝一百二十餘箱，豐富了文哲所的館藏，在當時也成為中國書店員工們茶餘

飯後津津樂道的故事。今天我們可以輕描淡寫說出這件事。但在當時，懷著巨款到大陸買書，買到的書能不能安全寄到臺灣，會不會被海關扣留，都是未知數，不能不佩服老師的決斷力與勇氣。現在我們在文哲所圖書館看到早期中國大陸的書籍與期刊，都是非常罕見而珍貴的資料，大約都是林老師當時所購入。這些書籍與期刊，成為文哲所籌備期重要的奠基與資產。

經學研究的推動者

在林老師的想法裡，他認為做一個中央研究院的研究員，最重要的責任不是讓自己成為享譽海內外的知名學者，而是要讓更多人願意投入經學研究的行列，同時讓那些容易被忽略、遺忘的經學家與經學著作重現於世。這樣的觀念表現在他樂於幫助每一個需要經學資源的學者、學生，不論認識與否，也沒有國界。

他深知一定要將臺灣的經學研究推向國際，才能讓他們瞭解臺灣經學研究的內涵與水準，同時吸引這些國際知名的學者來到臺灣，幫助學者瞭解國外的研究成果。故從民國八十一年「清代經學國際研討會」開始，以時代作為劃分，每兩年召開一次大型的國際經學研討會，至今已經從清代舉辦到了秦漢時代。每個會議結束，在一至兩年內都會出版研討會的論文集。接下來，林老師計劃分經召開研討會，這樣，相信更能看到同一研究領域學者們精彩的論辯。

中國大陸在文革時期，經學研究者一再遭受整肅，人人自危。文革之後，經學可說是衰落到了極點。近年來，受到臺灣經學研究的影響，各經的研究能夠逐漸萌芽，其中一個關鍵的人物，就是林老師。他廣邀大陸學者參加所內舉辦的各項研討會，讓他們深入瞭解臺灣的經學研究情況。這些學者回到自己的學校，也都依循著這樣的模式，影響著他們的學生。老師每執行一項經學研究計畫，便組成考察團，到中國大陸考察經學家的遺跡。例如執行「清乾嘉揚州學派研究計畫」時，他們赴揚州作實地考察，與揚州地區學者舉行學術交流會，讓當地學者體認到原來自己生長的地方曾經出現過影響深遠的經學家，進而帶動當地學者的經學研究。

　　大陸學者對國外的研究成果取得不易，時常求助老師，他總是來者不拒，不論是幫忙買書或複印論文，都儘量滿足他們的需求。老師究竟認識多少大陸學者？老師想了想，說：「見過面、交換過名片的就有三四百人。」有這麼多學者願意投入經學研究的工作，經學在中國大陸一定會興盛起來吧。

學術風格的形成

　　「研究工作應以文獻資料的整理點校為基礎」，這是老師一直灌輸學生的觀念，也是他做學問的一貫作風。

　　開始《詩經》的教學工作之後，老師認為研讀《詩經》不能僅閱讀鄭玄《毛詩箋》、孔穎達《毛詩正義》、朱熹《詩集傳》等注本。於是在博士班畢業當年，他蒐集檢擇當時研究《詩經》的單篇論文，集結成《詩經研究論集》，以便學生參考學習。這部論集體現現代《詩經》研究的大體面貌，使我們能夠理解《詩經》研究有何等問題以及學界對這些問題的基本認識。到了文哲所，他又陸續針對不同的主題，編輯出版《中國經學史論文選集》、《朱彝尊經義考研究論集》、《姚際恆研究論集》、《陳奐研究論集》、《通志堂經解研究論集》、《啖助新春秋學研究論集》等書。近期，也針對各經在經學史上產生爭議的最主要問題，邀集二十位臺灣經學研究者撰寫論文，即將出版《中國經學問題論爭史》。這些研究論集，為學者提供全面的研究資料，在此基礎上，能夠做出更好的成果。此外，為了讓年輕人更容易接近經學，他還邀集幾位年輕學者，共同將朱彝尊《經義考》點校出版；又花費五年的時間，將顧頡剛先生未完成的姚際恆著作整理工作，重新整理點校出版。

　　相同的理念表現在他民國七十六年所編輯的《經學研究論著目錄》，初編收錄了一九一二年至一九八七年，共七十年的經學研究一萬四千餘條條目。有了初編的奠基，二編之後，每一編以五年為範圍，至今已出版到三編，四編即將完成，五編在進行收錄資料的工作。老師表示，即使退休後，這項工作也有學生會承續下去，不會中斷。此後，林老師又陸續編纂了《朱子學研究書目》、《日本研究經學論著目錄》、《日本儒學研究書目》、《乾嘉學術研究論著目

錄》、《晚清經學研究文獻目錄》、《民國經學家著作目錄彙編》等書。其中《日本儒學研究書目》更讓日本荒木見悟教授對林老師感嘆道：「讓一位外國學者來為我們編目錄，我們日本人感到很羞愧。」這是日本學術界有史以來第一部儒學研究書目，給日本學者帶來相當大的震撼。

今天，我們可以輕鬆檢索任何資料，卻很難想像林老師編輯《目錄》當時所處的艱困環境：由於臺灣長期處於戒嚴狀態，大陸出版品嚴禁輸入，擁有大陸出版品的圖書館寥寥無幾，且借閱手續繁瑣困難。加上當時國內並未有較具規模的專科論著目錄，缺乏取資的憑藉，一切只能依賴林老師對經學研究的深廣度與文獻資料的敏銳度。

如果只以「目錄」的角度看《經學研究論著目錄》，它不過是一部專科目錄；如果只是想要針對特定的研究對象查詢，除了《經學研究論著目錄》之外，還有許多其他的文史哲目錄可供選擇。但是，《目錄》的編成，不僅僅是「以後我們查經學資料方便了」這麼單純的結果。

「怎樣的研究才算是經學研究」？「經學研究的範圍是什麼」？在今天，我們可以輕易回答這個問題，但在《經學研究論著目錄》出版之前，我們對這些問題感到有些疑惑、有些模糊，尤其對大陸學者而言，更是難以想像的問題。九〇年代，北京有位大陸學者，就是因為這樣的疑惑，向她的日本同學表示，願意以美金支付，拜託他到臺灣幫忙購買《經學研究論著目錄》。這部《目錄》，以林老師厚實的經學根基做為後盾，告訴我們答案，給我們研究的方向、範圍，甚至，為我們畫出一張視野遼闊的經學史藍圖。

雖然，碩士論文得到屈先生的讚賞，博士論文又成功論證「清學實導源於中明之楊慎考據學的產生時，其學風實承明人而來」這個主張，已經可以證明自己能夠勇敢無懼地走上研究經學之路。不過，這終究是屈先生所給指引出的一條路。編輯出版《經學研究論著目錄》，讓所有研究經學的學者都必須參考這張藍圖，這才是真正使他轉變成一個對經學研究產生巨大影響的開創性學者。

有些人批評老師出書太快、太雜、品質參差不齊。雖然確實存在這些弊病，但都是技術上的問題，而且大部分的失誤都是由我們這些學生所造成。如果我們一輩子立志只鑽研一個特定的主題，就算花個十年八年，都應該小心謹

慎，反覆斟酌。但林老師志不在此。如果，我們能夠跳脫只關注一部書的精粗問題，從更高的視野觀看，我們不難發現，林老師所關注的不是個別一部書的好壞，他的視界，是放在整個中國經學史上，超越時間空間的限制，以歷代經學文獻作為立論的根基，以撰作經學史為終極目標。

為了這個目標，林老師用三十年的學術生命布置這個經學環境，他將大部分的時間都花費在經學專題研究、編輯經學目錄、整理經學相關典籍、翻譯日本經學論著的工作上。這些準備工作，他不僅是為了自己，也分享給整個經學界，同時也形成他個人特殊而鮮明的學術研究風格。

「我們的」林老師

做為「我們的」老師，他是一位非常有魅力，甚至該說是個有魔力的人。每當我們懶散或失意灰心的時候，總會跑到文哲所或老師家，與老師說說話，老師永遠讓我們帶著對未來充滿希望的心情與高昂的鬥志，繼續邁步向前。他從不怕學生出錯，放心地交付我們做許多事：整理古籍、編書、協助辦理文哲所經學組的各種研討會；招待外國學者、採訪對學術研究有所貢獻的學者，學習他們成功的因素；鼓勵我們多寫文章，訓練獨立思考，並從中逐步形成自己的研究風格與思想體系；有鑒於日本漢學的重要性，他更要求學生學習日文，以達到不需要藉由翻譯，可以自行閱讀日本漢學研究成果的能力。這大概是做為老師的學生都會經歷的一段磨鍊。

民國九十年，老師得了帕金森氏症。有一天，老師打電話給我，因為師母下午有課，無法陪伴他，又怕他走路跌倒，希望我和另一位同學陪老師到榮民總醫院做檢查。此前，我從學長處約略得知老師可能患了此症。

那是醫生的研究室，下午醫生沒有門診，老師經由朋友介紹，去拜訪醫生。剛開始，醫生頭也不怎麼抬起來，邊看老師的病歷，邊問問題。突然，他有點驚訝地抬起頭來說：「您是中央研究院的研究員？」老師答是。接著，他開始幫老師做各種檢測，並詳細說明這些測驗的用意，也解釋每一種藥的用量、成分與效果。最後，大約是確定了這個病症。我猜想，需要大量用腦力的研究

員，這麼年輕就得了這個病，連醫生都覺得惋惜吧。送老師回家的路上，我的心裡感到非常的沉重不安，但老師的表情，像是徹徹底底接受了這個事實。這十幾年來，林老師絲毫不受病症的影響，他仍然做他該做的事，他仍然有數不盡的研究計畫打算進行或正在進行，同時，也督促著他的學生們往前進。

老師喜愛栽培花木，去過他家的人，應該都曾由老師領著賞花，他可以一一細數每一種花的特性與喜好。他自豪地對我說：「如果當初不研究經學，我應該會是個植物學家。」老師對經學的呵護與培植，何嘗不像栽培花木一般呢。

當年屈先生將經學從中國大陸帶來臺灣，中國經學在臺灣生了根，蓬勃發展；如今林老師又將經學傳回屈先生的故鄉。雖然我們不是宿命論者，但我們也無法否認，或許在冥冥之中，自有命運的牽絆。

——原刊於《國文天地》第28卷第12期（2013年5月），頁118-122。

經學園地裡的一棵大樹
──臺灣著名學者林慶彰教授經學研究述評

林　祥　徵*

　　中國是一個文明古國，其光輝燦爛的傳統文化，已經成為人類的寶貴精神
財富。隨著時代的進步，人們比任何時候都需要發掘傳統文化的寶庫，以吸取
更多的智慧和力量。在寶島臺灣就有一位在經學園地辛勤耕耘並結出豐碩成果
的知名學者，他就是現為臺灣「中央研究院」文哲所研究員、臺北大學古典文
獻研究所合聘教授、東吳大學中國文學系兼任教授林慶彰先生，他自一九七五
年跟隨大陸到臺灣的屈萬里教授學習經學起，至二○○七年十二月的三十年
間，在經學、目錄學、和文獻學等方面成績卓著，蜚聲中外。出版專著十二
部，主編編輯五十五部、翻譯日本經學著作二部、論文二八五篇。林氏的授業
弟子陳恆嵩、馮曉庭二位博士認為三十年是觀察人生成就的重要指標，編成
《經學研究三十年──林慶彰教授學術評論集》（臺北：樂學書局，2010年10
月）一書以祝賀。書中收錄經學評論三十八篇，文獻學評論十七篇，媒體報導
三十四篇。附錄一：節錄對林氏著述的評價；附錄二：林氏自述有關治學和經
營《國文天地》的文章；附錄三：林氏著作目錄。該書為林氏三十年來治學的
珍貴記錄，也是觀察臺灣學術的一個窗口。

---

*　泰山學院教授。

一、有關經學研究的幾個側面

（一）對經學歷史規律的探尋

　　林氏在研究清初學者的群經考辨中，發現自先秦、兩漢、隋唐、宋元、至明末，在這兩千年的經學發展過程中，每經歷數百年之後，必有一個批判思潮的出現。魏晉時期是對漢代經學的批判；晚唐至北宋時期，是對漢唐經學的批判；晚明至清初，是對宋元新經學的批判。這種每隔一段時期就會出現的批判思潮，都以恢復經典中的聖人真意為最高的準則，並成為經學發展演變的關鍵時期。對這種周而復始學術思潮，林氏稱之為「回歸原典運動」。我們有了這種新的認識，對經學史上的問題就可看的更透。唐代韓愈推動的古文運動，其表現形式是文章學的問題，如果看到其實質是「回歸原典運動」的一部分，就可認識到其深層的目的在於復興中華文化。清中葉乾嘉考據學派，前人褒貶不一，有人認為是「中國哲學精神的逆轉」、「清代考據學使中國哲學走上歧途」，甚至認為「是一種無聊的紙上功夫」。如果我們運用林氏的理論，就能明白乾嘉學派對儒家經典的訓詁和考證只是一種手段，探求孔門真義才是其治學的根本的目的。對具有「回歸原典」運動的明末清初的辨偽思潮也會有更深刻的體認。

　　林氏「回歸原典」說是受了孔恩（Thomas kuhn）一九六二年出版《科學革命的結構》一書中的「新典範」理論的啟發而提出來的，說明林氏研究的開放性，再次說明中外文化交流是促進文化發展的重要一環。林氏還認為從戰國時代到漢初，對經典的注釋很簡單，西漢中葉到東漢很繁瑣；東漢到魏晉很簡單，南北朝到唐朝很繁瑣；宋朝很簡單，元明兩朝又繁瑣。所以整個經學史上對經典的注釋就是簡——繁——簡——繁這樣的循環。這個規律的總結，對我們認識經學史上的注經形態也有所幫助。規律是事物之間的內在聯繫，並決定著事物的發展方向。林氏對經學史規律的總結，有助於經學史的研究，也反映林氏宏觀把握能力。

（二）清理經學史的發展脈絡

皮錫瑞《經學歷史》說：「凡學不考其源流，莫能通古今之變，不別其得失，無從獲從入之途。」所謂「考其源流」就是清理歷史發展的脈絡，在經學史上，宋代充滿懷疑精神的思辨學風是很突出的，影響也很大，那麼這種思潮從何而來？林氏在〈唐代經學的新發展〉一文中，論述了唐中葉之後政治與學術的變化之後指出，其一，唐代後期經學逐漸拋棄注疏學的典範，而以己意說經；其二，開始懷疑漢人傳經的可靠性，成為宋代疑經改經的先聲；其三，學者為伸張王權，研究《春秋》學，強調君臣之義；其四，李翱、韓愈表彰《中庸》、《大學》、《論語》、《孟子》等書，以建構中國哲學心性論的理論，並成為宋理學立論的基本典籍的理論依據。這就為宋代疑經改經的懷疑思潮找到源頭，朱熹《四書集注》的學術來源也可得到更明確的解釋。

前人在認為明代學術荒疏沒成就可言的情況下，誤以為考據學是清代特有的建樹。林氏《明代考據學研究》（臺北：臺灣學生書局，1983年7月）一書分析了楊慎、梅鷟、胡應麟、陳第、方以智等學者在考據學方面的成就，說明了在朱熹學的籠罩下，已有了重視古注疏、恢復漢學傳統的學術方向。為清儒引為驕傲的辨偽、輯佚、名物考證、音韻、訓詁等學術領域，早在明中葉以來已有相當的發展，這就說明了明代考據學早已成為清代考據學的先導，從而把我國考據學的產生推前了一百五十年。

（三）學術觀點的突破

1、關於朱熹《詩經》學的評價

林氏〈朱子對傳統經說的態度——以朱子《詩經》著述為例〉一文認為朱熹對《詩經》的詮釋有個轉變過程，轉變之後的朱熹對《詩序》大加攻擊，以為去《序》才能得《詩經》本義。可是在後出的《詩集傳》中，卻大部分沿襲《傳》、《箋》關於詩旨與訓詁的成說，有新見的只是「淫詩說」和對「興」義的探討。其結論是朱熹的創見並不多，經林氏的重新研究，看來朱熹是宋學集大成說，《詩集傳》是《詩經》學史上第三個里程碑說等都得重新檢討。

2、打破三百年的陳說

明朝嘉靖年間,出現了轟動一時的《子貢詩傳》和《申培詩說》,由於托名為經學史上的名人,內容又不同於前人的詩說,轟動一時,讓當時一些著名的學者也信以為真。後經清儒毛奇齡、朱彝尊、姚際恆等人的考證,認為是嘉靖時進士豐坊所偽作。林氏《豐坊與姚士粦》,認為《子貢詩傳》有刻本與抄本兩種,抄本為豐坊所偽撰,而刻本則為王文祿所改定。今所流行的刻本多為王文祿改定本。至於《申培詩說》則是王文祿抄襲豐坊之父豐熙《魯詩世學》而成,也與豐坊無關。林氏這個打破三百年成說的新見解,表現了著者相當高的考證功力,而這正是當代年輕學者所缺乏的。

明中葉後出現許多偽書,被後人視為明代學術空疏不實的重要證據,林氏則認為明代作偽者大多不滿於宋明經學另求出路,藉助偽書以復興漢學。手段不足為訓,但對漢學的復興與發展,具有推波助瀾的功效。這種把問題放在學術大背景的思路,以及辯證思維的成功運用,由此該說被學人評為「最為中肯的評價」。

此外,林氏在《清初的群經辨偽學》(臺北:文津出版社,1990年10月)中採用了以經書為經,以時代和人物為緯的建構模式,突破了以學者為單元,以學者及其著作的時間為順序的慣常建構模式,也有一定的價值;另外,對經學史上的大章句與小章句、師法與家法提出自己的新見解;對明代《五經大全》與清代陳奐的研究,已引起臺灣學者的關注,並沿著他的研究方向繼續前進。

綜上所述,我們可以看出林氏經學研究的優長在於創新,在於開拓性。皮錫瑞《經學歷史》有句名言:「凡學皆貴新,唯經學必專守舊」這是違反科學發展規律的。林氏的研究告訴我們,在知識爆炸的信息時代,思維能力很重要,誰學會創造性思維並運用於工作中,誰就能獲得成功。

二、經學研究目錄的編纂與經學文獻的整理

在臺灣編纂目錄既沒有經費,又不能評職稱,所謂「愚者不能為,智者不肯為」。三十年,林氏卻樂此不疲,耗去許多精力與心血。由他主編的有《經

學研究論著目錄1912-1987》（臺北：漢學研究中心，1989年12月）等六部經學研究目錄；與他人合作的有《晚清經學研究文獻目錄1912-2000》（臺北：「中研院」文哲所籌備處，1995年）等三部。另有具有理論與操作價值的《專科目錄的編輯方法》（臺北：臺灣學生書局，2001年4月）和《學術資料的檢索與利用》（臺北：萬卷樓圖書公司，2003年3月）兩書。林氏在目錄上的貢獻，被學者譽為「是我國工具書發展史上的一大里程碑」、「為天下人做學問」。他所編的目錄的特色是：一、過去臺灣、大陸所編的目錄各管各的，互不通氣。而林氏的目錄不僅兼收大陸，還視野擴大到香港、新加坡、日本和歐美。二、除專書外，兼收論文，若一書有各種版本，不同的出版社、出版年月、頁數等都一一著錄。三、臺灣戒嚴時期，出版社往往把大陸的出版物改頭換面，林氏一一加以恢復。由於體例完備，資料豐富，成為臺灣專科目錄的典範。他的《日本研究經學論著目錄1900-1992》（臺北：「中研院」文哲所籌備處，1993年10月）《日本儒學研究書目》（合編，臺北：臺灣學生書局，1998年7月）出版後，日本荒木見悟教授感慨地說：「讓一個外國學者來為我們編目錄，我們日本人感到很羞愧。」

在經學文獻的整理方面，林氏也有優異的成績。由他整理的文獻十二部，與他人合作的有三部。其中《點校補正〈經義考〉》（臺北：「中研院」文哲所籌備處，1997年6月-1999年8月），全書三百卷，林氏為點校這部經學巨著的計劃主持人，並參與編審及〈點校說明〉、〈點校凡例〉的編寫，該著的整理可謂完成了一個浩大的學術工程。《姚際恆著作集》（臺北：「中研院」文哲所籌備處1994年6月）和《姚際恆研究論集》（合著，臺北：「中研院」文哲所，1996年5月）的告竣，既完成了顧頡剛當年未能完成的事業，又為姚際恆和清代經學研究提供了更為充足的資料。林氏還把視野擴大到海外，翻譯安井小太郎等著《經學史》（合著，臺北：萬卷樓圖書公司，1996年10月），和松川健二編《論語思想史》（合著，臺北：萬卷樓圖書公司，2006年2月）和翻譯日本學者經學論文十多篇。為經學海外學的研究開闢新的天地。他在文獻整理方面的特色是：一、有一整套嚴格（包括標點符號）的工作規範；二、體例完整，每部點校本都有〈點校說明〉、〈點校凡例〉、〈前言〉和〈附錄〉等項目，另有《朱

彝尊〈經義考〉研究論集》（合編，臺北：「中研院」文哲所籌備處，2000年9月）等資料彙編與點校本配套，在《姚際恆著作集》的整理中，林氏做了許多鈎沉工作，為學者提供研究的方便；三、作為文哲所經學研究的領航者，他為經學研究和整理制定工作計畫，其中有《經義考點校補正》計畫、《姚際恆著作集》編輯計畫、清乾嘉經學研究計畫、晚清經學研究計畫等。為推動研究的完成，他舉辦學術研討會，發表論文，到大陸考察經學遺址。為了更好地完成計畫，他邀請大陸、日本學者參與其中。一九九二年他與大陸賈順先教授合作完成《楊慎研究資料彙編》（臺北：「中研院」文哲所籌備處，1992年10月）是最早開展與大陸學術交流的先行者之一。

林氏在經學研究的成績是多方面的，而且令人驚奇。可以這樣說，他已經登上當代經學研究的高峰。這除了智慧和勤奮的因素外，與他正確的治學道路有關，說明目錄與古籍整理是經學研究的基礎工程，只有基礎打好了，才能建造學術高樓。當今學術界有一股浮躁之風，不肯在基礎上下功夫，投機取巧，嘩眾取寵，甚至造假。「鄰壁之光，堪借照也」，聰明人偏笨功夫，不是也值得學習。

三、一個為理想而奮鬥的文化志士

筆者在閱讀林氏著作時，有兩個地方感觸很深：其一，他在《清代經學研究論集》（臺北：「中研院」文哲所，2002年8月）中寫道：「一九三二年，日寇進犯上海，發生一二八戰役，張金吾編輯《詒經堂續經解》隨涵芬樓之藏書四十餘萬冊，全部化為灰燼。這是經學研究的大不幸，也是中華文化的一大損失。」這種對傳承中華文化的珍貴古籍遭受日本侵略者焚毀而痛心疾首的情感，反映了一個中華兒女的良知，一個為傳承中華文化而奮鬥的文化戰士的形象呈現在我們面前。大陸有個教授在網上發表〈狗入的國學〉一文，說「國學狗屁，一錢不值。」這種無知與林氏相較，相差何止千里？其二，臺灣有個關注國民教育，研究傳統文化脈動的雜誌叫《國文天地》，曾獲得臺灣出版界的金鼎獎。後因各種原因，不得不宣布停刊。一九八八年三月，林氏與十三位大學

教師一起接下這份重擔,並寫下〈我們的理想和期望——《國文天地》的再出發〉一文,談及他們不因重重困難而畏縮的理由之一是,有隋代靜琬與咸豐年間的丁申、丁丙兄弟和《牛津大字典》的編輯者等為文化理想而奮鬥犧牲的志士仁人作為他們的精神支柱。其實林氏不也是一位為了文化理想而奮鬥的志士嗎?他在「臺獨」甚囂塵上的時候,在文章中透露著對他們排斥中華文化的不滿;他編輯《日據時期臺灣儒學參考文獻》(臺北:臺灣學生書局,2000年10月)等文獻,有著弘揚在日本侵略者統治下堅持民族文化精神的意圖;在臺灣戒嚴時期,他衝破禁令到大陸採購大量書籍,回臺後成立以傳播中華文化為宗旨的「萬卷樓圖書公司」;大陸開放後,他以《國文天地》社長的身分與中華書局(文史知識)編輯部進行學術交流,並發表〈發揚傳統文化,兩岸共譜新曲〉的會議紀要;他是中國詩經學會的顧問,並常到大陸做學術講座,為海峽兩岸的學術交流做了許多實事;他創刊的《經學研究論叢》是世界上唯一的經學研究的刊物。大陸學者新近開始更多地關注經學研究:北京清華大學彭林教授成立經學研究中心,姜廣輝教授等編寫《中國經學思想史》,四川大學舒大剛教授積極投入經學和經學史的研究等。香港新近召開經學研討會,編輯《香港研究經學目錄》,也有著林氏經學研究的影響。新近林氏正積極編寫《中國經學史》,我們期待他的成功。蘇格拉底說,世界上最快樂的事,莫過於為理想而奮鬥。這正是林氏三十年如一日,對傳統文化做出重大貢獻的原因所在。

「智山慧海傳真火,願隨前薪承後薪」,被東吳大學學生評為「熱門教授」的林氏,為了經學研究後繼有人,在東吳大學開設「中國經學史」課,編寫了《學術論文寫作指引》(臺北:萬卷樓圖書公司,1996年9月)、《讀書報告寫作指引》(合著,臺北:萬卷樓圖書公司,2001年11月)的教材(這兩本書很實用,建議大陸大學的寫作課可引進)。為了訓練學生的基本功,他主編的目錄和古籍整理都吸收學生參加。經過幾年的培養,好些人已經成為經學研究的學術骨幹。寫到這裏,我想起《好大一顆樹》這支讚頌師德的歌,並用「好大一顆樹,綠色的祝福,撒給大地多少綠蔭,那是愛的祝福」作為本文的結尾。

——原刊於《閩臺文化交流》總第29期(2012年1月),頁124-128。

評《中國經學相關研究博碩士論文目錄（1978-2007）》

蘇　琬　鈞[*]

一、前言

　　由於網路發達，促使資料庫的建置蔚為風潮，研究者往往仰賴檢索資料庫而未能實際翻閱紙本。且不論電子資料庫在建置的過程是否會因程式設計而導致資料脫落、檢索無獲；更遑論關鍵字、題名等分類造成的檢索誤差。若因檢索不得就誤以為毫無資料，實有失輕率。本目錄編輯陳亦伶曾撰寫〈學位論文檢索的困境——以兩岸三地中文資料庫為例〉，便清楚的指出五種資料庫不足之處，誠可謂鞭辟入裡。為了凸顯也證實電子資料庫的缺失，本目錄收錄了中國於一九七八至二〇〇七年間完成之經學相關論文條目，有碩士論文一七五一筆、博士論文五二九筆、博士後論文十二筆，計二二九二筆。正文前有林慶彰老師所寫的序文、編輯體例，正文後附錄〈香港博碩士論文目錄〉、陳亦伶〈學位論文檢索的困境——以兩岸三地中文資料庫為例〉及作者索引。

二、本目錄的排列方法及編輯特色

　　本目錄最大的特點在於提供讀者多種多樣的檢索方法。林老師在序文提到：「編輯時要有學科別、專業別、年度別、導師別四種排列法。」多元的排列方式，目的是為了便利讀者檢索。透過學科別的分類，可以了解各經的研究

---

[*]　臺北市立教育大學中國語文學系碩士生。

狀況;透過專業別的分類,可以了解中國各大學研究單位與研究重點;透過年代別的分類,可以知曉三十年來經學研究的興衰;透過導師別的分類,則可以知曉教授們作育英才的情形,乃至於其中的師承關係。

一般來說,專科目錄的正文編排方法大致可依性質分類、時空概念、筆畫、拼音等,按照何種方法並無絕對的標準。不可否認的,各種編排方法皆有其優點和侷限,似乎很難有一種編排方法是十全十美的。前文曾言本目錄有別於其他目錄,最大的特點在於提供讀者多樣的編排檢索;這樣的立意或許不失為一解決之道。就筆者使用需求而言,的確非常需要「學科別分類」。目錄中的分類根據林老師主編的《經學研究論著目錄》的排列方式,分總論、周易、尚書、詩經、三禮、春秋及三傳、孔子與論語、孟子、大學、中庸、孝經、爾雅、石經、讖緯等十四類,各類下再作細分,如「孔子與論語」的子目甚至多達十種,大大縮短了翻閱時間。

而「專業別分類」則凸顯了經書研究的多樣性,各式各樣的專業學科,舉凡哲學、古代史、文獻、文藝、語言文字乃至於政治學、馬克思主義、音樂、法律、中醫、設計藝術、翻譯、外國語言;研究角度之琳瑯滿目,讓讀者咋舌,提供了讀者許多不同的研究視野。例如浙江大學的行政管理專業、湖北中醫學院的中醫基礎理論專業、武漢理工大學的設計藝術學專業。相較於臺灣對經學的研究多半只集中在中文相關系所,大陸參與的系所專業,可謂「洋洋大觀」,也可看出他們對經書的材料作了充分的利用。

至於「年代別分類」,主要是從各年度的論文數量來看出大陸經學發展的情況。這可讓讀者一眼即可看出某一年度論文的數量和研究的方向。如果僅用分類編排,要得知每一年度的論文數量和研究的方向,就得一頁一頁的自行作統計,相當費時。例如:一九八一年畢業論文僅兩篇與經學有關,二〇〇〇年也僅有七十六篇,到了二〇〇七年,已暴漲至三六〇篇,大陸的經學研究正在加速復興,這是最有力的證明。

「導師別」的編排方法,是要看出某一位教授指導多少學生?是屬於經學中的哪一方面?哪些教授在提倡經學也就一目了然。例如:北京大學古文獻中心的孫欽善教授指導的有十篇,屬於宋代經學文獻的有四篇,清代經學文獻的

也有四篇，屬於韓國經學文獻的有一篇，另一篇是《春秋公羊疏研究》。可知，孫教授指導研究生的方向，也可以讓研究生聘請指導老師時參考之用。

本目錄對於後來出版的學位論文，往往加以注明，對於其中更名部分，也都能利用夾注予以說明；顧及了讀者蒐集論文的困難，嘉惠學子，居功甚偉。例如編號七吳龍輝《原始儒家考述》與編號8陳明《儒學的歷史文化功能——從中古士族現象看》中提供的出版訊息，都為讀者提供延伸閱讀的機會，實屬珍貴。另外，對於不容易看出文章內容的篇名，也能以按語形式加以說明，方便讀者檢索。編號七二六郝廣麗《從慣習與場域的角度探究》，在當頁末加按語：「此文以法國社會學家皮埃爾・布迪厄提出的慣習和場域理論分析辜鴻銘其人及其所處的社會文化背景，並探討其選擇翻譯的儒家經典和使用的翻譯策略方法。」編號八八三畢文勝《「抽象繼承法」研究批判》，也在當頁末加按語：「此文為討論馮友蘭的中國哲學史研究法『抽象繼承法』」。都是很明顯的例子。

三、本目錄待改進的地方

雖本目錄編輯態度嚴謹，但也有些待改進的地方。茲先從編排方式說起。

就四種編排方式來說，個人對「年代別分類」有些看法。所謂「年代別」，是指按年代的順序編排，前提是每本論文的年代都正確，可是大陸的論文有「網路投稿時間」、「授予學位時間」的不同，故本目錄著錄方式有三種情形：年份不明、年月齊全、僅有學位年度。筆者曾參與《臺灣現當代作家作品評論目錄》的編纂工作，深知檢索學位論文的困難。學位論文並非出版品，且各校授予學位作業流程未能統一；一本學位論文從完稿到繳交至多可有三種時間，分別是紙本本身完稿時間、口試時間、論文修正或繳交時間，中國的學位論文自不能免除這種狀況。以福建師範大學為例，實際檢索「中國優秀碩士學位論文全文數據庫」全文，可知封面所寫的時間有三種，分別為畫面提交、答辯、授予學位。舉例來說，頁四一一李紹萍《論《焦氏易林》與先秦兩漢文學的融會貫通》，目錄著錄時間為二〇〇四年四月，此乃書面提交日期；而頁四

一三李春雲《方玉潤詩經原始研究》，目錄著錄時間為二〇〇四年五月卻是答辯日期。又頁四七八姚慶保《左傳及物動詞作使動用考察》目錄著錄時間為二〇〇二年一月，實際上不論是全文後記、封面的畢業時間，皆為同年六月。編輯專科目錄時，收錄缺乏版權頁的學位論文，著錄時間有出入，實屬情非得已。

其次，是「導師別分類」，筆者則建議可以比照作者索引，製一指導教授索引。雖然此一分類的編排，或許提供了僅知道指導教授名的使用者、了解中國經學大致是由哪些學者推動，但因僅是相同條目不同方式的編排，資料重複的程度太高，難免有虛胖篇幅之疑。

不管這四類編排的實用性質為孰高孰低，值得留意的是：同類的條目編排未能有效提高檢索速度。由於〈編例〉中並未說明同一小類中各條目的排序方式，如果同一小類中條目一多，要找出所要的條目就煞費功夫。以「學科別分類」中經學史之下的荀子為例，從編碼三十六號至九十一號共收五十六筆，隱約可見其依照論文內容性質來排列，但各類論文的先後，並沒有很明顯的判準，為免遺漏，五十六筆條目仍須全部看過一遍，並未有效節省時間。

編例中的第二點說明本目錄的總條目數有二二九二條，實際的編號卻到二三五二，這之中的差異值得注意。編號二三四八朱玉周《漢代讖緯天論研究》與編號二三五〇相同，中間穿插了二〇〇五年四月出版的碩士論文；而編號一三九三與一三九六劉剛《詩毛傳語法研究》也是同樣的問題。假使能以出版時代排序，或許可以在執行編輯的時候因年代排列鄰近而發現重複。編號與條目數不合，或許因為有些條目的內容涵蓋兩類或兩類以上而行互見之舉，就筆者目前所觀察到同樣是在荀子類目之下，編號四十張小穩《孟荀學風之比較》、編號四十四號柳素平《荀子、王充思想比較研究》都能互見於孟子、王充類目。由於編例並未對此詳加說明，筆者僅能觀察到的現象做個注記。

本目錄錄雖名「中國經學相關研究」，但對於「相關」的程度與界定並沒有清楚說明，有時超收文學、史學、書法藝術等論文主題。其中最明顯的例子，就是經學史之下的蘇雪林。經筆者檢索資料庫全文，編號931至編號934全為研究蘇雪林文學作品的論文，與中國經學幾乎無涉。這些條目都應該刪除。

本目錄有兩種註釋方式，由於編例並未釐清此二種注釋方式各自擔負的任

務，筆者僅能就所見分析。正文中的夾注負責版本說明大致無疑；按語的體例、寫法卻不太一致，其中又以校名沿革最不一致。校名沿革的按語，以頁二四九北京語言大學一條最佳，詳細寫明其創辦時間、更名時間和簡稱。相較之下，頁二七九西南大學先是在標題以夾注的方式載明西南師範大學，然後再加注撰寫按語「現已改為西南大學」則顯突現，而且意義不大。除了「專業別分類」外，其他撰寫校名按語的情形也相當不一致。編號一二九六李小軍《詩經變換句研究》加注按語說明西南師範大學已改名為西南大學；這之前編號三七二、七一七與這之後編號一六一九、一九一〇卻都沒有注明，然後又在編號一九一五唐建立《論語名詞語法研究》一條出現校名按語，其他大學也有類似的情形，都應該改進。

最後，筆者謹就版面的設計提供一點讀者使用心得。本目錄在書口的地方以色塊區分排列類別，十分貼心，然而最重要的檢索工具——頁碼，卻未能移至同側，無法將色塊的效用發揮到極致。工具書為了能載負大量的資料，多半選擇磅數較低的紙張，經年累月翻閱的結果，往往破損不堪，降低單次檢閱的翻頁數或許是可行的辦法。頁碼置中，讀者翻閱時的掀書幅度變大，自然提高毀壞的機率，本書扣除附錄、索引，全書超過八百頁，單一類別約各佔二百頁，翻閱效率實在太慢。若能改良如《臺灣文學研究彙刊》之屬的版面格式，將頁碼、子類名稱等資訊移至頁首的外側，將有助於提升讀者檢索的速度和降低書籍的損毀風險，也提供了另一種版面美學的觀點。其實，正文上的書眉標題、正文中的夾注、正文下的腳注都屬於輔文的範圍。國內工具書對於輔文，通常只是聊備一格。筆者希望藉由這樣的討論，能喚起大家對書籍輔文的重視。

四、結語

工具書的編纂是件既艱辛又得不到掌聲的工作，筆者曾經實際參與編輯工作，深知其中甘苦，更明白面對時間、經費等壓力的艱困處境，撰寫此文，是從同好相切磋的觀點入手，提供另一方面的參考意見，目的是要大家都能編出更完備的工具書。陳同學以一位碩士班學生，在撰寫學位論文之餘，還承擔這

一艱鉅的學術工程，其精神和毅力，都令人感佩。本目錄的出版，可預見的，對於研究風氣的提倡和工具書編輯水平的提升，應會有相當的貢獻。縱然本目錄仍有部分待改進的地方，但終究瑕不掩瑜。

　　——原刊於《國文天地》第25卷第8期（2010年1月），頁89-92。

為工具書編印啟新猷
——評《中國經學相關研究博碩士論文目錄》

丁　原　基[*]

　　工具書的種類很多，但必要的條件是能方便檢索。一般書籍的編排，通常按照資料擬定綱目。工具書則為了方便檢索，其體制須適應讀者的需要、習慣或資料的性質而作適當的編製。二〇〇九年十月由臺北市萬卷樓圖書公司發行的《中國經學相關研究博碩士論文目錄》（以下省稱《博碩士論文目錄》），其編輯方式頗具創意，相信對未來編輯與出版實體工具書者必有新的思維與因應之策。

　　《博碩士論文目錄》屬於中央研究院中國文哲研究所「民國以來經學研究計畫」的研究成果之一，主編者是任職於文哲所的林慶彰與蔣秋華兩位教授，採錄範圍是自一九七八年至二〇〇七年間中國大陸完成的經學相關的博碩士論文條目。負責資料收集與編輯排列等基礎工作，是由臺北大學古典文獻學研究所研究生陳亦伶小姐獨力擔當，再經兩位主編逐條審閱而完成此一實用的學科書目；也成為研究中國大陸近半世紀經學發展的直接資料。

　　書首林慶彰先生撰序，說明編纂的始末，也揭櫫了文哲所擬訂二〇一一至二〇一二年，將以研新中國的經學作為專案課題。序言對自一九四九年起中國大陸對經學的研究狀況稍作說明，云：「新中國成立，前十七年已開始批判經學。文革十年，經學掉入萬丈深淵，學者噤若寒蟬，幾已沒有人敢談經學。改革開放以後，有些許學者從事經學著作的研究，但都不敢說是經學研究，而是古文獻研究。」

---

[*]　東吳大學中國文學系教授兼東吳大學圖書館館長。

　　慶彰先生不諱言近年中國大陸是受到臺灣研究經學風氣的影響，始有《中國經學思想史》（北京市：中國社會科學出版社，2003年9月）出版，與「經學研究中心」（清華大學）的成立。同時自二〇〇一年至二〇〇七年，這七年中大陸各大學完成與經學相關的碩士、博士、博士後論文，超過千餘篇，數量頗是驚人。

　　文哲所為來日方便研究新中國經學預作準備，也為學界提供較完整與正確的資訊，因此綜採大陸地區：萬方數據庫資源系統中的中國學位論文全文庫CDDB、中國優秀博碩士學位論文全文數據庫、北大學位論文數據庫，及《1981-1990中國博士學位論文提要（社會科學部分）》、《博士文萃》、《大陸地區博士論文叢刊》、《中國社會科學博士論文文庫》、《儒釋道博士論叢書》、《高校文科博士文庫》、《聊城大學博士文庫》、《文史博士文庫》、《博士文叢》、《博士論文庫》、《研究生論文選集》、《法藏文庫中國佛教學術論典碩博士學位論文》、《湘潭大學法學院博士文庫》、《博士學位論文選文庫》、《研究生論文選刊》等工具書，收集一九七八年至二〇〇七年間中國大陸完成的經學相關論文條目，碩士學位論文一七五一條、博士學位論文五二九條、博士後論文十二條，共二二九二條，書末有作者索引。另附「香港博碩士論文目錄」，可略窺香港各大學的經學研究狀況。另有陳亦伶撰〈學位論文檢索的困境——以兩岸三地中文資料庫為例〉，剖析編輯本目錄的甘苦談，也是「金針度人」提供治學的態度與方法。

　　本目錄分類依據林慶彰教授最早主編的《經學研究論著目錄（1993-1997）》，因此在分類體例上呈現出一致性的特點，這對欲瞭解研究生撰寫經學相關的學位論文，以及學者發表在專著、學報、期刊、研討會論文集上的單篇論文，在同一類目可以清楚掌握大陸地區經學研究的全貌。

　　近年坊間出版屬於參考性質的工具書，多附電子版，便於讀者利用。《博碩士論文目錄》沒有電子版，但編輯方式頗能從使用者的角度設想，它將一般資料庫可以查詢的功能，轉化成書本方式，對於習慣用實體書籍的讀者言，此編亦能得到像利用資料庫檢索功能般獲得需要的資料與數據。

　　此書採用「學科別」、「專業別」、「年度別」、「導師別」四種排列法，每一條目都加上流水號。慶彰先生說：「要了解經學中哪一經有什麼著作，就查學科別目錄；要了解那個學校比較重視經學，就查專業別目錄；要暸解經學中哪一個年度有什麼經學論文，就查年度別目錄；要了解哪一位教授指導過什麼論文，就查導師別目錄。」這樣多種檢索方式，改正了目前紙本目錄的缺點，檢索起來確實非常方便。尤其在考察學術進展，分析學人成就，乃至比較各地學風與研究的方法與態度上，交叉運用，不僅對文哲所研究「新中國的經學」大有助益，也造福了一般研究國學的人士。唯一美中不足的，就是增加了不少篇幅，可能會引起當下高倡節能減紙、綠色家園的環保人士的抗議。

　　翻閱這本超過九百頁的巨冊，淺綠淡雅的封面，隱隱含著諸多訊息。乾隆四十六年（1871）第一分《四庫全書》完成，為了方便檢閱，每一部書用不同顏色的絹作書衣。經部是綠色，代表春天；史部是紅色，代表夏天；子部是藍色，代表秋天；集部是灰色，代表冬天。不知封面設計者可是此意？

　　書名「中國經學」，語意雙關，值得玩味。對地球村民言，經書是中華文化的精華，經書的內容包羅萬端，舉凡解釋宇宙秩序、政治、道德規範，甚至日常生活等等一切的準則。自兩漢產生「經學」後，幾千年來不同的時代，不同的思維，導致經學不斷地被推動發展，從而衍伸出文字訓詁之學、經學思想等等課題，因此，「中國經學」理該屬於中華民族的文化資產，豈容他人覬覦。[1]惟從本書收錄的內容言，書名又巧妙地區隔出這冊書，主要是收錄中國大陸地區博碩士的經學相關論文。

　　走筆至此，對慶彰教授歷三十多年的努力，苦心孤詣打造「經學王國」，甚而賠上健康，此種「一片冰心在玉壺」，無怨無悔的治學精神，在在令筆者感佩不已。惟筆者仍有期待者，即是此編《博碩士論文目錄》能與先生主編的多種經學書目整合成一個經學研究相關文獻的數位資料庫。

---

[1] 媒體與網路都有報導：二○○七年五月二十七日韓國的端午祭獲得聯合國教科文組織（UNESCO）公布為世界非物質文化遺產；此後陸續聽到，韓國人發明紙，孔子是他們的祖先，準備以祭孔大典、科舉制度等等申報為世界文化遺產，不論諸說是否為真，現在韓國已將「中醫」改名為「韓醫」，乃不爭之事實，益見朝鮮民族居心叵測。

　　林教授主編並出版的經學類書目，目前已有九種，依出版時間排列於下：

　　《經學研究論著目錄（1912-1987）》，臺北市漢學研究中心出版，收入《漢學研究中心叢刊》目錄類第九種，民國七十八年（1989）。

　　《經學研究論著目錄（1989-1992）》，臺北市漢學研究中心出版，收入《漢學研究中心叢刊》目錄類第9-2種，民國八十一年（1992）。

　　《朱子學研究書目》（1900-1991），臺北市文津出版社出版，民國八十一年（1992）。

　　《日本研究經學論著目錄》（1900-1992），中央研究院中國文哲研究所籌備處出版，收入《中央研究院中國文哲研究所圖書文獻專刊》第一種，民國八十二年（1993）。

　　《乾嘉學術研究論著目錄（1900-1993）》，中央研究院中國文哲研究所籌備處出版，收入《中央研究院中國文哲研究所圖書文獻專刊》第二種，民國八十四年（1995）。

　　《日本儒學研究書目》，臺北市臺灣學生書局出版，收入《中國目錄學叢刊》第二種，民國八十七年（1998）。

　　《經學研究論著目錄（1993-1997）》，與陳恆嵩教授共同主編，臺北市漢學研究中心出版，收入《漢學研究中心叢刊》目錄類第九之三種，民國九十一年（2002）。

　　《晚清經學研究文獻目錄（1901-2000）》，與蔣秋華教授共同主編，中央研究院中國文哲研究所出版，收入《中央研究院中國文哲研究所圖書文獻專刊》第九種，民國九十五年（2006）。

　　《中國經學相關研究博碩士論文目錄》（1978-2007），與蔣秋華教授共同主編，臺北市萬卷樓圖書公司出版，收入《經學類》第十八種，民國九十八年（2009）。

　　上列諸書，出版單位有漢學研究中心、文津出版社、臺灣學生書局、中央研究院中國文哲所及萬卷樓，各家版式不同，且分別收錄在不同性質的叢刊，或入「圖書文獻」、或入「經學」、或入「目錄」，對讀者檢索利用，想當然爾

是非常不方便的，因此整合成一個屬於經學研究書目的電子資料庫，相信對宏揚經學研究的貢獻不言可喻。

——原刊於《全國新書資訊月刊》第142期（2010年10月），頁42-44。

民國時期的經學文獻保存與利用
──評介林慶彰主編《民國時期經學叢書》

郭　明　芳[*]

一、前言

　　專科學術史敘論學術發展源流，理當由遠古至當代，然今所見多止於清末；縱有敘及清末以後者，亦屬概要式簡略通論。蓋一以「貴古賤今」觀念使然，一以當今資料無徵之故。姑且不論「貴古賤今」，以資料無徵項言，民國距今逾百年，然相關原始資料尤感不足。原始資料為學術研究之基，無資料則研究無以為繼。在此，筆者以戰後編印《臺灣文獻叢刊》中的一段話說明兩者之間關係。

　　當第一種《臺灣割據志》出版之初，主持人周先生在其〈卷頭語〉中說明「為什麼出《臺灣文獻叢刊》」時云：「我在拙著《清代臺灣經濟史》的〈自序〉裏已經說過：『研究歷史，一要有史料，二要有史觀；前者賴有公開資料的風氣，後者得憑個人獨特的修養。』我們十多年來的工作方針，嚴格說來，就在儘量發掘並提供有關臺灣經濟的研究資料。因為有了充分的資料，社會上自然會有高明之士運用其正確的史觀深入研究，有所造就。我們願意為多數的學人服務，而絕不關心到小我（私人或機關）的成績。說明白些，我們固亦從事個別研究，但願與大

* 東吳大學中國文學系博士生。

家在同樣的資料基礎上進行。我們堅信，個人的能力畢竟有限，資料的
公開是學術進步的前提條件。[1]

　　因此，如何整理「民國時期」文獻，實屬當務之急。而「民國時期」一詞
是首先要釐清的。所謂「民國時期」，蓋指一九一二年以孫文為首集團推翻清
政府後所建立的「中華民國」政府起，迄於一九四九年「中共」建立「中華人
民共和國」政府止的三十八年（1912-1949）間。[2]當然這還包括期間中國境內
的獨立、半獨立地區在內。[3]三十八年間的著述如何，實有進一步整理，方能
從中進一步瞭解這一時期學術發展情形。林慶彰（1948-）透過整理這時期經
學著述，以叢書形式影印，編為《民國時期經學叢書》（下或稱《叢書》）實有
裨益於學界。

　　本文以《民國時期經學叢書》為例，說明這時期經學研究資料整理與本
《叢書》編纂，期能為學界介紹這一豐富巨著，除增加學術研究材料外，並就
《叢書》編輯提出個人一些想法。

二、經學叢書的接力編纂與民國時期經學著述

（一）經學叢書的編纂

　　所謂「叢書」，顧名思義，就是合兩種以上單行之本，而為另一種新書名
之謂；其名或稱「叢書」、「叢刊」、「彙刊」、「彙編」、「類編」等。明清以降，
叢書體制逐漸形成，實有助於典籍的保存與流通（研究）。故叢書主要價值在

1　引見吳幅員：《臺灣文獻叢刊提要》（臺北：臺灣銀行經濟研究室，1977年），〈述例〉，頁1。

2　一九四九年後「中華民國」政府雖以「正統」政府南遷臺北，然於法理或實務，實已「非中華、
　　又非臺灣，更非民國」矣。

3　這時期內，獨立於「中華民國」之外者，如「滿州國」（1931-1945）、港澳（時分屬英、葡屬
　　地）；而又有屬於「中華民國」政府統治不及或管轄之外的割據半獨立地區，如孫文（1866-1925）
　　「國民政府」（1925-1928）、華北自治政府（1937-1940）、上海「孤島」時期（1937-1941）、汪精
　　衛（1883-1944）「國民政府」（1940-1945）以及共匪割據地區等。其中又有分分合合，如臺灣於
　　戰後復歸中國統治（1945-1949），都屬「民國時期」範圍。在此，筆者不採「國統區」說法，蓋
　　「國統區」實際就是「民國」政府，而非有別於「民國」。

於保存文獻與促進流通。[4]

　　談及最早綜合性經學叢書可以追溯到清代納蘭成德（1655-1685）編輯的《通志堂經解》[5]，其所收經學著述至明代，共約一四〇種。在這之後，阮元（1764-1879）的《皇清經解》（收一八八種）、張金吾（1787-1829）《詒經堂續經解》（收書八十八種）[6]、王先謙（1842-1917）《皇清經解續編》（收二〇九種），甚至今人杜澤遜所編的《清經解三編》（濟南：齊魯書社，2011年6月），則網羅重要清人經學著述。

　　長久以來，「民國學」並不受重視，原因主要是在原始文獻與學術視野不足。近幾年來，「民國學」已成為當今學術正夯課題之一。據載，最近中國出版市場中，以「民國」冠書名者，儼然成為主流。[7]「民國學」興起也可說明學界觸角開始從清代轉移，是一件可喜的事。

　　民國國祚三十八年，這期間的學術發展實有待進一步研究。以經學研究而言，這個階段正處於新舊交替，除延續清代以來考據、今文學傳統外，對於西方社會主義、共產主義以及其他新思潮、新方法引入，或是出土文獻的新材料發現，在經學研究上可說是百家爭鳴。臺灣「中央研究院中國文哲研究所」曾以民國經學作為研究課題，並召開研討會多次，並以「變動時代」冠之，亦可見這時期經學研究的特色。但可惜的是，這時期經學著述並未有彙集整理，以致研究材料嚴重不足，對全面看清本期學術發展頗有侷限，未能全面。

（二）研究民國時期經學著述的困難

　　民國經學研究成果如何？前人多未加統計，以幾部以民國時期編輯的書

4　詳見李春光：《古籍叢書述論》（瀋陽：遼瀋書社，1991年10月），頁17-25。

5　或有謂《十三經注疏》亦算是經學叢書一種，如前引之李春光《古籍叢書述論》，頁9。然根據《十三經注疏》體例來看，其雖有收各種不同經學著述，但多未全書盡收，僅以詮釋經文方式，吸收前賢著作，注於經文之下，故不能算是「叢書」。

6　《詒經堂續經解》當時並未刊印，僅留有稿本；稿本後為「涵芬樓」所得，在一九三一年「一二八事件」時，日軍對上海閘北的軍事行動中，毀於戰火。

7　引見余傳詩〈中國、民國、世界成為書名使用頻率前三〉，《中華讀書報》，2013年5月1日，第1版。網址：http://big5.gmw.cn/g2b/epaper.gmw.cn/zhdsb/html/2013-05/nw.D110000zhdsb_20130501_3-01.htm，2015年3月檢索。

目、叢書來看，如《民國時期總書目》、《民國叢書》，比例甚少，寥寥無幾。然這並不合此時期蓬勃學術發展軌跡，蓋漏收頗多。民國時期學術發展蓬勃，當然出版物亦多，然佚失速度亦加速過往。這可從幾方面說明。

1、基本工具書不足

「民國學」成為學術熱點也是近數十年間的事，相關工具書編纂不足。以經學來說，除可利用《經學研究論著目錄》進行查檢論著外，其他像人名辭典，如徐友春《民國人物辭典》、陳玉堂（1924-）《中國近現代人物名號辭典》正續編等工具書，明顯失收或生平簡略也不在少數。著述的話，僅靠《民國時期總書目》也非全面，蓋失收更多。縱使吾人能檢索到某人生平資料，但臺灣未能見到也枉然，尤其是當代中國各地方所編的「文史資料」中為甚。因此，基本檢索工具不足，加上資料流通不廣，正是吾人瞭解、研究這時期經學最大致命傷。

2、圖書流通不廣

民國期間戰亂頻仍，雖有號稱「黃金十年」（1927-1937）建設時期，但出版物或僅限一隅，無法全國流通，自然容易散佚。縱使流傳至今日，或流傳於私人，或某館尚未編目無法透過檢索為人利用；或已編目，借閱仍困難重重，或者根本禁止外人借閱，使用上較之古籍，限制更多。當然有些這時期的經學圖書後來亦有翻印，但並不多。讀者於使用上仍有諸多不便。

以臺灣本島為例，臺灣幾個大館多屬從中國南遷而來；轉進之際，諸館攜來圖書多屬宋、元善本，清代普通本線裝書多未運臺，遑論民國出版品。而以本地圖書館言，如日治時期的「臺灣總督府圖書館」（今「國立臺灣圖書館」），在日治時期搜集中國出版的經學圖書也不多。[8]

3、圖書紙質不佳

其次，造成民國時期圖書散佚的另一個原因就是「紙質不佳」。首先是書籍紙張方面，清末以降西方製紙技術傳入，大量機器製紙，過程中多加入酸性

---

[8] 筆者曾統計「國立臺灣圖書館」（國立中央圖書館臺灣分館）藏民國時期經學著述有七十一種，佔臺灣各館一百餘種的一半。而這七、八十餘種多屬戰後（1945-1949）所購得，日治時期所購並不多。蓋因為戰後曾有一段時間新的臺灣當局推行「再中國化」運動，銷毀日文圖書，並大量購入中國出版品所致。

物質,相對的使紙張酸性增加,不數年紙張黃化、脆化,較之傳統手工紙,壽命僅百年左右,更不易保存。姚伯岳(1963-)在《中國圖書版本學》中談〈民國以後圖書版本的類型與特點〉即稱:

> 圖書用紙質次,老化嚴重,不耐久存。民國以後的圖書用紙多為機器製紙,紙張中的植物纖維短,化學成分含量高,容易老化破碎,加之多用鐵絲裝訂,日久遇潮生鏽斷開,圖書成為散頁,導致許多幾十年前才問市的舊平裝本書,如今已破損不堪,面損損壞。[9]

另外,在戰爭中印刷的書籍粗糙,更不易保存。例如說筆者曾見過羅爾綱(1901-1997)《天地會文獻錄》(重慶:正中書局,1943年)一書,因為是戰爭末期印刷,所用紙張極為粗糙,字體幾乎一觸即粉碎。

以上情形都造成民國圖書不易保存至今。

(三)民國時期經學著述的整理與發掘

既然民國時期出版品流通不廣、且借閱限制多,加上書目之屬失收亦多。因此這時期經學著述總目如何總是個謎,且嚴重影響學術發展。因而研究這一階段經學必須建立經學著述總目,再加以搜訪。林慶彰師從各種書目或以書找書方式,統計這個時期經學著述將近有千三、四百餘種(仍持續尋找增加中),可謂多矣。

而這些圖書發掘,以致編纂成《叢書》,用「困難重重」來形容一點也不為過。從前人經驗,筆者以為收集民國時期經學著述可以透過以下幾方面搜集整理:

1、圖書館館藏書目

透過圖書館或館藏書目尋找圖書是第一步。除此之外,以書找書或翻閱當時報章雜誌廣告也是蒐集民國時期經學著述情形的方法。

---

9 引見姚伯岳:《中國圖書版本學》(北京:北京大學出版社,2004年12月),頁256。

當然有些圖書館如有建置民國時期圖書全文影像資料庫，亦可以加以利用，如「中國國家圖書館」、「上海圖書館」、「重慶圖書館」以及海外的「哈佛燕京圖書館」等館。

2、專門研究者協助

當然，有時候知道有某書，或某人有哪些著述，但並不清楚藏於何處。這時候請教某館或某方面學者專家，或許可以指點迷津，找到需要的資料。

3、透過舊書肆查訪

圖書或為私人所購，不數年流落書肆。因此，透過舊書肆（非網路舊書肆）也是一種發現民國時期圖書的方式。以筆者所知，臺北或可從「舊香居」、「百城堂」、「古文書店」等書店，或福和橋、重新橋等跳蚤市場覓得，尤其「古文書店」，民國時期或新中國時期出版品更多。

4、善用網際網路搜尋

最後，透過網際網路也是一項利器。網際網路無遠弗屆，民國圖書掃描檔也充斥其中，如果可以善加利用，對於民國時期圖書搜集也有幫助。[10]例如說透過網路可以載得滿州國關文英（？）編纂《初級中學校經學教科書參考書》（新京〔長春〕：益智書局，1937年10月）上下冊，對於研究滿州國學校教育與經學關係有所助益。

又如唐文治（1865-1954）《周易憂患九卦大義》（復旦館藏）、江逢僧（1900-1973）《孟子論文》（重慶：國立女子師範學院，1947年12月，油印本，武漢大學館藏）、李繼煌（1891-1960）《儒道兩家關係論》（上海：商務印書館，1926年1月）、唐大圓（1885-1941）《論語釋要》（武昌：東方文化集思社，1931年11月）、錢穆（1895-1990）《孟子研究》（上海：開明書店，1948年1月）、梁寬（？）、莊適（1885-1952）選註《左傳》（上海：商務印書館，1947年7月，6版）等書，也是可因此求得。

又如宇野哲人（1875-1974）著、陳彬龢（1897-1945）譯《孔子》（上海：商務印書館，1932年3月，國難後第一版）；五來欣造（1875-1944）著、胡樸安（1878-1947）、鄭嘯崖（？）譯《儒教政治哲學》（上海：商務印書

---

10 筆者所知，中國「愛如生論壇」、「國學數典論壇」都有相當多這類資源。

館，1934年8月）；服部宇之吉（1867-1939）著、鄭子雅（？）譯《儒教與現代思潮》（上海：商務印書館，1934年6月，國難後第二版）；瑞典高本漢（Bernhard Karlgren，1889-1978）著、陸侃如（1903-1978）譯《左傳真偽考》（上海：商務印書館，1936年）等書也可透過網際網路求得，又可作為民國時期漢譯外國經學著述研究之用。

三、《叢書》的編纂

（一）《叢書》主編者

本《叢書》主編者林慶彰（1948-），臺灣臺南人，為當代經學、文獻學研究者。林氏師事屈萬里（1907-1979）先生，以明清考據學研究，伸展至民國時期、新中國時期（1949-）與臺灣時期（1624-）經學研究。對於學術貢獻，「維基百科」有以下介紹：

> 他在文哲所經學組統籌多次重要的學術會議與活動，致力於推動研究人員與國外學者之交流，並策劃、點校出版多部經學家之著作集。目前，林先生之研究範圍，由「中國經學」延伸至「抗戰時期」、「文化大革命前十七年」等時期之經學研究。在臺灣的經學研究方面，目前正在梳理「清領」、「日治」時期的臺灣經學研究成果。對於推動臺灣的經學研究，可說是不遺餘力，其學術影響力也遍及兩岸。[11]

另外，吾人從所撰〈我蒐集李源澄著述之經過〉可略窺先生注重與整理民國時期經學過程與成就。

《叢書》又設副主編四人，分別是橋本秀美（1966-）[12]、詹杭倫

---

11 引見「維基百科‧林慶彰」條，網址：http://zh.wikipedia.org/wiki/林慶彰（瀏覽日期：2013年6月13日）。

12 橋本秀美，日人，漢名喬秀岩，中國「北京大學」「中文系」古典文獻專業博士，現任「北京大學」歷史系教授，研究專長在文獻學、經學。

（1954-）[13]、杜澤遜（1963-）[14]、黃仕忠（1960-）[15]，除此之外備顧問若干，以劉兆祐（1936-）[16]為總顧問。以上諸職皆榮譽職，期使能推動《叢書》順利出版。《叢書》委由臺中「文听閣圖書公司」出版發行。[17]《叢書》預計出版十輯，目前出至第四輯（第五、六兩輯預計二〇一三年出版）。至於典藏館，以筆者所知，在臺灣全四輯皆有入藏者，包括「中研院文哲所」、臺大、政大、東吳、文化、世新、元智、清華、中央、東海、靜宜、中正、成大、高師、東華諸館。而國家級圖書館如「臺灣國家圖書館」、「國立臺灣圖書館」（國立中央圖書館臺灣分館）僅入藏前二輯。

（二）《叢書》編纂情形

　　民國時期經學著述既然在取得上有許多不便，但為學術發展仍必須加以收集整理。因此，從二〇〇三年開始這項大工程，二〇〇五年正式著手研究民國時期經學。[18]而「自二〇〇七年一月起，中央研究院中國文哲研究所開始執行為期六年的『民國以來經學研究計畫』，其中二〇〇七年和二〇〇八年執行民國時期經學研究，深感資料收集不易，也更加強編輯民國時期經學資料的決心，為了能讓參與計畫的學者有較充實的文獻資料可利用，我們先搜集李源澄（1909-1958）、張壽林（1907-？）、龔向農（1876-1941）等人資料，準備編成著作集。另一方面，則繼續收集民國時期各經的著作。有了較明確的目標，幾

---

[13] 詹杭倫，祖籍四川，生於浙江杭州，現為「中國人民大學」「國學院」教授、博導，研究專長為文學史。

[14] 杜澤遜，山東滕州人，師從王紹曾（1910-2007）先生，現為「山東大學」「文史哲研究院」副院長、教授、博導，研究專長在文獻學。

[15] 黃仕忠，浙江諸暨人，現任廣州「中山大學」「中國古文獻學研究所」教授兼所長，研究專長在戲曲文獻學。

[16] 劉兆祐，臺灣苗栗人，臺灣師大「國文研究所」博士、「國家文學博士」。曾任中學教師、「國家圖書館」「特藏組」主任（代理）與「東吳大學」、「文化大學」、「北市教大」等校教授，研究專長在文獻學、目錄學。

[17] 「文听閣圖書公司」為學者林登昱（1958-）創辦，林為「中正大學」中文研究所博士，研究專長在經學（尚書）。後棄學從商，創辦「文听閣圖書公司」，任執行長，策劃出版方向以經學文獻、臺灣研究兩種為主的文獻叢編。

[18] 引見陳菁霞：〈大陸經學研究時有不該有的硬傷──訪林慶彰〉，《中華讀書報》2012年9月19日7版一文。

乎隨時都在收集民國經學圖書。編輯工作自二○○六年九月開始，其先根據林慶彰主編《經學研究論著目錄（1912-1987）》，找出一九一二至一九四九年間出版的經學專著，做成《民國時期經學圖書總目》，計有六百種之多。接著，查各書的典藏地點，做成記錄，以便利用。」[19]截至目前共得相關著述千三、四百種，本書預計出版十輯。

當然這些工作仍持續進行中，民國時期經學著述整理，從最早整理出的六百餘種，到千二百餘種，到目前千四百餘種。到底有多少著述，以及這些著述深藏某館都還是本《叢書》主編持續關注與發掘。因此，《叢書》相關的查找與編纂工作仍然進行中，例如說藏於美國「哈佛大學哈佛燕京圖書館」兩種，其一為欒調甫（1889-1972）《經學通論》（一九三三年初稿油印本）今已能透過網路載得全文，另一部陳晉《爾雅學》一書尚不能得原書。

四、內容體例

本《叢書》所收以民國時期（1912-1949）經學所有著述，其體例詳見《叢書》書首。以下筆者整理並加以說明如次：

（一）何謂「經學」？在此指以儒家十三種經書為標的的研究專著，包括《易》、《書》、《詩》、三《禮》、三《傳》、《四書》、《孝經》、《爾雅》、石經、讖緯等相關著述，並且包括這方面歷史研究著述。而這方面著述，前已述及，約有千三、四百餘種，今收入《叢書》前四輯情形，大略如下表：

	第一輯	第二輯	第三輯	第四輯	小計
經學概論	16	17	13	9	55
易	14	47	11	8	80
書	6	9	9	5	29
詩	11	17	10	6	44

---

[19] 引見林慶彰：〈民國時期經學叢書序〉，《民國時期經學叢書》（臺中：文听閣圖書公司，2009年），第4輯，頁5-6。

		第一輯	第二輯	第三輯	第四輯	小計	
三 禮	總論	0	0	2	0	2	26
	周禮	1	3	3	0	7	
	儀禮	0	1	3	3	7	
	禮記	5	0	0	5	10	
三 傳	總論	1	3	3	2	9	33
	左傳	6	6	1	2	15	
	公羊	0	2	0	3	5	
	穀梁	0	3	0	1	4	
四 書	總論	1	2	5	1	9	96
	論語	16	3	6	7	32	
	孟子	7	8	3	3	21	
	大學	9	9	5	0	23	
	中庸	6		4	1	11	
孝經		5	4	1	4	14	
爾雅		0	0	4	3	7	
石經		1	4	11	10	26	
緯書		0	0	1	0	1	
小計		105	138	95	73	411	

表一　《民國時期經學叢書》收書一覽

　　從上表或許也可以得到一點對民國經學初步印象，那就是通論著作、《易》學、《四書》幾類特別多。前者可以說明在廢科舉後，對傳統經學的認識多從出版的通論圖書取得。

　　（二）這些著述收入《叢書》標準主要以專書為主，不收單篇論文。《叢書》計將收入一千種民國時期經學著述。[20]而既以「民國」為斷限，對於橫跨兩朝情形者，主要是以著述在民國時期出版或整理出版為限。對於工具書之屬者不在收入之列。

---

[20] 民國間經學著述目前統計將近一千四百種，計將收入一千種。另三百種蓋已佚，無法復得之故。引見陳菁霞〈大陸經學研究時有不該有的硬傷──訪林慶彰〉一文。

　　除此之外，對於此時期境外人士著述，如屬較為新穎觀點者或珍稀者，亦附帶收入，如昭和五（1930）年三月臺北「如水社時事研究部」出版之林履信（1899-1954）《洪範の體系的社會經綸思想》（輯一，冊30）。按，當時（1895-1945）臺灣屬日本。

　　（三）本《叢書》每輯中各書先後次序蓋以林慶彰主編之《經學研究論著目錄》分類為據。又每輯所收以六十冊為主，平均約一百種上下，每冊頁數亦在約五百頁上下。而每冊所收依原書大小厚薄而作調整。[21]每輯中所收書籍則常見之書與珍稀之本交叉排列，蓋有出版銷售之考量。

　　（四）本《叢書》主要依原版影印，如此不會因為縮印導致閱讀困難，如《叢書》所收于省吾（1896-1984）《雙劍誃詩經新證》即較「上海書店」影印之同書縮印為四分之一較為清晰可讀。雖是如此，民國圖書印製技術或不佳，尤其戰爭時，紙張油墨經歷數十年發生漫漶或透字情形，如何做處理？

　　這裡先說明一下，歷來對於叢書要直接影印或重新排版做一說明。《叢書》所收書籍到底應採何種方式，歷來各有所好。民國以來大型叢書出版最主要特點在於保存文獻，使文獻得以化身千萬以流通。然文獻的複製出版一般說來有兩種方式：一是影印，二是重新排版。民國期間商務印書館《四部叢刊》與中華書局《四部備要》正是這兩種方式的代表。這兩種方式各有利弊，戰後整理臺灣史料，編有《臺灣文獻叢刊》，當時就有針對應該影印或重新排印進行論辨。結果是採用重新排印方式，周憲文（1907-1989）說：

　　　　有人主張：用照相影印，既省費，又省時，而且可以全無錯誤。但我不是這樣想法。我想：除了書畫之類供人欣賞的作品以外，凡是給人研究、參考或閱讀的書籍，應以「便利」為第一條件。而此所謂「便利」，又當是客觀的。例如：像吾輩五十以上的人，看舊文字，也許用

---

[21] 圖書份量較薄者，收入《叢書》，多合數種為一冊。而在編入時也再三斟酌每冊頁數是否在五百頁上下。這樣的工作對於編者來說，可是費不少心力。詳見何淑蘋：〈斯文延不墜，茂典振學風——專訪林慶彰教授談民國時期經學叢書〉，《經學研究論壇》第1輯（臺北：蘭臺書局，2012年11月），頁375-376。

不到新式標點的幫助（可能也有反認新式標點為累贅的）；但是這種主觀的認識，不能否認新式標點的「便利作用」。我們出書，要以年輕的一代為標準—現在的年輕人以及未來的年輕人。我們要為他們著想，並為他們謀便利。……由於這一理由，我們寧願標點排印。[22]

原書影印者較為便宜，又可以保持原書形貌，也不易因繕打校對不精而有手民之誤，其缺點則為遇有漫漶，讀者閱讀吃力等。重新繕打優缺點正好相反。而本《叢書》深知利弊，採折衷方式處理，亦即以影印為主，排印為輔，正是避免缺點，顯現優點。以影印言，既可保存原書樣貌，也是保存文獻。

第二，原書影印方面，《叢書》儘量以原書清晰者影印。關於這一點較之「北圖社」（今「國圖社」）所影印叢書多以微捲翻印，漫漶處頗多相比，實在很可取，例如說「北圖社」與《叢書》所影印《先秦經籍考》即是明顯一例。

（五）影印原書力求保持原貌，包括版權頁。這是很可取的，這表示資料確有來源，非偽造以牟利。

（六）影印原書原本如有印刷漫漶或透字，妨礙閱讀情形，則重新繕打。如有缺頁、「亂丁」者，則以他本補足。

（七）本《叢書》出版後將發行《民國時期經學叢書總目暨索引》，並仿《四庫總目》例，編印《民國時期經學叢書提要》提供查詢與參考。

五、民國時期經學文獻價值

以下筆者綜合各方面，試談《叢書》價值。

（一）提供研究材料

《叢書》企圖網羅民國時期全部經學著述，這可以提供吾人在民國經學上相關研究素材。這裡所說提供研究材料，有二，其一為經學文獻，如某書在民

---

22 引見周憲文編：《臺灣文獻叢刊序跋彙錄》（臺北：臺灣中華書局，1971年11月），頁3。

國經學史上價值之屬。如輯四，冊33-34收吳佩孚（1874-1939）《春秋正議證釋》[23]，以及同作者編纂之《春秋左傳淺解》（1935年北平最新印書社）及《明經說》一卷（民國間明經學會鉛印本）二書，或者是蔣介石（1887-1975）《大學中庸新義》（與丘良任〔1912-2000〕同纂，一九四六年中華書局，國立臺灣圖書館藏）是研究政治人物的經學的素材。

又某些專題可以作綜合考察，以研究民國間出版文化者言，如《叢書》輯一冊七收入日人本田成之（1882-1945）著、孫俍工（1894-1962）譯《中國經學史》（據一九三五年上海中華書局本）；另有如同作者著、江俠菴（？）譯《經學史論》（一九三五年上海商務印書館發行，「國立臺灣圖書館」藏）；此外還有如瑞典漢學家高本漢著《左傳真偽考》，譯本除日本小野忍（1906-1980）所譯（一九三九年東京文求堂印本）外，國人陸侃如（1903-1978）譯本《左傳真偽考及其他》（一九三六年四月上海商務印書館鉛印本）即可研究外國人經學著述譯本研究。

其他如經學推展研究，或前所述滿州國部分，或戰後初期「臺灣省行政長官公署」[24]與其下屬之「臺灣省編譯館」為去除日人餘毒編印許多圖書[25]，包括傳統經典在內。例如說「長官公署」編有《四書新編》（一九四六年「紙業」出版，「國立臺灣圖書館藏」）；又《四書淺說》（原名《經典淺說》，一九四六年收入「光復文庫」第六種，一九四七年五月臺灣書店出版，「國立臺灣圖書館」藏），頗為珍稀，可作為戰後臺灣經學與教育研究之用。

其二，除經學材料外，也提供其他學科的材料，例如說文獻學。古籍版本學中談圖書書價頗少，而《叢書》所收吳佩孚《春秋正議證釋》一書，後有倪寶麟（？）〈刊書誌賀〉、〈印書再誌〉二跋，即是有關民國間華北地區印書以及書價寶貴資料。茲迻錄於下：

〈刊書誌賀〉。《春秋正議證釋》一書為吳江二主教抉微闡幽之作，時評

23　此書為「明經學社」一九三九年刻本，然又有一九四〇年「春秋學會」鉛印。

24　戰後，1945-1949年，臺灣復歸中國管轄，因此這階段亦可視作「民國時期」。

25　詳見許壽裳〈『光復文庫』編印的旨趣〉，《四書淺說》（黃承燊著，臺北：臺灣書店，1947年5月）。

論之綦詳，毋庸贅述。茲略述刊書之經過，並將工料等費，一一具載。雖是嫌細微，聊以備將來續刊時有所依據焉耳。查全書四卷，凡五百九十頁，都三十二萬二千一百五十二言。刻價每百字五角五分，書中之「○」、「、」每兩箇折算為一字，共如上數，合洋一千七百七十一元。寶麟承乏校刊，自愧不敏。然以玉帥夫子之命，又不容辭，遂覓由文華齋刻書處承辦。因手續繁瑣，致出版稽遲，費時達十有三月之久。蓋謄版時由寶麟擔任初校，由津市公署教育處處長李革癡（李泰棻，1896-1972）擔任覆校，往返寄遞，不免耽誤，又以刻字工人因營業不振，多數歸鄉，頗感困難。故自客歲戊寅四月初間付梓，直至十二月杪，始行刻竣。迨經紅樣本印來，檢閱其中，仍有誤刊之處，當即詳為校修，復送由會員曹靜波君覆加校正，陸續修版。迄至今歲己卯暮春，版始完全修竣。覆閱後，交該處趕即先印五百部，僅一閱月全數印齊，計工料總共合洋二千六有六十元。現裝訂成書，公諸於世。志《春秋》者，手置一編，以資參考，或可作他山之一石焉。倪寶麟謹識。[26]

〈印書再誌〉。昔左思賦三都，洛陽紙貴。今是書一出，即為世所重，而燕京紙貴矣。此次續印千部，距前印時僅三閱月，而紙價飛漲，較前貴加一倍，且紙料缺乏，購買不易。尋覓數家，始湊得七十八簍以符應用。按，每一簍紙計十五刀，每刀九十五張，每張裁六張，計每一部用紙六百十三頁，一千部計共六十一萬三千頁。至印刷裝訂及書套等項，較前價高三成，前後比較，相差遠甚。為便於異日刊印考核計，不憚煩瑣而記之，亦可謂一段刊印小史。況現印千部，已全數售罄，……。[27]

（二）保存文獻

這裡所說保存文獻也是叢書最主要的價值，亦即保存民國時期經學研究成

---

26 引見吳佩孚：《春秋正義證釋》（臺中：文听閣圖書公司，2009年9月），《民國時期經學叢書》第4輯冊34影印民國二十八年刊本，頁1197-1198。

27 同上注，頁1199-1200。

果。前述民國時期圖書資料散佚嚴重,透過本《叢書》影印,得以化身千千萬。這些文獻中包括:

1、珍稀文獻

　　《叢書》所收頗多珍稀或不易為人注意文獻,如《叢書》中所收民初北洋政府政界或「軍閥」著述,前者如陸宗輿(1876-1941)《大學證譯》,後者如馮玉祥(1882-1948)《馮玉祥讀春秋左傳札記》、吳佩孚《春秋正義證釋》等。

2、未收文獻

　　前人編選全集、文集未見收入,或新發現之經學文獻,《叢書》收入亦有,如王逸明編《葉德輝集》未收之《天文本論語校勘記》。

(三)方便尋檢

　　當然將民國時期經學著述收為一編,更方便吾人查檢,而免除到處尋書之累。

(四)充實圖書館館藏

　　臺灣各館所存民國經學圖書不多,透過購置本《叢書》不僅增加館藏,而且對於已有的原書,也可避免過度使用而毀損。

六、《叢書》所見問題舉隅

　　以下筆者就所見《叢書》問題點提出私見,或有益於編者與讀者。

(一)不妨酌收其他版本

　　本書所收將以民國時期經學所有著述為標的。而這時期著述約千三百餘種,有些著述除初版外,尚有二版、三版或修訂本,要如何選擇?初版本除版本上價值外,筆者曾就此問題請教主編林慶彰師,林師說收入初版本可以反映原作者寫作思路,例如說郭沫若(1892-1978)《卷耳集》或胡適(1891-1962)《談談詩經》之類,其初版本與修訂本就修訂很多論點。

　　我們姑且不論修訂本在「前修未密後出轉精」情形如何，有些非修訂版，如能收入或許也可以提供研究的一些材料。在此筆者舉吳佩孚（1874-1939）《春秋正議證釋》為例說明。《叢書》所收雖屬一九三九年「明經學社」初印，但一九四〇年「春秋學會」亦有排印本。此排印本前附劉家驤（？）所撰吳氏傳可供參酌外，另外此本為「春秋學會」所刊印。該會為吳氏所創，亦足反映當時吳氏與讀經、經學提倡關係。[28]在此將王錦渠（？）所撰跋文〈重刊春秋正議證釋跋〉迻錄如下：

　　《春秋正議證釋》者，已故孚威上將軍吳公子玉所著，錦渠贊注以行諸世者也。其宗旨一猶是宣尼安內攘外、崇正黜邪之志也。故世運有遞嬗，形勢有推移，人情有變幻，居今之世有未盡同於古昔者。吳公之意，欲正其名，擴其義，摘抉古人智術之純駁，與今人譎詐之必不可恃者，昭示於斯世，使引以為炯戒，則變亂之事將日少，和平之基將日固矣。世運遞進，疆域日廣；今日之東亞實即昔日之東夏也，今日之唇齒國家實即昔日之周魯晉鄭也。必也先有以奠東亞唇齒之安，然後可以漸期於大同，是又春秋之義所不容不明於今，所謂推擴義旨，以期其效於古也，是其所以為文者也。孚威既歸道山，錦渠收其所手著，與孚威傳人劉家驤重梓而行之，意亦欲崇篤公之素志，以其奠安東亞者，蘄安乎世界而已。<u>公在日已立「春秋學會」，劉君與余皆隸焉。書既鋟，即以「學會」為其發鎦〔行〕之始。</u>嗚呼！公欲實施和平於東亞，未及而身歿，獨其所施行和平者，則具見於是書。<u>有志者，要當精研而默識之，則公身雖死，公之學術經濟終有推行光大之一日。</u>是劉君與學會同人重刊是書之徵意也已。中華民國二十九年六月悟真王錦渠謹跋。[29]

28　關於研究吳佩孚《春秋正議證釋》僅有馮曉庭〈北平「明經學會」講著《春秋正議證釋》初探〉，收入《變動時代的經學和經學家第四次學術研討會宣讀論文集》（臺北：中研院中國文哲研究所，2008年11月）一篇，然亦無談及吳氏與提倡經學集社情形。

29　引見吳佩孚：《春秋正議證釋》（北平：春秋學會，1940年7月排印本），頁1（最後一頁書碼）。

（二）不應割裂全書

編印叢書理當以原書全書影印，如割裂全書，則對於某書不齊殘缺，也是一種「新偽書」產生。而在本《叢書》中也有幾處割裂全書出版情形，例如說《叢書》輯三，冊50收入楊樹達（1885-1956）《論語疏證》一書，除將廖海廷（？）撰〈論語疏證校讀後記〉刪削外（影印本目次仍未刪削），版本項著錄作「民國間排印本」。然筆者對勘「上海古籍社」出版之《楊樹達文集》，其所收版型、字體實皆與此本同，應該為同一書。是本其〈後記〉云：

> 《論語疏證》二十卷，都三十八萬言，先師楊遇夫撰，<u>1955年科學出版</u>
> <u>社出版</u>，《文集》之編廷任是書復校之責……<u>1982年12月10日</u>。[30]

從上可知，《論語疏證》最早為一九五五年刊印[31]，而此書則為一九八二年所印行。《叢書》將跋文割裂冒充原本，本不應該；又將屬於中共建政（1949）後所印之本收入《叢書》頗為不倫。

又輯三冊六十收入屈萬里（1907-1979）校錄《漢魏石經殘字校錄》一書，著錄作「<u>《漢魏石經殘字》二卷、《校錄》一卷。屈萬里校錄。據民國二十三年十二月山東圖書館拓印本影印</u>」[32]。然對照《屈萬里全集》冊15所收《漢魏石經殘字》發現，《叢書》僅存《校錄》一卷，而不見《殘字》二卷。蓋誤以《殘字》二卷為圖版而刪削。

（三）版本取材不當

另外，《叢書》在取材上尚有需提出來的，除上述楊樹達《論語疏證》外，又如《叢書》輯四，冊56收《爾雅音訓》，著錄「黃侃（字季剛，1886-

---

[30] 引見楊樹達：《論語疏證》（上海：上海古籍出版社，2006年12月，《楊樹達文集》），頁519。

[31] 林慶彰師經學文獻學講義於頁141著錄是書有1934年石印本。然《叢書》所影印之《論語疏證》非1934年版，明矣。

[32] 引見屈萬里：《漢魏石經殘字校錄》（臺中：文听閣圖書公司，2009年9月，《民國時期經學叢書》影印民國三十三年排印本），輯3冊60，頁1197-1198。

1935）著、黃焯（1902-1984）記，據民國間手抄本影印」。然根據是書前黃焯〈序〉稱：

> …今去其（筆者按，指黃季剛）歿也三十有八年，而焯則衰老多病，瞀亂昏惑，雖錄先生之□，實多漏略之失，故不敢輒以先生名冠諸卷首，而止記其所錄之意如此。一九七三年十二月蘄春黃焯時年七十有二。[33]

又其筆跡對照黃焯所錄《文字聲韻訓詁筆記》（臺北：木鐸出版社，1983年），應是黃焯所錄，故應作「黃焯述，據一九七三年黃焯筆錄本影印」，一如《尚書弘道編》（輯三冊60，作「廖平（1852-1932）撰、黃鎔（？）筆述」）之例。故是書雖是黃侃之言，然纂修成書時間尚在一九七〇年代，選入《叢書》亦值得斟酌。[34]

這樣的情形，筆者以為是在求不得初印本而以後印本偽代之。這樣實在很要不得，縱使不得初印本，然民國圖書稀少難見，能得後印本亦難能可貴，不必如此為求初版而作偽。[35]

（四）著錄不足

《叢書》雖有附各書版權頁，且在《提要》未正式出版前，於著錄項應當更詳盡，一如《續修四庫》例，方能便於查檢與明其相關訊息。筆者以為基本上應另書著錄某書作者、版本、版式行寬以及典藏地等資料。如此，不但以示負責，也可以昭示讀者本書可靠性。

而著錄方面如有附錄他書亦當一併為之，例如輯二，冊14所收李郁（？）《周易正言》，後又著錄「附：《繫辭傳》、《讀易須知》」即是。而輯四收崔適

---

[33] 引見黃侃：《爾雅音訓》（臺中：文听閣圖書公司，2009年9月，《民國時期經學叢書》輯4冊56，影印鈔本），頁2-3。

[34] 是書亦有一九八三年五月上海古籍重抄膠印本（即臺北藝文印書館1988年《爾雅五種》影本），與二〇〇七年中華書局《黃侃文集》排印本。

[35] 同樣情形，《叢書》輯二所收陳延傑（？）《經學概論》一書後無附版權頁，另紙稱為一九三〇年一月初印本；又無著錄所藏圖書館，頗起疑竇。該書初版後，歷「一二八事件」，閘北「商務印書館」被炸，書版皆毀。目前所見有所謂「國難後」（1933）版為較早，與此書核對，應即此版。

（1852-1924）《五經釋要》（冊1）一書，其末附吳承仕（1884-1939）《古籍校讀法》，就沒有如此標明，頗為遺憾。

（五）頁碼編碼問題

從讀者翻檢便利性角度看，每冊頁碼編碼亦是需注意。以《續修四庫全書》為例，該書每冊的編碼一律從一而終，不因單冊有不同書而作重新編碼。這反映在目次頁上，讀者可以很方便檢索到所需要的圖書。

而《叢書》各單冊收有兩種以上的圖書，他在編碼上卻反其道而行。如此很不方便讀者從目次頁中翻檢所需圖書，而此「目次」功能也僅可得知某冊到底收哪些書而已。或許編者考量每冊書頁碼的獨立性，但既然是依樣影印，原頁碼依然保存，因此不存在這樣問題。筆者以為或許可以於各冊中有不同圖書，其頁碼宜從一而終；或如持原意，則可在每一部書前加入色紙以為區分，如此會更便利於對讀者翻檢。而這對讀者而言也是項方便。另外，附帶說明，在編者主編的另一部書，《晚清四部叢刊》，亦見這樣情形。

（六）相關工具書的編纂

編者在說明中指出，將在全書出版完竣，出版此時期《經學著述總目》、與所收各書《提要》。這將更有助於研究此時期經學發展。然筆者認為除專書外，論文亦應注意。雖說單篇論文可以查檢北京「國圖社」出版的民國時期專科論文輯，如，《民國期刊資料分類彙編‧三禮研究》之屬，但其所收或許未全面[36]；又何淑蘋在〈斯文延不墜，茂典振學風──專訪林慶彰教授談民國時期經學叢書〉一文稱將出版《民國時期經學論文總目》搜集這時期論文，以便檢索（頁379）。

或許又有文集中經學論著未能收入。[37]就文集中而言，如王樹柟《陶廬文

---

[36] 據何淑蘋〈斯文延不墜，茂典振學風──專訪林慶彰教授談民國時期經學叢書〉一文稱，也將編纂《民國時期經學論文集成》（頁378-379），但筆者請教過林慶彰老師，表示這書短期內應該不會出版。

[37] 「文听閣圖書公司」雖另出版有《民國文集叢刊》，並稱可與《民國時期經學叢書》相輔相成。然是書僅影印個人文集全部內容，缺乏可整體檢索的細目，於檢索經學篇目上仍不便。

集》中有不少；又如李榕階（1856-？，字汾甫，新會人），湛深經術，尤精《春秋》三傳，光緒末廣東主講經學。學而從政，曾主管廣東「國民政府」財政，「以《周官》理財之法，整理全省財政，規劃精密。」[38]可謂經世致用。其所著《致知草堂文薰》亦有如〈春秋三傳源流考〉、〈陳白沙湛甘泉學說異同論〉等關於經學文章數篇。而此類既非論文、亦非專書，也不一定有人會注意並加點校出版，或收入本《叢書》，但這仍屬此時期經學研究。筆者以為，除單篇論文外，收於傳統文集中者亦不容放過，亦應仿王重民（1903-1975）《清代文集篇目索引》之例，編輯《民國時期文集經學著述篇目索引》，以補民國經學研究文獻缺口。

（七）其他

　　《叢書》是特色之一，即所收各書大小不一，會針對版面較小者予以放大。這是很好的。如果縮印成二合一，或許在閱讀上會顯吃力。但如果頁面過大者，似乎《叢書》會予以縮小，如縮印太小對於閱讀某書讀者來說，眼力又是一傷。例如說，《叢書》所收張國淦（1876-1959）《漢石經碑圖》（輯三，冊60）字體頗小，疑經縮印，閱讀頗有困難。不管有無縮印，抑或原版字體，在輯入《叢書》時仍應考量字體閱讀難易與否。

　　又翻頁問題，《叢書》收陸志韋（1894-1970）《詩經譜》（輯二，冊36）據「民國三十七年九月北平哈佛燕京學社排印本影印」。此書原為橫排左翻，今收入《叢書》改為與《叢書》同為右翻（《叢書》所收書多直排右翻），頗不便閱讀習慣。

　　又有關某些頁面漫漶問題。〈叢書編輯‧體例〉條八稱《叢書》皆原版影印，有印刷不清情形，盡量依原式重新打字，以方便閱讀。然筆者翻閱發現某書僅一頁、二頁有這樣情形，卻未作處理，如輯四，冊47徐英《論語會箋》頁240。或許針對某書某幾頁面不清，或可以採《四部叢刊》所行之描潤之法加以描深，以方便閱讀。

38　引見馮愿〈致知草堂薰序〉，《致知草堂文薰》（李榕階著，廣州：〔廣東〕編譯書館，筆者藏民國
　　19年序刊本），無頁碼。

七、結語

古代藏書家亦刻書，以叢書形式使古書得以流傳。降及民國，兩部大型叢書，《四部叢刊》與《四部備要》，就是蒐羅各種古籍影印（排印）以廣流傳。這都是將古書化為千千萬，有利於學術發展事證。今日藏於圖書館各種古籍或民國圖書，亦當儘量搜集影印，以利研究。然圖書珍稀固然要好好保藏，但也不能因為要好好保藏而變成「文物」，密不示人，因而戕害學術發展。筆者在此舉師友沈津（1945-）為例說明。沈氏一直有「學術乃天下之公器」觀念，蓋因上海圖書館故館長顧廷龍（1904-1998）曾囑咐說，「要求我注意注意藏、用關係，<u>善本書也是書，不僅要保存好，而且要利用他，凡是研究者，我們都應該提供方便。</u>」[39]（沈津〈書城挹翠錄序〉）而沈津在一篇報導也說：

> （影印圖書）化身千百，讓孤本不孤。作為圖書館人，萬不可有奇貨可居的心理，而要有為他人作嫁衣裳的肚量。總之，我覺著古籍善本無論是公藏還是私藏，只要能夠影印出來為大家所用，就是「盤活」了。如果進了圖書館就封於書庫不見天日，無人知道，那確實是「作古」了。只有公開，才能真正發揮古籍善本的功用。[40]

這些話用在民國圖書亦然。而以影印方式編輯叢書正好可以兩全其美的好辦法。吾人以高階掃描攝影技術，仿真製作精細複製品，他的品相較之前賢更佳；真本則可減少調閱，好好保藏，兩相皆得利。而作為研究者言，也不必舟車往返、勞累受氣，其功更大。因此，本《叢書》出版，功於學術莫大焉。

---

[39] 引見沈津：〈書城挹翠錄序〉，《書城挹翠錄》（上海：上海社會科學出版社，1996年3月），頁8。

[40] 引見江粵軍採訪：〈藏古書於民間很荒唐？〉，《廣州日報》2013年4月14日B2版，網址http://gzdaily.dayoo.com/html/2013-04/14/content_2212637.htm，2015年3月檢索。

參考文獻

專書

1. 林慶彰主編《民國時期經學叢書》，臺中市：文听閣圖書公司，2008-2009年，第一至第四輯。

2. 文听閣圖書公司《民國經學叢書》，臺中市：文听閣圖書公司，不知出版時間（簡介小冊，收〈出版說明〉、〈林慶彰談民國時期經學叢書〉與書影若干幀）。

單篇論文

1. 林慶彰〈研究民國時期經學的檢索困難及應對之道〉，《河南社會科學》第15卷第1期，頁21-24，2007年1月。

2. 林慶彰〈我如何搜集李源澄著述〉，《經學研究論叢》第15輯，頁299-314，臺北市：臺灣學生書局，2008年3月。

3. 陳惠美〈紬奇冊府，總前代之遺編——民國時期經學叢書簡介〉，《國文天地》第24卷第4期（總280期），頁98-101，2008年9月。

4. 林慶彰〈經學百年的發展〉，王汎森等著《中華民國發展史・學術發展》，上冊，頁49-80，臺北市：國立政治大學、聯經出版事業公司，2011年10月。

5. 陳菁霞〈大陸經學研究時有不該有的硬傷——訪林慶彰〉，《中華讀書報》7版「人物」，2012年9月19日。

6. 何淑蘋〈斯文延不墜，茂典振學風——專訪林慶彰教授談民國時期經學叢書〉，《經學研究論壇》第1輯，頁369-385，臺北市：蘭臺書局，2012年11月。

「國立臺灣圖書館」（「國立中央圖書館臺灣分館」）藏民國時期經學著述目錄

分類	書名	作者	冊數	出版項	其他
總論	重編明儒學案	李心莊		（上海？）：正中書局，1947	
總論	經學歷史	皮錫瑞；周予同		上海：商務印書館，1929	364面；學生國學叢書
總論	經學歷史	皮錫瑞	1	上海：商務印書館，1933	據上海涵芬樓民國十二年刊本影印
總論	經學通論	皮錫瑞	5	上海：商務印書館，1933	師伏堂叢書；據上海涵芬樓民國十二年刊本影印
總論	中國經學史	本田成之；孫俍工		上海：中華書局，1935	358面
總論	經學史論	本田成之；江俠菴		上海：商務印書館，1935	371面
總論	經與經學	蔣伯潛		上海：世界書局，1946	255面
總論	孔教新編	鄭孝胥		上海：商務印書館，1919	14葉
總論	孔教新編釋義	鄭孝胥野村瑞峰		東京市：伸川母子園出版部，1934（昭和九年）	〔102〕面
易	周易古經今註	高　亨		臺北（？）：開明書店，1948	230面
易	周易闡微	徐世大		〔不詳〕：開明書店，1948	111面
易	周易古經今注	高　亨		〔不詳〕：開明書店，1947	230面
易	周易大綱	吳　康		上海：商務印書館，1947	三版、96面、新中學文庫
易	周易古史觀	胡樸安	2	上海：著者，1942序	上下卷。附錄易經學緒論
易	周易姚氏學	姚配中	3	上海：商務印書館，1939	萬有文庫
易	易經與詩經	顧頡剛		〔不詳〕：不詳，1931序	705面、中國古史研究論叢 古史辨第三冊

分類	書名	作者	冊數	出版項	其他
書	尚書與古代政治	成滌軒		〔不詳〕：正中書局，1946	100面
書	尚書論略	陳 柱		上海：商務印書館，1934	二版、49面、國學小叢書
書	書經	葉玉麟		上海：商務印書館，1934	138面、學生國學叢書
詩	詩經學ABC	金公亮		上海：世界書局，1929	152面
詩	詩經學纂要	徐澄宇		上海：中華書局，1936	204面
詩	詩經之女性的研究	謝晉青		上海：商務印書館，1934	95面；國學小叢書
禮	學禮錄	戴季陶		撰者印行，1944	40頁
禮	宋拓漢禮器碑并陰	寄廬居士		上海：有正，1941	珂羅版；41面
禮	最新家禮集成			〔不詳〕：新民，1937	三版；310面
禮	周禮	黃公渚		上海：商務印書館，1936	102面；學生國學叢書
禮	周禮古學考	李滋然	3		1934重印本
禮	校正孔氏大戴禮記補註	王樹枏	2	上海：商務印書館，1937	叢書集成初編
禮	禮記菁華錄	吳曾祺	4		1935年商務排印本
禮	讀禮記	趙良□	2	上海：商務印書館，1937	叢書集成初編
三傳	春秋史	童書業		〔不詳〕：開明，1947	再版276面
三傳	春秋日食集證	馮 澂		上海：商務印書館，1939	246面 萬有文庫
三傳	春秋地名辨異	程廷祚		上海：商務印書館，1939	33面 叢書集成初編
三傳	春秋時代之世族	孫 曜		〔不詳〕：中華書局，1936	再版192面
三傳	春秋穀梁傳注	柯劭忞	4		民國十六年刊本
三傳	廣註語譯左傳精華	秦同培		〔不詳〕：國學整理社，1947	再版310面
三傳	左傳通論	方孝岳		上海：商務印書館，1935	三版83面國學小叢書
三傳	左傳擷華	林 紓	2		民二十四年商務排印本
三傳	評點左傳句解	韓菼慕	1	〔不詳〕：永新，1929	

分類	書名	作者	冊數	出版項	其他
三傳	公羊傳穀梁傳精華	中華書局		〔不詳〕：中華書局，1941	四版56面
三傳	公羊義疏	陳　立	4	上海：商務印書館，1936	國學基本叢書
三傳	春秋公羊傳	計碩民		〔上海〕：商務印書館，1933	236面學生國學叢書
四書	四書集註	王文英	2	上海：廣益，1949	館藏:下冊
四書	四書淺說	黃承燊		〔不詳〕：臺灣書店，1947	64面
四書	四書新編	臺省長官公署		〔不詳〕：紙業，1946	427面
四書	大學中庸新義	蔣總裁 丘良任		〔不詳〕：中華書局，1946	90面
四書	論語新考	劉光宇		〔不詳〕：世界書局，1948	50面
四書	論語話解	陳　濬		〔上海〕：商務印書館，1947	四版231面
四書	四書解題及其讀法	錢基博		〔上海〕：商務印書館，1935	三版90面國學小叢書
四書	論語與做人	袁定安		〔不詳〕：世界書局，1947	三版324面
四書	論語通解	余家菊		〔不詳〕：中華書局，1947	再版64面
四書	論語二十講	王向榮	2	〔不詳〕：中華書局，1941	再版
四書	孟子事蹟考略	胡毓寰		〔不詳〕：正中書局，1947	103面
四書	孟子會箋	溫晉城		〔不詳〕：正中書局，1916	374面
四書	中庸句解	陶明濬		〔不詳〕：福文洪，1936（康德三年）	40面
四書	孟子評傳	羅根澤		上海：商務印書館，1932	101面國學小叢書
四書	孟子研究	錢　穆		〔不詳〕：開明書店，1948	132面
四書	（分類詳解）大學中庸讀本	世界書局編譯所		〔不詳〕：1917	再版,45面
四書	論語新讀本	唐文治	4	上海：徐家匯工業專門學校，1915	國學啟蒙
四書	孟子精華	中華書局		〔不詳〕：中華書局，1941	四版140面

分類	書名	作者	冊數	出版項	其他
四書	四書章句集註	宋朱熹		上海：商務印書館，1947	三版148面新中學文庫
四書	廣解四書讀本	王緇塵		〔不詳〕：粹芬閣，1946	四版
四書	（語譯廣解）四書讀本	蔣伯潛		上海：啟明書局，1941	
四書	（分類詳解）孟子讀本	世界書局編譯所		〔不詳〕：世界書局，1947	三版277面
四書	分類詳解論語讀本	世界書局編譯所		〔不詳〕：世界書局，1948	再版378面
四書	論語辨	趙貞信		〔不詳〕：景山，1935	69面辨偽叢刊
孝經	孝經救世	金熙章	9	〔不詳〕：讀經，1943	
孝經	陶明濬	孝經句解		〔不詳〕：東亞，1935（康德二年）	20面
孝經	孝經新讀本	唐文治	1	上海：徐家匯工業專門學校發行，1917	
石經	新出漢魏石經攷	吳維孝	2	上海：文瑞樓，1927	影印本
石經	漢熹平石經			神州：國光社，1931	53面

——原刊於《經學研究論叢》第22輯（新北：華藝學術出版社，2015年4月），頁95-121。

林慶彰先生經學研究貢獻三題

朱　岩[*]

　　經學是中國傳統學術中的顯學，是學之正統，狹義之國學即指經學。林慶彰先生是一位當代經學家，其在經學領域對國學發揚光大之貢獻，可由縱覽其經學研究成果說起。

　　林慶彰先生經學研究自明代經學始，由點及面，厚積薄發。時至今日，林慶彰先生已有專書著作《明代考據學研究》、《清初的群經辨偽學》、《明代經學研究論集》、《國學概要》、《清代經學研究論集》、《中國經學研究的新視野》等計十餘部；編著研究論集《蔡元培張元濟往來書劄》、《中國經學史論文選集》、《詩經研究論集》（一、二）、《日據時期臺灣儒學參考文獻》、《五十年來的經學研究》、《當代新編專科目錄述評》等計三十餘部；經學論文數目更多，恕不贅述（僅二〇一〇年至二〇一三，便有三十七篇之多）；編輯或審編經學論叢、叢書如《經學研究論叢》（二十輯）、《國際漢學論叢》（三輯）、《民國時期經學叢書》（四輯）、《晚清四部叢刊》（經部一至十編）、《中國學術思想研究輯刊》（一至十六編）等等，難以確數。

　　需特別提及的是林慶彰先生本人及其領銜的學術團隊編輯的經學目錄與歷代經學家著作集。從一九八九年至今，經學目錄已正式出版《經學研究論著目錄》、《朱子學研究書目（1900-1991）》、《乾嘉學術研究論著目錄（1900-1993）》、《晚清經學研究文獻目錄（1912-2000）、《日本研究經學論著目錄（1900-1992）》、《日本儒學研究書目》等等十餘種，總收錄條目近十萬之夥。歷代經學著作集《姚際恆著作集》、《二十七松堂集》、《點校補正經義考》、《汪

---

[*]　揚州大學文學院教授。

中集》、《李源澄著作集》、《張壽林著作集：續修四庫提要稿》等八部，共計二十七冊。

僅就研究成果概況看，林慶彰先生的經學研究與傳統學者相比，具有時空跨度更大、研究範圍更廣的特點。時間由經學之始直至民國，空間由兩岸三地乃至東南亞諸國，研究範圍由學術史到文獻學及至文學、史學、傳播學，無不觸及。如果從對漢學的貢獻看，我以為，在林先生的苦心經營下，如此龐大的經學研究構架與如此驚人的研究成果，為國學在全世界的傳揚與發展，做出了無可替代的功績。其犖犖大者，概有三端。

（一）林慶彰先生致力於構建連續而立體的經學學術史，新見蜂出，創獲良多，已形成宏觀把握與微觀處理相互支援的學術研究風格，其經學研究成果紮紮實實地將世界華人的當代經學研究推進了一大步，堪稱經學繼往開來的開拓者、國學發揚光大的傳道者。

林慶彰先生經學研究規模龐大，但學術指向絕不龐雜。其始終站在學術史的高度，以「重新詮釋經學史」（先生語）為宗旨進行研究工作。他的經學研究不拘於虛時，無論是縱橫捭闔的論述，還是細緻嚴密的考證，皆遵循著自己的學術追求。正是這種明確的學術研究目的，使林慶彰先生的研究成果儼然成器。

林慶彰先生對「原典回歸」規律的闡發、對周人價值觀的研究、對朱熹是否是宋學集大成者的駁辨、對《五經大全》修纂動機的重新檢討、對明代經學研究走向的全新歸納、對楊慎經學貢獻的全面定位、對《詩經世本古義》和《詩故》的研究、對清人辨偽經學與乾嘉學派學術宗旨的總結、對民國及臺灣本土經學的研究等等，發前人之未發，勝義紛呈、每多創見。拓展了當代經學研究的領域，推動了當代經學研究的進步。

更難能可貴的是，林慶彰先生的研究形成良好的學術呼應，點與面之間形成張力互動，研究連續而多元、具體而系統。例如，從《清初的群經辨偽學》之斷想到〈中國經學史上的回歸原典運動〉之雄文，林慶彰先生完成了對中國

經學發展規律的全新闡釋,即「經典回歸」理論。這種高屋建瓴式的把握,實屬當代經學研究的重要創獲,其學術意義,一則有助於學界對經學史的重新梳理與詮釋,乃至可以惠及文學史、思想史的研究;二則可與研究者本人對漢代章句之學的興起、唐代古文運動與經學的關係、清初之辨偽思潮之本質、乾嘉考據之學訓詁考據的宗旨等研究形成良好的學術互動;又例如,林慶彰先生細密考證明朝嘉靖年間的《子貢詩傳》和《申培詩說》,指出二書清儒毛奇齡、朱彝尊、姚際恆等人皆曾考證為嘉靖時進士豐坊之偽作,實則《子貢詩傳》有刻本與抄本兩種,抄本為豐坊所偽撰,而刻本為王文祿所改定,今所流行的刻本多為王文祿之改定本。《申培詩說》則是王文祿抄襲豐坊之父豐熙《魯詩正說》而成,與豐坊無關。林慶彰先生此證,精微翔實,令人信服,打破三百年成說。然此說的意義絕非僅僅停留於此,其真正的學術意義是林先生以《子貢詩傳》和《申培詩說》的辨偽為問題的一個側面,描述明末清初的辨偽學史,藉以支援其另一著名觀點:「明代考據學家其實是清代考據學派的先導!」而關於明代考據學的觀點,將考據學的歷史由清初提前到了明代中後期,重新梳理了經學歷史。重新詮釋經學史,又正是慶彰先生孜孜以求的經學研究目標。由是而知,先生的經學研究既有明確目標,又有清晰的理路,更有絲絲入扣的學術呼應,實非籠統觀察、粗略分析能以明瞭體悟矣。

林慶彰先生的經學研究,對經學的繼往開來,抑或對漢學的發揚光大,起到了宣揚傳統學術、承繼中華學統、開創新視野、凝聚新焦點的凸出作用,貢獻之大有目共睹。

(二)林慶彰先生肆力於為全球華人經學研究提供導引與提掖,既以鉅細靡遺、洋洋大觀、令人嘆為觀止的經學文獻目錄嘉惠學林,又以自己歸納剖析與文獻材料相得益彰的研究方法示範學人。切切實實地「為天下人做學問」,其用心良苦、勞苦功高之舉,堪稱復興經學的苦行者,弘揚國學的領航者。

經學素為中國古代學人所倚重,然因時代變遷與學術演進於上世紀初日漸

式微，時至今日，經學領域，雖亦不乏研經之鉅材碩學、耆學鴻儒，然終是鳳毛麟角、難以為繼。欲使經學延續，要者之一，便是助力於有志研經的學人，使其「先窺目錄以為津逮」，後「能得其門而入」。

林慶彰先生深諳此理，故治經學以來，一直竭力完成經學文獻的目錄整理，企望以此啟動學人研究經學的熱情與信心。迄今為止，條目總數近十萬之巨的經學文獻目錄呈現在全球學人的眼前，令人嘆為觀止。更值得一提的是，林慶彰先生的這些編目之書，在保持了傳統文獻學的保持統一體例等規約之外，帶有鮮明的時代特徵。林慶彰先生目錄屬專科目錄，即有學術針對的目錄，此種文獻學歸目之法是隨著現代學科的細化與深入而發展起來的。專科目錄限定範圍還是其表徵，目錄的歸類才是其精髓。細緻的類別一方面讓文獻分別部居，不相雜廁，更為重要的一面是類別標識切切實實地指引了學者研究的路向。

例如，《乾嘉學術研究論著目錄（1900-1993）》，三四八〇個條目歸入四大類別：清代學術通論、乾嘉學派通論、四庫學、乾嘉學者分論。之後再行細分，如「四庫學」分四部分：四庫全書、四庫全書薈要、四庫全書總目、目錄與工具書；「乾嘉學者分論」，以乾嘉學者生卒年為序，起於顧棟高（1679-1759），終於馬國翰（1794-1857）。其下還再有分類，如「戴震」類別之下，又有「生平年譜」、「著述研究」、「治學方法」、「哲學思想」等11個小類。如此類別，何嘗不是提綱挈領式的乾嘉學派的簡介？其學術指引之效不言自明；編目的學術蘊含亦難以貶損。

林慶彰先生又以自己歸納剖析與文獻材料相得益彰的研究方法示範學人，以求得學人經學研究的健碩成長。慶彰先生為文絕無空談，論述闡釋皆以文獻材料為根柢。例如，為辨《詩傳》之偽，將其明抄本與明刻本排列比較，根據內容編排的差異闡發觀點，其細密嚴謹，令人嘆服。其推論結果，令人信服。林氏的這種做法彰顯出文獻的重要性，亦展示出運用材料的角度和技能。先生曾著過《學術論文寫作指引》，其中上編「資料蒐集方法」亦直接談到了文獻材料於研究的重要性，然該書畢竟涵蓋面較為廣泛而缺乏經學論文的針對性。相比此書，林慶彰先生自己的經學論文才是最好的教科書與實踐指引。

　　林慶彰先生秉持著一顆赤子之心，為天下人做學問，編製經學文獻目錄，因為他知道經學之路，必從此問塗，方能得門而入。林慶彰先生又懷擁一顆拳拳之心，希望用這些焚膏繼晷的編目與親力而為的示範為經學的復興、漢學的傳揚帶來新鮮活力與時代契機。

（三）林慶彰先生著力於突破傳統經學以個人研究為主的藩籬，以最為飽滿的熱情，廣聯華人經學研究陣營，弘揚經學文化，蒐集經學文獻。足跡遍佈海峽兩岸三地與東南亞地區，打破區域與學術壁壘，博聞廣聽，協同創新，為近四十年來華人經學發展的新局面、資源共用的新管道，開啟了新契機。

　　傳統的經學研究往往基於個人窮經皓首式的艱難努力，其苦心孤詣令人讚歎之餘，亦以之為憾惜。經學的發展自應伴隨著時代的步伐，在資訊共用、媒介更新的新環境下轉變既有的研究模式，以求最大效能地釋放學術交流、資訊共用而帶來的學科發展能量，最大限度地取得學術互進、合作共贏的經學研究成果。

　　林慶彰先生對臺灣充滿了感情與熱愛。《日據時期臺灣儒學參考文獻》是先生對故土學術關愛有加的印證。然而，林慶彰先生更加熱愛中華傳統文化。多年來，他數十次往來於大陸、香港、日本與臺灣之間，與清華大學、中國社會科學院、香港中文大學、香港城市大學、香港浸會大學、日本九州大學等各地的學者們建立起良好的交流學術管道，為經學的協同創新貢獻出學者個人的應盡之力。

　　林慶彰先生此舉，不僅僅導源於資訊時代學術研究新趨勢，亦有其實際的個人體悟。一九七六年，臺北華聯出版社印行出版《語文通論》一書，作者標為朱自清。臺灣古典文學專家黃永武和現代文學專家周錦均認為該書是偽書，此書應為大陸復旦大學教授郭紹虞先生，但苦於兩岸相隔，資料無法交流而不能考證明瞭。慶彰先生在一九七八年費盡心力，越過諸多障礙，方始讀到郭先生的《語文通論》和《語文通論續編》，從而考證出臺灣所出之書乃取郭先生

的兩書拼湊而成。在慶彰先生看來，他的考證雖轟動一時，但對學者的精力與時間卻是一種損耗，而這種損耗完全因區域壁壘造成。因此多年以來，林慶彰先生一直倡導排除各種非學術因素對經學研究的困擾，力圖打造一個全球化的資訊暢達的共同研究與傳揚中國文化的平臺。

慶彰先生認為，這樣的平臺不但有利於蒐集全世界的經學研究資料，也有利於資料所有國的經學研究。合作共贏的結果是對中國傳統文化特別是漢學的永續發展提供更好的支撐與環境。例如，儒學傳入日本有一千六百年之久，產生了難以計數的儒學家著作。難道沒有一本可供檢索的工具書？在日本，這樣的工具書當然有很多，如《國書總目錄》、《古典籍總合目錄》、《近世漢學者著述目錄大成》等等。然而，這些書皆非專為儒學研究所編，既無法展示儒學在日本發展的脈絡，也讓日本學者自己研究平添障礙。因此，慶彰先生在九州大學訪學一年的時間裡，在與日本學者的交流中，興起編輯日本儒學書目的念頭，並隨之付諸行動，邀請長崎大學的連清吉教授和九州大學的中國哲學科博士候選人金培懿小姐一起來編輯此書。《日本儒學研究書目》甫面於世，便讚口不絕，無論是對日本國學者，還是對其他儒學研究者，該書體現出的合作理念皆指向學術共贏的趨勢，學術熱情與學術期待皆獲提升，大大促進了日本儒學研究。

綜之，林慶彰先生有德有言，文道兼備。其經學研究，言他人未言之事，繼往開來，成績斐然；其編目之業，為他人不願為之事，與人管鑰，功勳卓著。究之默識心融，令人信服；視之踐履躬行，令人嘆服。林慶彰先生四十餘年之經學經營，亦終將在綿亙不斷的經學史、文獻學史乃至中華文化傳播史上留下蘊含著時代信息的濃墨重彩。

——原刊於京都大學中國哲學史研究室主辦，「經學史研究的回顧與展望——林慶彰先生榮退紀念研討會」會議論文（京都：京都大學，2015年8月20-21日）。

文獻學評論

評《蔡元培張元濟往來書札》

陶　英　惠[*]

史料介紹：蔡元培張元濟往來書札

書　　名：蔡元培張元濟往來書札──近代文哲學人論著叢刊之一

編　輯　者：林慶彰

印　行　者：中央研究院中國文哲研究所籌備處

出版日期：民國七十九年（1990）六月

頁　　數：出版說明2頁、目次9頁、正文及附錄295頁。

　　中央研究院中國文哲研究所籌備處甫告成立，在研究人員及經費都告缺乏、且尚無固定研究樓房的情形下，籌備主任吳宏一教授即積極展開訪求近代文哲學界名家的著述，陸續整理編印出版，以廣流傳，並嘉惠學界；其領導學術研究工作之魄力與熱忱，實在令人敬佩！首先推出的「近代文哲學人論著叢刊」，選定中央研究院第一任院長蔡元培先生和第一屆人文組院士張元濟先生的往來書札，且趕在第十九次院士會議舉行前夕出版，以紀念兩位有卓越貢獻的學人，更有深長的意義。

　　蔡元培先生的一生，盡瘁於教育、學術和文化方面；張元濟先生，則以畢生心力經營商務印書館，將之發展成為馳名世界的出版事業。南開大學高平叔教授在〈蔡元培與張元濟〉一文中，歸納二人有「六同」的關係：（一）同庚，（二）同鄉，（三）鄉試同年，（四）殿試同年，（五）南洋公學同事，（六）一同創辦「外交報」。（詳見本書附錄三）兩人自光緒十五年（1889）在

＊　中央研究院近代史研究所研究員。

杭州參加浙江省鄉試開始相識，直到民國二十九年（1940）三月五日蔡先生在香港病逝，一直維持著密切而深厚的友誼，除經常互訪晤談外，書札往來更是頻繁，聲氣相投，或討論時事，或研商學術，發抒所見，情見乎詞，半世紀之摯交，無讓管鮑。兩位對近代中國教育、文化、政治、出版等方面的重大貢獻，以及所留下來大批書札的史料價值，本書附錄三所載牟小東〈讀蔡元培、張元濟往來書札〉及高平叔〈蔡元培與張元濟〉二文，已有詳細之記敘與分析，不再贅述。

先賢寫信，往往只署月日而無年分，就收信人言，當時不成問題，可是時間一久，即難稽考；後人當作史料引用時，也十分困難，非從信中所述內容推敲不可。胡適先生有鑑於此，曾特別呼籲寫信時，除署月日外，不要忘了年份，免得以後再費時間去考訂。本書所收錄的蔡、張往來書札，就很少有年份，關於蔡先生部分，尚有《蔡元培全集》可資參考；至於張先生部分，則缺乏查考的資料。本書編者所看到的書札，都是影本，沒有原信封及郵戳供作參證，所以在編排時，一定費了不少心血；可是仍不免有誤植及未能判斷寫信時間者，對於研究這段史實的學人，自然有些不便。再者，編者所加注的年份，僅見於「目次」中，閱讀正文時，必須翻閱前面的「目次」方知繫於何年，如於每頁書邊加排年份，即可省卻不少翻查之勞。

筆者詳加拜讀後，曾就時間有疑問處分向復旦大學蔡先生公子懷新教授及《蔡元培全集》編者高平叔教授請益，大致均已考訂出正確的寫信時間。為免讀者再費時考訂，並遵吳宏一主任之囑，謹將誤植及未能斷定時間者，分別說明如下，並對蔡、高兩教授之鼎助，敬致謝意。

一、目次部分

（一）p.1，第九行，民國十七年為西元一九二八年，誤排為一九三八年。

（二）p.7，末行，民國二十三年為民國二十五年之誤。該信為張先生撰輓丁文江（在君）聯，丁先生逝於民國二十五年一月五日。

二、蔡元培致張元濟函部分

（一）p.9一函，係答p.190張函，現繫於民國十七年五月二十五日，張函則繫於
民國十八年五月二十一日，據高平叔函告，兩函均應為民國十八年。

（二）pp.15-16一函，誤繫民國十七年，函中有「現在奉安禮成」語，係指民
國十八年六月一日孫中山先生奉安事，該函寫於六月九日，目次誤作民
國十七年八月九日。

（三）p.190張函，係答p.42蔡函，當繫於民國二十二年。張函中有「抱孫之
喜」語，據蔡懷新教授函云：「係指先大兄無忌、大嫂寶蒔生子式衡，式
衡生於1933年。」

三、張元濟致蔡元培函部分

（一）pp.76-78一函，應為民國元年。現誤繫於宣統元年（1909），當係據「臺
從安抵柏林」一語，惟再就「九月十七日一函……已達覽」句（此函見
pp.88-89，日期為「壬陽九月十七日」，即民國元年壬子陽曆九月十七
日，現誤於民國。），可知為民國元年。按：蔡先生第一次赴德為光緒三
十三年（1907）丁未五月，乘火車由天津、山海關以達瀋陽，再取道哈
爾濱，附俄國火車西行，於六月初二日（七月十一日）抵柏林。至於第
二次赴德，為民國元年九月。至於何日啟程，過去的文獻均語焉不詳，
蔡先生於「自寫年譜」（見《蔡元培全集》卷七，pp.312-313）中，亦只
說於民國元年辭卸教育總長後偕黃夫人、長女威廉、三子柏齡及顧孟餘
夫婦乘船赴德，而忘記月日，今從pp.88-89函中，確知係於九月十六日
上海黃埔灘登船，張先生不及前往送行。

（二）p.87一函，所署日期為「壬八月二十六日」，即民國元年壬子八月二十六
日，現誤繫於民國二年。

（三）p.107一函，應繫於民國四年，現誤為民國五年。據蔡懷新教授函云：

「該信信封係寄法國Royan，有上海27-12/15郵印。」

（四）pp.178-181，係p.86函之補充，應為民國二年，現誤繫於民國二十年。據蔡懷新教授函云：「此函實與86頁一九一三年四月十一日一函裝於同一信封，蓋86頁為秘書所繕，此為親筆補充。」

（五）p.191及pp.192-193，八月二十六日早夕兩函，由「知公重作西游」一語，當繫於民國元年。

（六）p.194及p.195兩函，次序倒置，均為民國十五年所寫。據蔡懷新教授函云：「先母曾於一九二六（民國十五年）年難產，胎兒墮地即殤，而先母產後尚平安，函中『且驚且慰』當指此。」

（七）pp.196-197一函，為民國六年蔡先生初到北大任校長時。p.99民國五年十一月十四日函中，曾提及委存行李於商務印書館棧房，本函則云「前存行篋，已由新銘船運津，由津分館轉京，計此時尚未必到耳。」可斷定為民國六年二月二十日所寫。惟兩頁文句並不銜接，據蔡懷新教授函告，原件已有缺頁。

（八）p.198，十月十五日一函，當繫於民國十九年，據蔡懷新教授函云：「與一九三〇（民國十九年）171-172頁十月十五日一函」日期相同，且裝於同一信封（信封未註年份，又非郵寄，無郵印，此種情況頗多，均較難定年份），應為同一函之前後段。171-172頁函有「譚宅公私祭奠日期」語，譚組安氏卒於一九三〇。

（九）p.199，四月二日一函，應繫於民國二十二年。據蔡懷新教授函云：「內容有傅沅叔託轉信、書目及游記等事，先父《全集》六卷265頁一九三三年四月十二日覆傅增湘函，有承惠贈『嶗山記』及『尊意欲以鄴架中所藏善本書一部分，割讓於公家』語，當係覆傅氏託轉之函。『全集』此函下註據書信抄留底稿，年份當可信。」

（十）p.200一函，尚不能確定，可能為民國十六年。

（十一）p.201，九月四日一函，可能為民國二年。據蔡懷新教授函云：「函中有關於先父允為商務編師範中學用書事及『因病不克趨送』語，編書最可能在先父一九一二、一九一三兩次出國時，一九一二年一次，張

先生往送而未遇，見於88-89頁函；一九一三年一次係在九月五日乘日輪北野丸西行（見《全集》二卷329頁致蔣維喬函），在此函後一日，此函極有可能作於一九一三年。」

（十二）p.202，十二月二十一日一函，當繫於民國十九年。據蔡懷新教授函云：「內容有關於借閱鄭成功實錄事，先父有關此書諸函現均繫於一九三〇。同一時期並有為中國科學社舉辦展覽向涵芬樓商借善本書事，往來信件甚多，展覽在一九三一年元旦開幕（《全集》六卷1頁），可知此年份為可靠。」

（十三）pp.203-204，五月十三日一函，係覆p.59蔡先生民國二十六年五月十二日函，應繫於民國26年。

（十四）p.205，三月二十九日一函，當繫於宣統三年（1911）。據蔡懷新教授函云：「信封有Leipzig 4. 5. 11郵印，11指一九一一年。菊生先生一九一〇年曾赴歐一行，由81頁一函可知一九一〇年五月九日尚未到達德國，歸國應更在此以後；而此函有歸國後未能握筆語，當在次年三月書。」

四、附錄部分

這一部分書札的時間均無錯誤，惟p.211蔡先生致沈兼士函第一行「易寅村培因」中之「培因」，係「培基」之筆誤。

餘　論

由以上所述書札年份之錯誤與不完整，可知在參考引用時，定會感到不便。補救之道，只有在手迹本之外，再於排印釋文本時加以改正，必將為讀者所樂聞。

又本書將蔡元培致張元濟及張元濟致蔡元培函，分別集中編列，令人很難理清往來書札中所討論的問題原委；如果將來排印釋文本時，按照往來詢答的

時間順序排列，定可予讀者清楚的印象與脈絡。

　　前賢多具「有信必覆」之習慣，禮貌周到，同時一些寶貴史料也因此而保留下來，是研究人物傳記最好的線索。如今電話十分方便，且無遠弗屆，處理事情固然迅速，但也使人養成懶得寫信的毛病；再加上今人為求時效，已不再講究書法，當可預見這一類書札的印行，勢將越來越少。因此，對於文哲研究所編印《蔡元培張元濟往來書札》之出版，更感到難能可貴，也更加令人珍惜！

　　　　　　　　　民國八十年二月二十六日於中央研究院近代史研究所

　　——原刊於《中國文哲研究通訊》第1卷第1期（1991年3月），頁96-100。

傳承與開拓
——介紹林慶彰先生《偽書與禁書》

涂 茂 奇[*]

一、前言

　　在中文系，會遇到學生請問老師：為什麼朱自清的《經典常談》，與朱銘段的《經典淺說》以及吳雲鵬的《中國經典常識》，內容相同呢？為什麼30年代，大陸作家的作品如丁玲《太陽照在桑乾河上》、巴金《春天裡的春天》、老舍《微神集》以及郁達夫、張恨水、魯迅等有名作家的作品，曾經被禁止流通呢？如果是因政治立場的不同而被禁止，為什麼臺灣本土作家的作品，如郭良蕙的《金鎖》、吳濁流的《無花果》、陳映真的《將軍族》、胡汝森的《門外小品》等等，也會被查禁呢？這些問題是愛讀書又具好奇心的學生會產生的疑惑。而這些疑惑，也表現出在臺灣的國民政府與中共鬥爭之後，兩岸產生的政治隔閡；以及臺灣本土228事件之後，被兩岸大時代的政治情勢所遮掩住的狀況。

　　以朱自清的書為例，何以會有不同姓名的作者？這就關係到戒嚴時期有查禁書籍的法令。然而本是朱自清的著作，作者與書名卻竄改為其他人名，除了出版社為規避戒嚴法之外，另一方面也是商業因素的考量。出版社竄改他人姓名，以及因政治關係而查禁書籍的事件，綜觀古今中外都無法避免。然而書名、作者遭偽作的問題對學術研究卻十分嚴重，因為學術研究的重點在求真，

---

* 勤益科技大學兼任助理教授。

如果因政治的查禁而遭竄改，在引用資料應該如何標示，長此以往，後來學者又將花費極大心力去做辨正的工作了。

二、禁書與偽書的成因與辨偽

古今中外皆有禁書，包括幾種因素：一政治與宗教因素，其查禁圖書是為鞏固政治地位，或是堅固信仰，因此禁止不利於自己的書籍；二道德因素，當書籍的內容觸犯政治、宗教禁忌或是文化道德上的禁忌時，也會導致書籍的出版與販賣。如一五五九年至一九六六年，羅馬教廷的《禁書目錄》，列出有害於天主教徒信仰的著作，嚴禁印刷、進口的出售。如日本在一九五五年，以保護青少年與兒童為理由，發起針對漫畫為主的「惡書追放運動」。一九八八年，以伊斯蘭教先知穆罕默德為主題的小說《撒旦詩篇》，遭到伊朗精神領袖賽義德‧魯霍拉‧霍梅尼下達追殺令。在中國則是以秦始皇焚詩書為查禁書籍的開始，明清時代為維護善良風俗，查禁色情小說；清朝康熙、雍正、乾隆時期查禁部分學者著作，自古以來被查禁的圖書有數千種。臺灣二二八事件以後，與當時相關的文學著作都被禁止流通。大陸文化大革命期間，以「造反有理」等口號，摧毀大量古籍等事，這些或多或少都對學術的發展產生影響。至於偽書的出現也包括政治與經濟因素，如《猶太人賢士議定書》是出自帝俄時代秘密警察的偽造，用以打擊猶太人。一九八三年德國Konrad Kujau偽造希特勒日記，高價賣給西德明鏡雜誌以詐騙金錢。在中國明代，豐坊與姚士粦偽造書籍，臺灣戒嚴時期出版商因學術界需求，為規避法律而將大陸書籍更改書名作者等事，都是偽書產生的原因。

然中國的偽書問題，經過歷代學者的考辨，其作偽的動機、偽書的種類、辨偽的方法、偽書的價值、偽書與時代的關係等問題，已發展成專門的一種學問。如梁啟超的辨偽方法非常周洽，張心澂對偽的程度也細分為九類，都可見近代以來的辨偽學有很大的進步。國民政府到臺灣以後，也帶來了許多飽讀詩書的學者，如屈萬里先生就對張心澂的九類分法歸納為五類，也指出梁啟超辨偽方法的侷限性。其後有劉兆祐先生接續屈先生的努力，在考辨上也有許多貢

獻。而林慶彰先生正是兩位先生的學生，除了在文獻學上有所考辨之外，還將臺灣戒嚴時期因政治與經濟而造成的偽書問題揭發出來，可看出他在學術上的努力，以及為免後代研究的混亂而發展出版界竄改作者、書名的現況。

三、《偽書與禁書》的特色

梁啟超、王國維、顧頡剛及張心澂等人對於偽書的考辨雖然有許多重要的發展，可是仍然有著說法太過細密或方法上有所限制的缺失，而後人當如何看待這些問題，則是吾人所當留心的。又，政府為政治安定而實施的圖書查禁政策，在學術發展上造成偽書的充斥，如果不及時辨正錯誤資訊，未來又將導致書籍辨偽上的困擾。因此歸納《偽書與禁書》的特色，可分三點說明：

（一）辨偽知識的傳承及發揚

臺灣的學術，一直以來都是繼承著大陸的文化傳統在發展，學術上並未有特殊地位。日據時代，日人的懷柔與高壓，不是在古詩創作上籠絡士人，就是推行皇民化運動，壓抑漢文化的發展。直至國民政府退守臺灣以後，雖然歷經二二八事件，但也帶來了許多優秀的學者，對於臺灣這片學術荒地努力的耕耘，並培育了許多優秀的後起之秀。例如屈萬里先生在學術研究上時時強調鑑別學術資料的真偽，其圖書辨偽有獨到的見解，如張心澂《偽書通考》將古籍偽的程度，提出九點說明，然而屈先生則是以簡馭繁，統歸為五類，並且對於前人無心作偽的書籍提出辨護，認為這種本無心作偽，意在述古的書，經後人確認為偽書，惟其責任不該由作者承擔，這種論述無疑是較為公允的。

此後，劉兆祐先生的圖書辨偽學，也是承自屈萬里先生而有新的發展，其特色在於深化前人的辨偽理論，並加以應用在實際的考辨上，如考訂明刊本陸汴編《廣十二家唐詩》，以及考辨《心史》的作者方面。林慶彰先生在考辨偽書的功夫也是承自前面二位先生，其著作有《豐坊與姚士粦》，以及《清初的群經辨偽學》兩本書。並且更將蒐集資訊及考辨能力，用來辨明臺灣因查禁圖書，形成書商竄改著者、書名，造成學術研究的混亂現象上。

（二）揭露政治干預的畸形現象

　　古今中外，歷史上遭查禁的圖書甚多，多有其干預的目的。臺灣實施戒嚴，查禁大陸圖書，除了兩岸同文同種的老百姓無法來往，更阻礙學術的交流，因此被查禁的三十年代，在相關圖書裏找不到高水準的著作。另外，更因大陸學者的著作被查禁，書商為了經濟問題，在得到資料以後，就利用竄改著者名或是擅改書名的方式，來發行流通，除本書所寫的方式外，加上報刊雜誌刊登的資料，可以看出竄改方式有幾種：（一）針對作者與書名作改變。或更改作者，書名不改：如高亨《莊子今箋》（廣文書局），改為「高晉生」著。或更改書名，作者不改：如張舜徽《中國古代勞動人民創物志》（臺南：莊嚴文化出版社，1988年），將書名改為《中國文明創造史》。或作者和書名均變更：如呂思勉《經子解題》，改成「甘志清」著《經子研讀指引》（臺北：華聯出版社）出現市面。或無中生有，如大同出版社的《白話詞選》，第一頁右下寫著「胡適選輯」。其實，胡適終其一生沒選輯過白話詞選。（二）內容竄亂者。這種或將原書的序跋刪除，使偽書難以考證，有利盜版的進行：如高亨《周易古經通說》在〈重訂自序〉部分改為〈自序〉，並刪節竄改文句，將兩段濃縮成一段。周予同注釋的《經學歷史》，藝文印書館翻印時，刪去前面〈序言〉資料十八頁。而余嘉錫《世說新語箋疏》，仁愛書局在翻印時，則刪去周祖謨的「前言」四頁。或將部分篇章刪除：如張舜徽《中國文獻學》，木鐸出版社翻印時刪去第十二編第三章〈我們今書編述中華人民通史的必要與可能〉；而朱自清與葉紹鈞合著的《精讀指導》、《略讀指導》，臺灣商務印書館在翻印時，將葉氏所作的部分刪去。或合數書為一書：如郭紹虞《語文通論》，臺北華聯出版社翻印時，除將作者擅改為已經去世的「朱自清」外，內容則是將郭氏的《語文通論》前三篇和《語文通論續編》的前八篇拼湊而成，在兩岸無法交流的年代，造成學術界的諸多困擾。（三）翻印時照原書出版，什麼都不改，在扉頁上卻無大陸作者授權的簽字或說明，版權頁則印上「版權所有，不准翻印」的字樣。還有些書為避免被查禁，而將大陸敏感人物的名字如「魯迅」、「茅盾」、「瞿秋白」、「周作人」、「鄭振鐸」、「郭沫若」等人，簡化成「魯」、

「茅」、「瞿白」、「周」、「鄭」、「郭」等，對於學生們來說，則完全不知所指何人。

此外，在臺灣重新翻印的雜誌，也面臨著竄改的情形，如臺灣商務印書館竄改《東方雜誌》重印本，將作者的姓名改成同音字或用其字號，或是刪除部分內容，遇有不妥處則將整段刪去，如同《四庫全書》的情形一般，也有許多漏改之處。而國防部下屬的新中國出版社出版的《國魂》月刊，竟也出現引用大陸學者的文章，而將作者名竄改的狀況。

（三）為學術界正本清源

臺灣翻印大陸的圖書，前後約有三百多種，這本書雖無法一一指出其竄亂的書籍，卻也將大陸學者中被盜印最高的三位先生的著作——呂思勉、高亨、張舜徽，一一查明被竄改的書名、作者及出版社等資料，為原書作「正名」的動作。又如朱自清的《經典常談》，在臺灣出版後也被改變著者及書名，趙景深《中國文學小史》在臺灣的翻印狀況，都足以使人了解其脈絡。而郭紹虞的《語文通論》及《語文通論續編》，一九七六年十月被華聯出版社翻印時，除將內容選數篇合二為一外，還將作者改為已去世的朱自清。其後林先生越過許多障礙，一九七八年讀到郭紹虞的兩本著作，才將真相還原。這種張冠李戴的戲碼，在戒嚴時代常常可見，為學術研究帶來了許多麻煩，但是林先生的文章，則是將過去的錯誤撥亂反正。

四、結語

查禁圖書資料，雖然有不得已之處，然而對學術研究的影響甚大。臺灣的戒嚴時代，除了二二八事件造成臺灣文學研究的空白之外，對於與大陸的文化交流，也直接影響著臺灣對三十年代文學研究的不足。解嚴以後，雖然兩岸開始來往，可是戒嚴的陰影還在，一九九〇年林先生至大陸購書數萬冊，共九千包，運回國內即造成學術界的轟動，也造成當局的關切，然而卻在長年乾渴的學術研究圈帶來了滋潤的雨水。

　　封鎖文化交流，對於學術及文學的獨立發展，是個不良的示範，除了侵犯著作人權益外，還造成可以不勞而獲的不良風氣。並對國外學者造成不信任臺灣學術研究的情形，尤其在引用資料時，會造成目錄學上的困擾，無法考訂版本及著作年代。林先生因深刻了解到此問題，曾邀請數位老師及研究生共同編輯了《大陸出版文史哲圖書總目（1949-1989）》一書，這書雖因種種因素，沒有編輯完成，但也可見林先生對這一研究領域的關心。也希望今後的政治，再也不要有如戒嚴時期般的文化鎖國政策，讓學術研究永遠能獨立自主的發展。

——原刊於《國文天地》第29卷第2期（2013年7月），頁83-86。

《中國學術思想研究輯刊》簡介

陳 顥 哲[*]

一、前言

　　百年前，梁啟超辦《新民叢報》，情詞懇切，極言「有新學術，然後有新道德、新政治、新藝術、新器物；有之數者，然後有新國、新世界」。沉痛的呼聲，於今日仍是如雷貫耳。百餘年來，漢學研究雖然走得顛簸，但仍然是持續不斷的往前邁進。自民國四十五年，臺灣師範大學成立第一個國文研究所以來，臺灣的漢學研究不斷的開拓研究領域、深化學術議題；「惟楚有才，於斯為盛」，今日臺灣的漢學研究，已是百年前的梁任公所未能想見的境地。而此套經由杜潔祥、林慶彰兩位先生所編輯的《中國學術思想研究輯刊》，正是今日的我們，向梁任公繳交的成績單。

　　論此輯刊之前，當先釋其名義：何為「學術」？據最早使用此一詞彙的《史記・張儀列傳》而言，「學術」當泛指為「一切之學問」。中國學術，雖囊括天文地理、兼綜子史，然要本則歸源於經學。何為「思想」？通泛而言，則為人類所思考的結果，意近於今日所謂之「哲學」。是以《中國學術思想研究輯刊》於「學術」一輯，收錄的是經學、經學史研究作品；於「思想」一輯，則收羅哲學義理的研究成果。

---

[*] 世新大學中國文學系碩士生。

二、編纂緣起

今日學界，可謂多采多姿：學術會議紛沓而來，學術期刊、論文更可謂精彩紛呈。然而，視此為學術界之活力則可，視此為學術水平之高下，則有未安。何則？議會、期刊論文，均有不可避免之限制，或時間窮短，難以積思；或議題侷促，難伸拳腳。而學位論文則不然，思積日久，體例完善，內容贍博，遠非單篇論文所能夠望其項背。是以，若欲見學人本事，探查學術水平，必從學位論文拾級，乃能得其英華。

自民國五十年，羅錦堂以《現存元人雜劇本事考》獲得國家文學博士起，迄今近五十個年頭，此間所出博碩士論文，已有數千篇。內容則是涵蓋了經學、哲學、史學、文學等領域。然而，拘囿於臺灣出版市場的狹隘，除了早期嘉新水泥文化基金會補助出版的數十種論文之外，多數的學位論文都無法於坊間得見。

有鑑於此，杜潔祥先生遂與林慶彰教授合作，將優秀的學位論文加以集結出版，目前已有《古典文獻研究輯刊》七編，收有論文近二百種，以及《古典詩歌研究彙刊》四輯，收錄論文六十八種。接著，即是此套《中國學術思想研究輯刊》二輯，共收錄有論文五十七種。

一套輯刊的水平高下，端賴編纂者的精審。杜潔祥先生為臺灣資深的學術出版工作者，具有相當的編輯經驗。每套經手的叢書，皆經過審慎的評估，成果亦是有目共睹。林慶彰教授現任為中央研究院中國文哲研究所研究員，素有盛名，論其研究成果，則是質量俱佳，對當今中文學術研究有相當的影響力。

三、內容簡介

這部《中國學術思想研究輯刊》分為《初編》、《二編》。《初編》收羅經學及經學史的研究，《二編》則收錄哲學思想的論文，上至先秦，下至清代，內容則涵蓋儒、釋、道三家。以下，則依本輯刊之分類次序，錄作者、著作名條列於後。

　　《初編》共收錄論文二十八種，以專經研究、經學史研究為基準，共分為十二類，分裝二十八冊。狀況如下：

1.《易》學研究五種

　　楊淑瓊：《虞翻《易》學研究——以卦變和旁文學性質通為中心的展開》、
　　　　　　喬家駿：《《焦氏易林》易學研究》

　　龔鵬程：《孔穎達《周易正義》研究》

　　賴貴三：《焦循《雕菰樓易學》研究》、康全誠：《清代《易》學八家研
　　　　　　究》

2.《尚書》學研究一種

　　傅佩琍：《王莽之《尚書》學與行政》

3.《詩經》學研究三種

　　鄭建忠：《《詩經》中有關戰爭與戍役詩篇之研究》

　　林耀潾：《先秦儒家詩教研究》

　　陳明義：《朱熹《詩經》學與《詩經》漢學傳統異同之研究》

4.《禮》學研究三種

　　洪文郎：《《禮記·禮運》研究》

　　林碧玲：《王船山之《禮》學》

　　林美惠：《朱子《學禮》研究》

5.《春秋》學研究二種

　　劉德明：《孫覺《春秋經解》解經方法探究》

　　林世榮：《熊十力春秋外王學研究》

6.《左傳》學研究二種

　　王聰明：《《左傳》之人文思想研究》

　　廖秀珍：《《春秋左氏傳》會盟研究》

7.《公羊》學研究二種

　　江素卿：《論常州學派之學術特質與其經世思想》

　　吳龍川：《劉逢祿《公羊》學研究》

8.《穀梁》學研究一種

簡逸光：《《公羊傳》、《穀梁傳》比較研究》

9.《論語》學研究一種

劉用瑞：《船山《論語》詮釋之研究》

10.《學庸》研究一種

鍾雲鶯：《民國以來民間教派《大學》、《中庸》思想之研究》

11.讖緯學研究三種

殷善培：《讖緯思想研究》

殷善培：《讖緯中的宇宙秩序》

周德良：《《白虎通》讖緯思想之歷史研究》

12.經學史研究四種

江乾益：《前漢《五經》齊魯學之形成及其影響》

翁麗雪：《東漢經術學士風》

林文華：《戴震經學之研究》

丁亞傑：《康有為經學評述》

　　《二編》共收錄論文二十九種，以專門學、專家學為主要分類基準，其中專家學研究則輔以時代為區別，共分為十類，分裝為二十八冊。條列於下：

1.綜論五種

袁信愛：《先秦人學研究》

鄧秀梅：《儒學中有關「天命流行」一義之探討》

丁　亮：《「無名」與「正名」——論中國上中古名實問題的文化作用與發
　　　　　展》

李宗定：《老子「道」的詮釋與反思——從韓非、王弼注老之溯源考察》

鄭雪花：《非常的行旅——〈逍遙遊〉在變世情境中的詮釋景觀》

2.先秦民間信仰與思想研究一種

鄒濬智：《西漢以前家宅五祀及其相關信仰研究——以楚地簡帛文獻資料
　　　　　為討論焦點》

3.法家思想研究一種

康珮：《《商君書》與商鞅治道之研究》

4.黃老思想研究一種

　　林靜茉：《帛書《黃帝書》研究》

5.漢代學術思想研究三種

　　蔡忠道：《陸賈思想之研究》

　　陳麗桂：《王充自然思想研究》

　　黃淑貞：《《淮南子》天道觀之研究》

6.魏晉南北朝學術思想研究五種

　　林麗貞：《魏晉清談主題之研究》

　　高齡芬：《王弼與郭象玄學方法之研究》

　　蕭登福：《嵇康研究》

　　周靜佳：《六朝形神思想與審美觀念》

　　呂昇陽：《六朝美學中的形神思想之研究》

7.宋代學術思想研究二種

　　黃明理：《范氏義莊與范仲淹──關於范仲淹的儒學史地位的討論》

　　侯潔之：《道南學脈觀中工夫研究》

8.明代學術思想研究三種

　　許宗興：《王龍谿學述》

　　廖俊裕：《道德實踐與歷史性──關於蕺山學的討論》

　　楊晉綺：《晚明文化論述中「倫理」與「審美」論題之交涉及審美意識之
　　　　　　開展》

9.清代學術思想研究三種

　　楊菁：《李光地與清初哲學》

　　齊婉先：《黃宗羲之經學思想研究》

　　賴溫如：《晚清新舊學派思想之論爭──以《翼教叢編》為中心討論》

10.中國佛教、道教思想研究五種

　　王志楣：《從《弘明集》看佛教中國化》

　　潘慧燕：《《觀音玄義》思想研究──以「性」、「修」善惡為中心》

　　李懿純：《憨山德清註《莊》之研究》

王婉甄：《李道純道教思想研究》

郭啟傳：《陸西星的道教思想》

學術之進步與否，除新領域的拓展之外，首重於議題的深化，是以此輯刊所選錄的論文，亦以專門研究為主；唯有將精深專門研究的點串連起來，學術史的面才能夠不失真，故此輯刊除了展現專門議題研究的深度之外，更提供一個真切理解學術史的管道，相信對於漢學研究者，必能有所裨益。

四、本輯價值

這套叢書的問世，不論是對於專家學者，抑或是初入門徑的研究生來說，皆可謂深具意義：

一、對於研究生而言，在尋找研究論題時，除了親自前往國家圖書館檢索之外，亦可透過此輯刊進行相關議題的理解，掌握前人的研究成果，有效避免研究精力的損耗。

二、對於專家學者來說，除了可以快速掌握研究成果之外，還能藉由比較相同範疇的研究作品，衡量該領域之發展狀況，提出進一步的討論。如此一來，即有助於相關議題的開拓及深化。

三、就學界而言，本輯刊提供了一個便於使用論文的管道。以往若要利用學位論文，不是進行繁瑣的調閱工作，就是要透過人際關係向原作者或其畢業學校借閱、索取，往來耗時；即便取得論文，每欲引用，又囿於著作權的規範。不過，這類的問題在本輯刊的出版後，即可直接而有效的改善。

四、對原作者來說，本叢刊的出版也讓他們的成果能在學術界廣泛流傳。今日大專院校與各級學術單位、圖書館，多以博士論文作為主要館藏對象，其中大部分又未能出版，使得這些學術成果難為人知。經由此輯刊的收錄，則化身千萬，讓作者的學術心得能夠在學界中發聲。

——原刊於《國文天地》第24卷第9期（2009年2月），頁94-97。

談《經學研究論叢》與
《國際漢學論叢》
——兼談「以書代刊」的學術價值與困境

葉 純 芳*

　　拜科技之賜，現代的讀書人查詢資料很方便，做學問、寫論文，只要上國家圖書館檢索系統查詢，幾乎都能滿足不同領域學者的需求。這裡說「幾乎」，自有其美中不足之處，舉其一，即「以書代刊」的刊物的篇目未被納入中文期刊篇目檢索系統內，導致其學術價值長期以來被忽略，是應該提出並重視的問題。

　　這裡以《經學研究論叢》與《國際漢學論叢》為例說明。

　　《經學研究論叢》自一九九四年創刊以來，至今已邁入第十五個年頭。創刊之初，是海內外第一份經學專業叢刊。除了一九九四年初與年末各出一輯、一九九六年未出刊外、一九九九年出二輯，基本上以每年一輯的方式出版，迄今出版十五輯，共收經學研究論文近三百篇，在經學研究的領域中，成果不可謂不豐富。《經學研究論叢》的價值，何淑蘋〈培育經學幼苗的園地——《經學研究論叢》簡介〉(《國文天地》，24卷9期)已大致介紹，並歸納為「提供園地」、「鼓吹風氣」、「填補空白」、「整理文獻」四項。本文在此基礎上，補充說明如下：

---

*　東吳大學中國文學系兼任助理教授、《國際漢學論叢》執行編輯。

一、中國經學史的重新建立

過去想了解中國經學史，不外乎從皮錫瑞《經學歷史》、馬宗霍《中國經學史》或梁啟超《近三百年學術史》中窺其大略，但這些並非是經學史的全部真相。《經學研究論叢》所收錄的論文，在原有經學史研究基礎上，提出更深入的分析，如：〈《白虎通義》所反映的社會結構觀〉（7輯）、〈由經有數家、家有數說到括囊大典、貫通六藝——論鄭玄通學的產生〉（12輯）、〈鄭、王異同辨〉（10輯、15輯）、〈三國六朝經學上的幾個問題〉（9輯）、〈魏晉經學的定位問題〉（10輯）〈北朝經學相關問題試探〉（8輯）、〈五代十國的經學〉（5輯）、〈唐代科舉與經學〉（9輯）、〈滿漢合璧《欽定繙譯五經四書》的文化意涵：從「因國書以通經義」到「因經義以通國書」〉（13輯）、〈劉師培《經學教科書》中的經學觀——與皮錫瑞《經學歷史》的比較〉（8輯）、〈皮錫瑞《經學歷史》研究〉（14輯）、〈顧頡剛疑古辨偽的思考與方法〉（6輯）。此外，各經書、經學家的歷代研究，都可豐富經學史研究的內容，建立內容更深化的中國經學史。

二、提倡海內外經學研究

經學研究本來就不是大眾，不過這本刊物凝聚了海內外研究經學的學者，師長輩們的經學研究成果屢屢為後輩做精采的示範，而青年學者也嘗試著提出個人的主張，透過研究心得的交換，參考其他學者的研究成果，使原本不太活絡的經學研究逐漸蓬勃發展。

三、提供研究新資訊，呈現研究趨勢

《經學研究論叢》每一輯都有「出版資訊」，為該年每一部新書作內容的提要、作者的介紹，撰稿者皆由專修經學的研究生組成。十五輯的《論叢》，總共介紹了五百餘部海內外經學新著作。也就是說，平均每年大約有三十多部

的經學專著出版。從這些提要，可一窺該年的經學研究趨勢。此外，每隔幾輯也編有「經學博碩士論文目錄」，提供學者研究的新資訊。

四、傳遞海內外經學活動訊息

每輯亦固定介紹海內外已成立或新成立的經學、儒學機構，所舉辦學術研討會的相關消息。透過這些會議與議程的介紹，讀者可以掌握海內外經學活動的訊息，見證經學研究的發展。

《經學研究論叢》經過十五年的時間，目前已步上軌道，在海內外經學研究上，有一定的重要性與影響力。不過，正在起步的《國際漢學論叢》，卻面臨諸多的考驗。

長期致力於經學研究的林慶彰老師，有鑒於國內漢學人才不足，並且對缺乏漢學刊物來介紹國外漢學研究成果，感到憂心。更重要的，是看到大陸有多種漢學刊物陸續出版，臺灣文史學界想要與國際接軌，卻連一份漢學刊物都沒有，因此，繼《經學研究論叢》之後，《國際漢學論叢》誕生。自從一九九九年出版第一輯後，本刊便沈寂了五年，第二輯直到二○○五年才出版，第三輯又隔了二年，至二○○七年出版，目前正編輯第四輯。

面對刊物沒有出版規律的這種窘境，其中除了有經費籌措的問題之外，作業執行上亦有困難。首先是國內懂得國際漢學的人才少，討論國外漢學的文章不容易撰寫，因此，翻譯外國學者的漢學研究論文成為這本刊物重要的內容，邀請學者翻譯，翻譯的文稿必須核對，這就不是研究經學、外語能力不佳的編輯們能夠承擔得起的工作。再加上編輯們都不是專職性質，必須在課餘的時間編輯此書，諸多困難，導致這本刊物無法如期出刊。幸好，目前這些難題都逐一解決中。自動加強外語能力的研究生越來越多，可以幫忙分擔翻譯校對的工作，同時，也商請北京大學歷史系副教授喬秀岩先生，與華梵大學外國語文學系助理教授葉采青女士，於每輯分別擔任義務的日文、英文文稿最後的校對工作。希望這份刊物能和《經學研究論叢》一樣，一步一步，為漢學研究貢獻一點力量。

　　要籌辦一份刊物，很現實的問題就在經費上，尤其這是一份不以挖人隱私，揭人瘡疤為主旨，純學術性質的刊物，讀者群是社會中的小眾，自然無利可圖，事實上這二本刊物的主編林老師也並不以牟利為出發點，甚至常常在刊物出版時，又向出版的書局回購刊物，分送師友同好及學生們。

　　對主編與出版者來說，編這樣一份刊物，都有訴說不盡的苦處。但是他們還是咬緊牙根，一輯撐過一輯。舉例來說，或許讀者們會認為「出版資訊」是最不費力的單元，實際上要介紹該年海內外出版的經學著作，而且數量都至少維持在三十本上下，搜集新書目已經是不容易的工作，更大的問題在於要有書，才能寫提要。通常，這些書都是由林老師全部買下，然後分別依照學生研究領域的不同，分書、撰寫提要。寫完交回後，再由老師一一將書與提要相互核對，才算完成。買書是一筆不小的開銷，再加上每篇提要的撰稿費，也都是林老師體恤研究生們沒有充裕的生活費，自掏腰包支付的。

　　又如《經學研究論叢》，原本由聖環圖書公司出版，因為承擔不了每期賠錢出版，第五期開始由臺灣學生書局接手；《國際漢學論叢》則一開始就由樂學書局出版。這兩個書局的負責人，也都因為佩服林老師為經學研究無私的奉獻，而默默地支持著。

　　身為林老師的學生，與《國際漢學論叢》的編輯之一，寫這篇文章，不是為了頌揚老師，也不是來訴苦，除了說明主編者與出版者的用心，更重要的是需要更多經學界、漢學界的前輩與年輕學者的支持與幫忙，這二份專業的刊物才能持續地辦下去。

　　──原刊於《國文天地》第24卷第12期（2009年5月），頁29-31。

陳滿銘與林慶彰兩位教授學術
評論集評介
──兼論學術評論集的重要性

陳　韋　哲[*]

一、淺議學術評論集的重要性

　　從學術研究的角度來看，每當有一個重要的理論或觀點被提出時，經常會引發學界乃至社會各界的關注與討論，隨之而來的便是一些相關的評論與介紹性的文章。一位用功的學者，在他的一生當中也許會有多次受到關注的機會，進而產生出一系列與他學術研究成果相關的評論與文章，將這些評論、文章彙為一編，按討論的議題或文章的性質等方式加以分類，那就是所謂的「學術評論集」了。我們可以從一學者的「論著目錄」中，看出該學者的學術特色與研究的方向，但卻無從判別這些論著在學界的影響力與受關注的程度。而「學術評論集」的編纂，正好可以彌補這項缺憾。從一學者的「學術評論集」裡，我們可以了解該學者所從事的研究中，最常受到學界或社會關注的是哪些個議題，評價如何，又影響了什麼。可以說「學術評論集」是幫助我們認識一學者之重要學術成果的「說明書」。相反的，一些著名的學者，因為缺乏「學術評論集」的「說明」，時間一久，便漸漸地為學界所淡忘了。

　　兩年前，筆者因研究上的需要，而接觸到了「程發軔的春秋學」這個論題。程發軔（1894-1975）先生是當年臺灣師範大學國文系的教授，精通「春

---

[*]　東吳大學中國文學系碩士生。

秋曆法」和「春秋地理」，現在每年的九月二十八日孔子誕辰暨教師節放假，就是他推算出來的（民國四十年以前的教師節是八月二十七日）。這位曾經具有相當影響力的學者（孔子誕辰的更動在當年是件大事，想必引發許多相關的評論），因為缺乏「學術評論集」的「說明」，致使筆者在蒐羅相關的資料上困難重重。程先生去世才不過短短三十年，他一生的學術貢獻已被學界打入了冷宮，許多在他研究下已略具規模的議題，因為沒有傳承而不斷地重新開始（如春秋王城的問題等等），等於白白浪費了學者們研究的精力。這種對學者重要研究成果的忽略與淡忘，不正是我們學界最不樂見的悲涼嗎？

本文以下將介紹陳滿銘與林慶彰兩位教授的學術評論集，並討論其編輯的體例與得失，以期有助於往後更多「學術評論集」的編纂與出版。

二、陳滿銘教授與辭章章法學

陳滿銘（1935-）老師，苗栗大湖人，曾任臺灣師範大學國文系的教授（二〇〇四年退休），現任《國文天地》雜誌社社長兼總編輯。陳老師在詞學、四書學、章法學、意象學、辭章學與國文教學等諸多領域都有深入的研究，也出版過相關的論著，而其中最具代表性的，便是他所建構的「辭章章法學」體系。二〇〇七年年底，陳老師當年在臺師大國文研究所所指導的學生──仇小屏、陳佳君、黃淑貞、蒲基維、謝奇懿、顏智英等人，合資出版了陳老師在「辭章章法學」方面的「學術評論集」，作為表彰乃師學術成就的一份心意，名為《陳滿銘與辭章章法學：陳滿銘辭章章法學術思想論集》（臺北市：文津出版社，2007年12月，460頁）。

該論集共收錄了二十八篇論文，根據所評論的議題，而區分為「綜合類」（十一篇）、「個別論著類」（八篇）、「個別理論與應用類」（二篇）和「其他類」（七篇）等四類。「綜合類」前有四篇「序言」和「前言」，分別為王希杰、鄭頤壽、蔡宗陽和仇小屏等人所撰；「其他類」後有〈附錄：陳滿銘著作一覽表〉和蒲基維所撰寫的〈編後語〉。全書共計二十六萬字，是了解陳滿銘老師學術成就與影響力的重要「說明書」。

　　王希杰教授認為，陳滿銘老師他建立了現代章法學，創建了章法學學派，並且建設了一個章法學的研究團隊。（〈序言〉，頁2）而陳老師的大弟子仇小屏老師則表示，除了成立「章法學」這個新學科及培養「章法學」的研究團隊之外，陳老師更重要的貢獻，是將「章法學」的研究擴充至「意象學」和「辭章學」的領域。（〈前言〉，頁33-48）根據孟建安教授的研究，「章法學」與文法、修辭、辭彙、意象等領域，都是處在「辭章學」大系統底下的第五個層次（第四個層次是「邏輯思維」與「形象思維」，第三個層次是「綜合思維」，第二個層次是「主題」，第一個層次是「風格」；關於辭章學的五個層次，陳老師在〈辭章意象論〉中有更深入的討論，見《師大學報：人文社會科學類》50卷1期，2005年4月，頁17-39），而陳老師的貢獻即在於，從辭章學層級系統內建構章法學的體系，不僅關注到章法學體系的整體價值（向外看），也強化了章法學體系自身的構成系統（向內看）。（〈章法學體系建構的系統性原則〉，頁186-194）

　　該論集的「綜合類」，主要是收錄兩岸學者對臺灣「章法學」或「辭章學」發展的綜合性討論。其中有介紹、評論陳滿銘老師「辭章章法學」的文章，如王希杰〈陳滿銘教授與章法學〉（頁30-45）、黎運漢〈陳滿銘對辭章章法學的貢獻〉（頁52-70）等；也有不是專文介紹陳老師的「章法學」，卻不斷提及陳老師之理論者，如孟建安〈章法學體系建構的系統性原則〉（頁185-194），由此可見陳老師在「章法學」研究史上的重要性。此外，該類還收錄了一篇〈章法學對話〉（頁195-236），內容記錄了王希杰與仇小屏、陳佳君二位對於「章法學」各個範疇的相關討論，內容生動活潑，是了解「章法學」相關研究議題的重要實錄。

　　「個別論著類」，收錄了兩岸學者評介陳老師所著專書的文章，主要是針對《章法學新裁》、《章法學論粹》、《章法學綜論》、《篇章辭章學》和《辭章學十論》等書。「個別理論與應用類」，則是收錄了評介陳老師「辭章章法學」在鑑賞與詞學方面之相關應用的文章。而「其他類」，則收錄了有關「漢語辭章學」研究現況的述評及學者心目中之陳老師的形象等相關文章，內容相當地豐富多元。

「章法學」的研究，可以說是由陳滿銘老師及其研究團隊所率先創立的，其他領域的學者對於「章法」或「辭章」等所涵蓋的範圍或許認識不深，因此難以避免地會有些誤解，以及因誤解而產生的批評。仇小屏等諸位老師編輯這本論集的目的，一方面固然是在宣揚、介紹乃師的學識與貢獻；但從另一方面來看，這本論集的出版，應該也是有推廣「辭章章法學」的用意。如果能在該書的「序言」處對「辭章學」和「章法學」作一個簡單的定義與說明，將更能夠吸引其他領域的學者一同加入討論的行列。此外，書後所附錄的「著作目錄」，只列專書，不及論文，這對想要了解陳滿銘老師「章法學」成就的讀者而言，無疑是一項缺憾。筆者近日整理《國文天地》各期目錄時，發現陳老師光是在《國文天地》當中發表的「章法學」相關的文章便有上百篇之多，其他如《中等教育》、《阜陽師範學院學報》等兩岸的期刊學報中，也都有陳老師「章法學」方面的論文。沒能將這些單篇論文納入「著作目錄」中，實屬憾事。

三、林慶彰教授與經學文獻學

林慶彰（1948-）老師，臺南七股人，曾任《國文天地》雜誌社社長、東吳大學中文系教授，現為中央研究院中國文哲研究所的研究員，是臺灣著名的經學與文獻學專家。二〇一〇年年底，陳恆嵩、馮曉庭兩位老師（二位為林老師早年的學生）合作出版了《經學研究三十年：林慶彰教授學術評論集》（臺北市：樂學書局，2010年11月，668頁），用以表彰林老師三十多年來對學術研究的貢獻。

該論集正文部分共收錄了八十八篇文章，其中「經學評論」三十七篇，「文獻學評論」十七篇，「媒體報導」三十四篇。附錄的部分也分成三種，「附錄一」收錄學者述及林老師之學術成就的單篇論文（十篇），「附錄二」收入林老師自述其經營《國文天地》雜誌及其一生之學術理想的文章（九篇），「附錄三」則收錄張晏瑞、陳水福兩位學長所編輯之〈林慶彰教授著作目錄〉與陳恆嵩、馮曉庭兩位老師所撰寫的〈編後記〉。書前有圖版二十四頁，其中包含了林老師參與學術活動的照片，以及他和海外學者交流的書信，圖版後有劉兆

祐、張錦郎兩位老師所寫的「序」。

「經學評論」部分，收錄學界評論林慶彰老師經學研究成果的文章，主要可分為六個方面。一是《詩經》學的研究，如林祥徵〈林慶彰教授《詩經》研究述評〉（頁33-48）、趙茂林〈臺灣學者林慶彰《詩經》學研究側記〉（頁49-65）等；二是經學史的研究，如陳恆嵩〈林慶彰研究經學史〉（頁85-89）、王俊義、趙剛〈論清代學術思想特色與清初經學的復興——兼評《清初的群經辨偽學》〉（頁101-113）等；三是專家研究論集與《經學研究論叢》的出版，如村山吉廣〈《陳奐研究論集》評介〉（頁118-119）、川田健〈《經學研究論叢》評介〉（頁243-245）等；四是各類經學目錄的出版，如何淑蘋〈評《經學研究論著目錄》初、續編〉（頁165-183）、丁原基〈《晚清經學研究文獻目錄》與《乾嘉學術研究論著目錄》——瞭解清代經學研究的雙璧〉（頁231-234）等；五是對於《日據時期臺灣儒學參考文獻》一書的評介（四篇）；六是對於《日本研究經學論著目錄》與《日本儒學研究書目》二書的相關評介（共四篇）。

「文獻學評論」部分，主要是評介林慶彰老師編輯或出版的一些文獻學方面的專書，如《學術論文寫作指引》、《讀書報告寫作指引》、《專科目錄的編輯方法》、《當代新編專科目錄述評》、《近代中國知識分子在臺灣》、《中國歷代文學總集述評》等。

「媒體報導」部分，主要收錄期刊、報紙、網路等各類型媒體中有關林慶彰老師之生平、學術成就、言行意見、活動狀態的介紹與記載。如鍾麗慧〈大量「偽書」充斥書市〉（頁468-472）、曹韵怡〈學術「密本」攤在陽光下〉（頁494）等篇，報導了林老師早年關心臺灣進口大陸出版品的問題。而彭程〈《文史知識》與臺灣《國文天地》攜手〉（頁486-487）、小弓〈《文史知識》與臺灣《國文天地》的交流與合作〉（頁493）、路澄〈誰謀殺了國文教育？專訪國文天地雜誌社長林慶彰〉（頁504-506）等篇，則是報導了林老師與他經營下的《國文天地》。

該論集所收錄之評論文章相當豐富，正文、附錄加起來共有一百多篇，惟分類上似仍有可討論之處。如林老師所編輯的一系列經學或儒學目錄，與之相關的評論都被放在「經學評論」，而非「文獻學評論」中（經學與文獻學的關

係密切，實不容易斷然二分）。又「附錄一」中夏傳才有關〈臺港的《詩經》研究〉的兩篇文章，雖非主要評介林老師的《詩經》學與文獻學，但似乎把它放在「經學評論」或「文獻學評論」當中亦無不可。以上淺見，希望有助於將來更多「學術評論集」的編纂。

四、結語

臺灣目前仍有許多著名學者缺乏「學術評論集」的「說明」，如研究戲曲的曾永義老師、研究紅學與敦煌學的王三慶老師、研究《尚書》與宋代經學的程元敏老師等，為了能讓這些前輩學者的學術成果與貢獻持續地彰顯於世，以奠定往後研究者向前邁進的基石，學界實有積極出版這類專家「學術評論集」之必要。

——原刊於《國文天地》第26卷第11期（2011年4月），頁79-82。

臺灣「中研院」文哲所的古籍整理

林　祥　徵[*]

中華民族是世界四大文明古國之一，有著極為豐富的古籍遺產，據最近出版的《中國古籍總目》披露，保留下來的文獻典籍約有二十一萬種。這些古籍是歷史留給我們的寶貴財富，它代表著先民曾經達到的智慧高度，它綿延了數千年生生不息的華夏文化，保存著我們民族的自豪感和歸屬感，是中華民族共同文化心理的見證。

古籍是國學的載體，古籍整理是連接歷史與現實的橋梁，是造福後代子孫和學術的重要工作。一九五七年，大陸成立了一個國家古籍整理規劃委員會，五十多年來共整理出版古籍圖書一萬餘種，有一定成績，但任重而道遠。可喜的是，臺灣有關方面也重視古籍整理。一九八九年八月，臺灣「中研院」文哲所開始籌備，二〇〇二年七月正式成立，把古代文化的研究和傳播作為重要方向，其經學組在經學方面的整理作出重要貢獻。

一、編輯經學研究目錄

古籍目錄是古籍的帳本，也是古籍整理的基本工程。他們的古籍整理是從經學目錄的編輯開始的。

1、經學研究論著目錄（1912-1987）

2、經學研究論著目錄（1988-1992）

3、經學研究論著目錄（1993-1997）

---

[*] 泰山學院教授。

主編：林慶彰；編輯：李光筠、張廣慶、陳恒嵩、劉昭明。

以上目錄收錄了近二十世紀的經學研究著述，體例相當完備，每個條目有多種出處者，一一加以說明。又遭書商篡改書名或作者的，也加以標示。所收論文集，除將各篇目散入有關類目外，在該條目下也列出所有篇目，為研究者提供方便。過去編輯目錄，大陸、臺灣各自獨立，而編者卻把兩岸三地的成果合編。被大陸學者稱讚為「很有識見的大家風範」。其體例為漢學研究中心委託學者所仿效。

4、乾嘉學術研究目錄（1900-1993）

主編：林慶彰；編輯：汪嘉玲、游均晶、侯美珍；臺北：「中研院」文哲所籌備處一九九五年四月印行。

該經學組於一九九三年十月開始執行「乾嘉經學研究計畫」，該目錄是其成果之一。計收專著和論文條目三四八〇條，分清代學術通論、乾嘉學術通論、四庫學、乾嘉學者通論等項。並附〈引用工具書目錄〉和〈作者索引〉。書中有林慶彰所寫〈序言〉，對清代學術的重要性、清代學術分期、乾嘉學術及編輯過程做了說明。

5、晚清經學研究文獻目錄（1901-2000）

主編：林慶彰、蔣秋華；編輯：葉純芳、王信清、鄭誼慧、劉康威；臺北：「中研院」文哲所二〇〇六年十月印行。

從二〇〇二年起，經學組開始執行為期五年的「晚清經學研究計畫」，並開始編輯該目錄，收錄了一九〇一至二〇〇〇年間，臺灣、大陸、日本、歐美等地研究晚清經學的專著和論文，共九五七〇條。上編為晚清學術通論，下編為晚清經學家分論。為求資料完整，經學家的傳記、學術思想的條目也一並收入。附錄一：引用書目；附錄二：作者索引。目錄中有林慶彰所寫的〈編序〉，對編輯動機、過程及體例作了說明。

6、日本研究經學論著目錄（1900-1992）

主編：林慶彰；編輯：馮曉庭、許維萍、大藪久枝、橋本秀美；臺北：「中研院」文哲所籌備處一九九三年六月印行。

該目錄共收七二六三條，所涉及範圍較廣，它兼收日本人在國外期刊發表

的論文、外國人在日本刊物發表的論文、外國人對日本經學研究成果的介紹和批評，和日本人翻印中國人的著作。附錄一：收錄期刊一覽表、收錄論文一覽表和引用工具書目錄；附件二：作者索引。正文前有林慶彰的〈自序〉，記述編輯過程和日本研究經學的特色。

鄭振鐸為孔另境《中國小說史料》所寫的序說：「版本、目錄是尋路的南針，迷路之明燈。有了一部良好的關於某種學問的書籍，可以省掉許多人的暗中摸索之苦。我們都是經過了摸索的境界，吃盡了苦的，故對於版本、目錄的編著者，往往是抱著很大的敬意的。」鄭先生的話也說出了我們讀臺灣同行目錄著述的心情。

二、經學古籍的點校

點校也是古籍整理的重要方面，以幫助讀者正確閱讀和領會古籍的原意。

1、點校補正《經義考》（八冊）

朱彝尊著；點校：許維萍、馮曉庭、江永川；編審：林慶彰、楊晉龍、蔣秋華、張廣慶；臺北：「中研院」文哲所籌備處一九九七年五月印行。

朱彝尊（1629-1709）字錫鬯，號竹垞，浙江秀水（今嘉興）人。為明清之際著名經學家。所著《經義考》三百卷，收錄先秦至清初經學著作，為研究經學的目錄巨著。該書以盧見曾補刊本為點校底本，加上新式標點。再以文淵閣《四庫全書》本、《四部備要》本為輔本，詳加校勘，作成校記。又以翁方綱《經義考補正》、羅振玉《經義考目錄校記》和《四庫全書總目》中糾正《經義考》失誤處等資料加以補充，並附於相關條目之下。正文之前有林慶彰、張廣慶寫的〈點校說明〉和〈點校凡例〉，並附朱彝尊像等八幅圖版。他們還將編輯《點校經義考》書名和作者索引。

2、姚際恆著作集（六冊）

主編：林慶彰；臺北：「中研院」文哲所一九九四年印行。

姚際恆（1638-？）字立方，號首源，清代著名經學家。他的主要著作是《九經通論》和《古今偽書考》等。《九經通論》論及《易傳》、《詩經》、《周

禮》、《儀禮》、《禮記》、《春秋》、《論語》、《孟子》等九部經典。可惜這些著作
有的亡佚，有的殘存於後人著作中，完整保存下來的僅有三、五種。該經學組
經過輯佚、點校，完成了這一工程。全書共六冊，一、《詩經通論》，顧頡剛點
校；二、《古文尚書通論》輯本，張曉生輯點；三、《禮記通論》輯本，簡啟楨
輯佚、江永川標點；四、《春秋通論》，張曉生點校；五、《古今偽書考》，童小
鈴彙集；六、《好古堂書目》林慶彰點校、《好古堂藏書畫記》林耀椿點校、
《續收書畫奇物記》林耀椿點校。

　　書中有林慶彰寫的序言〈姚際恆及其在近代史上的地位〉，對姚際恆的生
平、著述、點校過程、今人研究概況及其影響作了較全面論述。

　　附記：大陸出版了陳祖武點校《禮記通論》（北京：中國社會科學出版
社，1998年）。

3、陳奐研究論集

　　主編：林慶彰、楊晉龍（兼審訂）；編輯：陳淑誼、葉純芳、王清信；臺
北：「中研院」文哲所二〇〇〇年十一月印行。

　　陳奐（1786-1863）字碩甫，江蘇江州人，所著《詩毛氏傳疏》為清代
《詩經》學名著。該論集搜集海內外研究陳奐的文獻，分傳記、年譜和著作研
究兩部分。由葉純芳、王清信編輯〈陳奐相關資料彙編〉並加新式標點、附於
該書的卷末。〈編者序〉由林慶彰所寫，論及陳奐生平、著述、學術成就及編
輯過程。他們還將點校《陳奐全集》。

4、二十七松堂集（四冊）

　　廖燕著。附一：廖燕作品補編（林子雄編輯點校）；附二：廖燕研究資料
彙編（林慶彰編）。臺北：「中研院」文哲所籌備處一九九五年五月印行。

　　廖燕（1644-1705）字柴舟，廣州曲江人，是一個特立獨行的學者。《二十
七松堂集》收錄廖燕作品有詩歌、散文、雜著和戲劇等。因該書流傳到日本，
而國內存書很少，該組從九州大學名譽教授荒木見悟先生借的文久二年
（1862）刊的《二十七松堂集》影印出版。廣東省中山圖書館林子雄先生將文
久二年刊本所沒有收的廖燕作品，加以點校，編成〈廖燕作品補編〉；林慶彰
把歷來散見各類著作中，研究廖燕的相關文獻編成〈廖燕研究資料彙編〉，為

研究明清之際的思想提供比較完整的資料。〈導言〉為詹海雲先生所寫，論及廖燕的生平、學術思想、著述、《二十七松堂集》流傳到日本的原因、及廖燕被誤解為明朝遺民的過程等。

5、汪中集

汪中著；點校：葉純芳、王清信；編審：林慶彰、蔣秋華；臺北：「中研院」文哲所二○○○年三月印行。

汪中（1744-1794）字容甫，清揚州府江都縣人。揚州學派的代表人物之一。以研究《禮》學和《春秋》學為主。所著《述學》在清代學術史上享有聲譽，其《廣陵通典》為揚州區域史研究名作。一九九八年七月起，該經學組推動「清乾嘉揚州學派研究計畫」，對汪中著作進行整理，其《述學》以一九二七年成都志古堂叢書九卷本為底本點校，並重新編排，分為七卷，改稱《文集》；其詩作為《汪容甫先生遺詩》據《四部叢刊》影印本王氏刊本點校，改稱《詩集》，列於《文集》之後。又據古直所作《汪容甫文箋》加新式標點，附於該書之末，並把羅振玉《昭代經師手簡》中的汪中〈致王念孫書〉補入《文集》卷七之中，由此，該書是由《述學》、《汪容甫先生遺書》、《汪容甫文箋》集合而成。書中有林慶彰所寫的〈前言〉，介紹了汪中的生平、著述、學術成就、點校整理過程。正文前附有汪中像等圖版六幅。

附記：二○○三年大陸出版了揚州大學田漢雲教授整理的《汪中全集》（廣陵書社），計四十餘萬字。

6、劉壽曾集

劉壽曾著；校訂：楊晉龍；點校：林子雄；臺北：「中研院」文哲所籌備處二○○一年四月印行。

劉壽曾（1838-1882）字恭甫，江蘇儀徵人，隨先輩移居揚州。祖父劉文淇、父親劉毓崧和他祖孫三代先後修撰《春秋左傳舊注疏證》，在經學史上傳為美談、《劉壽曾集》收錄《傳雅堂文集》四卷《詩集》一卷，以民國二十六年（1937）四月鉛印本為底本，由廣東中山圖書館林子雄先生點校而成。附錄一〈劉壽曾親友交往錄〉，附錄二〈劉壽曾年譜〉都由林子雄先生所編，〈前言〉也由林子雄撰寫，論及劉壽曾的家族身世、經學淵源、學術成就、《傳雅

堂集》版本及整理過程。楊晉龍〈點校本劉壽曾集跋〉附於書末,正文前有劉
壽曾像等圖版四幅。該集收錄了劉壽曾的傳記、墓誌銘、文章和詩歌等,反映
了劉壽曾的人生經歷和學術成就,以及揚州學者的治學風氣。

經學組還將出版《汪喜孫全集》、《段玉裁集》、《顧千里集》、劉毓崧《通
義堂文集》、《經義述聞》、《陳奐全集》等。

7、蘇輿詩文集

蘇輿著;編輯:林慶彰、蔣秋華;點校:楊菁;臺北:「中研院」文哲所
二〇〇五年十一月印行。

經學組自二〇〇二年開始執行「晚清經學研究計畫」,為期五年。《蘇輿詩
文集》、《翼教叢編》、《胡培翬集》等是其成果。

蘇輿(1874-1914)字瑞嘉,晚號閑齋,湖南平江人。晚清湖南著名學
者。在學術上,專攻《春秋》學,推崇董仲舒。《蘇輿詩文集》收錄《辛亥濺
淚集》、《自怡堂詩集》及散見各書的單篇文章。《自怡堂詩集》寄寓作者身處
國家衰敗,社會動蕩時,所懷的悲涼慷慨之情;《辛亥濺淚集》對袁世凱欺玩
清廷,圖謀私利,以及清末政治荒謬和腐敗等,盡情傾訴。附錄一、傳記資
料;附錄二、著作提要;附錄三、相關資料。〈導言〉由點校者楊菁所寫,論
及蘇輿的生平及著作,《自怡堂詩存》內容述要,《辛亥濺淚集》內容述要等。

8、翼教叢編

蘇輿編輯;校訂:蔣秋華、蔡長林;臺北:「中研院」文哲所二〇〇五年
印行。

所謂「翼教」,即闡明正學,以輔佐孔教之意。該書是蘇輿為維護正統學
說而作。甲午戰爭之後,湖南掀起一股推行新政的風潮,康有為、梁啟超等提
倡民權、民主、君主立憲,設立議院等新學說,引起湖南守舊派的恐慌與不
滿。該書收錄了康、梁等所寫的資料,也收錄了湖南守舊派批駁維新思想的書
信、奏折、論著等資料,是記載當時湖南新、舊兩派論爭的重要文獻。從書中
可看到近代維新過程中,知識分子所面臨的抉擇及各自的立場,有一定的史料
價值。

該書以光緒二十四年初刻本為底本,與其他版本有不同者,則於校記中說

明，其他版本有收而初刻本未收者，則一並收入，並加上新式標點。〈導言〉為楊菁所寫，論及該書的版本、時代背景、內容及新舊學派的論爭等。

9、胡培翬集

胡培翬著；校訂：蔣秋華；點校：黃智明；臺北：「中研院」文哲所二○○五年九月印行。

胡培翬（1782-1849）字載屏，號紫蒙，安徽績溪人。所著《儀禮正義》四十卷為清代《儀禮》學的代表作。因該書已有江蘇古籍出版社點校本，《胡培翬集》只收了胡氏的《研六室文鈔》十卷、《燕寢考》二卷、《禘祫問答》一卷，以上海古籍出版社《續修四庫全書》影印清道光十七年涇川書院刊本為底本，點校而成。題名為《胡培翬集》。〈前言〉為點校者黃智明所寫，論及胡培翬的生平、禮學研究及點校過程。該書的出版有助於清代學術和胡氏禮學的研究。

三、有關研究論集的整理

1、啖助新春秋學派研究論集

主編：林慶彰、蔣秋華；編輯：張穩蘋；臺北：「中研院」文哲所二○○二年七月印行。

啖助（724-770）字叔佐，原籍趙州。與趙匡、陸淳為中唐時期《春秋》學派代表人物。他們不滿《春秋》學者信傳而不宗經的缺陷，而以勇於疑古，直探經旨為其治學方針，並成為繼承漢學，啟導宋學的指針。鑒於對於該學派研究之不足，經學組搜集了兩岸三地及海外相關研究的文獻二十七篇編成該書。書中〈編者序〉由張穩蘋所寫，論及三個學者的生平、《春秋》學的形成過程、思想、在經學史上的地位等，以及該集編輯過程。

2、楊慎研究資料彙編（上、下兩冊）

編輯：林慶彰、賈順先；臺北：「中研院」文哲所一九九一年十月印行。

楊慎（1488-1559）字用修，號升庵，四川新都人。明代著名經學家、文學家。著作有二百多種，有「明人經學之翹楚」之聲譽。他創立了一個以考據

學為主的學派,為清代考據學的先導。該彙編收錄一百篇研究楊慎的論文資料,上冊關於楊慎的生平、文學成就、作品賞析等資料;下冊收錄八篇論文,論及楊慎的生平、著作、學術思想、文學成就等。附錄〈楊慎研究目錄〉為四川大學哲學系教授賈順先先生和林慶彰所編。

3、元代經學國際研討會論文集(上、下兩冊)

主編:楊晉龍;編輯:陳淑誼;臺北:「中研院」文哲所籌備處二〇〇〇年十月印行。

對元代經學的評估,自皮錫瑞《經學歷史》給予負面評價之後,元代經學與明代經學一起成為經學史上研究的荒漠之區。為了矯正這種不合實際的成見,文哲所於一九九八年十二月二十二日至二十三日,舉辦了「元代經學國際研討會」,出席會議的有來自大陸、臺灣、日本、美國二十六位學者及研究生一百多人。發表論文二十六篇,收入文集的是二十四篇。上冊十二篇,除了《經學通論》外,論及元代《周易》、《尚書》的研究等;下冊十二篇,論及元代《詩經》、《禮記》、《春秋》、《論語》、《四書》的研究。〈導言〉由楊晉龍所寫,論及前賢對元代經學的評價,會議論文內容舉要及對會議論文的分析。認為元代經學是繼承「宋學」並加以發展、傳播的橋梁,元儒使程、朱一系的經注更趨完美、成熟,最終成一代之「典範」,並影響到現代。

4、明代經學國際研討會論文集

主編:林慶彰、蔣秋華;臺北:「中研院」文哲所籌備處一九九六年六月印行。

明代一向被視為「空疏之學」,皮錫瑞《經學歷史》斷言:「論宋元明三朝之經學,元不及宋,明不及元」,為了推動明代經學之研究,該所於一九九五年十二月二十二日至二十三日,召開了「明代經學國際研討會」,有臺灣、大陸、香港、日本、美國的學者一百多人參加,專題講演二篇、論文十九篇,《文集》由此結集而成。〈導言〉由林慶彰所寫。附錄:《明代經學國際研討會論文集》著譯者簡介。

5、清代經學國際研討會論文集

主編:本所編委會;編輯:江日新;臺北:「中研院」文哲所一九九四年六月印行。

一九九八年十月二十二日至二十三日，該所舉辦了清代經學國際研討會，與會學者發表了十九篇論文，收入十六篇文章。有論清學綜論的，有論清初經學研究、也有論及清末經學研究的，還有一篇論及日本考證學的。〈導言〉由林慶彰所寫，對論文集進行了分析，也對存在問題進行檢討。

6、清代經學研究論集

林慶彰著；臺北：「中研院」文哲所《經學研究叢刊》二○○二年八月印行。

該論集十五篇，屬於清初的論文七篇，認為清初學者有重新檢討儒學本質及回歸原典之努力，並呈現多元價值觀；屬於清中葉的論文六篇，認為乾嘉學者在文化粗暴政策下，不僅埋頭於古書整理，還有人文關懷；屬於清末的論文二篇，認為彙集保存經學文獻，整個清代都有學者在進行，劉文淇《左傳舊注疏證》反映了揚州學派「博通」的研究風格等。

7、姚際恆研究論集（上、中、下三冊）

編輯：林慶彰、蔣秋華；臺北：「中研院」文哲所籌備處一九九六年五月印行。

該集收錄散見於國內外期刊研究姚氏的單篇論文四十多篇，按學術總論、《古今偽書考》研究、《古文尚書通論》研究、《詩經》研究、《儀禮通論》研究、《禮記》研究、《春秋通論》研究、《好古堂書目》研究等類編成。該書與《姚際恆著作集》相輔相成，為清初經學及姚際恆研究提供方便。附錄一〈姚際恆研究論集彙編〉、附錄二〈姚際恆研究年表〉均為林慶彰所編，〈編者序〉由林慶彰、蔣秋華合寫，論及該集編輯的動機和過程。

8、朱彝尊經義考研究論集（上、下兩冊）

為了對朱彝尊和《經義考》有更深切的了解，他們編輯了該論集，分兩部分：一、收錄二十四篇論文，從中可了解研究《經義考》和朱彝尊的大概方向；二、為〈朱彝尊研究資料彙編〉，分為傳記和著作兩部分。附錄為〈引用書目〉。

附記：大陸於二○一○年出版了朱彝尊《曝書亭全集》（吉林文史出版社）、《經義考補正校記》（中國書店出版社）。

9、乾嘉學者治經方法（上、下兩冊）

主編：蔣秋華；編輯：陳淑誼；臺北：「中研院」文哲所二〇〇〇年十月印行。

該經學組為執行「清乾嘉學派經學研究計畫」，以「乾嘉學者的治經方法」為題，召開了四次研討會，該書是會議論文的結集，共十六篇。其中通論六篇、各學者專論八篇、論日本學者受乾嘉學派影響的二篇。附錄一：《錢大昕年譜》別記，附錄二：有張淑惠整理的「乾嘉學者治經方法座談會記錄」二篇，〈導言〉由蔣秋華所寫，論及乾嘉學派的學術成就，並對書中的論文進行分析。

10、經典的形成流傳與詮釋（第一冊）

主編：林慶彰、蔣秋華；編輯：張穩蘋；臺北：臺灣學生書局二〇〇七年十一月印行。

該經學組於二〇〇三年七月開始執行「中國古代文明的形成」的研究計劃，為期二年，期間召開了三場讀書會及專題演講。該書是其成果的結集，共十五篇。總論三篇、《周易》研究一篇、《詩經》研究三篇、《春秋》研究二篇、翻譯日本、美國、英國的相關論文六篇、座談會記錄三篇。〈序言〉由林慶彰所寫，論及一、經典的形成與流傳，二、經典的詮釋，三、經典反映的文化面向。

此外，由連清吉、林慶彰還翻譯了安井小太郎等著《經學史》（臺北：萬卷樓圖書有限公司，1998年）。

四、幾點感受

1、臺灣同行熱愛珍重中華文化，為傳承傳統文化付出他們的智慧和辛勞。

文哲所自一九八九年八月成立以來，確定了五個研究方向：即推廣和研究古典文學、近現代文學、經學、中國哲學和比較哲學。並出版了《中國文哲研究叢刊》、《中國文哲研究通訊》、《中國文哲專刊》、《中國文哲論集》、《近代文哲學人論著叢刊》、《孟子學研究叢刊》、《當代儒學研究叢刊》、《古籍整理叢

刊》、《圖書文獻專刊》等。一個有深厚根基的偉大民族，必有與之相適應的文化根基。基此，他們把古籍整理（以傳統文化的主幹──經學）作為發揚中華文化，參與世界文化交流的重要工作，並結出了豐碩成果。林慶彰在《清代經學研究論集》中說道：一九三二年「日寇進犯上海，發生一二八之役，張金吾編輯《詒經堂續經解》隨涵芬樓之藏書四十餘萬冊，全部化為灰燼，這是經學研究的大不幸，也是中華文化的一大損失。」（462頁）這種對傳承中華文化的古籍，遭受日本侵略者焚毀而痛心疾首的感情，反映了一個熱愛中華文化的知識分子的良知。最近大陸有一位教授發表〈狗入的國學〉一文，說「國學狗屁，一錢不值」，這種無知的教授，對此難道不汗顏？

2、在規劃下的多側面綜合性的古籍整理。

他們的古籍整理都制定了比較嚴密的計劃，除了案頭的工作之外，邀請海內外著名學者召開座談會或國際研討會，吸收他們的研究成果，徵求他們的意見。座談會開得活潑生動，辯論得面紅耳赤也很正常。因為整理的文獻大都在大陸，他們多次到大陸進行實地考察，到了四川、安徽、揚州等地，回來後寫了考察報告。他們人手不多，邀請海內外學者和臺灣的博士生參與其中，增加了人力資源。在整理過程中，從標點到點校規程都有嚴格的工作規範。他們有較強的讀者意識，相關的資料力求完整豐富，如點校姚際恆的《古今偽書考》時，補入金受申《古今偽書考考釋》、顧實《重考古今偽書考》、黃雲眉《古今偽書考補正》等，給研究提供方便。

3、有著幾位學術素養高而又能團結協作的骨幹。

歷史證明任何事業的成功，都與有一批優秀人才有關。臺灣經學組的成就也與有著林慶彰、蔣秋華、楊晉龍等的努力分不開。林慶彰（1949-），臺南人，研究員，專攻經學、日本漢學、圖書文獻學。著有《明代考據學研究》等著作七部，翻譯《近代日本漢學家》等日本名著三部，主編《經學研究論集》等三十餘種，論文百餘篇。他又是一個有創新精神的人，他很早就利用電腦於《日本研究經學論著目錄》的編輯之中，他運用哲學家孔恩（Thomas kuhn）在一九六二年出版《科學革命的結構》一書的「新典範」理論，提出經學史研究「回歸原典」的新說，認為中國經學史上每隔三五百年就有「回歸原典」的

風潮,它正是造就每一階段發展演變之關鍵。該說的提出,有助於經學史規律的探尋。

蔣秋華(1956-)四川遂寧人,副研究員。專攻經學,著有《宋人洪範學》等三部著作,主編經學論著十餘部,論文十多篇。

楊晉龍(1951-)臺北市人,該所所長。主要研究宋以後《詩經》學史和四庫學,在四庫學、經學史研究等方面有所突破,有影響的論文數十篇。

4、海峽兩岸攜手,共創雙贏。

經學組的同行們深深感到,海峽兩岸同文同祖,中華文化是聯繫海峽兩岸的紐帶,因此他們積極參加大陸的相關的學術活動,自一九九三年九月中國詩經學會成立以來,每次國際學術研討會都參加,並提交學術論文。他們參與《詩經要籍文庫》等大型叢書的編寫。林慶彰為中國詩經學會顧問,為《詩經》學會的建設做出了貢獻。他們的古籍整理,從書籍的借用,學者的參加,到考察時的接待等等,都得到大陸相關方面的支持。劉兆玄先生曾提出建議:海峽兩岸文化工作者攜起手來,以創造中華文化的文藝復興,我們期待它早日到來!

——原刊於《閩臺文化交流》2011年第2期,頁145-151。

一葉知秋：讀《書評寫作指引》

丁　原　基*

書評寫作指引

林慶彰，何淑蘋主編／萬卷樓

201402／351頁／23公分／360元／平裝

ISBN 9789577398543／812

　　這本二〇一四年二月出版的《書評寫作指引》，是由林慶彰教授和其高足何淑蘋博士共同主編，擇選書評理論與書評範例的一本論文選集。書首有林慶彰教授自序，簡述編書動機與收錄論文的學術領域。

　　林教授曾先後出版了《學術論文寫作指引》（臺北：萬卷樓，1996年）和《讀書報告寫作指引》（與劉春銀合著，臺北：萬卷樓，2001年），對青年學子寫作各種讀書報告或撰寫學位論文，皆提供了具體有效的協助。十餘年後復出版此書，亦是覺察到指引青年學子從「讀書好、讀好書、好讀書」進而寫作書評，亦是助其學習成長與提升書香社會的最佳方式。

　　全書三五一面，分上、下兩編。上編收入寫作方法與理論8篇，下編分類彙集書評範文，包括工具書類十篇、文學類八篇、哲學類四篇、歷史類三篇。根據林教授自序云：「旨在提供有志撰寫書評的讀者參考借鑑」。又云：「讀者藉由理論與範例相互參照，當可確實掌握書評撰寫之技巧。」雖然編者沒有說明本書選錄相關論著的原則，但從各篇論著之末，均註明出處暨出版年月，可知大部分論著係錄自學術性刊物，小部分論著係錄自專書。

---

*　東吳大學中國文學系教授。

　　書評理論部分，首選沈謙先生（1947-2006）發表於《書評書目》第1期的〈關於書評〉一文，對書評的意義、書評的對象、書評的類型及書評的內容分別闡述，文末別列「書評的瞻顧」一段，痛指七〇年代臺灣出版界良莠不齊，欠缺嚴肅的書評，因此揭櫫這個由洪健全教育文化基金會支持出版的專業書評刊物——《書評書目》創刊的目標，期望優質的書評成為推廣知識的橋樑和出版界真偽優劣的鑑衡。此文發表於一九七二年九月，此後《書評書目》成為以文學批評為主，兼具史料性質的綜合性期刊，因編輯態度嚴謹，頗獲好評，可惜於一九八二年一月，出刊一百期之後即宣告停刊。

　　一九九九年一月國家圖書館發行《全國新書資訊月刊》，出版至今超過180期，歷經十餘年的經營，此編已成為代表臺灣新書書目與書評的期刊，不僅是圖書館館員選擇館藏的最佳書目工具，也是帶領一般讀者增進閱讀興趣的最佳指南。因此，《書評寫作指引》於上編書評理論的第八篇，收錄曾堃賢先生於二〇一四年二月修正的〈《全國新書資訊月刊》的編輯理念——兼談參考工具書的書評〉一文，沈、曾兩文前後相距四十年，足見編者有意提供閱讀者藉所選的篇章，瞭解臺灣書評理論發展的狀況。

　　書評易寫乎？實在難以用「yes」或是「no」來表達。但是不可諱言，一篇擲地鏗鏘的書評，可以令藉藉無名的作者與其著作一夕間享有盛譽，進而洛陽紙貴，晉升暢銷書排行。八十年前的林語堂先生能在美國成為知名的中國籍作家，即與《紐約時報》的書評有密切的關係。

　　林語堂（1895-1976，福建龍溪人），一生著作六十多部，其中大部分以英文寫作。一九七五年被推舉國際筆會副會長。他自詡「兩踏東西文化，一心評宇宙文章。」終其一生，都肩負著促進中西文化交流的使命，他向西方世界介紹中國，也向中國介紹西方的世界。一九三四年，他的《吾國與吾民》在美國出版，四個月內連印了七版，登上全美暢銷書排行榜。此書除了有賽珍珠（Pearl S. Buck）為其寫序。最可貴的是《紐約時報書評周刊》（NT Times Book Review）的頭版發表了克尼迪（R. E. Kennedy）的書評。《紐約時報》的書評，素來受到學術界和文藝界的重視。文章說：「讀林先生的書使人得到很大啟發，我非常感激他，因為他的書使我大開眼界。只有一個中國人才能這樣坦

誠、信實而又豪不偏頗的論述他的同胞。他的筆鋒溫和幽默。他這本書是以英文寫作以中國為題材的最佳之作，對中國有真實、靈敏的理解。」一九三七年，林語堂的《生活的藝術》在美國發行，這本書連續十三個月高居美國暢銷書排行榜的首位，成為美國一九三八年最暢銷的圖書。當時的書評人在《紐約時報》說：「讀完這本書之後，令我想跑到唐人街，遇見一個中國人便向他鞠躬。」林語堂也是我國第一位被提名諾貝爾文學獎的作家。當年中日戰爭國家處境艱鉅之際，他的暢銷著作也為苦難的中國人贏得許多美國民眾的同情與友誼。因此一篇由深具權威的人士寫出的書評，不僅捧紅一名作者，對增進人類文明的推展亦產生深刻的意義與影響。換言之，言之無物的書評，無論多寡皆無助於社會的發展與進步。

本書在指導學習者如何撰寫書評部分，依序尚收錄有：朱榮智〈談「書評寫作」〉，傅雋〈書評寫作：不可能的仲介〉，劉春銀〈撰寫書評的方法〉，侯美珍、何淑蘋〈書評寫作〉，張玉法〈如何評論一部史學論著〉及邱德修〈如何寫佛籍書評〉。皆為知名學者與專家將自身撰寫書評的經驗，從正確寫作態度的建立到選擇書籍、閱讀文本、蒐集相關文獻資料，以致設計較為醒目的主標題等等，金針度人啟迪後學。

本書下編書評範例部分，計收二十五篇，雖分四大類，實際是對參考工具書和文史哲類專書的書評。屬於工具書類的書評，多發表在《全國新書資訊月刊》、《佛教圖書館館刊》與中研院文哲所的《集刊》、《研究通訊》，時間是二〇〇一年至二〇一一年，正可以看出國內對工具書編纂的漸趨重視，與推動寫作書評的成效日彰。

工具書既是按特定方法加以編排，協助學習者快速找到所需的相關資訊，因此彙集的資料，務求完整與確實外，其編輯體例與類目析分，皆會影響讀者檢閱的意願。因而撰寫對蒐羅與學術研究有關的索引類工具書的書評，多會糾謬補正，如釋自衍〈評《世界佛教史年表》〉、林慶彰〈評復旦大學歷史系資料室編《二十世紀中國人物傳記資料索引》〉、陳美雪〈戲曲目錄學的傑作——《傅惜華古典戲曲提要箋證》評介〉等，不僅展現撰寫者的專業實力，也暗示學習寫作書評者，書評要依靠真誠的責任感和睿智的洞察力，以負責任的態度

予以介紹和評論。如原載於香港《明報週刊》第37卷第10期（2002年10月，頁112-113）吳銘能的〈此中空洞無物——評《2000臺灣文學年鑑》〉一文，就直指此冊文學年鑑屬於「空洞無物」。

當然面對一部優質的工具書，亦應不吝地給予讚美，如何淑蘋〈辭書評論的最佳範本——讀張錦郎主編《臺灣歷史辭典補正》〉、林慶彰〈《佛教相關博碩士論文提要彙編（2000-2006）》讀後〉，前者於書評篇名之主標題即予以肯定，後者於字裡行間推許香光尼眾佛學院圖書館，以有限的人力，編輯出多種與佛學研究有關的高質量工具書，並期勉持續編輯，樹立工具書編纂的典範。

本書收錄的有關文史哲領域的書評，多採自《文訊》、《國文天地》、《書目季刊》、《漢學研究》、《哲學與文化》、《中國文哲研究集刊》、《新史學》及《近代史研究所集刊》，上列期刊學報在國內學術界享有一定的聲譽，書評作者皆為各領域的佼佼者，因此立論務實嚴謹，頗得《四庫提要》評書之神髓。

如沈謙〈從發光體到反光體——論亮軒的《風雨陰晴王鼎鈞》〉一文，採夾敘夾議的行文方式，將王鼎鈞與亮軒兩人的散文，或並舉，或析論，篇中論定王鼎鈞為當代散文第一大家，即因為「讀鼎公的作品，隨時會感受到一股生命的悸動。」「鼎公不只是我手寫我口，更能我手寫我心，我手寫我感，我手寫我悟。他運用詩的語言、散文的形式和小說的變化層次，執著於散文藝術與生命情義交融，抒寫出二十世紀的風風雨雨，讓我們感受到時代脈搏的躍動。」這種宏觀的評論，與劉勰《文心雕龍・時序》提出來的「文變染乎世情，興廢繫乎時序」，頗有異曲同工之慨嘆。

又如汪榮祖〈追尋半世紀的蹤跡——評王晴佳《臺灣史學50年，1950-2000：傳承、方法、趨向》〉一文，結論引王著的一段結論後，作者評論云：「如此結論，真是有看沒有懂」，「如果『一直』朝著科學化的方向發展，『轉折』又從何而來如果『一直』，應該貫穿三個時期，何以見不到『一直』的線索？」，「實在令人無限迷惘」等語，頗似《四庫提要》常見到的：「未審其寓言之旨何在也」，「於義亦難通矣」或「乃橫生揣度，其空言臆斷可知矣」，令人讀了不禁莞爾。

本書編選宗旨之一，就是提供文史科系學生和一般民眾若有志撰寫書評，

則此本《書評寫作指引》對學習者言，是一個最經濟的、便捷的學習範本。因其內容涵蓋工具書、文學、哲學、歷史諸多領域，當然領會的層面就豐富多樣。選錄各方專家學者的書評文章，也展現兩位編者有集思廣益的胸襟；從而提供讀者從各篇範例中，既學習到書評撰寫的基本要件外，亦可充分發揮個人之學養，建立公允獨特的個人之書評風格。

本書編選之另一目的，就是希望喚起有關當局對書評的重視。書首編者自序言：「書評在國內並不受重視，所以升等或研究成果都不能以一般論文同等而論。像中央研究院中國文哲研究所每一篇書評只能得到一到兩點的積分，而一般的論文至少有四到八點，相差甚多。可是，要寫出一篇好的書評，所花費的時間不下於寫一篇學術論文，由此可見書評是受到歧視的。但是學術水準的提升或端正與否，有需要靠書評來作輔助。客觀的書評，對作者和出版者不無鼓勵的作用。應該要有更多的學者投入書評寫作的行列，我們編輯這部書的意義也就在這個地方，希望我們的努力能引起學界的共鳴。」這是一位堅持學術尊嚴者的沈痛呼籲，筆者亦深有戚戚焉。

總之，從這本二〇一四年二月出版的《書評寫作指引》，可以略窺出近半世紀來臺灣的學界與出版界是有許多有識之士重視「書評」，也有不少甘願忍受寒飢與寂寞的「傻子」在默默耕耘書評這塊園地，可惜績效有限。隨著閱讀風氣和習慣的轉變，要如何讓客觀公允的書評「滲透」到讀者？筆者以為目前《全國新書資訊月刊》的每月新書書目與書評，日益受到注意，期待《月刊》繼續發揮火車頭作用，能將電子版的內容，透過行動載具的方式，將每月新書書目與書評直接傳送到讀者手中，那麼臺灣的「NY Times Book Review」呼之欲出，這本《書評寫作指引》的銷路必獲佳績。

——原刊於《全國新書資訊月刊》第186期（2014年6月），頁56-59。

林慶彰著《偽書與禁書》評議及其他

朱　傑　人[*]

　　林慶彰著《偽書與禁書》[1]一書由兩部分組成，第一部分是研究和介紹屈萬里、劉兆祐兩位前輩學者在辨偽學領域的理論貢獻與學術成就。第二部分是林慶彰先生對臺灣當代禁書、偽書之考辨。這是一個非常有趣又極具中國特色的學術與出版現象：從一九四九年到一九八七年長達三十八年的時間裡，臺灣出現了一大批禁書與偽書，數量之多，禁毀與作偽手段之光怪陸離，令人歎為觀止。也許是見怪不怪了，臺灣學人及大陸學者對這一文化現象幾乎沒有人做過專門研究。林先生的大著可謂填補空白之開山之作，其意義自不待言。

一

　　林慶彰先生早年受教於屈萬里、劉兆祐兩先生，自謂：「我個人有關古書辨偽的知識，大都來自兩位先生的教導。」[2]

　　眾所周知，林先生是當今臺灣學界辨偽學的大師，他的《清初群經辨偽學》一書被公認為這一領域的扛鼎之作。筆者與林先生相識多年，對其文獻學思想多有瞭解，深知林先生對辨偽一學之重視。讀先生關於辨偽的著作或論文，更感其對辨偽學方法之諳練，使用之嫻熟。《偽書與禁書》一書是對其老師屈、劉辨偽學理論與實踐的一個總結，從中我們不難看出兩位先生在辨偽問題上對林先生的影響。

---

[*]　華東師範大學古籍研究所教授。
[1]　林慶彰：《偽書與禁書》（臺北：華藝學術出版社，2012年）。
[2]　林慶彰：《偽書與禁書》，頁1。

林先生對屈萬里、劉兆祐二先生的辨偽學思想、理論與學術實踐做了系統的回顧與總結。

「屈萬里先生如何強調辨偽書的重要？曾考辨過哪些偽書，或古書篇章的時代？對古代史和古代經典有那些影響？」[3]凡此種種就是林先生在此書中詳加討論的問題。他首先強調了屈、劉二先生對辨偽學理論的深化與貢獻。

辨偽與學術研究之間究竟存在著一種什麼樣的邏輯關係？這是辨偽學理論首先必須回答的問題。林先生引用屈萬里先生的話說：「治學的目的，在獲得正確的結論。如果所依據的資料不正確，所得的知識自然不夠真實；以之從事研究工作，所得的結論自然也不會正確。因此，鑑別學術資料，是每一個從事學術研究工作的人所必不可疏忽的。」[4]林先生指出：「所謂『鑑別學術資料』有一大部分的工作，即是辨偽。」[5]所以，辨偽是任何學術研究的基礎工作之一，辨偽為學術研究的科學性、可靠性、真實性奠定了基礎，它不可或缺。

林先生認為，屈、劉二先生的辨偽學理論，為後人建構起了辨偽的基本結構：作偽的動機、偽書的種類、辨偽的方法、偽書的價值、偽書與時代的關係等等。

在〈偽書的類別〉一節中，林先生把張心澂《偽書通考》一書中的九種分類與屈先生的五大分類作了分別羅列。林先生並沒有對二人的分類作出優劣之比較，但讀者從屈先生的分類法中可以分明地感受到，他的分類法其實已經闡釋了偽書產生的一系列理論問題，其高明之處正是揭示出了偽書之類別與其產生原因之間的邏輯關係。

林先生的大著對屈、劉二先生在辨偽方法上的貢獻作了較詳細的論述。

林先生指出：「就辨偽書的活動來說，是先有偽書才逐漸發展出辨偽書的方法。從辨偽書的歷史發展來看，辨偽的活動很早就已開始，但要到明代的胡應麟才提出比較有系統的辨偽方法。」[6]在《四部正譌》中，胡應麟把他的辨

3　林慶彰：《偽書與禁書》，頁1。
4　林慶彰：《偽書與禁書》，頁1。
5　林慶彰：《偽書與禁書》，頁1。
6　林慶彰：《偽書與禁書》，頁24。

偽方法概括為八種。林先生指出，胡氏的辨偽八法雖不乏周到，但因缺失實例和內涵，流於空乏。劉兆祐先生恰恰是在這一問題上對胡氏的辨偽法作了重要的理論深化與實例解說，從而使胡氏的辨偽法成為可以理解的理論與可以操作的方法。

近人梁啟超也是辨偽學的大師，屈先生認為梁氏所定的辨偽方法「可謂周至」。但是他卻不認為前人所訂的辨偽方法可以適用於每一種偽書的考辨。所以，它「時時提醒前人辨偽方法的侷限性」[7]，並用實例指出了前人辨偽方法的侷限性。比如閻若璩之《尚書古文疏證》，屈先生以為閻氏的有些「考據方法僅能用在有心作偽的書上，不能用在像〈堯典〉這種無心作偽的書上」[8]同時，屈先生還指出，「先秦文獻往往依口頭流傳，所以一篇文字有許多不同的傳本，不能以為乙本據甲本修改，或乙本根據甲本作偽。」[9]林先生認為，屈先生的這些論述是對梁啟超《古書真偽及其時代》一書的重要發展，「不僅可防止辨偽方法的濫用，也可以作為研究先秦古籍的重要方法。」[10]

屈、劉兩位先生對古書辨偽學的貢獻，除了在理論與方法上，還表現在他們自己的考辨實踐中。《偽書與禁書》詳細地列舉了兩位先生所考辨的各種古書。他指出：「屈先生考辨偽書的論著大抵可分為三種，一是前人並不知該書為偽書，屈先生第一次作考辨者，如《舊雨樓藏漢石經》；二是前人懷疑是偽書，尚未有正確結論者，如《產語》；三是前人已知該書之作偽者，屈先生補足證據者，如《孟子外書》。」[11]在考辨典籍篇章的作成時代方面，屈先生對《尚書》中的〈禹貢〉、〈皋陶謨〉、〈文侯之命〉、〈甘誓〉，《詩經》中的〈出車〉等都作出了非常重要的考證。

劉先生的考辨工作，主要有明刊本陸汴編《廣十二家唐詩》考辨，《鐵函心史》考辨。前者從陸刻的自序、分類、版刻入手，揭示該書為竄改蔣孝《中唐詩》一書而成；後者則從《心史》內在邏輯的考辨入手，推斷其乃偽作。

7　林慶彰：《偽書與禁書》，頁8。

8　林慶彰：《偽書與禁書》，頁9。

9　林慶彰：《偽書與禁書》，頁9-10。

10　林慶彰：《偽書與禁書》，頁11。

11　林慶彰：《偽書與禁書》，頁11。

林先生在對屈、劉的辨偽實踐作出述評後指出:「辨偽工作須理論與實踐相配合才能形成一種學問,而系統的理論往往從諸多辨偽實例歸納而來。然後,再利用這些理論作為辨偽工作的指導原則。可見,辨偽理論的完備與否,關係到辨偽成效的好壞。」[12]這一結論告訴我們,辨偽學實質上是一門實踐性很強的學問,作偽的方法是隨著時代、技術的發展在不斷地發展的。前人的辨偽學說及理論與方法,給我們提供了足夠完備而強力的理論支撐與方法技巧,但是如果我們墨守成規,那就會再一次陷入技術更巧妙或更拙劣的作偽陷阱之中去。

二

《偽書與禁書》第二部分是對臺灣當代禁書及由禁書而衍生出的當代偽書的研究。

所謂「當代禁書」,「是臺灣戒嚴時期所產生的文化畸形現象。國民政府在國共內戰中戰敗,撤退到臺灣,於一九四九年五月二十日宣佈全面戒嚴。由於撤退過程非常匆促,許多知識分子未能同行,這些留在大陸的知識分子也就成了國民黨口中所謂的『附匪分子』,既是『附匪分子』思想一定有問題,所以他們的著作通通都被查禁。直到一九八七年七月十五日,解除戒嚴,戒嚴時間長達三十八年,這三十八年中所有大陸學者的著作都不能進口,出版商為了因應這種情況,在翻印他們的著作時,為避免惹來麻煩,往往將作者、書名和部分內容加以竄改,這就是偽書,但仍有不少書被查禁了,就變成禁書」。[13]

顯而易見,在當代臺灣出現的所謂偽書,本質上是一個政治問題,是一種極為特殊的由政治而催生出的文化現象,這種現象帶有十分鮮明的中國特色,在世界文化史上恐怕都是很難見到的一種「畸形的文化現象」。[14]

林先生指出:「如果將歷代查禁圖書的動機加以分析,不外兩點:一是政

---

12 林慶彰:《偽書與禁書》,頁39-40。

13 林慶彰:《偽書與禁書》,自序。

14 林慶彰:《偽書與禁書》,自序。

治方面的原因,政府為維護政治的安定,對足以為害政治安定的圖書加以查禁,如秦始皇之焚詩書,清康、雍、乾時代之查禁部分學者圖書等都是。二是社會方面的原因,政府為維護善良風俗,對誨淫誨盜的圖書加以查禁,如明清時代被查禁的色情小說等都是。」[15]臺灣當局查禁圖書的動機也不例外,其中尤以政治方面的原因為要,一九四九年蔣介石政權退據臺灣以後,為維護統治,實行了嚴格的政治、軍事、文化、學術的管制,先後制定了《臺灣省戒嚴時期新聞紙雜誌圖書管制辦法》、《出版法》、《出版法施行細則》等。這些法令就成了臺灣當局查禁圖書的法律依據。

奇怪的是,臺灣當局對上世紀三十年代的文學作品也大加禁伐,據臺灣當局公佈的《查禁圖書目錄》的著錄,依據《出版法》被查禁的圖書有三千種之多,這些書除涉嫌色情、艷情、暴力等原因外,有一大批文學作品,如巴金的《兩代的愛》、老舍的《二馬》、《老張的哲學》、張天翼的《張天翼文集》、魯迅的《二心集》等等。這些書大都是一九五一、一九五二年間遭查禁,但查禁原因欄都是空白。也就是說,官方不願意說明查禁的理由。林先生開列了十五位遭查禁的作者姓名,除以上四人外還有丁玲、沙丁、李廣田、李霽野、阿讜、胡風、茅盾、曹禺、郭沫若、張恨水、靳以。對中國現當代文學稍有瞭解的大陸讀者一看這個名單就知道,除個別人如張恨水外,名單中的人絕大多數是當年的左翼作家,他們都是蔣介石政府的反對者和批評者,臺灣當局對這些人的作品嚴加查禁,本來就是理所當然的事情,不足為怪。

根據林先生的研究,從一九五一年至一九七七年,又有一批根據《臺灣省戒嚴時期新聞紙雜誌圖書管制辦法》查禁的圖書,有百餘種之多,涉及作家達四十二人,除上引十五人外,又增加了王西彥、王統照、艾蕪、朱光潛、沈從文、何其芳、吳祖光、吳組緗、李健吾、柳亞子、姚雪垠、夏丏尊、師陀、唐弢、夏衍、陸蠡、葉聖陶、端木蕻良、歐陽予倩、黎烈文、錢夢涓、錢鍾書、蕭紅、蕭軍、臧克家、豐子愷等共四十二人。被禁作品達一一〇種。被禁的原因明確為「為匪宣傳」,「足以淆亂視聽影響民心士氣或危害社會治安」,從而

---

15 林慶彰:《偽書與禁書》,頁43。

違反了《臺灣省戒嚴時期新聞紙雜誌圖書管制辦法》。林先生說：「可見這些作品不論內容如何，只因作者淪陷大陸，統統以『為匪宣傳』加以禁絕，如和歷代統治者禁書的事例相比，這一段時期文網之密，可謂曠古絕今。」[16]

由作者的查禁派生出另一個問題：出版商發現被查禁的圖書具有很好的市場前景，為了牟利，他們只能鋌而走險，於是為了避開當局的耳目，在翻印出版這些作者的作品時隨意竄改作者的姓名，或者張冠李戴，造成極大的混亂。如茅盾著《世界文學名著講話》被冠以「林語堂譯」，瞿秋白被易名為「秋勃」，葉紹鈞被改名為「肇鈞」，郭沫若被改作「末碩」，張聞天變成了「憤天」，沈從文成了「重文」，如此種種不一而足。

臺灣當局的查禁及由此而衍生出來的種種問題，對文化與學術研究造成了極大的影響。林先生認為，其後果是造成了臺灣地區三十年代文學研究的空白，同時又給從事研究者造成了人為的困擾，他說：「如有人發心想研究三十年代文學，由於所能找到的作品印本和研究著作大都是盜印本，完全沒有版權頁，封面也不注出版者，研究時要引用，可說困難重重。」[17]更為嚴重的是，這種查禁與作偽之風的互為因果，造成了傳遞準確信息的圖書的短缺和研究人才的不足，其後果是極為嚴重的。

在《偽書與禁書》一書中，林先生用較大的篇幅對臺灣當代禁書與偽書中的學術著作的禁、偽情況作了比較仔細的研究。他選取了《東方雜誌》和《國魂》月刊作為個案研究，並著重對呂思勉、高亨、張舜徽三位先生的學術著作在臺灣的翻印及流傳情況作了考察與研究。

《東方雜誌》是商務印書館創辦的一本著名的百科雜誌，一九〇四年創辦於上海，一九四八年停刊。共出版四十四卷八一九號，是民國時期歷史最悠久、影響最大的一本期刊。梁啟超、蔡元培、嚴復、魯迅、陳獨秀等學術名流都是它的撰稿人。一九四九年國民黨退據臺灣以後，臺灣的商務印書館曾重印全套《東方雜誌》。但由於政治上查禁大陸作者的原因，臺灣的商務印書館在翻印時大量竄改作者姓名。林先生是最早發現臺灣商務印書館此一作偽現象的

16　林慶彰：《偽書與禁書》，頁54。

17　林慶彰：《偽書與禁書》，頁63。

學者，據他的研究，臺灣「商務印書館竄改《東方雜誌》重印本的方法，不外是竄改作者名和刪除部分篇章兩種方法」，而「竄改作者姓名的方法，大抵改用作者的字型大小，或姓名的同音字，這是戒嚴時期翻印大陸出版品最常見的方法」。[18]如「張東蓀」改作「北溟」，周建人改作「見仁」，張聞天改作「憤天」，陳獨秀為「程秀」，千家駒為「佳駒」，馬寅初為「馬影疏」，王造時為「黃時」。林先生逐本逐卷考證，引出一長串改竄的姓名及相應的卷數、號數與出版日期。用力之勤，用心之細，令人欽佩。此外，林先生還揭露了臺灣本《東方雜誌》或將違礙字句刪除，或將整篇文章刪除的情況。他調侃地說：「商務印書館為逃避警備總部的檢查，做了那麼多的竄改，為當代學術研究增添了不少麻煩，唯一獲利的是文獻學家，增加了寫論文的題材。中國歷史上有許多竄改書籍的例子，有人竄改就有人加以考辨。歷史一直在重演，《東方雜誌》重印本就是一佐證。」[19]

《國魂》月刊是臺灣新中國出版社出版的一本雜誌。這本雜誌之所以進入林先生的視野，是因為它竟然用改易作者姓名的方法刊登了大量當時臺灣政府嚴令查禁的禁書。比如馮友蘭的《新原道》，連續刊登了十二期。宗白華的《歌德研究》、陳介白的《修辭學講話》刊登了五十幾期。傅庚生《中國文學欣賞舉隅》、朱光潛《談美》刊登了三十期。林先生認為《國魂》雜誌刊登禁書的這一特案，「反映了當時在禁書政策下的種種奇特現象」，他分析《國魂》為何要刊登這些禁書，大致有兩個原因，一，稿源奇缺，只得用禁書改頭換面以充數。二，雜誌的編者「也知道禁書政策太荒謬，文史哲科系的學生幾乎無書可讀，出於同情之心，冒丟官的危險，為青年學生供應精神食糧。」[20]但是，以筆者淺見，《國魂》雜誌的主辦者有國民黨國防部的背景，恐怕也是一個不怕丟官的原因吧？

大陸的學術人物，其著作被臺灣書商大量翻印的有很多，據林先生統計，大約有三百人之眾。其中尤以呂思勉、高亨、張舜徽三人的著作被翻印得最

18　林慶彰：《偽書與禁書》，頁71。

19　林慶彰：《偽書與禁書》，頁95。

20　林慶彰：《偽書與禁書》，頁107。

多，頻次最高，涉案的出版社也最多。三位先生可說是上個世紀四、五十年代以後國內碩果僅剩的少數幾位學術大師。他們的共同特點是著作宏富，經學、哲學、文學、史學、小學都有建樹，張舜徽先生更以文獻學成就著稱於世。三位先生的著作在臺灣文化高壓時期被大量翻印，除了說明他們的學術成就被臺灣學者所公認、所敬慕外，恐怕還有另一個原因：即這三位學者都是「純粹」的學者，很少政治色彩，而他們研究的學問又都是遠離政治和意識形態的「老古董」，對國民黨政權不構成威脅。所以，三位學者的著作竟然仍大多可以以本名出版。當然，也有例外，如高亨先生的《周易古經今注》，被標為「張世祿注」，《詩經今注》被標為「高注」，《墨經校詮》被改作《墨子校詁》，作者署為「何倫經校詁」。《莊子今箋》署名為「高晉生著」。林先生的研究告訴我們，高亨先生被翻印的書凡十二種，涉及出版社十五家，時間從一九六二年至二〇〇八年，其中八十年代為翻印的高峰期。

呂思勉先生的著作被翻印達二十一種，參與翻印的出版社有十五家，從時間看，一九五四年臺灣開明書店即已翻印《中國通史》、《三國史話》，翻印時間直至二〇〇九年。呂先生的著作被改竄著作者姓名的有《經子解題》署名為「甘志清」。臺北華聯出版社甚至將書名也改為《經子研讀指引》，署名「甘志清」。

張舜徽先生是和林先生有過交誼的學者，他們之間有過書信交往。林先生很早就關注張先生的著作在臺灣被翻印的情況，並曾受張先生之託，收集過張先生在臺灣被翻印的著作寄往武漢。據林先生統計，臺灣翻印張先生的著作有十一種之多，翻印的書大多為文獻學入門的著作，其中《中國古代史籍校讀法》的翻印本達十種之多。臺灣翻印張先生的著作自一九七二年地平線出版社印《中國古代史籍校讀法》起，至一九八八年莊嚴文化出版社印《中國古代勞動人民創物志》止，涉及出版社十七家。張先生的書作者署名被改易的較多，如《漢書藝文志釋例》《廣校讎略》被名為「民國張堯安撰」，有些書被署為「本社編輯部」、「本社編審」、「本社編」、「本公司編輯部」，有的乾脆不署名。

另外，三位先生的著作凡文字涉及大陸政治的，或語言有大陸色彩的無一例外被刪除和改竄。

　　臺灣大量翻印三位先生的著作，從時間上看主要集中在上世紀七十、八十年代。翻印的出版社以學術出版社為主，也有不少商業出版社，甚至有一些非常小型的出版社。這一文化現象是非常耐人尋味的。第一，上世紀七十、八十年代正是臺灣經濟起飛的時期，經濟的發展必然伴隨著文化的振興，大量翻印大陸著名學者的著作正因應著這一文化需求。第二，上世紀七十、八十年代翻印大陸作者的著作不是以文學作品、藝術作品、科技作品為主，而是以傳統國學著作為盛，這一方面固然是因為此類著作意識形態的色彩較淡，但更重要的是因為臺灣社會對回歸傳統的一種強烈需求所然。當然，這種回歸和人民富裕程度提升有關。第三，一九四九年以後，臺灣教育中的傳統學術與文化、倫理教育一直沒有斷裂，一旦民眾普遍擺脫了貧困，他們對這一類的文化需求必然提高，這反過來促成臺灣高校此類學科的繁榮和學生人數的增加。由於臺灣地偏一隅，學術資源有限，於是大陸現成的學術資源就成了可以利用的方便法門。第四，從涉案出版社的數量之眾可以看出，此類讀物在當時的臺灣一定有著可觀的商業利益，我想大陸的這些被無償翻印的書，一定養活了不少出版社，甚至不乏據此發財的人。

　　所以，我認為，林先生此書的出版不僅對文獻學研究有重大意義，恐怕對研究臺灣的當代史、學術史和經濟史都有重要意義。對於正在經濟騰飛的中國大陸，對岸的盜版史，就好像我們已經或正在演出的另一個版本。借鑒臺灣的這一段歷史，可以使我們少走彎路，可以告訴我們經濟的發展必然會導致傳統的回歸，至少它說明，我們的傳統文化在今天依然有著強大的生命力。就出版而言，它有著廣闊的市場前景。就文獻學而言，它說明我們的舞臺無限寬廣，我們的前途光輝燦爛！

三

　　《偽書與禁書》討論和研究的是當代的偽書與禁書問題，似乎不在「歷史文獻學」或「古典文獻學」研究的範疇之內，但是，今天的現實就是明天的歷史，現實倒映著歷史的影子。

周國林先生認為，歷史文獻學具有開放性的特點。[21]

周少川先生說：「眾所周知，文獻的產生、聚散，文獻學的發展是與社會發展、社會的歷史文化發展密切相連的，因此，文獻學的研究如能與社會史、文化史的研究相結合，會相得益彰，有利於加強文獻學史研究的分量。」[22]

我非常同意二位先生的觀點，我認為今天我們討論文獻學的發展，今天我們對文獻學生存與發展的種種糾結、焦慮，恐怕都離不開兩個主題──守正與出新。而林先生的大著正為我們樹立了一個守正與出新的範例。

所謂守正，就是說，我們必須堅守歷史文獻學的基本傳統、理論與方法。我們必須認識到，文獻學從創立伊始──我們的前輩為我們開創，又經過幾代大師、學者們的不斷豐富、完善──直到今天，這一學科的基本理論、基本方法並沒有過時。它是文獻學得以立足，謀求發展的根基，丟失了這一根基，文獻學的大廈將轟然倒塌，一無所有。近一、二十年來，很多學者試圖對文獻學做一些新的理論化解（我不說是發展，而是化解，因為他們只是想用一些急功近利的方法解決文獻學面臨的某些困境），在他們看來，所謂校勘學、版本學、目錄學、考據學、文字學、訓詁學、音韻學、辨偽學等傳統學科已經太古老了，應該有一點新的面貌了。比如，有人就認為，電腦檢索功能的發達，已經可以取代考據學，考據已失去了存在的價值。當然，他們的努力與嘗試未嘗不可，甚至值得鼓勵。但是如果我們以一種實事求是的態度去評估他們的所謂「創新」，我們會發現，他們的新，其實只在「名謂」之新而已。也就是說，換一個新名詞以求新求異，其實質萬變不離其宗。他們的嘗試說明，名詞可以換，內涵是換不了的。所以，文獻學的基本理論、方法與傳統不可能被「創新」掉。它依然是支持這一學術大廈的根基與支柱，你只要想走進這座大樓，並安全地在這裡居住，你就不敢貿然地把這幢大樓的承重牆敲掉，除非你找死。

如果我們認真地反思一下這些年文獻學的教學與研究情況，我們就有理由擔心，現在關於文獻學的基本理論與方法的研究與教學不是很重視了，而是很不被重視；不是很發展了，而是停滯不前；不是很繁榮了，而是很冷清。我們

---

21 周國林：《文獻・文獻學・文獻學家》（長沙：嶽麓書社，2009年），頁10。
22 周少川：《文獻傳承與史學研究》（北京：北京師範大學出版社，2011年），頁15。

看文獻學的基本理論研究，大部頭的宏觀研究著作很多，但就文獻學具體學科的專門研究很少。我們還是躺在前人為我們打好的地基上，基本沒有進一步的重大發展。在教學上，傳統文獻學理論與方法的課程被大大擠壓，有些課，如音韻訓詁之學甚至已找不到可以授課的師資與願意選修的學子。這實在是文獻學的一大悲哀，長此以往，怎麼得了！

所以我以為當前文獻學界應加大基本理論與方法的研究，加固這一領域的教學。當前要解決師資問題、教材問題，解決文獻學基本理論與方法的微觀研究與深化研究。我提議可以實行師資互聘以解決師資短缺，同時鼓勵具有多學科背景的年青學者介入文獻學基本理論與方法的跨學科研究。

總之，文獻學的生存與發展的首要問題是守正。

當然，我們必須出新。這其實不是要不要的問題，而是別無選擇的問題。時代的發展、科技的發展，已經迫使我們必須根據新的學術發展作出適應性的發展──這是我們不能不作出的一種回應。如果你不回應，那你只能被邊緣化；如果你不能回應，那你就只能被淘汰出局。試以上述考據學為例，電腦檢索的出現固然不能認為考據可以消亡，但同樣的道理，考據學若不能回應電腦檢索所帶來的新問題、新發展，考據學也會失去存在的空間。

問題是我們如何回應。

周國林先生認為，「在當今學術活躍的氛圍中，從事歷史文獻整理與研究，不能滿足於以往的理論與方法，還要善於吸取其他學科理論的養分，以深化自己的研究工作。」[23]他同時還提出利用現代科技的問題，思想方法的問題，科學精神的問題。[24]周少川則非常具體地提出了古文獻學研究的交叉與綜合的問題。它列舉了八個結合：（一）傳世文獻研究與出土文獻研究的結合；（二）文獻學研究與社會史、文化史的結合；（三）文獻學研究與學術史研究的結合；（四）文獻學研究要與社會發展的實際需要結合；（五）文獻學研究要注意紙質文獻和電子文獻的結合；（六）文獻學的實證研究和理論研究的結合；（七）域外漢籍與域內西書研究的結合；（八）中外文獻學研究方法的結

---

23 周國林：《文獻‧文獻學‧文獻學家》，頁12。

24 周國林：《文獻‧文獻學‧文獻學家》，頁12-13。

合。[25]他們的回應具有高瞻遠矚的戰略眼光，帶有指導性與方向性。但是仔細分析，他們指導性方略中的關鍵詞只有兩個：一曰「交叉」，一曰「綜合」。我以為抓住了這兩個詞，也許就可以從根本上化解當今文獻學發展的難題與困境。

首先是「交叉」。我認為交叉最根本的是學科的交叉，則文獻學要主動打破自身學科的藩籬，形成一種開放的格局，吸納一切有利於自我學術拓展與深化的他學科與他理論、他技術，尤其是要高度重視高科技發展帶來的新技術與新方法，主動接納，為我所用，融而化之。比如信息技術，比如電子化技術，比如網絡化技術。

其次是「綜合」。所謂綜合，有兩個層面的含義，其一是要突破文獻學可以「獨善其身」、「與世無爭」的狹隘觀念，而把自己融到整個學術、文化、社會發展的大環境中，打通文獻學與其相鄰甚至相隔的學科的通道。第二層含義是文獻學要主動為他者所用，為他者服務，在為他者服務的過程中發展自我，完善自我。文獻學是一門人文社科的基礎學科，它絕不是為自我而自我，它本質上是為歷史、文學、經濟、法律、社會、乃至自然科學服務的。如果我們把自己關起門來，追求自我的完美，也就失去了它存在的價值。就像一把寶劍，鑄造得再鋒利、美觀，還是要用來打仗殺敵的，把它掛在牆上，充其量只是一種擺設。

這裡，我們不能不再次回到林先生的大作上來。他的書不但讓我們看到文獻學守正之必要 —— 林先生的書前半部是講守正 —— 文獻學基本理論的訓練與教育是如何造就了一代大師的。正因為有了文獻學基本理論的薰陶和文獻學基本方法的訓練，才有了這本書的後半部分：臺灣當代禁書與偽書之發覆。

但是，我想著重提出的是在「交叉」與「綜合」之外的第三個問題：我姑且稱之為文獻學的「超前意識與前移介入」。我們看林先生的書，他的研究對象嚴格地說，已經越出了歷史文獻學或古典文獻學的範疇，他研究的是當代的文化現象與學術問題。但是他的研究方法卻不折不扣是傳統的，沒有一處超越文獻學的理論與方法。這就啟示我們傳統文獻學的理論與方法不僅可以用來研

---

25 周少川：《文獻傳承與史學研究》，頁14-21。

究歷史與古典，也可以用來研究當代與現實。這使我受到極大的啟發，就是說，文獻學的研究和應用可以有超越歷史的可能，從方法上說，可以用研究歷史與古典的方法前移介入到當代與現實。

其實，如果我們換一個思路來思考這個問題，也許就可以不那麼糾結：文獻學作為一種學科，他的理論與方法是滯後的，是先有了史學、文學，然後才有文獻學。他的系統方法論甚至直到上個世紀二十年代才告成型。因為古人沒有文獻學的理論指導與相應的技術手段，他們還處於「蒙昧」的不自覺狀態，對當時發生的文獻學現象不可能有移前介入的可能。這才給後人留下了很多文獻學研究的懸案，如《古文尚書》問題，如今文經學與古文經學的問題，如版刻的鑒別與文獻的價值問題，等等等等。可是今天的我們已經不同於古代的學者，我們已經有了系統的理論與方法，我們完全處於自覺與文明的狀態，我們完全可以用已有的理論、知識、方法、技術前移介入當代的文化活動與文獻建設。比如，方興未艾的修譜、修志運動，有沒有文獻學家的介入，其成果是大不一樣的；比如，當前層出不窮的各色各樣的大出版工程，如果有文獻學家的介入，就可以避免很多垃圾出版物；再比如，如果沒有林先生的前移介入對臺灣當代禁、偽書的研究與考辨，一百年後，文學家、經學家也許會為一個「甘志清」爭吵上幾年十幾年，可能會對《東方雜誌》的版本真偽考證得焦頭爛額。

所以，我以為林先生的書其價值不僅僅在其書本身。

同理，我以為歷史文獻學、古典文獻學其價值也不僅僅在歷史與古典之間。

——原刊於《歷史文獻研究》總第33輯（上海：華東師範大學出版社，2014年5月），頁384-393。

媒體報導

林慶彰：甘將此生付經學

陳 菁 霞[*]

　　第一次見到林慶彰先生是在去年廈門召開的海峽兩岸國學高端論壇上。那次會議，臺灣來了二十多位學者，其中絕大數都是林的學生。「我們現在的學科受西方影響，傳統文化中的經史子集四大類，被分成文史哲，史學對應史部，哲學對應子部，文學對應集部，唯獨經學沒有對應的現代學科。」林慶彰當日對現今經學發展的這番憂慮之言對我觸動很大，這也成為這次採訪林先生的因由所在。前不久，林先生來北京，承他來電相告，在他下榻的北大勺園，記者採訪了林先生，在敘述經學研究生涯之外，也請他談了兩岸經學發展的現狀、異同及面臨的困境等諸多問題。

師從屈萬里

　　一九四八年，林慶彰出生於臺南縣七股鄉的一個小村。早在他出生前十年，父母因不見容於祖父母，才遷到七股。幸虧當時臺灣實行公地放領政策，一無所有的他們領到八分田地，全家就靠這八分田地的收成來過活。由於父母都不識字，家中並沒有什麼書，幼年林慶彰僅能見到的讀物是二哥讀私塾用的《唐人寫信必讀》、《三字經》、《幼學瓊林》、《千金譜》等書。

　　高中時，林慶彰開始喜歡讀課外書，《北極風情畫》、《塔裡的女人》、《籃球情人夢》這些文學書籍都在那時讀過。學校裡「中國文化基本教材」選錄《四書》的部分篇章作為教材，他嫌內容太少，自己買了三民書局的《新譯四

* 《中華讀書報》記者。

書讀本》作補充，這是林慶彰接觸古代經典的開始。高考時，由於地理科看錯題目，少寫一題，平白損失十分，林慶彰僅考上世界新聞專科學校圖書資料科。不甘心的他一面應付世界新專的功課，一面準備重考，每天熬到凌晨兩點。疲累時，唯一的消遣是那套擺在床頭的《莎士比亞全集》。

一九六九年，林慶彰考入東吳大學中文系。當時學校的師資不是很理想，「國學導讀」的老師講話學生們都聽不太懂，林慶彰只好買屈萬里的《古籍導讀》來讀，漸漸地對國學產生了興趣。由於景仰屈先生的學術成就，林慶彰接著又讀了他的《書傭論學集》，「儘管書中的內容有很多都看不懂，但卻愈發鼓舞我研究經典的決心」。

一心想成為屈萬里門下弟子的林慶彰，整天窩在圖書館，全力備考臺大中文研究所，但卻因七分之差敗北。在澎湖前線服兵役的兩年間，擔任通信連文書兵的林慶彰為了再考研究所，每天在熄燈後用手電筒在被窩中讀《尚書》，白天則手抄《尚書》全文。一九七四年，東吳大學成立中國文學研究所，聘請屈萬里、臺靜農、鄭騫、戴君仁、張敬等國學大師來任教。屈先生既已到東吳任教，林慶彰就不再考臺大，轉而報考東吳中研所，最終以第二名錄取。

林慶彰還記得上屈先生的「中國近三百來學術史」課時，用的課本是梁啟超的《中國近三百年學術史》。屈萬里要求學生每周閱讀一定的頁數，並挑出其中的錯誤。每次都是林慶彰挑出的錯誤最多。其時，屈萬里正擔任中研院史語所所長，在東吳大學只是每周兼一次課。為了確定碩士論文題目，林慶彰到史語所拜訪老師，屈先生提議他研究明代經學，考辨豐坊、姚士粦等人所作的偽書。「研究豐坊，是因為他作了很多偽書，坊間流傳的《子貢詩傳》、《申培詩說》，學者都以為他所偽造。」林慶彰收集各種版本，參照比對，發現《林貢詩傳》有抄本和刻本之別，抄本應是豐坊偽作，刻本為王文祿就抄本篡改而成。至於《申培詩說》，則從各種記載證明非豐坊偽作，而是王文祿抄錄豐坊另一本偽書《魯詩世學》的詩旨而成。生病住院的屈萬里，在病床上堅持看完林慶彰的論文，認為「你的說法，打破三百年來的成說」。老師的話讓對自己並沒有十分把握的林慶彰頓時信心大增。

後來考博士班時，為了研究計畫，林慶彰又向屈先生請教。「你既然研究

明代經學，就去探討楊慎以下的考證學，看看與清代考證學有何關係」。就在他著手收集楊慎、胡應麟、焦竑、陳第、方以智等考據學者的資料期間，屈萬里因肺癌病逝。「我在傷痛之餘，更加發憤，後來即使發現論文的題目太大，短時間內很難完成，我仍咬緊牙關苦撐下去，因這題目是老師所賜，等於老師的遺志，應勉力完成才對。」經過五年努力，林慶彰終於完成《明代考據學研究》的論文，結論是明代楊慎等人的考據工作，是清代考據學的先導，這篇論文將考據學的產生時代推前了一五〇年。

三十八載經學研究路

讀碩士班時，因查尋經學資料不方便，林慶彰曾請教屈先生想編一部「經學論著目錄」，但限於力量，未能如願。完成博士論文後，林慶彰第一件想完成的，就是這件事情。從一九八七年四月起，他邀請幾位學弟協助，開始這項工作。由於當時國家科學發展委員會不接受編輯性的計畫，林慶彰申請不到任何經費補助，編輯過程中所需的費用全部由他一人支付。經過兩年努力，編輯工作完成，共收錄一九一二至一九八七年間的經學論著條目一萬四千餘條。

在寫作博士論文的過程中，林慶彰發現明末清初學者有一種考辨偽書的風氣，就以「清初的群經辨偽學」為題，開始收集資料，對清初學者的辨偽工作作了相當詳細的分析。「當時考辨《易圖》、《古文尚書》、《子貢詩傳》、《申培詩說》、《周禮》、《大學》、《中庸》、《石經大學》等經書和經說的學者，都有一個願望，就是藉考辨這些書來釐清儒學的真面目，我把這種學術活動稱為『回歸原典運動』。」現在研究經學史的學者常常會提到「回歸原典」這個名詞，其實都是受林慶彰《清初群經辨偽學》一書的影響。

一九八九年八月，中央研究院中國文哲所開始成立籌備處，擔任籌備處主任的臺灣大學中文系吳宏一教授勸他申請文哲所，沒想到三個月後即獲所方諮詢委員會通過。為了專門從事研究工作，林慶彰辭去了東吳大學教職和《國文天地》社長職務。

回顧三十多年的學術生涯，林慶彰對自己的學術研究工作進行了如下分

類：一、經學史的重新詮釋：著有《豐坊與姚士粦》、《明代考據學研究》、《明代經學研究論集》、《清初的群經辨偽學》、《清代經學研究論集》等專著。民國時期，則特別關注顧頡剛和熊十力的經學。二、經學數據的編輯整理：編有《經學研究論著目錄（1912-1987）》、《經學研究論著目錄（1988-1992）》、《經學研究論著目錄（1993-1997）》、《朱子學研究書目》、《乾嘉學術研究論著目錄》、《晚清經學研究文獻目錄》、《日本研究經學論著目錄》、《日本儒學研究書目》、《日據時期臺灣儒學參考文獻》。另外，也將朱彝尊《經義考》重新點校出版。三、翻譯日本經學著作：已完成的有《經學史》、《近代日本漢學家》、《論語思想史》，和單篇論文二十餘篇。

雖然在他看來，編輯日本漢學目錄算不上是很有分量，但《日本研究經學論著目錄》、《日本儒學研究書目》二書卻成為開山性的目錄著作。前者是海內外研究日本經學的第一部目錄，不但拓展了國內學者的視野，也為國際漢學交流提供了方便。編輯《日本儒學研究書目》時，除了學生外，林慶彰還發動太太和小孩，平均每天工作十六小時以上。後來，日本研究儒學的權威荒木見悟教授對他說「讓一位外國學者來為我們編目錄，我們日本人感到很羞愧」。這部有史以來第一部日本儒學研究書目，給日本學者相當的震撼。

從一九七五年師從屈萬里開始，三十八年的光陰無聲地流逝消融，早年英氣勃發的林慶彰如今已然成為一位老者。他的一生始終和經學研究緊密相連，而在兩岸學術界，林慶彰這三個字一為人所提起時，也必然是與經學聯繫在一起的。

臺灣經學沒有中斷，像我的老師屈萬里先生經學的底子就非常深厚，所以我們的經學基本知識不太容易出現錯誤。大陸有很多人都會犯最基本的錯誤，就是大陸所說的「硬傷」。

至少應該將經學和經學史列入一級學科和二級學科，如果經學成為一級學科，那《周易》、《尚書》、《詩經》、經學史就是二級學科，要確立這個學科的地位才能培養人才。……在古代經學是光明正大地研究的，現在研究經學要偷偷摸摸地藏在其他學科裡面，要培養人才就困難了。

——原刊於《中華讀書報》，第7版，2012年9月19日。

大陸經學研究時有不該有的硬傷
——訪林慶彰

陳 菁 霞[*]

　　讀書報：經學是中國傳統中的顯學，但從清末以來逐漸式微，您認為經學研究出現式微的主要原因是什麼？經學研究目前面臨哪些困境？

　　林慶彰：經學面臨的問題在大陸和臺灣不太一樣。大陸在一級學科和二級學科中沒有經學，主要原因是科舉取消，經學失去了依托。經學是一個很老的學科，它以前有活力是靠科舉的關係，現在要把它恢復過來有很大的阻力。我對大陸經學復興還比較樂觀，但像姜廣輝等一些大陸學者都不是很樂觀。

　　臺灣面臨的問題是，因為臺灣意識越來越強，教學中加進了很多關於臺灣本土的課程，削減了傳統文化課程的數目和教學時間，像近幾年文言文所占的比率逐漸減少。這對臺灣是一個很大的危機。馬英九上臺以後做了一些調整，譬如，民進黨執政時代基本上取消了《中國文化基本教材》（「四書」課），現在馬英九執政又將它們重新恢復過來。當然，馬英九這樣做也遭到很多人的批評，臺灣內部的意見非常多，這也是臺灣很棘手的問題。

　　讀書報：能不能談談您對大陸經學研究領域的認識和評價？

　　林慶彰：我對大陸經學界有一個擔憂，就是大家互相批評、攻擊，不合作，好像各個研究經學的人之間都沒有什麼誠意來往，這對經學的成長力量是一種內耗，就像民國初年今古文經學的內鬥導致經學的衰亡一樣，我不希望見到經學還沒有復興就出現那樣的局面。

　　讀書報：您覺得大陸和臺灣在經學研究方面各有哪些優劣之處？

---

[*]　《中華讀書報》記者。

林慶彰：從研究的方法講，臺灣學者利用的學科資源有社會學的、文化人類學的，利用新的典範（大陸叫範式）來解釋中國經學的發展，大陸經學研究還沒有進入這個狀況。

讀書報：也就是說臺灣在研究方法上比大陸先進一點？

林慶彰：對。臺灣當時出國留學的比較多、比較早。雖然出國留學的人並不一定都研究經學，但是他可以把他的方法用到經學的研究上面，這是臺灣經學界的一個優點。臺灣經學沒有中斷，像我的老師屈萬里先生經學的底子就非常深厚，所以我們的經學基本知識不太容易出現錯誤。大陸有很多人都會犯最基本的錯誤，就是大陸所說的「硬傷」。我舉兩個例子：陸德明的《經典釋文》，本是隋末唐初完成的一本書，隔了七八十年，孔穎達做《五經正義》的時候並沒有把《經典釋文》拆散抄到他的書裡面。後來到了宋代，有人認為將《經典釋文》一個字一個字拆散放進去讀比較方便，因為有音有義。但是有大陸的學者說孔穎達很聰明，他編《五經正義》的時候就把陸德明的《經典釋文》拆散抄入《五經正義》裡面。這是非常大的錯誤。臺灣的學者不太會犯這樣的錯誤，因為他有師承，老師會告訴他不能這樣講。

還有一個例子是，《毛詩鄭箋》在「毛詩序」的下面有一段文字，這段文字其實是鄭玄的《箋》，但是因為他沒有標「箋曰」，所以有大陸學者認為那一段文字是毛亨的話，其實毛亨並沒有注「毛亨詩序」。為什麼沒有寫「箋曰」？因為毛沒有注，就不用箋曰來分別毛亨和鄭玄的注。把鄭玄的誤以為是毛亨的，當然會出問題。從這些地方就可以看出大陸基本知識方面有待加強。

讀書報：臺灣在經學研究方法上受西學的影響比較多，師承也沒有中斷，這是它的兩個優勢所在。臺灣的短處在哪裡？

林慶彰：跟大陸比起來，臺灣的年輕人沒有大陸年輕人那麼用功。我接觸過的研究生中，千百個中才有一個對經學有興趣。在臺灣，碩士生能夠把《十三經》讀完的十個當中找不到一個，都是被逼的，隨隨便便讀一下。將來20年後，大陸學者成學了以後，底子就比臺灣的要好，因為他很用功，這一點臺灣確實比不上大陸。大陸的經學研究還有一點臺灣沒辦法比的，就是大陸外文系的博、碩士生研究歐美漢學的很多。盡管他們經典的知識可能不足，但是他們

研究歐美漢學家，慢慢地也會建立一種傳統。但臺灣的學生實在沒有能力研究歐美漢學。臺灣的中文系、外文系都不很理想，沒有能力研究歐美漢學。研究歐美漢學比較好的是香港和大陸，像張西平先生當年的做法，臺灣不能比。

讀書報：大陸經學研究方面還有那些長處？

林慶彰：大陸有很多工具書、著作可以補臺灣的不足，譬如《中國語言學論文索引》、《考古學論文索引》，收集的材料非常完備。至於中國知識資源總庫，對於臺灣學界來說，其作用難以用言語形容。臺灣在這方面做得很不夠，現在，臺灣的期刊論文檢索系統幾乎停擺了，因為涉及到版權的問題。

讀書報：這幾年來國學的熱度很高，您也曾指出國學熱首先必須為經學正名，然後確立經學的學術地位。如何確立？您認為應該具體怎麼來實施？

林慶彰：至少應該將經學和經學史列入一級學科和二級學科，如果經學成為一級學科，那《周易》、《尚書》、《詩經》、經學史就是二級學科，要確立這個學科的地位才能培養人才。現在經學根本不是一個學科，培養人才只不過是學者個人的興趣。如果有人做經學研究，他可能在古代史專業或者專門史專業裡面去研究經學，那叫做「古籍整理」，不是真正地研究經學。在古代經學是光明正大地研究的，現在研究經學要偷偷摸摸地藏在其他學科裡面，要培養人才就困難了。

讀書報：您在臺灣的經學界做了大量開山性工作，其中最具標誌性的成果是「民國經學叢書」，也是兩岸目前關於民國時期經學最齊備的，可否介紹一下具體情況？

林慶彰：這套叢書目前已出一至四輯共二四〇冊，馬上要出五六輯。一輯六十冊，一次出兩輯。二〇〇五年我們開始著手民國經學研究。如果說準備工作要更早一點，二〇〇三年二〇〇四年就開始了。目前大陸所了解的民國時期的經學叢書大概只有二二〇種，我們搜集到一三〇〇種，能夠編入經學叢書的大概有一千種，另外三百種無法找到。

讀書報：您為推動經學研究做了大量基礎性研究工作，涉及到經學史重新詮釋、經學數據編輯整理和日本經學著作翻譯整理。如果做自我評定的話，這三塊中哪一塊在您個人學術中分量最重？

　　林慶彰：我花時間最多的是編輯經學目錄，最滿意的是對經學史的重新詮釋，我提出「回歸原典運動」，這在之前沒有人提出過。我對魏晉時代經學史的地位也有自己的看法。很多人都覺得魏晉時代經學以玄學化為特點，我認為魏晉時代應該是古學發達的時代，不能說經學玄學化。另外，我對唐朝經學的觀點也跟傳統不一樣。

——原刊於《中華讀書報》，第7版，2012年9月19日。

啟來軫以通途

張　泉[*]

　　林慶彰（LIN CHING-CHANG），生於一九四八年，臺灣臺南人，東吳大學文學博士，現在「中央研究院」中國文哲研究所研究員，東吳大學中國文學系兼任教授、香港中文大學中國文化研究所古籍研究中心學術顧問、北京清華大學法鼓人文講座教授。曾任《國文天地》雜誌社社長、日本九州大學文學部訪問研究員。專講經學、日本漢學、圖書文獻學。著有《明代考據學研究》、《清初的群經辨偽學》、《清代經學研究論集》、《學術論文寫作指引》、《讀書報告寫作指引》等十種，主編有《經學研究論著目錄》、《日本研究經學論著目錄》、《日據時期臺灣儒學參考文獻》、《經學研究論叢》、《國際漢學論叢》等四十種，還有《近代日本漢學家》、《經學史》等三種。

　　大多數時候，林慶彰沉默不語。他總是微微頷首，仿彿假寐，其實旁人的話他全都聽得真切。那些歷代鴻儒的名字，立刻就能從他眼中喚起光亮。這個下午悠長而緩慢，他平靜地追憶著一些險些隱匿於歷史之中的名字，這些名字因為他的輾轉尋找而得以重現人間。

　　臺灣的前輩學者黃永武曾評價臺灣有「南北兩條牛」：「北牛林慶彰，南牛張高評，號為國學研究界的研究蠻牛。」「北牛」的人生，可謂傳奇。他出身農家，卻夜以繼日如飢似渴地閱讀；就讀於私立東吳大學，卻因對學術的孜孜以求與創見，令國學名宿屈萬里青眼相看，收為最後的弟子。他的碩士論文被屈萬里評價為「打破了三百年來的陳說」，博士論文則以洋洋五十萬字，釐清了明代考據學的線索，「把考據學的歷史向前推了一百多年」。從一九八七年收集編錄《經學研究論著目錄》開始，林慶彰便一發不可收，時至今日，他輾轉

---

　　*　《生活月刊》撰稿者。

大陸、港臺以及日本等地輯錄的資料集、目錄已達數十種。清代學者王鳴盛認為：「目錄之學，學中第一要緊事。必從此問途，方能得其門而入。」林慶彰同樣篤信：「做一門學問之前要先整理資料、掌握現有的研究成果，最好的方法就是先編它的書目跟研究論著。」林慶彰的理想是為整個學界的研究打下更完善的基礎，他也有他的「野心」——重寫一部經學史，而這一切，都必須建立在充分研讀歷代著作的基礎之上。

書生林慶彰同樣有著社會活動家的天賦，兼任臺灣《國文天地》雜誌社社長的數年間，他讓一家瀕臨絕境的出版社起死回生，一九九〇年他冒險從大陸引進十八萬冊圖書，轟動臺灣。儘管蔣經國在一九八七年已經宣布臺灣解除黨禁報禁，然而，直到三年後林慶彰的大陸之行，才真正破解書禁。這件開風氣之先的事情，卻是由一介書生完成的。

二十多年前，林慶彰在寫作《清初的群經辨偽學》時發現，中國的學術存在一種微妙的轉回，每隔數百年就會發生一次回歸原典的運動，學者們以儒家的十三經作為尊崇和效法的對象，尋求聖人之道；又以十三經作為檢討的對象，尋求典籍的本來面貌。

林慶彰認為，回歸原典不僅是一種學術風氣，其目的更在於復興中華文化，重振國民的自信心，「是中華文化興衰存亡的一個關鍵」。韓愈、柳宗元如此，黃宗羲、朱彝尊如此，胡適、顧頡剛亦是如此。

其實林慶彰自己，又何嘗不是如此。

經學在臺灣

《生活》：您通過研究發現，臺灣的經學在日據時期已經有了重要的發展。

林慶彰：日據時期的前半期，經學不是很發達，大部分學者都是來臺灣做官的。有一些單篇文章，但是基本上沒有什麼新的見解，主要是受乾嘉學風的影響，貢獻很少。比較有創意的是後半期，從一九二〇年代開始，有不少臺灣的知識分子到日本早稻田大學留學，在津田左右吉門下讀書，其中有一位郭明昆，用社會學的理論研究中國的經典，包括《儀禮》、《爾雅》，他寫的《喪服

經傳考》和《儀禮喪服考》，分析中國的家庭制度和禮儀，對經學的研究有新的貢獻。後來他在日本任教，可惜一九四三年坐船回臺灣時，在沖繩島被美軍的魚雷擊中去世了，對臺灣來講是很大的損失。我是從陶希聖的論文裡知道郭明昆的，於是就請日本東京的琳琅閣書店幫忙購買，後來買到了。

另外，板橋林家的林履信，是林爾嘉的第五個兒子，他留學東京帝國大學，也學社會學，是建部遯吾的弟子。他用現代社會學的觀點研究《尚書·洪範》，研究古代的政治制度，很有創見。但是他做了許多公益事業，開儒學社、醫院、幼稚園，辦報，在廈門做報社的副社長，他沒有在大學裡教書，所以他用社會學的觀點來看中國經學沒能產生影響，郭明昆因為過世了，也沒有產生太大影響。林履信的資料很難找。我知道他一直待在廈門，他們板橋林家在廈門有一處菽莊花園，已經沒有東西了，但是我覺得，廈門或者廈門大學的圖書館應該有他的書，就去找，終於找到兩三種他的著作，叫《希莊學術論叢》。在市面上看到的《希莊學術論叢》，只是第一輯，一般人不知道還有第二輯，我也找到了。另外還有一位廖文奎，在芝加哥大學獲得博士學位，也是學社會學。他回國後到了南京，在中央政治學校任教，他寫的《人生哲學之研究》，用現代觀點研究《大學》裡的道理——也就是所謂「內聖外王」「格致誠正，修齊治平」。我是從廖仁義的論文裡知道廖文奎的，但他說這本書「迄今不易尋獲」。但是我想，這本書既然是民國時期在上海出版的，我就去查北京圖書館編的《民國時期總書目》，裡面果然收錄了這本書，上海圖書館有收藏。我請復旦大學的王水照先生幫我影印，因為他有學生在上海圖書館，王先生說，復旦大學圖書館也收藏了這本書，就印了復旦大學的藏本，研究日據時期臺灣的儒學和經學，資料非常難找。比較受現代學術影響的儒學家的著作，大概找到七八種，其中有五六種都在大陸，臺灣根本沒有，因為日據時期禁用漢文，漢文圖書是不能在臺灣出版的，一些書就流落在大陸。我把這些書統統都找出來，又編了《日據時期臺灣儒學參考文獻》，成為研究日據時期臺灣的經學和儒學的基本文獻。

《生活》：您什麼時候意識到這個時期特別重要？

林慶彰：因為我教中國經學史，教到清朝，就有學生問我說，日據時期也

是清朝，有沒有經學啊。我說可能有，但是學者和書我都舉不出來。我覺得很丟臉，所以花了整整五年時間來做這件事，找資料，寫文章，從各種文集裡找出符合儒學標準的文獻收錄進來。

但是研究臺灣史的人並不重視這些工作。像許雪姬編《臺灣歷史辭典》，並沒有參考《日據時期臺灣儒學參考文獻》，臺灣只重視臺灣文學，在之前幾乎沒有人進過日據時期的臺灣儒學，所以格局比較小。甚至有人還在斤斤計較研究臺灣文學要不要修中國文學史，這很離譜啊。你不修中國文學史，臺灣的很多詩話都是討論陶淵明、李白、杜甫，你要研究臺灣的詩話，不修中國文學史怎麼認識這些人呢？

《生活》：一九二〇年代，顧頡剛興起「古史辨派」，崔述等人被重新發現，當時大陸的這種學風有影響到臺灣嗎？

林慶彰：應該說有，但是不明顯。我覺得當時臺灣的學風主要還存在於詩人酬唱這個層面。顧頡剛當年的考據的觀念在日本也沒有引起很大的回響，像內藤湖南有一點跟他一樣的觀念而已，沒有形成一種學術的風氣，在臺灣產生的影響很小。

一九二〇年以後，社會學進來了，跟顧頡剛當年的學風就不一樣了，倒是和李安宅的研究方法比較接近了，李安宅有《〈儀禮〉與〈禮記〉之社會學的研究》。

《生活》：那麼是受日本學風的影響更大一些？

林慶彰：當時日本有許多著名的漢學家，像京都大學的狩野直喜、東京大學的島田篁村等等，但是當年臺灣人留學日本都學醫學，不然就學時髦的社會學，幾乎沒有人學漢學。東京大學和京都大學的漢學學風並沒有影響到臺灣，這是很奇怪的事情。所以臺灣沒有接受乾嘉考據學風，也沒有接受晚清「今文學」的學風，也沒有接受日本漢學的學風，只是接受了日本社會學的一點影響。而這一點影響到國民黨來臺灣以後也統統報銷了，因為日據時期的知識分子已然斷裂，無法用中文閱讀、寫作，即使學有所長也很難發揮，何況國民黨認為他們是親日的，並不信任他們。

《生活》：是否和傅斯年對日本的態度也有關係，比如當年解聘「偽北

大」教授？而且傅斯年等人留學歐美，與留日學者的觀念和教育方式也有差異吧。

林慶彰：主要還是發生了「二二八事件」，加深了種族的隔閡和矛盾。

《生活》：日本在大正和昭和初年受到西學影響，漢學變化比較大？

林慶彰：狩野直喜講過一句話，我的職責就是考據學，他們當年的考據不輸給乾嘉時代。譬如當年為了推崇崔述，他編了《崔東壁遺書》，主要就是提倡考據，後來影響到顧頡剛，因為胡適要顧頡剛找《崔東壁遺書》重新點校，所以我們現在市面上看到的《崔東壁遺書》是從日本傳過來由顧頡剛點校後出版的。

當時他們甚至還利用天文學的知識，像新城新藏，考證《尚書‧堯典》裡的天文問題，《詩經》裡面涉及天文的也都去做考證。他們的方法是比較新的。

《生活》：臺北帝國大學在日據時期也有跟經學相關的課程嗎？

林慶彰：文政學科裡有中國文學這個領域。在日本，所謂中國文學包括經史子集。當時臺北帝國大學教授中國文學的主任教授就是神田喜一郎。

神田喜一郎對臺大的貢獻很大，他為了充實臺大圖書館的藏書，晚上開船到福州買書，因為如果他白天去買，日本警察會干涉，他就晚上去。中國哲學方面是後藤俊瑞、今村完道。他們當時所有的研究成果都發表在《臺北帝國大學文教學部學報》上，我在裡面找到好多篇，編進《日據時期臺灣儒學參考文獻》。

《生活》：日本希望在臺灣「去中國化」，臺北帝國大學有沒有對中國文學、哲學的教材進行改動？

林慶彰：當時臺灣人很少有機會讀臺大，臺大主要是教日本的子弟，臺灣人大多只能讀農業學校和商業學校。

《生活》：我們現在比較忽略日據時期對臺灣社會的影響。

林慶彰：國民黨不太喜歡談這個問題。從「二二八」事件以後，更忌諱臺灣人談日據時期的事情。我的父母就經歷過日據時期，我爸爸現在還在，已經一百歲了。他覺得當時其實也是比較有原則的，當時針對臺灣陋俗的改造運動，也有很大的成效，其價值不應被忽視。

破冰與解禁

《生活》：您研究經學有家學淵源嗎？

林慶彰：我是農家子弟，家裡沒有什麼書，只有《三字經》、《千金譜》、《幼學瓊林》這些讀物，都是我二哥的私塾讀本。我真正對學術有興趣是在高中，臺灣的高中都要讀《中國文化基本教材》，就是把「四書」的一些內容分配到三年裡面學習，還要考試的。但是我覺得選得太少了，不能滿足，就去買《新譯四書讀本》來讀，讀了就很有興趣。

那時我就想將來讀歷史系或中文系，歷史系的分數比較高，我就考上東吳大學中文系，黃永武老師教我們聲韻學，他同時也在讀博士，當時文學博士非常少，經常有報紙、電視的記者採訪他，很風光，我就想，做老師其實也不錯。

到碩士班，屈萬里先生成為我的指導老師，他本來是臺大教授，後來退休到東吳大學教書。因為我覺得屈先生的學問很好，很崇拜他，我在讀大學時就跑去臺大旁聽他的課，他在教《尚書》。我除了旁聽，自己也讀，一本《尚書》讀了七遍，都讀爛了。

我跟屈先生學了四年，四年後他就過世了。我和葉國良老師是同門，他在臺大，我在東吳，我們是屈先生最後的兩個學生。

《生活》：屈先生給您確定的研究方向？

林慶彰：我在屈先生的指導下研究明代的經學，碩士論文主要是考辨幾本明代偽造的《詩經》的著作，《子貢詩傳》、《申培詩說》和《孟子外書》。我在三十年前提出的結論，到現在還沒有人能夠反駁。大家都認為《子貢詩傳》是豐坊偽造的，我考證後發現，《子貢詩傳》有兩個系統，一個是抄本系統，是豐坊偽造的沒有錯，但是刊本的系統卻有三十多種，是王文祿偽造的，《申培詩說》也是王文祿偽造的。我研究了以後拿給屈先生看，屈先生很高興，他說你打破了三百年來的成說，到現在大家幾乎都採用了我的說法。

當時為什麼要偽造這些書呢？因為明朝中葉開始慢慢產生反宋學的情緒。因為宋人對漢人很不客氣，像鄭樵，說漢人傳經而經亡，意思是說漢人傳承經

典，但是並沒有把聖人之道傳下來，經書等於跟亡佚差不多。明朝為漢人打抱不平，所以要證明漢人既傳經又傳道，怎麼證明呢？申培上面是子貢，子貢上面是孔子，表示申培的學問是間接從孔子那裡得來的，所以當然既傳承了經又傳承了道。偽造這個就是為了幫助漢人澄清宋人對漢人的污蔑。

屈先生去世時，我剛剛開始讀博士，屈先生為我定下了博士論文的題目，希望我研究明代考據學，我從《四庫提要》開始搜集資料，發現明代學者的著作非常多，我很想把題目縮小，但想到這是老師的遺言，就決定堅持下去，最終，論文寫了五十多萬字，這篇論文證明了在顧炎武以前，楊慎、焦竑、方以智等人早就做了很多考據工作，我等於是把考據學的歷史向前推了一百多年。

我做了考辨又做了解釋，所以想要讀這些書的人還不少，華東師範大學出版社正在出版一套我的著作集。

《生活》：一九八九年，您從大陸引進了十八萬冊書籍前往臺灣，引起極大的轟動。

林慶彰：當時臺灣社會的不公不義已經到了我們不能忍受的地步，我只要舉一個例子你就可以理解，大陸的書一本都不能看，大陸的論文一篇都不能印。我從大陸買了九千包的書到臺灣，希望能幫助後輩解決研究上的種種困難。雖然當時已經宣布開放黨禁、報禁，但是引進大陸的書還是可能會被抓起來，沒有人願意這樣做，尤其學中文的人都很保守，所以當時很多朋友都為我捏一把汗。

《生活》：沒有感到恐懼嗎？

林慶彰：沒有，我唯一的想法就是不要讓《國文天地》垮掉，實在太可惜了。當時臺灣師範大學有十幾位教授都有意要把它接下來，但他們都是公立大學的老師，不能當雜誌的發行人，只有我是東吳大學（私立大學）的老師，所以他們把社長的責任推給我。我當時並沒有做這些工作的經驗，而且臺灣有一句話，要害誰，就請誰去辦雜誌，但是，我想，如果這本雜誌在我的手裡停刊，我就變成歷史罪人了。我覺得應該來大陸看看，一九八八年到北京拜訪了《文史知識》的柴劍虹先生，當時在大陸看到很多好書，我想，如果把這些書買到臺灣去賣，應該能賺一些錢將《國文天地》維持下去。因為臺灣的需求很

高，而且當時大陸的書都是五毛、一塊，到了臺灣都要增三十倍，一九九〇年，我就向我們董事長借了三百萬臺幣，請一家旅行社匯到香港，再從香港匯到汕頭，找到一個可靠的大陸人辦了存摺，再請兩個人坐飛機把存摺帶給我。我就去北京的中國書店，新華書店一直到上海、南京的書店買書，中國書店書架上的書都被我買光啦，相當於它十個月的營業額。後來中國書店跟我說，臺灣政治大學的一位教授去買書，看到書架都是空的，就問為什麼，店員告訴他，都被你們臺灣來的人買光了，他回到臺灣就打電話給我，說你為什麼把書都買光了！這怎麼可以！

《生活》：這些書分幾批運回臺灣？

林慶彰：我們是交給中國書店處理的，一個月之後就都到了，堆積到天花板，我們通通載回去了，一九九〇年八月六日，正式成立了萬卷樓圖書公司。當時萬人空巷，九樓的《國文天地》雜誌社擠滿了人，可以看得出當時對大陸出版品的飢餓程度。

《生活》：過海關時有沒有受到阻力？

林慶彰：反正最後我們都收到啦，我不知道為什麼海關沒有查扣，或者為什麼沒有叫我去問話，都沒有，就放行叫我去領啦，我說是有神在幫助，不然的話也不可能這樣啊。我們進那一批書以前，臺灣的碩博士論文，參考書目裡面大陸的書只能有一兩本，從那以後，大陸的參考書暴增了幾十倍，書賣了一年後，新聞局才來查，罰款二十萬。

《生活》：一九六〇年代，針對大陸的「文革」，蔣介石發起「中華文化復興活動」，對您這一代人有什麼影響？

林慶彰：「中華文化復興委員會」也做了一些事情，譬如商務印書館出版的「古籍今注今譯」就是「中華文化復興運動」的成果，直到現在還在出，大概有三十多種，大陸也有幾個翻印本。雖然現在看來中華文化復興委員會是一個官僚機構，但在當時對一些想要讀古籍的年輕知識分子是有幫助的。

後來「中華文化復興運動」就變質了，到李登輝的時代，他不太注意這些，所以對古籍的今注今譯也沒有繼續推動，只是把以前在做的事做完而已。

李登輝也是有一些理想的，在李登輝的時代，我們「中央研究院」文哲所

跟他合作辦朱子學會議，發表了六十篇左右的論文，中華文化復興委員會出了
一兩百萬的資金支持。當時我是代理所長，帶領與會學者去見李登輝。大陸的
學者也去的，回大陸以後好像被叫去問話了，那是李登輝唯一一次接見大陸學
者。

　　中華文化復興委員會現在改名為文化復興總會，已經起不到多少作用了，
很可惜。

　　　　——原刊於《生活月刊》第83期（2012年10月），頁160-163。

專訪林慶彰教授

簡 瑞 文[*]

　　林慶彰教授，東吳大學中國文學研究所博士，現任中央研究院中國文哲研究所研究員。林教授的研究專長為經學、日本漢學及圖書文獻學。先後在國立中央大學中國文學系、國立臺灣師範大學國際漢學研究所、淡江大學中國文學系、臺北大學古典文獻學研究所、臺北市立教育大學等校任教。並受邀至美國史丹佛東亞系、哈佛大學燕京學社、日本東洋文庫、九州大學、長崎大學、韓國經學學會、中國大陸北京大學國際漢學家研修基地、首都師範大學、清華大學、中國社會科學院歷史研究所、南京大學、南京師範大學、揚州大學、山東大學、蘭州大學、吉林大學、蘇州大學、廈門大學、西北師範大學、東北師範大學、香港浸會大學、香港中文大學、香港城市大學、嶺南大學進行主題 演講。

　　學術專著包括《明代考據學研究》、《清初的群經辨偽學》、《明代經學研究論集》、《清代經學研究論集》、《中國經學研究的新視野》等，另主編《經學研究論著目錄》、《乾嘉學術研究論著目錄》、《日本經學研究論著目錄》、《經學研究論叢》、《國際漢學論叢》等。主持多項大型研究計畫，包括《經義考》補正點校計畫、乾嘉學者的經學研究計畫、揚州學派的經學研究計畫、晚清經學研究計畫、民國以來經學研究計畫。也曾帶隊到德國慕尼黑大學、美國亞歷桑納大學召開經學會議，讓經學研究在歐美扎根。

---

[*]　華梵大學中國文學系碩士生。

邁向學術之路

　　林教授生於臺南縣七股鄉（今臺南市七股區），初中和高中就讀佳里鎮上的北門中學。北門高中不是以升學為主的學校，每年每班大約只有十位可以考上大學。林教授高中時喜歡打球，不過成績仍可維持在班上前十名。不料考試時因為作答失誤，在最有把握的地理科栽了跟斗，放榜後考上世界新聞專科學校圖書資料科。林教授考慮該校學風和自己不相符合，故選擇重考，隔年考上東吳大學中國文學系。

　　在東吳大學讀書期間，林教授受教於黃永武教授、劉兆祐教授，因為景仰他們的學問涵養，便立定志向要考研究所，朝研究之路邁進。林教授尤其崇拜屈萬里教授，屈萬里老師當時是中央研究院歷史語言研究所所長。林教授希望能成為屈教授的學生，於是去報考臺灣大學中國文學研究所，差了幾分沒考上，林教授就先去服役。在服役時得知東吳大學中國文學系要成立研究所，並且聘請屈萬里教授來授課。林教授心想這樣也不用去考臺大，在東吳唸書即可。服役一年後順利考取東吳大學中國文學研究所碩士班。

師事屈萬里教授

　　一九七五年進入碩士班後，林慶彰教授透過劉兆祐老師的關係，向屈萬里教授報告懇請他擔任指導教授。屈萬里老師說：「你先寫一篇文章給我看看，如果我覺得可以，再指導你。」於是林教授就寫了自己生平第一篇學術論文〈黃河名稱考〉，因為「黃河」當時叫「河」，在先秦典籍出現了四百次，四百次都是指「黃河」，所以「河」是「黃河」的專有名詞。至於何時才從專有名詞改成普通名詞呢？林教授考證到了東漢初年才稱「黃河」，因為名字被奪，不能再用「河」字，於是需要加個「黃」字，後來要指「黃河」，便不能再單稱「河」字，必須稱「黃河」。屈萬里老師看完這篇文章很高興，認為林教授程度不錯，願意收他當學生。當時屈萬里老師正在美國普林斯頓大學高深研究

所當研究員，此後屈萬里老師也未再收其他學生，林教授遂成為屈萬里老師最後一位指導的學生，也可算是關門弟子。

林教授說當時受屈萬里老師的影響很深，把老師的書讀好幾遍，包括《古籍導讀》、《書傭論學集》、《尚書釋義》、《詩經釋義》等。而屈萬里老師的單篇論文也不少，也全部找來影印，裝訂成冊。當時和屈萬里老師的學習過程大概是這個樣子。

林教授的碩士論文《豐坊與姚士粦》，也是他的成名作，至今仍有許多人引用。本書考訂了《子貢詩傳》及《申培詩說》，在此之前學界普遍認為《子貢詩傳》和《申培詩說》都是豐坊偽作，但林教授收集各種版本，整理比較後發現，《子貢詩傳》有抄本與刻本之別，抄本乃是豐坊偽作，而刻本則是王文祿就抄本篡改而成。而《申培詩說》是王文祿抄錄豐坊另一本偽書《魯詩世學》的詩旨而成。這項結論，否定了過去所有對《子貢詩傳》和《申培詩說》作者的說法。林教授把寫好的初稿拿給屈萬里老師看，屈老師那時已經因病住進臺大醫院，時間大概是一九七八年的三、四月間。屈萬里老師看過後，講了一句話：「你這說法，打破三百年來的成說。」本來在寫作過程中，林教授對自己的看法並沒有十足的把握，但獲得屈萬里老師這麼大的讚揚，頓時信心大增，後來也順利畢業，並考上東吳大學博士班。

在林教授報考博士班時，為了擬定研究計畫，曾向屈萬里老師請教，屈教授認為林教授既然研究明代經學，那就去探討楊慎以下的考證學與清代考證學之間的關係，並把題目訂為「明代考據學研究」。然而在一九七九年二月十六日清晨四點鐘，林教授博士班一年級下學期時，屈萬里老師因病辭世。因為博士論文題目是屈萬里老師所賜，等於是老師的遺志，所以林教授悲痛之餘，立志要更加努力，一定要盡力完成。後來博士指導教授由系主任劉兆祐教授與昌彼得教授共同擔任指導，經過五年的努力，終於完成《明代考據學研究》論文。論文提出明代楊慎等人的考據工作乃清代考據學的先導，這研究成果將考據學產生的時代往前推一百五十年。

人生之重大轉折

　　林教授認為在博士班時期的三件事，對他的人生產生重大的影響。其一是編輯《屈翼鵬先生哀思錄》。在時間的壓力下，林教授將那段時間國內有關屈萬里老師的報導全部蒐集整理，加上屈師母整理的簡報，以及親朋、師友、學生的紀念文稿，在很短的時間內完成編輯。

　　第二件事情是編輯《屈萬里先生文存》。這件事對林教授影響最為深遠，因為林教授為此看遍了屈萬里老師所有的文章。在取得文章過程中，聯繫幾經波折，由於當時無法和大陸直接通信，所以需先寄信到美國，再由美國轉寄大陸，一來一往至少要三個月的時間，所以有時去信請屈萬里老師的兒子從山東找一篇文章就需要三個月以上的時間。還有不少文章收藏在美國國會圖書館，當時是透過林教授任職外交官的弟弟請人協助影印寄回。前後花了三年的時間，包括蒐集資料一年半，校對、整理、編輯等等也花費一年半的時間。《屈萬里先生文存》共六大冊，體例皆由林教授所擬定。

　　第三件事情是參與主編《中國文化新論》。這套書是聯經出版公司出版，邀請美國德拉瓦大學劉岱教授擔任總主編，內容包括《根源篇》、《文學篇》、《思想篇》、《學術篇》等十餘冊，各冊均邀請學界菁英擔任主編工作。當時林教授還只是講師，在聯經出版公司擔任兼任編輯，因為一起參與比稿，獲選為《學術篇·浩瀚的學海》主編。主編群總共有十三人，包括黃俊傑教授、杜正勝教授等。編這部書對林教授來說是一個拓展學術視野的機會，也因此增加了自己的學術人脈。

編輯《經學研究論著目錄》

　　林教授在念碩士班時，跟屈萬里老師提過想編一部《經學研究論著目錄》，因為當時尚未有人編輯經學研究論著目錄，所以檢索既有的研究文獻時很不方便。屈萬里老師認為這是一件好事，但是以一個碩士生來編，負擔太過

沈重,一來沒有人脈,二來沒有經費,於是林教授只得將此事暫時放在心上,等待時機。直到博士班畢業,林教授所做的第一件事便是編輯《經學研究論著目錄》第一編,收錄一九一二年到一九八七年間的經學研究論著資料。當時林教授還是沒有經費,於是請了四位碩士班學生,用自己微薄的薪水提供他們吃住,五個人就這樣克難地在林教授家中開始了經學目錄的編輯整理工作。這四位碩士生分別是現任中山大學中國文學系系主任劉昭明教授、東吳大學中國文學系陳恆嵩教授、張廣慶教授、李光筠教授。張廣慶教授在讀博士班時過世了,而李光筠教授碩士班畢業後任講師時,也因心肌梗塞過世了。林教授提起兩年前到香港大學饒宗頤學術館參訪時,饒先生將別人簽名送他的書全部陳列展出。林教授看到《經學研究論著目錄》,翻開頁首,看著當初五位編輯的簽名,今天想著要再次集合五位簽名合送一本書給饒先生已是不可能的事,心中不勝感慨。

編完初編以後,獲得不少好評,便開始進行第二編。第二編也是在林教授家裡編的,學生搭計程車到圖書館蒐集資料、吃飯、睡覺都在林教授家中,仍是林教授自費。直到第三編才申請到國科會的經費,編輯經費的負擔才比較輕鬆。

接任《國文天地》社長

一九八七年,林教授擔任《國文天地》社長職務。《國文天地》本來是正中書局的刊物,編了三年要停刊。因為當時的學界覺得停刊太可惜了,於是國內十九個中文系的教授共同出資把它延續下來。因為政府規定公立大學的教授不能當社長,也不能當發行人,而林教授當時在東吳大學任教,大家便推他當社長兼發行人。林教授說自己從來沒做過這種事,並打趣道:「臺灣話不是有句話說『要害誰就請誰去辦雜誌』,那保證當這社長應該當不久。」但林教授認為,當不久無所謂,但若是《國文天地》在他手上停刊,這可是成為歷史罪人的醜事。便帶了幾位學生到大陸考察,順帶將大陸書買回來賣給學術界的人,藉此賺取營運經費。

　　一九九○年六月，林教授帶了幾位學生和新臺幣三百萬元到大陸買了九千包的書。當時林教授一心只想賺錢養《國文天地》，沒想過書可能被查扣的問題。當時海關查禁非常厲害。所幸後來所有的書全數進入國內，也因此在同年八月五日，成立了萬卷樓圖書公司，將九千包的書全數納入萬卷樓圖書公司。林教授提起這件往事，笑著說：「當時海峽兩岸都知道我的名字，他們有人說：『這個林某人應該是國民黨高幹的兒子，不然怎麼可能做這件事情沒有被查禁或抓去關。』」

文哲所創所成員

　　這個過程中，中央研究院中國文哲研究所籌備處成立了。當時籌備處主任是吳宏一教授。吳教授認為林教授在東吳大學資源不多，而《國文天地》雖是文化事業，但畢竟是服務業，希望林教授申請文哲所。所以在一九九○年五月，林教授便向中央研究院中國文哲研究所申請，並順利通過申請，八月一日即正式上班。當時中國文哲研究所的研究人員只有兩位，一位鍾彩鈞教授，另一位便是林慶彰教授。任職之後，林教授為文哲所做了很多重要的規劃，例如霧峰林家的藏書約有五、六千冊沒人要，林教授一得到消息，便自己一人開車將它們載回來。還有趙友培先生的藏書，林教授也自己開車去帶回來。就這樣到處收集書籍，文哲所圖書館才能在成立之前就有兩、三萬冊珍貴的藏書，目前已經有四十萬冊了。並成為全球最重要的文科圖書館之一。

國際經學交流推手

　　林教授表示自己到了文哲所後，接觸的人很多，也認識了很多歐美、日本的漢學家，以及中國大陸的學者。他想：要做就做徹底一點。因此擬了一份約有一百多人的邀訪名單，積極地邀請各國學者來文哲所訪問。如果對方年紀大，或不方便來，便親自前去拜訪；若可以來臺，便進行邀訪。這份名單前後邀訪了約五、六十位，其他可能因為過世，或生病、不方便前來而前去訪問的

也不少。透過這樣的方式，大幅提升了臺灣中央研究院中國文哲研究所在國際間的學術聲望。

林教授說自己待人誠懇，因此全世界研究經學的學者都願意和文哲所交流，又因為林教授主編許多書籍，若沒有邀訪對方來開會，便會寄些書給他們，一次約五、六本，讓這些外籍學者感受到尊重。透過這些方式，到目前為止全世界研究經學的學者幾乎都已邀訪過。其中若有遺漏，應該是成名較晚的學者，未來也會陸續邀請。

談到中國大陸的經學研究，林教授說：「目前為止中國大陸還不承認經學是一門學問，你去大陸跟人家講說你是研究經學的，他會說是經濟學嗎？他不知道有經學這個學問。我就會跟他解釋經學是什麼！」林教授也提到當年邀請彭林教授、姜廣輝教授來臺灣參加研討會的情形。彭林教授本來就是研究經學，而姜教授本來是研究「顏李學派」，後來發現經學裡有許多問題可供研究，於是兩位回去開始擬了些經學研究的論題，進而推動大陸經學研究的發展。因此大陸有不少學者認為，大陸經學的發展和中國文哲研究所林慶彰教授有密切的關係。

說起大陸經學研究的逐漸復興，林教授當然很高興，但也表示一則以喜，一則以憂。因為臺灣人才不足，現在的年輕研究者有志朝經學發展的，可能十個還找不到一個。中國大陸人口數是臺灣的五十倍，我們有一個人才，大陸可能有五十個。所以林教授認為再十年後，大陸經學復興，臺灣的經學研究便會被追趕過，這是一件可悲的事。林教授說：「我在中國大陸清華大學『第一屆中國經學國際研討會』上說：『二十年內，大陸的經學一定復興。』當時講這話的時候是二○○五年，距今已過十年了，再過十年，我的話一定會兌現。」

學術先導領航者

林教授表示自己受屈萬里老師影響，認為做研究要「寧為雞首，不為牛後」。自認對於學術的敏感度高，所以在治學的過程中若發現什麼工具書不夠，便想進行編輯，為學界提供好的工具書。例如年底準備出版的《臺灣經學

人物辭典》，便是針對一般人很少會去注意的臺灣經學人物加以整理，讓人可以很清楚了解臺灣的經學人物有哪些人？他們的經學成就如何？林教授便擬好體例，再找研究生及國內年輕助理教授共同參與編輯撰寫。

林教授認為現在研究生做研究不夠嚴謹，是因為不知道哪些有人寫過的論文可以參考？也不知道哪些論題是前人已經研究了？也不清楚哪些論題可以繼續深入進行研究。這些都是因為缺乏資料的掌握，於是編了《經學研究論著目錄》供大家方便檢索。赴日本做研究前，林教授發現日本漢學的研究也是七零八落，所以編了《日本經學研究論著目錄》及《日本儒學研究書目》，有了這兩本工具書，做起學問來就比較嚴謹，不會遺漏重要的前人研究成果。

此外，其他工具書也編了不少，像是專人的著作集、論文集、資料彙編等等，只要是對學術有幫助，林教授就會請學生或者自己進行編輯整理。

提高專科目錄的水平

林教授說很多人覺得編目錄或著作集等編輯工作只是一件小事。像大陸趙生群教授就曾說：「林先生編目錄編得太多了一點。」意指林教授花太多時間在編輯目錄，而忽略了研究工作。但林教授認為編目錄主要是為了服務學術界，自己也不後悔花很多時間來進行這項工作。林教授自豪地說：「我編的目錄跟別人編的目錄不一樣，你們用了就知道。一本書或者一篇論文，所有的版本都羅列在下面，而且分類又那麼細，分錯的當然也有，但是每一張卡片基本上我都親自看過，也看過好多遍，以減少錯誤發生，這對提高國內專科目錄編輯水平產生重要的影響，這一點應該是有貢獻的。」

對經學研究後繼者之建議

林教授認為目前整個大環境對臺灣的經學研究是很不利的，雖然如此，林教授仍為年輕研究者提出三點建議：第一點，他以日本漢學為例，提醒後學要參考國外的研究成果。前年林教授碰到野間文史教授、池田秀三教授，當時邀

請兩位教授來臺灣參加研討會，野間教授說：「林先生，全日本就只有我們兩個經學家，我們兩個都在今年退休，日本已經沒有經學家了，所以你以後要邀日本學者也沒人可以邀了。」林教授說：日本經學的衰亡我們是可以看到的，但不表示日本漢學不值得研究，因為他們的研究成果，還有我們從未看過的尚有很多。所以應該提升外語能力，才能掌握日本的經學研究成果。

林教授舉了兩個例子，一位是宇野精一，他寫了一本《中國古典學的展開》，裡面討論《周禮》的作者問題。不論宇野教授提出的觀點正確與否，至少研究《周禮》者應該要看過，但是在臺灣從來沒有聽過有人提過這本書。林教授說很多學中文的人，視野太窄，沒能讀懂一種外國語言，所以英文書、日文書，全都置之不理，讓他感到不可原諒。林教授認為臺灣研究中文的學者，至少應該要通一種外國語文，所以之前請他指導論文的研究生，都得學習日文。

另外，又提到津田左右吉，他有一本書叫《左傳思想史的研究》，約有五、六百頁，書中討論的問題為《左傳》是劉歆所偽造的。這是受民國初年學風的影響，但總有他的立論基礎，我們應該去瞭解他的立論基礎在哪裡？是不是站得住腳？但是全世界除了林教授曾提到津田左右吉，再也無人論及。所以林教授認為未來學者要注意的第一點，是對於日本漢學的研究成果要充分吸收與利用。

第二點建議是要能吃苦，林教授認為臺灣的研究生所受的訓練太輕鬆。林教授舉自己的例子，說某年在某校開了「中國經學史」的課，起先來了很多人要旁聽，林教授要求旁聽的研究生也要和選修生一樣在一年內寫八篇報告，而且要當場宣讀給大家聽。結果第二週只剩八個人，只有中文系該修的同學留下來，其他旁聽的外系學生都走了。林教授認為學生如果不能吃苦，便不可能有什麼成就。

第三點是建議研究生要更努力去研讀原典。林教授說現在大陸的讀書會都在讀《儀禮》、《周禮》、《禮記》，如果我們不讀原典，怎麼跟人家拼呢？如果只讀二手資料，只是人云亦云而已。

另外，林教授認為研究生要常發表論文，要創造發表的機會，如果不這樣做，就沒有經過磨練、思考、辯證，很難提出新的創見。林教授說當初他研究

《子貢詩傳》時，大家都說是豐坊偽作的，但他認為至少有一部分不是豐坊作的，於是把所有二、三十種版本蒐集起來，充分地做辯證的工作，才發現前人都不夠努力，只要我們比前人更用功，我們就可以超越他。如果能夠從這幾個方面去努力的話，中文系當然是有前途的，一定可以跟大陸一拼高下。

　　訪談結束後，林教授以過來人的身分，語重心長地說：一般人多認為國立大學的學生比較好，或是從國外回來的留學生更不錯，久而久之形成一種宗派家門，這其實對於學術提升是沒有幫助的。唯有研究者能夠踏實的用功，認真學習第二外國語言，提昇自己的學術能量，並把視野放遠，走向國際，和國際漢學家一同競爭，這才是研究的真諦。

　　——原刊於「明清研究通訊」第46期（網址http://mingching.sinica.edu.tw/Academic_Detail/334），2014年12月。

中研院經學研究學人座談紀要

倪孟安、黃咨玄*

　　中央研究院中國文哲研究的「經學研究室」，成立於民國八十六年，希望透過以下四方面的努力，使文哲所成為國際上領導、推動經學研究的重鎮：（一）整理及研究經學文獻；（二）利用新的詮釋方法，對經典及歷代經學的演變重新加以詮釋；（三）規劃各種研究議題，結合國內外經學研究人力共同進行研究；（四）翻譯並介紹海外研究經學的成果。成員包括：林慶彰、蔣秋華、楊晉龍、蔡長林四位研究人員。

　　經過十餘年來的努力，「經學研究室」確實在上述各方面均有斐然的成績：依序共召開過清代（1992）、明代（1995）、元代（1995）、宋代（2002）、隋唐五代（2005）、魏晉南北朝（2008），六次經學國際研討會；執行「經義考點校補計畫」、「姚際恆著作及編輯計畫」、「清乾嘉經學研究計畫」、「清乾嘉揚州學派研究計畫」、「晚清經學研究計畫」，以及「民國經學研究計畫」，並整理歷代經學家之相關著作，有多種出版成果（請見文後「文哲所歷年出版經學文獻及研究專著」）。另外，經學研究室成員每年考察清代經學家之遺跡，也策劃支持翻譯國外相關經學論著。

　　本期《明清研究通訊》以中研院明清經學研究為專題，我們特別邀請到文哲所經學研究室林慶彰、蔣秋華、楊晉龍、蔡長林四位，以及「文哲之友」近史所張壽安教授進行訪談。[1]林慶彰教授師從屈萬里先生，專長《詩經》與乾嘉經學；蔣秋華教授師從程元敏先生，專長《尚書》；楊晉龍教授師從周虎林

---

* 明清研究推動委員會助理。

1 張教授之「文哲之友」乃由戴璉璋老師所封。經學研究室與張教授淵源頗深，經學研究室成立之時，張教授為受邀的唯一所外人員，並多次參加經學研究室的會議。

先生、張以仁先生和吳宏一先生，專長《詩經》與四庫學及治學方法；蔡長林教授師從林慶彰與夏長樸教授，專長《春秋三傳》以及經學史、學術思想史；張壽安教授師從何佑森、杜維運、余英時，專長清代學術思想史、禮學思想與制度間的關係。五位老師都長期致力於明清經學之研究，在經學領域內各有專長，希望藉此訪談，能夠讓我們瞭解到他們個人從事經學研究的關懷與方法，經學與其他學科的異同與對話之可能，並對經學在兩岸三地的現況與發展提出專業的看法與建言。

經學研究的規範與方法

幾位教授先從個人治學方法與關懷談起。蔣秋華教授表示自己走傳統理路，處理一些經學內部的議題，可以說是沈浸於原典中找尋議題，也從文本解決問題。近幾年雖也從事經學史之研究，探尋大範圍的時代變化脈絡，但仍傾向從小而重要的議題入手。雖對一些大議題，如乾嘉考證學之興起與發展的脈絡有興趣，也有些看法，但還未形成系統性的研究。

蔡長林教授的關懷也主要在經學史，其研究方法是先找到某些觀點做為問題意識，進一步從文本中去發現可印證、或必須修正的看法。蔡教授說自己研究經學經常帶著「經學如何在歷史中發揮作用」的問題意識，以此問題意識切入乾嘉經學研究，即發現清代中葉以降的考據學對學術書寫有所影響，這種影響甚至一直綿延至今。這種現象也不僅止於清代，而是歷代皆然，是很值得注意的。對於經學在現今學界的定位問題，蔡教授認為經學研究是以經學文本——經學原典以及經學家的論著——做為主要研究對象，在概念上可以是學術思想史，也與史學家治學術思想史有所關聯。但是文哲所「經學研究室」更重視經學研究的主體性，認為不能放棄經學的語彙與思考模式，也不願意只從「學術思想史」史學的角度來研究經學。

論及經學的主體性與重要性，楊晉龍教授說經學之定義有二：（一）傳統經學：在傳統學術分類中，經學是最高等的學問，是其他學科與制度的基礎與領導，經學即是致用之學，許多制度都是經學義理的展現。（二）現代經學：中國引進西洋學科分類之後，經學原典被當作一般學術文獻資料，經學研究轉

而以經學史研究為大宗，幾乎與史學研究無甚差異，故而現代經學研究經常由外部解釋經學資料，而非由內部發揮經學的現代價值，這是與展現經典意義的傳統經學最大差異之處。

　　楊教授繼續解釋，傳統中國社會中的經學為一規範之學，即指導人們如何生活實踐的學問，因此強調致用。我們若要用貼近傳統的概念做研究，就應該注重經學如何致用的這個面向。楊教授舉自己研究過的科舉制度下的官學，以及葉國良老師對中古婚俗禮制的研究為例，並表示張壽安教授研究經學思想與制度間的互動關係，看經學理念如何影響典章制度及至日常生活實踐，是非常典型的經學研究。他認為強調經學致用特質的研究，才是貼近傳統的經學研究；「其他的相關研究，其實只是『經學史』研究罷了」。楊教授也說自己近年來對於各學科與經學間的互動關係特別感興趣，也試圖在歷史脈絡中檢視經學如何落實，並做出價值判斷。

　　張壽安教授謙虛地表示自己不算在研究經學，而是以史學的方式入手，將經學視之為研究材料。張教授觀察現今經學研究的情勢，從方法論上可分為文獻學、詮釋學、學術史三類。經學之文獻學為傳統文本研究，文哲所與兩岸其他單位都做了不少基礎工作，近年新出土的簡帛則不斷地擴充經學文本材料。經學之詮釋學是從思想史、概念史與哲學史之角度進行研究，臺灣從事這方面研究的學者很多。傳統上，作為經學詮釋的方式大約有：微言大義、章句訓詁、義理思想、說經等四種型態。其中義理思想在唐、宋以降儼然成為經學詮釋主流，發展出性理之學，近代新儒家熊十力、牟宗三等多宗此法，進而結合西哲發展出中國哲學。而說經則為清儒解經之最大特色，因為說經需要具備許多基礎知識，包括小學、天文、曆算、水地、樂律等，清儒以此說經，其後這些工具性的知識都發展成了獨立的專門之學，包括：文字、聲韻、訓詁、典章、制度、名物、度數、水地、天文、算學、草木鳥獸蟲魚等等。近幾年來也有學者將清代以來的「訓詁」之學繼續發揚，使傅斯年（1896-1950）的訓詁方法與現代語言學相結合，從語意學走向語用學來進行新的經學詮釋學。張教授進一步表示，自己長期以來選擇「經學學術史」做為研究課題。她認為必須要更清楚地建立起經學學術史的觀念，從兩千年歷代經數與經目的變化中去探

尋其背後意涵，因為此一歷代典範轉移，不只是思想觀念的轉變，也代表知識的擴張。若能從「學術史」的角度進行觀察，歷代經數經目為何由六經、七經、增為十三經、十四經、十七經、甚至二十一經，把經學內容的變化和理念弄清楚，梳理出「經之為學」的歷代變化，則經學研究自然就會跟政治、經濟、文化結合起來，最後呈現出一種新的經學文化史的詮釋方法，非常活潑而多樣。這樣的面貌很大一部分會與史學、文學、文化研究有關，也更貼近民生日用，進而展開學科對話。

林慶彰教授則認為經學有史學、哲學、文學三種屬性，分求真、善、美三境界。晚清以前經學在中國學術思想具權威地位，但民國以後，經學之文學、史學性被特別突出，哲學性被打壓。然而當史學性被強調，去探尋經書裡記載的真偽，如五四顧頡剛（1893-1980）之《古史辨》，經學便成為史學研究的材料，如此經學史便與史學史的文獻與方法重疊。林教授指出：「我們成立經學研究室，雖強調經學研究的主體性，但是對於學者們各自不同的方法與興趣，卻是兼容並蓄的。我們歡迎多元的方法論與觀點，多年來，我們廣泛地邀約海內外從事經學相關研究的學者、舉辦大小學術研討會、展開各種合作計劃與互訪活動，就是希望讓中研院文哲所成為一個接待國際經學研究同仁，領導並推展經學研究計劃的中心。」

對於自己的研究，林教授表示自己求學過程中曾受王道還先生翻譯《科學革命的結構》（Thomas S. Kuhn, The Structure of Scientific Revolutions）的啟發，所以自己對經學的研究也受到「典範轉移」理論的影響。但林教授強調經學研究最重要的還是實際下功夫苦讀原典文本，從中讀出心得滋味，才能發展出自己的觀點，而不是胡亂套用理論、削足適履地解釋。他舉例說，以前大家咸論魏晉是經學玄學化的時代，但除卻何晏、王弼有一點這樣的痕跡外，其餘並非如此；相反的，魏晉是古文經學最發達的時代。這些判斷與結論，並不需要其他的理論來支持，僅需讀熟基礎原典即能體會。林教授說：「也因此作為經學研究基礎，我重新提出『回歸原典』的概念」（參見林慶彰，〈中國經學史上的回歸原典運動〉，《中國文化》，第三十期，2009，頁1-9）。林教授強調只有對於文本的深刻瞭解，配合學界新觀念的啟發，方可長可久。

臺灣與大陸經學發展的現狀與未來

　　由於中國近年來的國學熱潮，在經學方面也取得長足進步，反觀臺灣似乎沒有太大的變化，年輕學子對於經學的興趣也普遍不高，故我們也請五位教授談一談對於海峽兩岸經學研究現狀的觀察。

　　對於經學發展的現況與未來的展望，各位教授咸認為，臺灣的經學研究經過長年的發展，在點校、出版、研究、會議主題上均有豐富成果，目前也仍取得領先。林慶彰教授表示，由於目前中國大陸的經學不是一個正式學科，且尚無專責之經學研究單位，所以「臺灣目前在經學研究領域領先大陸十、二十年，應該沒有問題」。

　　不過，對於臺灣經學未來的發展，五位教授都感到焦慮與憂心。蔣教授與林教授均認為、研究所的課程安排是個重要問題，如文字、聲韻、訓詁等基礎訓練之學分縮減、經書課大學課程停開、師資遇缺不補或改聘兼任等，都將導致學生訓練不足，進而影響日後研究生研究課題之走向。林教授特別指出目前經學的授課方式枯燥且制式，也必須改革，方能引發學生的學習興趣。另外，楊教授與林教授表示傳統經學常給學生艱澀、困難的刻板印象，加上學生在大學時期經學基礎課程訓練不足，導致現今志願投入經學研究的年輕學人越來越少。總之，「後繼乏人」是大家共同擔憂的問題癥結。

　　對照中國大陸的情形，林慶彰教授指出中國大陸近年經濟發展蓬勃，因而國學熱興起，許多院校願意以重金購書、延請海外漢學名師授課，並培養相關研究師資，之前備受打壓的經學自然慢慢的復甦。此從林、蔣兩位教授合編《中國經學博碩士論文目錄》中可看出變化的趨勢：一九七八年至二○○○年共約有論文一千篇，但往後七年間便成長一點五倍。蔡長林教授又補充道：目前中國大陸之優秀學子仍有以文史哲學科為研究職志者，故經學研究仍能薪火傳承；反觀臺灣可能因古典主義的沉淪，學子多不願報考文史系所。經學領域更有後繼乏人的危機，臺灣方面的優勢正在縮小中，這是所有與會者的共識。

　　該如何維持經學自身的吸引力？招來有志趣者，投入研究的行列，以延續

此學之命脈？林慶彰教授有獨到的見解。他認為要讓三十歲以下的年輕人看到經學研究未來的前途與競爭力，並且加強他們基本點校與整理的學術能力。這些工作雖然辛苦，但若能讓其體認到，增加磨練機會就是培養在同儕間的競爭力，這鍛鍊比其他研究課題更為紮實，更有前途，或許就會有較多學子願意投入經學的研究領域。

最後，林慶彰教授期許經學研究室儘量做到廣納百川，不去限定經學的定義與範圍，而且表示「……與其他領域對話是件好事，可以學到許多」。對於此，張壽安教授甚有同感，因為鮮少人能兼通各領域，如何透過學科間的對話彼此開放地學習因此變的很重要。她也表示，在學科間的對話中如何才能保住中國傳統文化的特質，是最值得關心的問題，不只是經學，史地學、古語言文字學都面臨這種問題。

明清研究推動委員會助理倪孟安、黃咨玄整理報導

（特別感謝近史所呂妙芬教授指導）

文哲所歷年出版經學文獻及研究專著

出版年	書名	著、編、點校、審訂者	出版單位
2009	隋唐五代經學國際研討會論文集（上下）	蔡長林主編	臺灣中研院中國文哲研究所
	晚清常州地區的經學	林慶彰總主編 蔡長林、丁亞傑主編	臺灣學生書局
2008	李源澄著作集（四冊）	林慶彰、蔣秋華主編 黃智明、袁明嶸編輯	中研院中國文哲研究所
2007	劉文淇集	劉文淇著 曾聖益點校 蔣秋華審訂	中研院中國文哲研究所
2006	東吳三惠詩文集	惠周惕、惠士奇、惠棟著 漆永祥點校	中研院中國文哲研究所

出版年	書名	著、編、點校、審訂者	出版單位
	宋代經學國際研討會論文集	蔣秋華、馮曉庭主編	中研院中國文哲研究所
	晚清經學研究文獻目錄（1901-2000）	林慶彰、蔣秋華主編	中研院中國文哲研究所
2005	通志堂經解研究論集（上下）	林慶彰、蔣秋華主編黃智明編輯	中研院中國文哲研究所
	翼教叢編	楊菁點校蔣秋華、蔡長林校訂	中研院中國文哲研究所
	胡培翬集	黃智明點校蔣秋華校訂	中研院中國文哲研究所
	蘇輿詩文集	蘇輿著林慶彰、蔣秋華編輯楊菁點校	中研院中國文哲研究所
	清代揚州學術（上下）	楊晉龍主編	中研院中國文哲研究所
2003	汪喜孫著作集（三冊）	楊晉龍主編	中研院中國文哲研究所
	乾嘉學者的義理學（上下）	林慶彰、張壽安主編	中研院中國文哲研究所
2002	禮經釋例	〔清〕凌廷堪著彭林點校	中研院中國文哲研究所
	啖助新春秋學派研究論集	林慶彰、蔣秋華主編	中研院中國文哲研究所籌備處
	清代經學研究論集	林慶彰著	中研院中國文哲研究所籌備處
2001	劉壽曾集	林子雄、楊晉龍校訂	中研院中國文哲研究所籌備處
2000	陳奐研究論集	林慶彰、楊晉龍校訂	中研院中國文哲研究所籌備處
	元代經學國際研討會論文集（上下）	楊晉龍主編	中研院中國文哲研究所籌備處
	朱彝尊經義考研究論集（上下）	林慶彰、蔣秋華主編	中研院中國文哲研究所籌備處
	汪中集	汪中著林慶彰、蔣秋華編審王清信、葉純芳點校	中研院中國文哲研究所籌備處
	乾嘉學者的治經方法（上下）	蔣秋華主編	中研院中國文哲研究所籌備處

出版年	書名	著、編、點校、審訂者	出版單位
1999	魯實先先生珍藏書札	陳廖安、蔣秋華編輯	中研院中國文哲研究所籌備處
	點校補正經義考（一至八冊）	朱彝尊原著 林慶彰、蔣秋華、楊晉龍、張廣慶編審	中研院中國文哲研究所籌備處
1996	姚際恆研究論集	林慶彰、蔣秋華編	中研院中國文哲研究所籌備處
	明代經學國際研討會論文集	林慶彰、蔣秋華編	中研院中國文哲研究所籌備處
1994	清代經學國際研討會論文集	中國文哲所編委會編	中研院中國文哲研究所籌備處
	姚際恆著作集	林慶彰主編	中研院中國文哲研究所籌備處
1995	乾嘉學術研究論著目錄	林慶彰主編	中研院中國文哲研究所籌備處
1993	日本研究經學論著目錄	林慶彰主編	中研院中國文哲研究所籌備處
1992	楊慎研究資料彙編	林慶彰、賈順先編	中研院中國文哲研究所籌備處
1990	蔡元培、張元濟往來書札	林慶彰編	中研院中國文哲研究所籌備處

——原刊於「明清研究通訊」第4期（網址http://mingching.sinica.edu.tw/ newsletter/004/interview-classics.htm），2010年2月。

中國社科院舉辦「經學史研究」專題報告

鄭 任 釗[*]

　　近日，臺灣學者林慶彰先生在中國社會科學院歷史研究所做了題為〈民國時期的中國經學史研究〉的學術報告。

　　林慶彰認為，中國經學史的源流是相當長的。經學史最早可以追溯到《史記‧儒林傳》。此外，《經典釋文》的序錄以及明代吳繼仕的《六經始末源流》、陳澧的《東塾讀書記》也都有經學史雛形。

　　中國第一部經學史應該是清末劉師培的《經學教科書》，作於1905-1906年間，分兩冊，第一冊就是經學史。稍後則有皮錫瑞的《經學歷史》。

　　林慶彰認為，一本經學史要把經學的文獻處理好，最重要的就是要反映出經學史的分期。一般經學史的分期大體上都是根據時代的更遞。像劉師培的《經學教科書》就分為先秦、兩漢、三國南北朝隋唐、宋元明、近代五個時期。這種分期，林慶彰認為有很大的不足，因為很多經學新的思潮或者新的發展，往往在前一個朝代的末期就已經開始了。有時候兩個時段的學風幾乎是完全一樣的，不能因為朝代更遞就把它切斷來談。

　　對經學史的分期安排比較合理的，還是皮錫瑞。林慶彰認為，皮錫瑞的《經學歷史》是按經學的內在的演變來分期的，分為：經學開辟時代（孔子刪六經）、經學流傳時代（孔門弟子）、經學昌明時代（漢武帝時）、經學極盛時代（漢元帝、成帝時及東漢）、經學中衰時代（東漢末、魏晉）、經學分立時代（南北朝）、經學統一時代（隋唐）、經學變古時代（宋代）、經學積衰時代

---

[*]　中國社會科學院歷史研究所副研究員。

（元明）、經學復盛時代（清代）。大體來講，這種分期雖然還有可以討論的地方，但對經學史的研究是比較有幫助的。

林慶彰還總結了民國時期經學史研究的侷限，認為民國時期的經學史著作，基本上篇幅都相當短小。後來因為經學史研究的衰落，從抗戰以後更是沒有出過一本像樣的經學史著作。其次，這些著作中，只有人名、書名，缺乏對經說的評論和詮釋，沒有對經學專家作比較深入的討論。第三，對某些時段經學的研究沒有能夠給它一個定位，沒有總結出一個時段的特色。

——原刊於《光明日報》，2010年1月11日。

林慶彰老師的儒雅

河流夢

　　今天下午，在書院的會議室，我們老生與新一年級的研究生見面。大家彼此介紹了下自己。對我們老生而言就主要介紹了下我們自己的導師，以便使新生們更好的了解書院的老師。在交流快結束時，程師兄說九月一號將有一個講座。主講人是林慶彰老師。一聽到林老師的名字，那真是有些激動了，林老師可以說是國際上有名的經學研究家。對中國文化的研究起了重大的推動作用。沒想到的是他真的來我們嶽麓書院了。

　　記得上學期快結束時，國龍和程師兄他們就提到過，有可能林慶彰老師要到書院來做個講座。當聽到這個消息時，對於這個經學研究大家到底是什麼樣子，我心裡開始描繪著了。大家彼此介紹之後，然後把一些事情安排好後，大家就集體組織去爬嶽麓山。朱院長、蕭院長還有吳仰湘老師、楊代春老師等等他們都會去。重要的是，姜廣輝老師也是會去的。

　　等我們都在書院門口等著時，姜老師也慢慢從勝利齋走了出來，和他一起的有幾位陌生人，後聽說那就是林慶彰老師和他的夫人了。那麼他到底是什麼樣子呢？

　　老師們和大部分學生都開始啟程。我和程師兄等幾人去超市買啤酒和一些飲料。另外也買了兩瓶紅酒。然後抱著它去到站點坐車上山。等車子從愛晚亭開來後，我在車旁看到了幾位熟悉的面孔。隨後看到了姜老師。坐在車上的另外兩位陌生人，我想大概就是林老師了。上車的時候就忍不住的多看了他幾眼。果然是大儒的風範。他坐在那裡就讓人覺得很親近很和藹。坐在靠窗的一個位置，風吹著我的頭髮，上山下山的人們談笑風生，時不時從遠處傳來清脆的鳥鳴聲，突然感覺到自己是多麼的幸福。

　　不一會兒，車子就到祥雲閣了。而提前爬山的老師們並還沒有到達山頂。程師兄就先去點菜了。等人們到齊後就開始準備吃飯。而趁著這段空閒的時間，姜老師吳老師等幾位老師和學生就阽著林慶彰老師到山頂去看看長沙的全貌，而我只是遠遠的瞧著，並沒有一起跟上去。

　　在吃飯時，我和國龍兩人端著酒杯一人敬了林老師一杯酒，林老師也喝了些。

　　這算是我和林慶彰老師的第一次親密接觸。

　　──原刊於「mengliuhe的博客」（網址http://blog.sina.com.cn/s/biog-4ba03 ddb01001880.html），2010年8月31日。

林慶彰教授講授「經學與帝王之學」

未署名

　　九月一日下午，第八十七場明倫堂講會在新學期拉開了序幕。此次講會邀請到的是臺灣（是中國神聖領土不可分割的一部分。歷史上，臺灣曾被西班牙、荷蘭、日本先後占領過。抗日戰爭勝利後，臺灣重歸中國的版圖。一九四九年後，由於眾所周知的原因，臺灣與祖國大陸處於分離的狀態。五十多年來，臺灣的政治、經濟、文化、社會等發生了巨大變化。臺灣島是中國的第一大島，位於祖國東南沿海的大陸架上。臺灣扼西太平洋航道的中心，是中國與太平洋地區各國海上聯繫的重要交通樞紐。）中央研究院中國文哲研究所研究員林慶彰先生。本場講座以「經學與帝王之學」為主題，由嶽麓書院院長朱漢民教授主持。

　　林先生首先對經學與帝王學進行了解釋，認為經學與帝王學的關係（事物之間相互作用、相互影響的狀態，人和人或人和事物之間某種性質的聯繫）就是用儒家的經典來教導古代帝王或王儲，培養其學識和治國能力，並把這種經書所構成的學問系統稱作「經書帝王學」。接著，林先生對帝王所讀的經書進行了說明，認為《周易》、《尚書》、《詩經》、《周禮》、《禮記》、《春秋》、《論語》、《孝經》、《孟子》、《四書集注》等都是古代的經筵講義，供帝王學習治國之道。同時林先生也對經筵講義的內容進行了分析，認為「發揮義理」、「親賢臣，遠佞人」、「批評時政，伺機建言」「人君有志，危可轉安」是這些講義的重要特徵。林先生認為，經筵講義具有重要的學術價值，它們是經學之所以成為經學的重要依據，也是研究經學史和教育史的重要史料。他指出，目前學界在經筵講義這一領域還有著巨大的發掘價值，經學與帝王之學還有眾多值得研究的地方。

　　對經學同樣頗有研究的嶽麓書院姜廣輝教授對講座進行了精彩的點評。姜先生認為，經學乃中國傳統文化的核心（又稱為內核，是CPU最重要的組成部分。CPU中心那塊隆起的芯片就是核心，是由單晶矽以一定的生產工藝製造出來的，CPU所有的計算、接受／存儲命令、處理數據都由核心執行。）部分，理應好好地加以研究和利用，這既是我們了解古代社會的必然途徑，也是汲取傳統文化精華的應有之義。

　　──原刊於「湖大講堂」（網址http://hun.onjobedu.com/a/ketang/1183.html）。

經書與帝王學

——林慶彰先生講座簡錄

靜園主人

夏末秋初之日，陽光已退出了它過度的熱情。明倫堂中師生濟濟，一齊傾聽來自臺灣中央研究院的著名學者林慶彰先生的講座，題目是《經書與帝王學》，主要內容是兩宋的經筵講義。

林先生的講座分為四個部分：一是對經書與帝王與進行界定（釋名）。林先生這次講演的範圍主要在宋代，所以重點解釋了十三經，尤其是指出十三經名稱最早出現於五代，北宋初茅知至即著有《十三經旁訓》。宋代之後，四書興起，成為新的儒家聖經。對於帝王學，林先生認為它是教導帝王的各種教科書、講義所形成的學問系統。兩者合之稱曰「經書帝王學」。

二是林先生對帝王所讀的經書進行了介紹。這些經書包括《周易》、《尚書》、《詩序》、《周禮》、《春秋》、《論語》、《孝經》、《孟子》、《四書集注》。從這些相關的經筵講義看，《尚書》最多，而《論語》次之，《孟子》最少。這些經書在廟堂上講得多少，自然與它與王權政治之間的關係非常密切。《孟子》貴民輕君自然為帝王所不喜；《尚書》言政事，其文義甚古，人多不識，易於發揮。

三是林先生對經書帝王學的特點進行了介紹。在其看來，主要特點有三：一是發揮義理，不主訓詁；二是親賢臣、遠佞人；三是批評時政、伺機建言；四是人君有志，危可轉安。徐鹿卿曾說：「帝王之學與經生學士導，非區區從事於章句訓詁而已。」但是，由於帝王學要考慮到實際施政，很可能產生一些牽強附會的情況。

　　四是林先生對經筵講義的學術價值進行了評估。林先生指出，經學本身要內聖外王，經筵講義正最大限度地體現了這一點；經筵講義也是經學史、教育史研究的重要史料。

　　林先生講畢，在場師生進行了提問，大約有六個。

　　A.問〈否卦〉卦名之由來。林先生沒有直接回答，而是從解卦方法上進行了一些說明。

　　B.問經學研究的現實意義。林先生認為經學研究的意義就是保存故國文化，發揚故國的文化傳統。

　　C.問林先生認為清代儒學有一個回到原典的趨勢，輯佚學是否可以算入其中。林先生認為輯佚學等在明末早已經出現，但是當時只是求博務廣，沒有回到原始儒學的衝動。

　　D.對福建經學如何看。

　　E.士大夫經筵講學既為臣，又為師，如何處理其中的關係。林先生認為各個時代有所不同，兩者之間的關係是緊張的，一個重要表現就是要不要坐講，程頤就很講師道尊嚴，但文彥博即使老邁，也要畢恭畢敬地站在皇帝面前。

　　F.經筵講學的效果如何。林先生認為很難回答，在其看來，經筵講學不全是儒家，也有《資治通鑑》、文學一類，同時與教育方法、皇帝性格等都有很大關係，要進行論證是相當困難的。

　　之後，姜廣輝教授進行了點評。姜老師以張岱年為例，不甚主張儒家「內聖外王」說：但是他認為儒家經典的許多東西可以轉化為現代資源，比如青苗法就是對農民的小額貸款，姜老師進一步批判了章學誠「六經皆史」的觀點，提出「六史皆經」，並主張在大學中作為一門專業開設經學課程。

　　姜老師是接著章學誠「六經皆史」的話來講是的，在他看來，現在的狀況是六經已成為「史」了，是故欲力挽狂瀾，將已墮落為六史的經重新變成經。

　　這個問題涉及到書史君所問的：經與史究竟有什麼區別。在個人看來，經是講是非判斷的，史是講得失利弊的，兩者當然各有長短，但在誰占主導地位

上，我認為還要是經；中國近代以來經學的衰落，也帶來了中國人價值觀念的
巨變。

——原刊於「嶽麓書院國學論壇」（網址http://xxhs.ee23.net/bbs/viewthread.
php?tid:1166），2010年9月2日。

臺灣中央研究院文哲研究所博士生導師林慶彰先生來我校講學

校黨委宣傳部

應文史學院誠邀，臺灣中央研究院文哲研究所博士生導師林慶彰先生於十月二十九日來我校作了題為〈中國經學的特質〉的專題講座。

林教授向同學們解釋了「經學」——研究經典形成的一種學問，並對經書的開放性按時間順序作了具體介紹。最後，又將注疏的主導性、經書的完備性、經書的匯通性以自己獨特的視角進行了詮釋。林先生認為，經學是中國傳統文化的核心部分，理應好好地加以研究和利用，這既是我們了解古代社會的必然途徑，也是汲取傳統文化精華的應有之義。講座中，林教授就部分同學對經學方面的疑難問題作了細心解答，林教授獨到的點撥開啟了同學們了解古代文學的一扇窗。

期間，趙傑副校長與林慶彰先生進行了交流。趙傑副校長說，林慶彰教授數十年來在經學領域開創了自己獨特的研究思維，對經學有很深的見解並取得了豐碩的成果。此次專題講座對我校師生在學習古代文學尤其是經學知識方面有新穎的啟發。趙傑副校長向林先生贈了自己的學術著作《蒙古語語言研究》和《北方語言院院長論著目錄》。雙方還就兩岸學術交流進行了友好交談，林先生熱烈期待趙傑副校長到臺灣中央研究院作學術交流訪問。

林慶彰先生，東吳大學兼職教授，數十年來主要從事經學的重新解釋、翻譯日本經學著作、經學資料整理編輯等方面的研究。

—— 原刊於「北方民族大學新聞網」（網址http://www.nwsni.edu.cn/xcbnews/article/print.asp?articleid=3186），2010年11月1日。

二〇一〇年中國經學國際學術研討會在我校舉行

未署名

　　二〇一〇年中國經學國際學術研討會於十一月十五在隨園校區貽芳報告廳隆重開幕。本次會議由南京師範大學文學院文獻學系與臺灣中央研究院中國文哲研究所聯合舉辦。我校副校長王建，臺灣中央研究院中國文哲所研究員林慶彰，江蘇省文史館館長、南京大學教授周勛初，文學院相關領導以及來自中國、美國、日本、以色列、新加坡的專家學者近百人出席大會。會議由文學院文獻學系主任趙生群主持。

　　王建副校長首先致辭。他代表學校對各位專家的到來表示熱烈的歡迎。王校長在講話中向與會代表簡要介紹了百年師大的改革發展歷程和所取得的巨大成就。王建副校長指出，以儒家經典為代表的經學是中國傳統文化的核心。中國經學博大精深，是全世界共同的精神財富。立足社會，關注現實是中國經學的優良傳統，適應變化、與時俱進是中國經學的神髓。因此，經學不僅屬於過去和現在，更屬於未來。國學需要振興，文化需要延續，我們要大力弘揚傳統文化，使之在新的歷史時期不斷得以發揚光大，努力讓傳統文化成為現代化建設的強大動力，成為社會主義精神文明的有機組成。

　　王校長說，我校文學院古文獻專業始建於一九八三年，是教育部直屬古籍整理與研究專門人才的培養基地，全國四家古典文獻專業之一，江蘇省品牌專業。老一輩學者錢玄、徐復等篳路藍縷，耕耘奠基，後繼者踵繼前賢，奮發開拓，形成了可喜的研究局面。目前，文獻學系發展勢頭良好，培養的畢業生，許多人已經成為高等院校教學科研的骨幹以及圖書館、新聞、出版、政府機構

的生力軍。近年來，文獻學系專業教師推出了一大批厚重扎實的學術專著，尤其以經學研究最具特色，成就突出，如《三禮通論》、《三禮辭典》、《春秋經傳研究》、《大戴禮記匯校集解》、《禮記成書考》等，秉承乾嘉樸學傳統，厚積薄發，受到國內外專家的贊譽。此次大會，為國內外專家、學者提供了良好的交流平臺，一定會為南京師範大學帶來新的發展契機，相信也會對當今的國學熱產生良好的導向作用。

文學院院長朱曉進在致辭中向與會代表介紹了我校大學院的總體概況以及古文獻專業的建設情況。朱曉進院長強調，經學是中國古代學術文化的核心。四部文獻之中，經部居於首位。當今內地，國學日漸升溫，受到越來越多的關注，而在國外，它也愈加受到漢學家的重視，完全實現了國際化。此次到會的專家學者，許多人早已蜚聲海宇。代表們提交了眾多高水平的論文，為我們打開了新的窗口。這次會議的召開，不論是治學，還是進德，都為我們提供了一個很好的學習交流的機會。朱院長在講話中還向臺灣中央研究院中國文哲所研究員林慶彰先生表示了衷心的感謝。多年以前，林慶彰先生就建議由南京師範大學與臺灣中央研究院文哲所合辦一次經學會議。林先生不僅身體力行，在經學研究領域筆耕不輟，而且數十次奔波於海峽兩岸，熱心推進學術交流，其情可感，終於促成了此次學術研討會得以順利召開。

開幕式上，臺灣中央研究院中國文哲所研究員林慶彰先生和江蘇省文史館館長、南京大學教授周勛初也分別在開幕式上發表熱情洋溢的講話。他們結合自身多年從事經學研究的經歷，深刻闡述了經學在國學研究中的重要地位，並指出此次會議的召開，必將對傳統文化研究產生積極的影響。

來自香港大學的單周堯先生還在開幕式上特別向本次大會贈送墨寶，他揮毫潑墨寫就了四個蒼勁有力的大字：「鈎深經學」，博得了與會代表的熱烈掌聲。

本次會議歷時兩天。共收到精彩論文八十餘篇，與會代表將就儒家經學原典及其相關問題展開深入探討。（徐翎／文　周偉／攝）

——原刊於南京師範大學「陽光網」（網址http://sun.njnu.edu.cn/news/2010-11/150319_499874.html），2010年11月。

林慶彰先生委托贈送敝館文哲所叢刊八種

未署名

最近，經臺灣中研院文哲所林慶彰先生負責聯繫，委托贈送敝館文哲所叢刊八種，包括《劉文淇集》、《胡培翬集》、《通志堂經解研究論集（上下）》、《清代揚州學術（上下）》、《汪喜孫著作集（上中下）》、《劉壽曾集》、《朱彝尊經義考研究論集（上下）》、《乾嘉學術研究論著目錄（1900-1993）》，共計八種十三冊，崙此致謝，並予通告。隨書影一幀。如需查閱，請與圖書館聯繫。聯繫人：袁立澤。

——原刊於「中國社會科學院歷史研究所圖書館」網頁（網址http://ich.cass.cn/Article_Show.asp?ArticleID=778），2015年7月9日。

繼絕起廢　重振經學

——林慶彰先生〈中國經學的特質〉講座側記

陳良中[*]

　　二〇一〇年十二月二十二日，臺灣中央研究院文哲所資深研究員、著名經學家林慶彰先生在重慶師範大學集賢樓文學院會議室應邀為文學院、歷史學院研究生做了〈中國經學的特質〉的講座，講座由文學院黨委書記王于飛主持。

　　首先，林先生向重慶師大學子簡介了自己經學研究三十年歷程，先生對學術的真誠與不懈追求對時下浮躁學風無疑是一種矯弊。介紹了經學在中國歷史上的重要作用，中國經學是由經書本身和歷代經說所構成，流傳兩千餘年，對歷代的政治、教育、哲學、文學，產生很深遠的影響，不了解經學則無以知中國文化。時下的「國學熱」首先必須為經學正名，確立經學的學科地位，唯此文化的復興才有真切的內容和精神。

　　接著，林先生舉重若輕地為學子們勾勒了中國經學的特質，通觀兩千餘年的經學歷史，經學至少有下列特質：一、經典的開放性，由五經到十三經，再增加到二十一經。先秦時期有《詩》、《書》、《禮》、《樂》、《易》、《春秋》六經。漢代文、景帝時開始設經書博士，武帝時設《詩》、《書》、《禮》、《易》、《春秋》五經博士。東漢時《五經》加入《論語》、《孝經》為《七經》，唐代有《九經》之名，包含兩個不同體系：（1）《易》、《書》、《詩》、《周禮》、《儀禮》、《禮記》、《春秋左氏傳》、《公羊傳》、《穀梁傳》。（2）《易》、《書》、《詩》、《周禮》、《儀禮》、《禮記》、《春秋》、《論語》、《孝經》。唐文宗開成二

---

[*]　重慶師範大學文學院副教授。

年（837）有石碑刻十二經，這十二經是《易》、《書》、《詩》、《周禮》、《儀禮》、《禮記》、《春秋左氏傳》、《公羊傳》、《穀梁傳》、《論語》、《孝經》、《爾雅》。宋代加入《孟子》，十三經體系形成。但中國經書止於十三經，學界雖有二十一經之說，但未獲認同，由此可知書籍要成為經典必須與聖人有關。二、經典的完備性。解經家往往認為聖人留下來的經典，內容是相當完備的，可惜因為秦火，各經變得殘缺不全，應加以補足。從晉代開始，就有為經典補亡、補佚的著作出現。補《詩經》〈笙詩〉六篇者有：夏侯湛、束晳。唐代有白居易〈補逸書〉一篇，元末明初的蘇伯衡有〈周書補亡三篇〉，在其《蘇平仲文集》卷一中。三、注疏的主導性。中國經學以注疏的形式解經，形成經、注、疏三層結構。注疏具有基本原則：（1）注不違經，這裡的注，是個統稱，包括傳、說、記、箋、釋、章句、集解等。（2）疏不破注，疏是個統稱，包括義疏、講疏、正義等，原則上疏不能違背經、注的意思。（3）經學史上的重要著作，都以注疏的形態出現。經學家的思想隱含在注疏之中，注疏的目的是在補充聖人之義，許多經學家著作的序文會說「對聖人之義不無小補」。四、經典注疏一繁一簡相交替。縱觀經學史，戰國至漢初經注「訓詁通大義」，如《毛詩詁訓傳》。而西漢中至東漢初章句漸繁，秦近君解《堯典》二字十萬字。東漢時代至魏晉，古學興起，注解趣簡。如鄭玄《禮記注》注文少於經文。南北朝至唐中葉，義疏之學興起，漸趨於繁。晚唐至宋代，否棄漢學，直循義理，注多簡潔。元代至明初，整理宋學，漸趨於繁，以《五經大全》為代表。明中葉至清初，評點派、泰州學派為代表，經注簡潔。清中葉，考據勃興，經注又趨於繁。清末至民初，疑辨之風行，直棄古學，自出心裁，經解簡易。五、回歸原典運動。由於經學家解經雜入了自己的思想，逐漸背離經書本義，回歸原典是解決經學紛爭的手段，所以中國經學每隔數百年會有回歸原典運動，唐末至宋初是第一次回歸，目的在於抑制佛、老，復興儒學。明末至清初，是第二次回歸，是對宋學疑經改經、明中葉偽托、偽造的反思。清末至民初是第三次回歸，是在西學知識體系下對經學的重判。

林先生以其廣博精微勾勒了中國經學的特徵，提出了許多獨到的觀點和學術術語，如偽古文只能出現在古學興盛的魏晉時代，朱熹導致了《四書》與

《五經》的緊張，對經書補亡的評價包含了對經書完備的追求。又如「大章句（十萬字以上）」的提出，非深造者不可道。

　　最後，林先生與重師學子進行了交流，回答了學子們的疑問，寄予了重慶師範大學學子傳承傳統的厚望。林先生的廣博與睿智時時贏得了重師學子們熱烈的掌聲。

　　——原刊於「重慶師範大學科研處」網頁（網址http://kyc.cqnu.edu.cn/index3.asp?flmc=lwa10&flmc2=&fimc2=&fimc3=&id=5963），2010年12月。

聽臺灣中研院研究員林慶彰
的經學報告

楊　少　涵[*]

　　昨晚，來大陸搜集文獻的臺灣中研院研究員林慶彰先生受邀來上師大做
〈中國經學史上的幾個重要問題〉報告。他一共講了他三十五年經學研究的四
個方面的心得體會：師法、家法問題、魏晉經學的定位問題、回歸原典運動問
題以及經書注解的簡繁交替問題。我對最後一個問題比較感興趣。在最後一個
問題中，他總結出中國歷史中經書注解有一個簡繁交替的規律：戰國至漢初一
簡、西漢中葉至東漢初一繁、東漢中葉至魏晉一簡、南北朝至唐中葉一繁、唐
代後期至宋代一簡、元代至明初一繁、明末至清初一簡、清中葉至清末一繁、
清末至民初一簡。還舉例說，唐代儒家注經之繁受到當時佛家注經的影響。這
是一種規律性探討。也許是搞哲學的原因，往往重視規律性。所以，在報告的
最後，我就問了一個問題：這種注經規律是否有更廣的普遍性，亦即在道佛兩
家的注經中，是否也有這種規律？因為他在舉證中提到儒家注經受到佛家注經
的影響。林先生很是謙遜，說道佛兩家的注經形式他沒有專門研究過，不敢
妄論。

　　由於林先生一行來做報告前，尚在上圖，未進晚餐。直到報告結束，已是
近晚上九點，我們始去進餐。去飯店的路上，我又問了一個我關心的話題：他
對牟宗三先生的治學路數有何看法。因為在大陸哲學界的一部分人中很有一種
風氣，認為牟對中國很多的經典是進行了一種「粗暴」的詮釋。既然哲學界就

* 復旦大學哲學博士。

有這種風氣，那經學界是否也有呢？尤其是臺灣的經學界呢？這是我向來關心的一個「學術八卦」。

結果林先生只說：由於臺灣很小，搞哲學的與搞經學的都很了解。牟先生對清代學問有一種偏見（我插話說，甚至是一種反感），認為清代經學裡沒有道，以至於到後來，中國的學問中道脈中斷，這給國外引進的道──馬克思主義留了機會，所以馬克思主義就以其道統治了中國。這當然是牟先生自己的說法了。但從林先生轉述牟的觀點中，我了解到，林先生編輯《乾嘉學者的義理學》的苦衷是不是也是要破牟氏對清代學術的那種認識。當然，這是經學家的一種義理的路數，而不是從經學的路數，如其他人那樣逕說牟「粗暴」。

交換名片後，林先生說他十一月份將率領弟子二十餘人，到廈門筼簹書院進行為期五天的讀經活動，但願到時能再請教。

──原刊於「問玉兒的博客」（網址http://blog.sina.com.cn/s/blog-6286e53a
　　0100rpt2.html），2011年4月13日。

臺灣教授林慶彰：《詩經》 教您做人做官

藍　碧　霞[*]

　　現為臺「中研院」中國文哲研究所研究員的林慶彰教授，來過大陸不下百次，幾乎跑遍大陸所有國學院。昨日他第二次來到廈門篔簹書院，稱讚「這裡好像是人間仙境，辦了很多活動，賣力地推廣國學」。

　　林慶彰教授出身臺南七股的貧寒農家，父母都不識字，家裡孩子多，兄姐都沒有接受很好的教育。當年他喜歡讀書卻沒有書讀，只能翻閱私塾教本《千金譜》、《三字經》、《幼學瓊林》，這讓他喜歡上了傳統文學。至今，他已經研究經學三十多年，成果豐碩。

　　林慶彰教授對目前大陸的詩經研究現狀表示擔憂。他說，大陸這幾年幾乎每周都有國學院成立，好多他都去拜訪過。「大陸現在的國學研究缺了一隻腳，經史子集四部，『經』沒有專門研究機構，恰好國學院可以彌補這一缺陷，但是很多國學院因人設事，畸形發展，值得思考。」

　　林慶彰說，《詩經》的普及和研究推廣，近些年大陸做得很不錯，但如果要推廣國學，應該把《詩經》放入一級二級學科，更好培養經學研究人才。

　　「現代人可以從《詩經》中汲取養分。」林慶彰說，經書本來就是「常道」，它的形式可能有改變，但是它的精神是不變的。《詩經》很多詩篇可以作為生活指導原則，比如怎麼做人，怎麼為官，雖然古人表達方式或許陳舊一點，但是精神是永遠常新的。

---

* 《廈門日報》記者。

　　林慶彰說，《詩經》是很活潑的。《詩經》裡情詩、情歌很多，尤其是〈國風〉裡面，重視人的生命、情感和平等，可以作為現代生活的參考。比如孝順父母的方式隨著時代在改變，但是孝道的意義是不能磨滅的。

　　「兩岸經學研究各有所長。」林慶彰說，臺灣的研究比較多元，重視《詩經》的教化作用研究，大陸偏重文學技巧的研究和探討，雙方可以互相交流對話，互相開放研究資料。

兩岸學者聚廈論《詩經》

　　本報訊（記者藍碧霞）第二屆海峽兩岸國學論壇今起在篔簹書院舉行，為期兩天。中國《詩經》學會創會會長夏傳才，臺灣「中研院」中國文哲研究所研究員林慶彰等兩岸六十多位研究《詩經》的實力人物齊聚廈門交流對話。

　　學界稱，本屆論壇是兩岸《詩經》研究領域學者的高端對話。論壇以「《詩經》研究——學術・生活・展望」為主題，對《詩經》研究深入交流，探討當代《詩經》研究的最近的成果，探索《詩經》學研究的新思路，開闢傳統文化交流的新局面。

　　——原刊於《廈門日報》，第8版，2011年11月12日。

「國學研究缺了一隻腳」
──海峽兩岸國學論壇新聞發布會上，兩岸學者
闡述《詩經》研究的重要性

林曉雲、高今環、呂倩玲[*]

明後兩天，第二屆海峽兩岸國學論壇將在篔簹書院舉行。昨日下午，兩岸國學專家在篔簹書院講堂召開新聞發布會。

年近九旬的中國詩經學會創會會長夏傳才老先生，頗有感觸地回憶了自己十多年前的訪臺經歷，深感兩岸骨肉之親、同胞之情。來自「臺灣中央研究院」的林慶彰研究員從經史子集與院系的關係以及兩岸高校學科建制的角度，對大陸國學的發展提出了務實展望。

蔡若蓮：香港課堂讓《詩經》生活化

「蒹葭蒼蒼，白露為霜。所謂伊人，在水一方……溯洄從之，道阻且右；溯游從之，宛在水中沚」，道盡了人世間各種可望而不可及的境遇，也許是情人難得、知音難尋，也許是仕途坎坷、懷才不遇。它體現了文學作品的意義的多重的，開放的，無窮盡的。

在香港，《詩經》屬於中國語文教育範疇，教師可以選擇更多、更廣的《詩經》作品，文學課程選定以〈秦風‧蒹葭〉作為二十四篇指定學習材料之一。

---

[*] 林曉雲、高今環，《廈門晚報》記者。呂倩玲，《廈門晚報》實習記者。

怎麼通過學習，體現文化傳承，怎樣對價值觀有認知認同？香港的語文科非常重視詩歌閱讀，而且強調個人化的體會。比如把所讀的《詩經》運用到個人創作裡，不僅剖析〈蒹葭〉本身，而且聯繫其他詩，考查學生閱讀後，對理想、愛情的看法。這是能力的遷移，怎麼從經典裡吸收養分，用到今天的生活裡。

課堂上的活動很多，通過不同的形式，比如朗誦、講述、報告、戲劇、歌唱來體會——比如〈蒹葭〉成了流行歌曲〈在水一方〉歌詞的元素，可以用活潑、互動的方式去學，詩學作為探究課程，讓學生發揮創意、發展個性，創作自己的小品、詩歌，課堂讓《詩經》生活化。（記者林曉雲）

林慶彰：行政機構研究無意義

中國國學研究機構缺了一隻腳，「經部」沒有一個科系研究，可以用國學院補充。最近幾年，大陸很多國學院成立，大多數他都去拜訪過，不過很多是行政機構，雖然有點課題，但沒有真正實質意義。

不把《詩經》設為一級、二級學科，沒有誠意。我覺得最重要的是，《詩經》要列為一級或二級學科，否則很難培養出人才。沒有《詩經》或者經學專業，不是正道推廣國學。（記者高金環　實習生呂倩玲）

夏傳才：為什麼研究《詩經》

我曾經把《詩經》學比做一條文化長河，從歷史到現在，它滔滔奔流了二千多年，由古代到現代，它穿山破浪，泛出美麗的浪花，滋潤著我們民族的心靈。一九五〇年，這條長河的奔流遇到障礙而被從中分開，一半在這邊流，一半在那邊流，但都是同樣的源頭、同樣的水流，也就是說，兩岸《詩經》學來自相同的老師，研究相同的課題，運用相同的資料，我們都是現代《詩經》學的傳承者。學術研究無地域之分，何況我們本來就是血緣相親的一家人呢。

為什麼研究《詩經》？我們的認識是相同的：傳承和弘揚民族優良文化，建設中華民族現代新文化。（記者林曉雲）

——原刊於《廈門晚報》，A8版，2011年11月12日。

《詩經》教你追求百年之好
——倡導尊重生命也批評不公不義

林　曉　雲*

　　林慶彰（臺灣「中央研究院」中國文哲研究所研究員）：當下一些人認為讀《詩經》是束縛人的思想，這其實是誤解。《詩經》曾被某些知識分子利用，被誤解就與胡適、顧頡剛等人密切相關。當下我們應該恢復《詩經》的真正面貌。

　　《詩經》存有對生命尊重的態度，也對不公不義提出批評。現代社會應該從《詩經》中提煉出有益於現代人生活和相處的道理。比如，在大陸，電視新聞常常報喜不報憂，但在臺灣，新聞報導裡常有男女因感情衝突做出不義的事情，其實，大家都應該看看《詩經》，學習裡頭男女之間是如何相處的。

　　——原刊於《廈門晚報》，第5版，2011年11月13日。

* 　《廈門晚報》記者。

「經學史研究的回顧與展望
——林慶彰先生榮退紀念」學術研討會

葉　純　芳*

　　「經學史研究的回顧與展望——林慶彰先生榮退紀念」學術研討會，即將於八月二十、二十一日，於日本京都大學舉辦。這次會議將有一百多位來自各地的學者參加，規模相當大，在日本舉辦以經學為主題的大型會議，更是從來沒有過的事，故筆者將本次籌辦會議的經過，以及筆者對這次會議意義的認識，綜述如下。

　　二○一三年冬天，林慶彰老師的幾個弟子聚在一起，提起林老師即將自中央研究院中國文哲所退休，討論應該如何籌備林老師的退休紀念活動。林老師從編輯「經學研究論著目錄」開始，一直扮演著為經學界提供服務的角色。他進入中央研究院文哲所經學組之後，更是不分國界，樂於與學者分享經學資源，並願意幫助有興趣研究經學的學生。他又辦過許多國際經學研討會，提供各地學者發表、討論的平臺。三十年來，林老師不斷地付出，今天林老師即將退休，將來我們都不能再依賴林老師。這個會議，對我們來說，是第一次策畫準備，如何辦成符合林老師標準的經學會議，自然是一個非常大的挑戰。

　　首先，該在哪裡辦會，就讓大家傷透了腦筋。雖然在臺灣辦是理所當然的事，但我們幾人在臺灣沒有專任職位，沒有辦法申請任何官方經費，可以提供與會學者交通與食宿費用。同時大陸學者到臺灣開會，有諸多繁複的手續，恐怕學者們的意願不高。若在大陸辦，筆者和外子橋本在北京大學任職，可以申

* 北京大學中國古代史研究中心副教授。

請北大的經費，但不便舉辦以紀念個人退休為名的會議，且臺灣學者或許會對在大陸舉辦感到疑惑。考慮諸多因素，橋本突發奇想的說：「在京都辦吧！若能在京都辦，這些都不成問題了。其實在國外的研討會，都是自己出錢參加，有些甚至要繳會費，但因臺灣、大陸都習慣招待學者參加會議，對主辦方造成很大的經費壓力，我們何不趁此機會，改變這樣的風氣？願意自費來參加的學者，才是對會議內容真正有興趣的學者，一定會提供一篇好的文章，這樣的會議才能夠辦得有意義。」雖然當時覺得這個構想真不錯，但說老實話，心裏總覺得橋本是癡人說夢話，不太可能達成。

沒想到，我們的設想，得到了京都大學宇佐美文理教授的慷慨支持。宇佐美文理教授是京都大學大學院文學研究科中國哲學史專業的負責人，專攻中國藝術思想史。當橋本向宇佐美先生提出這個會議的構想，宇佐美先生認為，承辦這個會議，是一件非常有意義的事。雖然先生並不認識林老師，但他瞭解林老師對經學研究的貢獻，也希望藉著這個機會，讓原有經學史研究傳統的京都大學，能與世界中研究經學的學者互相交流。有了宇佐美先生的支持，這個夢想開始清晰了起來。帶領我們邁向夢想的第二步，是四位召集人：Benjamin Elman教授、王汎森教授、池田秀三教授、彭林教授。四位先生在各自領域中具有最高的學術聲望，若能邀請先生們擔任此次會議的召集人，並作專題演講，相信這個會議一定非常吸引人。我們懷著忐忑不安的心情，分別寫信給四位先生，先生們很快地都回應了我們的要求，表示對林老師在學術界貢獻的肯定，並都願意自費參加。現在回想起來，我們真的非常無禮，所幸四位先生並不與我們計較，展現了大學者的風範。

有了四位先生的加持，我們開始意識到這個夢想可能成為真實。於是，我們才敢稟告林老師，說明這個會議的想法。林老師聽了，雖然感到高興，但更多的是不安，認為以他退休的名義開會，要大家自費參加會議，造成大家的困擾，非常不好意思。其實，我們認為這個會議不僅是紀念林老師退休的活動，客觀上也不可能讓京都大學主辦一場純粹的紀念活動。以紀念林老師退休為名義，邀請研究方向殊異的學者參加會議，雖不利於集中議題，深入討論，但反過來說，卻是一個非常難得的特殊條件。因為只有林老師三十多年的學術活

動,為學界服務,才能夠邀請研究領域各不相同的學者齊聚一堂。這次會議,將是當代學術界研究經學的縮影。通過這次會議,我們完全可以瞭解經學研究的全貌,因為有這層意義存在,我們相信,本次會議有較高的學術參考價值。

開始發放邀請函之後,隨即獲得學者們廣大的迴響,大都極力表示支持。但經費始終是一個問題,就算學者們自費參加,仍然需要不少的各項開支,如果完全沒有經費,將會有實際執行上的困難。此時,北京大學哲學系的吳飛教授,瞭解我們的難處,主動表示可以提供由他主持的禮學研究中心的經費,供會議使用。有了這筆經費,我們的夢想開始有了可以實際運作的基礎。吳飛教授近年以研究禮學為主,我們經常與他交流,來往密切,因此毫不客氣地接受他的好意,並邀請禮學研究中心為協辦單位。做為主辦單位的負責人,宇佐美教授對會議的準備工作,付出了大量的時間和精力。從會場的安排到各種文件的製作,一切瑣事,都由他親手處理,工作量之大,絕非外人所能想像。同時,宇佐美教授還申請了京都大學教育研究振興財團的經費補助,使會議的準備工作能夠順利進行。北京大學禮學研究中心的經費有用途的限制,不便支付在京都相關的開銷,京都大學振興財團的補助,正好可以填補這個缺口。另外,文听閣出版社的林登昱社長,也為本次會議提供了經費贊助。林老師又考慮到不少臺灣學者沒有單獨到外國參加會議的經驗,於是委請馮曉庭學長聯絡旅行社,替學者們安排交通、住宿。由於人數不少,需求不同,協調工作不易,而學長完全獨力承攬這個重擔。

我們的夢想最終能夠付諸實現,最重要的因素,是學者們熱烈的參與。在籌備階段,我們即收到約一百二十多封的回函,表示願意參加這個會議。其中,共有包括來自臺灣、大陸、香港、日本、韓國九十多位學者發表論文。議題的範圍,從各經的深入研究,到經學史重要問題的探討,十分廣泛。戰爭使學術產生了斷層,臺灣的學術研究從六〇年代開始,經過了三十年的蓬勃發展,引領學術走向的中堅分子,即林老師與其同輩學者,他們跟隨以屈萬里先生為代表的前輩學者,亦參考西方學術,逐漸建立今天我們所熟悉的研究方法,具有重大的學術史地位。然而,我們感覺到目前經學史研究環境正面臨重大的轉變。九〇年代開始,大陸的經學史研究學者幾乎都受到林老師的影響,

二十多年過去，大批年輕學者出現，正在大範圍地開拓新的題目與方向，今後的經學史研究，令人感到好奇與期待。這次會議，無異於一場經學史研究的大博覽會，我們相信對經學史研究有興趣的人，都能從中獲得靈感。

——原刊於《國文天地》第31卷第3期（2015年8月），頁9-11。

「經學史研究的回顧與展望
──林慶彰先生榮退紀念研討會」會議報導

京都大學文學研究科・文學部

　　「経学史研究的回顧与展望──林慶彰先生栄退紀念検討会」が、中国哲学史研究室主催、北京大学礼学センター協賛、京都大学教育研究振興財団の助成のもと、2015年8月20日、21日の両日にわたって、京都大学文学研究科第三講義室において行われました。

　　参加者は、臺湾から49名、中国大陸から31名、日本9名、香港8名、韓国2名、米国・イギリス・ドイツ各1名の総勢102名で、聴講した学生も含めれば115名という、経学史研究史上では、おそらく空前絶後の規模の国際会議となりました。

　　発表者は全部で87名（内容は、別紙を参照）、8つのセクションを作って発表と討議を行いました。

　　本会議は、規模的なことは言うまでもなく、内容的にも非常に充実した会議となりました。これは世界の経学研究史において、おそらく永遠に記憶される、文字通り記念すべき会議となり、また、世界的に著名な林慶彰先生の退職を記念する会にふさわしいものになったと確信しています。

　　また、このような国際会議を、京都大学で開催したことは、京都大学文学研究科の、経学の分野における、創設以来の貢献がいかなるものであったかを示すとともに、今後、本研究科中国哲学史研究室が教育研究を進めて行くうえでも、極めて重要な学会となったものと思われます。

譯文：

「經學史研究的回顧與展望——林慶彰先生榮退紀念研討會」，是由京都大學中國哲學史研究室主辦，北京大學禮學中心協辦，在京都大學教育研究振興財團贊助之下，於二〇一五年八月二十、二十一日兩天，在京都大學文學研究科第三講義室舉行。

有來自臺灣四十九名、中國大陸三十一名、日本九名、香港八名、韓國二名、美國、英國、德國各一名，共一百〇二名的學者參加，包含旁聽的學生，計有一百一十五名。在經學史的研究史上，恐怕是空前絕後大規模的國際會議。

發表論文者共有八十七名（議程請參照京都大學大學院文學研究科文學部中國哲學史專業網頁所公布），分為八場，舉行論文發表與討論。

這次會議，不僅在規模上堪稱盛大，在內容上也是非常豐富充實的一個會議，在經學研究史上，恐怕是永久被記憶的真正值得記念的會議。又作為記念世界著名的林慶彰先生的退職活動，相信是非常適合的。

又，像這樣盛大的國際會議在京都大學舉辦，一方面或許能夠說明京都大學文學研究科自創設以來，在經學領域中的貢獻被學界廣泛認可，另一方面對本研究科中國哲學史研究室科研今後的教學，也會有重大的啟發意義。

——原刊於「京都大學文學研究科中國哲學史專業」網頁（網址http://www.bun.kyoto-u.ac.jp/history_of_chinese_philosophy/20150820/）。

相關文獻

「專科學校國文教育何去何從？」
座談會

林　政　言[*]

時　　間：七十八年十一月五日

主　　席：林慶彰／國文天地雜誌社社長

出席人員：（依發言順序）

　　　　　吳清淋／私立新埔工專講師

　　　　　徐麗霞／私立銘傳商專副教授

　　　　　繆正西／私立東南工專講師

　　　　　趙金章／私立黎明工專教授

　　　　　陶建國／國立臺北商專副教授

　　　　　方績華／私立世界新專講師

　　　　　袁蜀君／國立臺北工專副教授

記　　錄：林政言

　　林慶彰：首先感謝各位老師撥空前來參加這次的座談會。目前專科學校的國文教育，已面臨到一個重要的關鍵，因此本社特別舉辦這次的座談會，以表明本社支持專科國文教育的立場。

---

[*]　文化大學中研所碩士生。

專科學校國文教育的目標為何？

吳清淋：我以為專校的教育目標，主要應該是在使專校生成為一個真正的知識份子，以此方向來領導教學，使他們不只能得到專業知識，而且有適當的人格教育；李總統在今年的光復節談話中提到，我們要建立一個「有人文，重倫理」的社會，而人文倫理都是包含在國文教育中的；因此，簡單而言，知識傳承和人格陶冶，都是國文教育的目標所在。

趙金章：我個人以為要談專校國文教育的目標，首先要有一個前提，亦即要使國文教育配合專校的教育目標，來結合課程內容的制定，使得國文不再只是一門普通的學科，而是成為各類型專科學校的一門共同基礎科學，以達到追求通識的目的。

徐麗霞：我們從教育部所頒定的二專和五專的國文教育目標來看，它們的共同重點大概有三個：第一、重視固有文化的薪火傳承；第二、提昇文學欣賞的能力；第三、語文的習作及閱讀要能配合實際的需要，如寫作應用文或了解國家政策。就以上數點來看，主管當局對國文教育的目標認識頗為正確。但是今日的實際問題則出現於：一、專業知識訓練和人格教育脫節，導致後者常被忽略；二、目標和執行往往不能配合；三、這個教育目標的標準設定，未注意到層級性的差異，無法凸顯專校國文教育的特質。這些是需要加強的部分。

陶建國：目前教育部所定的教育目標，總括約有三方面：一、人格的陶冶──即加強倫理的觀念；二、文化的傳承──即對中國古今文學的理解接受；三、表達的訓練──包含文字的習作、思想的組織及口頭上的表達三部分。我以為還可以再加上「愛國思想的培養」這一項，因為今日的專校學生，對於社會科學的接觸很少，而社會上近來脫序事件層出不窮，如能再加上這一項，則對於培養將來國家的中級人才必定有所幫助。

繆正西：我覺得目標應改為「宗旨」，因為宗旨是貫徹而非達成的問題，將其正名以後，或可避免目標不能與執行一貫的缺失。專科國文教育的宗旨，我以為有以下五點：一、認識我國文化及文學的全面性──包括對古典文學、

現代文學、應用文的認識；二、培養專科學生應有的閱讀及寫作能力；三、配合專科學校各類科系的發展；四、培養專科學生對學術論文及應用文的基礎認識；五、愛國思想和人文思想的陶養。

　　方續華：我以為專校的國文教育，一定要和高中劃分清楚；今天二、三專的國文節數太少，而五專則大有可為，我們應將其系統地獨立出來，而談到教育的目標，我以為還是以文化傳承最為重要。就語文訓練而言，以世界新專為例，對於國文教育是相當重視，而且上課的節數也多，問題不大。

國文在專科教育中的重要性如何？

　　吳清淋：雖然國文是教育中的一個重要環節，但它所受的重視程度，卻和現實情況構成一個矛盾難解的結。為了突破這個瓶頸，我個人將國文教育的重要目標放在加強民族意識，以及延續歷史傳承兩方面，而少牽涉到文字語文等，因為只有讓學生更了解過去的中國人，對於社會文化的貢獻，才能認清自己的現況，要達到這樣的目的，只有國文一科能作得最好。

　　趙金章：我個人以為今日國文教育的重要性，不僅僅只是在歷史文化的傳承而已；今日社會漸漸因工、商業化而改變體質，大家庭制度的崩潰，造成一些基本美德——如勤儉、忍讓——傳授途徑的斷絕；有鑑於此，國文教育的另一重要性，應是肩負起古代家庭教育的責任，從根來挽救社會倫理的淪亡。

　　徐麗霞：前面兩位老師從正面立論，說得非常精闢。在此我從反面的角度，以檢討目前教育目標的缺失，來反襯國文教育的重要性。今日專科教育的總目標，是依據《中華民國憲法》第一五八條所說：「以教授應用科學與技術，養成實用專業人才為宗旨。」這個目標訂定的最大缺失在於過份的強調技能傳授，不能釐清職業訓練與職業教育的分野。一個人在世界上，除了職業生活以外，還有更重要的社會生活，其中包括了對社會國家的基本道德體認，這些都不是專業技術訓練所能提供的，而國文教育的重要性，就在於它能彌補專業訓練中不足之處，這份功勞是不能被輕易地抹殺掉的。

　　陶建國：在今天的工商社會裡，每個人追求的只是成為一個知識人——在

專業技術上擴展知識領域——而不是成為一個知識份子，結果成為外表虛胖，而內心空洞的人，這也是為何今日我們要重視人文教育的原因。在現今的教育體制下所教育出的專科學生，有四種缺失：一、對歷史文化的漠視：這種漠視包括學生和老師；今年暑假中我參加一個教育部召開的大專教師座談會，會中毛高文部長也在座，當時我提出專校漠視國文教育的問題，部長的反應是：「這位老師你不要談了，你認為國文很重要，教音樂、體育的也認為音樂、體育很重要」，在部長的觀念中，國文已淪為和音樂、體育一樣，只是一種技能而已了，部分老師也有同樣的看法。他們認為強調國文的重要，只是一種本位主義；二、人生觀的錯誤：很多學生的人生觀，只是想學得一技之長，然後去追求功名利祿；三、表達能力的缺失；四、生活情趣的缺乏：學生只知道打電玩、打工，缺乏對文學藝術的關懷。由於有以上的缺失，相對地突顯出國文教育的四種重要性質：一、指導性：即指導學生正確的人生觀、完美的道德觀、充沛的愛國心；二、調節性：可以美化學生的生活情趣；三、文化性：使學生能對文化產生認同感，不會有偏激的思想；四、催化性：即使是任何一種技術課程，也都需要能有駕馭文字，組織思想的能力，而這些正是國文教育所提供的。

繆正西：我以為「承先啟後」是國文教育的最重要環節，但在現今的教材中，現代文學的比例太低，這最後仍得歸咎於各種考試（插大、預官、高普考），這是教育的悲哀，也是日後努力的方向。杜威曾說過：「生活就是一種教育」，一個完整的教育過程，必然包含學校、家庭、社會三方面，而今日中華文化的失調，就像一個人穿上長袍再加西裝，不能真正體會到本身文化的菁華所在，只能片面地學習，終難免顧此失彼，而國文教育正可以提供這樣一個完整的環境。

方續華：我想就一個小點來說，現在的專校生錯別字太多，華畢、人入不分，即使我們不談什麼文化傳承的道理，使他們能寫一篇通順正確的文章，也是國文教育的一個雖小而重要的環節。同時因為教育當局對這種枝微小節多不重視，希望《國天文地》能多給予關心。

現階段專科國文教育面臨的問題

吳清淋：昨天我在《自立晚報》讀到許倬雲院士一篇題為〈中年的疲勞感〉的文章，其中談到目前我們的學校教育和社會教育，多偏重實用，而嫌零碎，許多高學位的人都是「多知識而少智慧，多技能而少領悟」，這也是目前我們所面臨到的問題。

趙金章：目前一般人對國文教育的看法，只停留在認字、寫文章的階段，以為國文的內容僅止於此；而目前坊間的翻譯書籍，大量使用外文語法，以及膚淺的流行歌詞、電視廣告濫改成語的積非成是等等，這些都是目前國文教育的問題。另外今日的社會過度的重視科學分析，但是國文是一種文學的欣賞，心靈的感受，又怎能硬去分析出其中的成分呢？至於考試領導教學，更是一個普遍性的問題，自不待言。

徐麗霞：談到目前國文教育的問題，首先遭遇到的就是一般人甚至教育單位對何謂「國文」根本不了解，一般人的理解大概如趙老師所言，只限於寫字、認字，而教育單位則將其定義為「語文訓練」，再稍微擴大些，也只是認為是「中國文學（狹義）」，只能談些詩詞歌賦而已；其次是文化衝擊的問題，也就是功利主義擡頭、科技掛帥、西風東漸等因素，基本上便輕視國文教育的功能；第三是學生和教育當局根本不知道到學校所學的是職業教育，而不是職業訓練。第四是師資問題和學分縮減，在短短的幾小時課程中，要達成前面所說的教育目標，無異於緣木求魚；而更甚者，許多學校都是以行政人員兼教國文，似乎認為只要是中國人就能教國文，有這樣的心態，我們的國文教育就沒有前途。

陶建國：近年來，教育當局的作為，真是令親痛仇快，對整個國文教學，給予極大的打擊，教育是國家的百年大計，千萬草率不得。我以為當前國文教育的問題大略有四：一、格局限制：本來專校生因無聯考壓力，可以廣泛吸取，但事實上卻受到教材選擇的限制；二、對國文科的漠視：多數學校皆無國文科或共同科的科主任，因此在排課時，沒有辦法有絕對的自主權；三、對國

文教師的輕視：國文老師的升等困難，又常要負責繁重的行政工作，而授課時數又長；四、學分的縮減：如果新的學分制實行，則平均一學期中，五專的國文課只有兩個學分不到，這樣的措施，怎樣能達到通識教育的目的呢？

繆正西：目前專科學校的國文教育問題，其一，在於教材方面的受限：目前的教育標準已制定出各年級中文言文和語體文的比例，連文體的比例也已規定，但中文的內容絕不限於此，這麼多的限制，怎能擴展深度和廣度？其二，是國語文教育的危機和隱憂：國文教育只被認為是一種附屬教育，這是第一大隱憂，而危機有二，首先是考試領導教學，次則為學生的國語能力低落；至於其他的隱憂尚包括：輕視現代文學、忽略大陸和海外華文文學的發展、漠視大傳媒體和不良刊物的污染、坐視學生反抗心理的擴大等；其三，是有關國文教學方面的問題：包括五專自然淘汰的憂心、學生學習興趣的低落、刪減學分的恐慌、遷就現實的無奈等。

袁蜀君：談到目前國文教育的困境，首先我們遭遇到的困難就是研究環境太差，沒有足夠的資料，提供給教師作研究，這樣又如何奢望老師能有心去改善加強教學的水準；其次則是學生方面，基於對現實環境的妥協，為了使這批國家未來的中級幹部早入社會生產行列，因此勢必加強職業訓練部分，但相對地，則必須放棄一部分的人格養成教育，這是一個難解的矛盾。

專科學校改制後國文科的定位問題

吳清淋：談到改制後國文科的定位問題，如今我們的教學範圍受到多方面的限制，教師正如一個勞力的出賣者，我以為所有的教師應該聯合起來，爭取自己的教學權利，使得專科國文教育的內容，能夠落實到教材上，才能達到真正的教學目標。另外，必須將國文定位在必修的基礎課程，而不只是一般的共同科目，也只有這樣才能塑造出真正的中國人。

徐麗霞：關於定位的問題，誠如吳老師所言，所有的國文教師，包括高中、高職、專科及大學等方面，都應該放棄個人的本位主義，共同為國文科爭取合理的定位。其次必須讓教育當局修正錯誤的教育宗旨，不能再將國文視為

一般的通識教育，而是一個共同的基礎。

趙金章：有關定位的問題，我強調的是專科教育和國中教育是不可分的，因此在這一環節上，我們應有一個連貫性的培養計畫，同時也必須同其他諸位老師所言一樣，要將其定為基礎科目，同時要使其能肩負起中國文化傳統及家庭教育的責任。

袁蜀君：對專校學生而言，他們多希望早出校門，進入生產行列，但對老師而言，教育應該是一種人格塑造教育，如果只是一味重視技能，那似乎對他們的人格不重視了，因此我也贊成前面幾位老師所說的，將國文科定位在基礎教育之上。另外所有的國文老師也應團結起來，為了中國文化的傳承，血脈的延續，盡一己之力。

繆正西：關於未來國文教育的定位問題，除了將國文定位在基礎學科外，我個人認為還應將課程中的比例標準取消，至少也應改成參考標準，如此才能擴大國文教學的涵蓋面；同時教師也應針對需要多方設計、更新教學方式，另外政府在國文教學的投資也不該吝惜。

專科學校國文科與國文師資培育的關係

陶建國：關於培養國文師資的問題，目前人才的培育有一定的管道，但是在教師升等方面，教育部似乎該多體會到專校和大學老師，有著不同的工作和研究環境，在升等的審核上，應該有一個等級性的考量，這樣才能鼓勵和提昇士氣。

趙金章：關於師資的培育，我的看法是如果教育部在審核升等時，有等級性的差別，則在一般的認知上，是否會無形中貶低了自己的程度呢？這一點很值得商榷。而適當的在職訓練，是更必要的。

繆正西：針對師資問題，我以為首先需要強調專業化，但並不一定要強調學位，而是要重視學問和教學經驗。在升等的問題方面，教育部曾試辦將大學和專校分開審核，但效果不很好，個人認為應建議教育部要能接受不同研究方向的論文，而不使教師只為了升等而寫論文。另外，提供給教師進修的機會，

如這回在明志工專所辦的「技術與教學研討會」等,都應該有擴大宣傳的必要。

吳清淋:有關師資這個議題,在國內似乎有些價值觀念的混淆,但是基本上,每一階段的老師,都是該階段的專家,因此對於進修的真義,應該是求取增長教學的方法,而不是被曲解為進身之階。繆老師所言不要太重視學位,我則以為重視未嘗不可,因為學位在某方面而言,是代表個人接受的專業訓練的多寡,這對於教學應有些幫助;若歸結到現實上,則年資的計畫也可以實際的教學表現,作為核發薪資的標準。

林慶彰:其實,現在國內的中文研究所越設越多,每年畢業生,如博、碩士班合計,約有兩百人以上。他們的出路大多是到專科學校教書。現在,教育部一方面核准中文研究所成立,另方面又刪減專科學校國文學分,這就像生了小孩不給他吃飯一樣,難道合理嗎?我們這個小題,著重的也在這一點上面。至於,專科學校教師的升等,當然也很重要,但並不像研究生出路問題那麼迫切。

今天非常感謝各位老師來參加這個座談會。我想我們的國文教育千頭萬緒,專科學校國文教育的問題,只是其中一部份問題而已。如何改革我們的國文教育,逐漸拋脫現在的種種窠臼,實有待各位和所有從事國文教育的人深思。我們《國文天地》也願意在這方面略盡棉薄之力。

——原刊於《國文天地》第5卷第7期(1989年12月),頁62-67。

乾嘉學者之義理學座談會
——乾嘉學術研究的展望

周　美　華*

時　　間：民國八十九年十一月二十日（星期一）下午兩點

地　　點：中國文哲研究所二樓會議室

主持人：林慶彰先生

引言人：汪榮祖先生

　　　　陳祖武先生

　　　　熊秉真先生

　　　　周昌龍先生（代張壽安先生出席）

整　　理：周美華

林慶彰先生（中央研究院中國文哲研究所研究員）：

　　各位引言人、各位與會的先生及來賓，感謝各位前來參加這次的「乾嘉學術座談會」。乾嘉計畫進行到現在已經是第二年了，第二年度的重點是「乾嘉學者之義理學」。乾嘉學者的義理學，我們已開了三次的學術討論會，而這一次恰好是因為漢學研究中心召開了「朱子學與東亞文明研討會」，以及東吳大學所舉辦的「二十世紀前半葉人文社會科學研討會」，海內外的學者都來共襄盛舉。趁著這個機會，我們特地邀請了美國維吉尼亞科技大學的汪榮祖教授，以及中國社會科學院歷史學研究所所長陳祖武教授，來參加這次的座談會，請

＊　玄奘大學中文研究所碩士。

他們能提供一些高見。另外，我們也請了中央研究院近代史研究所的熊秉真教授和張壽安教授前來參加，由於張壽安教授今天身體不舒服，因此由周昌龍先生代表張壽安教授出席。今天我們請這四位學者一起來討論，乾嘉學術將來應該要怎麼繼續研究下去？現有的研究又有那些不足？還有那些地方是可以研究的？現在，我們把時間分為上、下半場，上半場先請四位引言人發表意見，每人各談二十至三十分鐘。上半場結束後，大約休息二十分鐘，下半場再一起討論有關乾嘉學術研究的展望問題。我想，我也不浪費大家的時間，我們先請汪教授為我們作引言。

汪榮祖先生（美國維吉尼亞科技大學教授）：

謝謝林慶彰先生，我很感謝林慶彰和張壽安教授，請我來作引言。我剛才已經和劉述先教授說過，我來這裏只是班門弄斧，這不是客氣話，因為我對經學和乾嘉時代的學術並沒有專門研究，好在我只是引言人。我特別喜歡這個「引」字，所謂「引」就是拋磚引玉，如果真能因為拋幾塊磚頭而引出玉來，這也是很值得的。至於乾嘉學術的展望，剛剛主席也提到，我們到底要怎麼去做研究？我個人有一些小意見，提出來與各位作參考。首先乾嘉學最主要的是經學，經學在乾嘉時期達到極盛，但乾嘉學者並不是只研究經學，他們也研究史學、諸子學和金石學等等。在當時經、史是不分的，到後來才分開。章實齋所說：「六經皆史」，大家都以為他把經、史分開了，其實他並沒有把它分開，他認為經、史還是一體的，一樣都是載道之器。一直到了近代，從章太炎以後，才將「史」解釋作「史料」，但是在乾嘉時代，「史」絕對不等於「史料」。在近代「經」也被解釋作「史料」，所以「經」和「史」內涵是一樣的，並沒有被分開。從這方面看來，現在有人以為「經」是由歷史的中心而到邊緣，我以為這是不存在的問題。而且所謂「中心」到「邊緣」到底是一個什麼樣的標準，難道顯學就是在中心嗎？大家都知道有時候顯學常常是俗學，它不一定是主流的學問。乾嘉時候特別重視經學，並不是說他們是一群關在象牙塔裏的學者，關起門來就只知道研究經學，他們當時在研究經學時也有實際的目的，也就是說，他們要從經典中去找出治國的根本。既然經學是治國之本，當

然就有必要把它研究清楚，因為這對治國有利，所以經學跟致用也是連在一起的。

經學在近代經歷過這麼一個波折，章太炎在晚清的時候是反經的，他認為經學就是史料，但到了晚年，大約在一九二三年，他又開始提倡讀經，可見他認為經學還是很有價值，不過章太炎所認為的價值，與乾嘉時代所認為的價值已經不一樣。

同樣地，現在我們研究經學，時代也已經不同了，而在不同的時代裏，到底要如何研究經學，我的淺見是認為，現在的經學絕不能只限於五經或十三經，所謂的中國經典之作，都可以包括在內，因此，我認為「經學」應該擴大解釋作「經典之學的研究」，它可以包括《老》、《莊》、《韓非子》等等，這些都可以說是經典之作。就像希臘、羅馬也有所謂的古典時代，而那些希臘的著作，也都可以稱為經典之作，甚至包括一些西方的經典之作，都可以和中國的經典作比較的研究。假如把經學的研究，擴大到經典的研究，我相信經典研究在文學領域或哲學領域就絕對不是一個侏儒，而是一個巨人了。因此我覺得經學研究，是可以從五經、十三經，擴大到整個中國的經典之學，而且從當代情況來看是比較有意義的。

同時，我個人感覺我們中國人研究乾嘉時代，不完全只是研究它，還要繼承乾嘉比較優秀的東西。長久以來，很多人談到所謂傳統的創造性轉化，我個人覺得乾嘉之學有一些東西，是可以作為創造性的轉化。在乾嘉學裏有兩樣東西，也可以說是乾嘉時代研究學術的兩把刷子，就是小學和考據學。很多人把考據學和小學當作是一個學派，但我認為並不是學派，而是治學的工具，不管是那一個學派，都可以使用考據和小學。乾嘉學術無論是在語言學或史學等各方面，能夠表現得這麼精彩，主要原因還是因為他們使用了這兩把刷子。什麼叫考據呢？考據就是要廣蒐資料，以證明一字或一個事件。考據學從乾嘉時代到現在，已經不斷地在發展，不過我認為考據還是可以進一步再作推展的，尤其可以將考據學與西方的邏輯學，或者西方的語言考據學派相結合，使考據能更上一層樓。

我個人認為陳寅恪在近代的考據學上，除了繼承乾嘉的考據學外，他還比

乾嘉有更超越的地方，但有一些學者認為陳寅恪走的不是乾嘉的考據學，而是宋代的史學，但我認為他既是生在乾嘉之後，又對錢大昕很推崇，他不可能不有所繼承乾嘉考據學。不過，陳寅恪的寫作方式還是太傳統了些，因此我們也可以從陳寅恪的考據方法上再更上一層樓，也就是說，陳寅恪是在乾嘉考據學上再精進，而我們則可以在陳寅恪的基礎上，再向上推進一層。至於在小學方面，一般人都認為小學就是文字學，乾嘉時代也是用小學來作為考據，他們首先做的便是識字工作。在乾嘉時代有句名言：「讀書必先識字。」什麼叫做識字？不是今日我們所說的認識方塊字，而是真正地瞭解字的意思。也就是說對文字的形、音、義都要作一番考究，而知道語言在不同時代所表現的不同意義。乾嘉時代的大師都是精於小學的，如戴震，他是徽州人，胡適之特別推崇他，戴震在〈與王內翰鳳喈書〉中，曾提到〈堯典〉裏的：「光被四表」。他認為這裏的「光」字頗有問題，於是他便從小學入手，而指出「光」其實是由「桄」字而來，因為「光」的古文作「炗」，「炗」與「黃」形體很接近，因此他認為「桄」其實就是是「橫」字。除了以小學作考證外，他也從《漢書》以來的許多文獻，以及他的朋友所提供他的一些資料，而證明了這句話應該作：「橫被四表」。胡適看了之後相當地佩服，便徵引了這個例子，以說明乾嘉學術的治學成果。當然，乾嘉學派以小學作考證的例子非常多，這只是其中一例。

乾嘉學者以小學作考據，態度是非常地慎重，他們甚至還考證到連一個字也不放過的情形。但是，胡適在此所舉的例子，卻反而是戴震的千慮一失，為什麼呢？因為戴震是以《漢書》以下的資料，來證明「光」應作「橫」，但在《左傳》裏有：「武王克商，光有天下。」既然《左傳》可以有「武王克商，光有天下」，那麼在〈堯典〉裏，為什麼就不能有「光被四表」呢？因此「光」字在〈堯典〉裏絕對不是個錯字。而我們舉這個例子主要是說明，乾嘉學術是如何從小學入手來做考證，他們對考證是做到怎樣細的地步。當然他們在識字上的例子還有很多，比如今天我們所說的「槍械」這個武器名稱，其實所謂的武器指的是「槍」，而「械」是裝武器的袋子，因此「械」是不能跟武器等同的。

另外，歷史的變遷也會使字義發生變化，如在《戰國策》裏有「好女」、

「惡女」，這裏的「好女」指的是漂亮的女子，「惡女」是指醜的女人。但到了唐朝以後，「好女」和「惡女」的意思都發生變化，而變成「好的女人」和「壞的女人」了。從這裏我們可以發現，本來「好女」和「惡女」，都只在說明表面形象的美、醜，但是到了後來，卻反而演變成形容人格的好、壞，這就足以看出不同的時代，字義的確也會不同，因此我們如果要真正地識字，就不能忽略了「時代」的問題，尤其是在研究歷史文獻的時候，絕不能以現在的字義，以解釋當時的意義。

談到史學方法時，現在有很多爭論，有所謂的後現代主義（postmodernism）和pragmatism（實證主義）之爭，也就是說有人認為應該是以後現代主義來解釋，而有的人卻認為以實證主義來詮釋會比較恰當，不過我們學歷史的人其實認為，實證是很重要的。比如「好女」和「惡女」若用後現代主義來理解，以現代字義去認識，就完全不正確了。又比如在《孟子》裏常出現「王悅」，「悅」是「說」字，為什麼呢？因為當時，「悅」是說中了人家的意思而使人高興。又比如《戰國策》裏有「披山帶河」，為什麼要用「披」來形容「山」？也為什麼要用「帶」來形容「河」呢？這就要從中國文化的內涵來瞭解。「披」指的是「被」，「被」就是棉被，只有中國人才知道，棉被鋪在床上會有高高低低，就像山的形勢，美國人蓋毛毯就沒有辦法理解「被山」；至於「帶河」，大家看了京戲就會知道，「帶」是在腰間，是大圓圈，所謂河流環繞山地，就是「披山帶河」。我認為乾嘉所說的識字就是這個樣子，因此我舉了這些例子，就是要說明乾嘉所謂的：「讀書必先識字。」是符合實證的，不能由後現代人自由心證的。

我們是不是應該要繼承乾嘉學派這樣的研究傳統，也就是承繼他們在小學和考據上所下的功夫，如果不能在這方面下功夫，那麼我們中國人唸中文，豈不和洋人讀中國沒什麼兩樣了嗎？因此，我以為乾嘉的治學傳統，不僅值得繼承，而且還要發揚，尤其是研究文史之學的人，一定要從認識中國語文這個傳統下手。當然要真正地掌握這一方面也不是很容易，現在要大家來讀《爾雅》，可能也不太實際，而我認為在乾嘉學術裏有一部書，是很值得大家做參考的，只要大家肯花點功夫，就絕對可以掌握，這部書就是王引之的《經傳釋

詞》。《經傳釋詞》對古書中的許多虛字,大多舉有例子作考證和說明,我認為這部書非常值得參考,年輕一代的學子只要肯就這部書下功夫,對於這一方面一定可以掌握的。

我們現在談乾嘉學術的展望,我個人最希望的,就是能夠真正地繼承乾嘉時代的考據學和小學,以作為研究學問上的一個工具。我個人認為小學和考據學絕對不是一個學派,任何一個學問都可以以它作為工具,而且是治學的利器,因此我以為這兩點也許是很值得我們大家做參考。

除此之外,我們還要把經學擴展到中國經典方面的研究,如果我們現在還限於五經,我感覺這個範圍太小,而且在近代所謂諸子配孔之後,沒有必要把經書當作是神聖的東西來作研究,更何況在中國的傳統文化裏,還是有很多好的著作,尤其像文哲所來研究中國現代傳統,「經」自然可以把它擴大到中國的經典之學。所以我們現在的結論是:一方面把它擴大到經典方面來研究,一方面也繼承了乾嘉時代兩個相當值得發揚的傳統(小學和考據),以這樣的結合,我相信經學的研究,應該是可以得到更多更好的成果。我們現在距離「乾嘉」已經非常久遠了,同時還經歷了近代的一些轉折,假如現在還不趕緊把它繼承和發揚,也許再過個幾十年,我們想要再回頭繼承或作這方面的研究,恐怕難度會變得更高了。

林慶彰先生:

我們非常感謝汪榮祖教授,給予我們這麼好的建議,汪教授的建議主要有兩點,一是將經學的研究,擴展到經典的研究。二是要發揚乾嘉學者,在小學和考據學上的優良傳統,如果不把這些優良傳統發揚光大,我們國人讀中國書,恐怕與洋人沒有什麼不同,這個建議相當具有啟發性。接著我們請中國社會科學院歷史學研究所的陳祖武所長,為我們作引言。

陳祖武先生(中國社會科學院歷史學研究所所長):

謝謝林慶彰先生,也謝謝在座的各位。十六日在漢學中心所舉辦的「朱子學與東亞文明」會議上,林慶彰先生希望我能到貴所,和各位研究乾嘉學術的

先進，一起談談乾嘉學術研究的展望，以及我個人的想法。我希望能利用這二十分鐘的時間，將我個人對乾嘉學術的研究建議，同各位參加乾嘉學術研究的先生們談談。首先我要談的是，林慶彰教授主持乾嘉學術研究計畫，這幾年來已產生了很大的影響，推展得非常成功，對中國大陸和海內外的乾嘉研究，已形成了極大的影響。今年一月，我在香港參加「兩岸三地二十一世紀發展學術研討會」上，已經把林慶彰先生所主持的乾嘉研究計畫，向兩岸三地的同人作報告。今年七月，在新加坡國立大學，召開研究明、清史的國際會議，我也再一次就林慶彰教授主持的乾嘉研究進展及情況，就我所知，讓在座的與會學者明瞭。各位大概知道，我在貴所寫過一篇短稿，曾談到林慶彰先生在乾嘉經學，其實也不只是乾嘉經學，在整個中國經學史研究上所做的貢獻，功績非常卓越。在香港我已經這麼說，在新加坡我還是說，今天我依舊要重申，林慶彰先生對乾嘉學術以及整個經學史的研究，其功至偉。

第二點，往後的乾嘉學術研究，究竟怎麼去開展？我斗膽地提出兩個建議：第一、據我所知，乾嘉研究計畫當中，除了現在正在進行的義理學、揚州學派研究計畫外，是否還有其他的計畫？如果沒有的話，是否可以再增加常州今文經學，因為在乾嘉學術的研究當中，常州莊氏學術的起源依舊是一個薄弱的環節。雖然在這個問題上，中國以及海外的學者都有所涉及，但無論是以往的前輩也好，今天的專家也好，都是停留在外圍，所談的也都是一些邊緣上的問題。如美國加州大學的艾爾曼先生，也是慶彰兄的好朋友，他寫了一部《常州今文經學》，這部書已經翻譯成中文，艾爾曼先生的書對推動中國學者研究常州經學，有相當大的貢獻。艾爾曼先生在談到常州經學的起源時，他是把常州經學同和珅的權臣亂政聯繫在一起討論；中國大陸的一些前輩學者在談這個問題時，則是把它和乾嘉時代的社會危機聯繫在一起。直到今天，我們看到的專著和文章，都沒有從學理上來探討常州莊氏學術的起源問題，但事實上這是一個相當值得研究的課題。過幾天我要參加臺大中文系所舉辦的「錢賓四先生紀念會」，在會上我將就此問題做專題陳述，今天我想先和各位談談，也請各位給予指教，使我在過幾天的座談會上，發言能更加周全。

事實上對於常州學派的起源問題，錢賓四先生早年作《中國近三百年學術

史》，就已經提出了很重要的意見，可惜的是，這幾年來研究這個問題的學者，並沒有對錢賓四先生的思路作深入的挖掘。錢先生是從學理上，把常州莊氏學術的淵源，和蘇州的惠氏（惠棟）學術聯繫在一起，當然這絕對不是錢先生隨便提出的一句話，錢先生提出了五個理由，來說明常州莊氏學術和蘇州惠學之間的關係，我建議各位如果有興趣，可以參考一下錢先生的《中國近三百年學術史》。我想如果我們把這個問題解決了，就會發現無論是講權臣亂政，或者是社會危機，這兩個理由都是可以商量的。最近，我曾沿著錢先生的思路，試圖往前深入這個問題，而我是從兩條路徑作深入，一條是從莊存與與惠棟之間的關係做切入，另一條路徑則是就莊存與在當時的政治舞臺及學術地位上，作一個開拓的工作，至於開拓的結果，我也願意佔用各位一點時間，向各位報告一下。

　　章太炎做《訄書》時就曾經說過，莊存與和戴東原是同時代的人，他們和惠棟相比都是屬於晚輩，戴震比惠棟要年輕二十七歲，而莊存與比惠棟年輕二十二歲，因此從輩分來講，他們都是晚輩。乾隆九年，惠棟完成《易漢學》，在乾隆時代的舞臺上，第一次舉起了復興漢學的旗幟，而當時莊存與只是一個舉人。到了乾隆十年，也就是《易漢學》完成的第二年，莊存與才成為進士，因此在輩分上他要比惠棟晚。而惠棟在《易漢學》裏作了一篇很著名的〈序〉，〈序〉裏談到《毛詩》、《三禮》及何休的《公羊解詁》，都是漢代傳承下來的，也就是說漢代經師流傳到乾隆初年就是這三家。到了乾隆十四年，清高宗開經學之科，惠棟有幸為地方當局列入薦牘而向清廷推薦，但是惠棟並沒有參加這一次的開科考試，所以在清高宗乾隆十六年的考試，所錄取的四個人中就沒有惠棟。但惠棟就此曾對當時的陝甘總督尹繼善寫過一封信，這封信收在惠棟的《松崖文鈔》，裏面也同樣談到，漢學至今還僅存的有《詩》、《禮》和何休的《公羊解詁》，也就是說他再次重申了這個主張。而在當時，治《禮》學的有江永和徽州諸儒，治漢儒《易》學的有惠棟，治《毛詩》的有戴東原，唯獨《春秋公羊》學沒有人研究，所以從學理上來說，莊存與發現了惠棟的這些主張，就選擇了當時學者還沒有進入的領域裏去做研究，這應該是情理中的事。

　　到了乾隆十三年，莊存與在翰林院庶吉士館畢業考試時不合格，考了二等職之末，清高宗鑑於他平時尚留心經學，再培育他三年，所以莊存與後來為什麼會以一個經師的面貌出現，而在今文經學當中，成為開派的宗師，道理可能就在這裏，因為他不僅在三年的庶吉士館裏學到了經學，而且又有再一度三年的學習，這六年對他而言影響很大。

　　乾隆十六年，莊存與在第二次考試中合格，進入了翰林院，作翰林院的侍講。到了乾隆十七年以後，他進入南書房，成了清高宗的文學侍從。乾隆三十三年，莊存與更進入了上書房，教授皇子四書、五經，這在清代而言，地位可說是相當高了，一位學者要得到這樣的殊榮，的確不太容易。從莊存與的經歷，我剛已提到，他在乾隆三十三年以後進入上書房，在清代的儒臣中，能擠進南書房又進入上書房的並不多見，在明、清兩代，尤其是清朝，儒臣有這樣殊榮的也是罕見，因此莊存與在擔任了皇室的講師以後，就開始對皇室講授四書、五經。各位可以去看莊存與現在還存世的《春秋正辭》，《春秋正辭》有鮮明特點，這對弄清常州莊氏學的起源有很大的助益。目前我所看到研究莊氏學的個別文章，總是覺得不夠成熟，尤其是今年上半年我讀到一篇文章，是談莊存與的《春秋正辭》，這篇文章試圖要將《春秋正辭》的地位和貢獻，作一個討論，立意很好。但這篇文章認為《春秋正辭》是要建立一個新的儒學體系，我以為這樣的說法就值得討論了。事實上莊存與並沒說他要創一個新的儒學體系，在當時也沒有提出這樣的歷史課題。大家可以去看莊存與的《春秋正辭》共分成九類，每類之下又有子目，子目達一百七十五個之多，但現存的《春秋正辭》中，有很多是有目無書。為什麼會出現有目無書的現象呢？我分析之後認為極大的可能是因為莊存與在乾隆五十三年過世，而在乾隆五十一年他就已告老還鄉，可能他告老還鄉後，對皇室所講授的《公羊》學卻還沒有講完，所以才會出現有目無書的現象，這是一個揣測，沒有歷史根據。

　　剛才汪先生說要從考據入義理，我完全贊成，要從考據入義理，義理才是可信，而剛剛我只是一個揣測，胡適之先生曾說要「大膽假設，小心求證」，這是史家應該做的事情。另外，莊存與有一個學生，也是現在談清代《春秋公羊》學開派宗師之一孔廣森，事實上孔廣森的《春秋公羊》學就是受莊存與的

影響。在孔廣森的《春秋公羊通義》卷六，講「文公十年」的時候，有一條很重要的材料，孔廣森說他的老師曾對他提到「楚子蔡侯次于屈貉」，為什麼會把蔡侯名字給寫出來呢？因為蔡莊侯「用夷變夏」，所以《春秋》要懲罰、要針砭他，這在《春秋公羊通義》中記載得非常清楚，可見孔廣森的《公羊》學也是受到了莊存與的影響。《春秋正辭》是相當值得研究的一部書，如果我們認真地讀《春秋正辭》後，也絕對不會得到結論：《春秋正辭》為挽救社會危機而作，這是絕對不可能的，因為他晚年的時候地位相當高，像他地位這樣高的官員，怎麼可能會在乾隆盛世談社會危機呢？這豈不是要以卵擊石地自找麻煩？這個問題我只是稍微展開一下，各位如果有興趣，也不妨研究一下常州學派的起源問題。

另外我對乾嘉義理學再提出一個建議，到目前為止，我們海峽兩岸學人，對於李穆堂（李紱）的學問，好像研究不多，錢賓四先生同樣在《中國近三百年學術史》裏談到，李穆堂是清代陸王學的第一重鎮，我們如果要講乾嘉時代的義理學，而不對李紱作深入研究，就實在是太可惜了，因此我建議慶彰兄能不能把李穆堂現存的四部作品整理出版。李穆堂現在傳世的有《穆堂初稿》、《穆堂別稿》、《陸子學譜》、《朱子晚年全論》。李穆堂既是學者也是文學家，他的文章可以去看看，我是很喜歡讀李穆堂的文章，他的文章並不下於方苞，他的詩也寫得很好，文哲所有研究文學的先生，可以去整理李穆堂的詩文，研究哲學的先生可以去整理李穆堂的《陸子學譜》和《朱子晚年全論》。另外，李穆堂在乾隆初年還是《三禮》館總裁，他對《三禮》學也有很深的見識，和方苞也進行過討論。我想建議慶彰兄，是否可以再主持一個計畫？最後再對慶彰先生個人作一個建議，我在來臺北之前，接到一個長途電話，這通電話是從四川成都打來的，內容是談到林慶彰先生因為心臟病而住院，我很為林慶彰先生擔心。直到十六號，在會場上我見到了林慶彰先生，也就放心了，慶彰兄太勞累了，我建議慶彰兄多讓我們一些年輕的學人去做整理的工作。以上是我個人在學問上所做的兩個建議，以及對朋友的一個建議，謝謝各位。

林慶彰先生：

我們非常感謝陳所長給我們這麼多的建議，也給予我個人這麼多的關懷，非常地感謝。陳所長所談的主要有幾點：第一、常州今文學派的研究，去年我們本來有向院裏申請「常州今文學派的研究計畫」，但院裏因為經費的緣故沒有核准。不過，我們乾嘉計畫結束以後，將來要做晚清經學計畫時，可能會將有關常州今文學派的研究，也納入晚清經學計畫當中。第二、關於莊氏學的起源問題，我覺得陳所長談得非常好，這個問題目前還沒有人真正下過功夫去研究，不過今年六月，我有一位學生蔡長林剛從臺大中研所博士班畢業，他的博士論文寫的是《常州學派新論》，這篇論文就是專門研究莊存與，他的觀點與艾爾曼先生有很大的差別，他覺得艾爾曼的說法不太能成立，主要是因為當時莊存與根本還沒有《公羊》學的意識，他作《春秋正辭》主要還是在教導皇帝怎麼做一個聖王而已，而真正把莊氏《公羊》學發揚光大的應該是莊述祖，蔡長林的論文各位如果有興趣，也可以參考看看。第三、陳所長也提到了李穆堂的研究，將來我們也希望有機會，能跟陳所長一起合作研究李穆堂。

劉述先先生（中央研究院中國文哲研究所特聘研究講座）：

中央研究院歷史語言研究所的黃進興先生，他在哈佛大學寫的就是李穆堂，而且他的英文書也已經出版，我們可以和黃進興先生進行交流。

熊秉真先生（中央研究院近代史研究所研究員）：

謝謝，我和中國文哲研究所常相往來，上個禮拜四一同在生物醫學科學研究所的地下室開會研討。雖然對文哲所的領域不太熟悉，但是我常常享受文哲所的研究成果，因此不管是什麼時候，文哲所裏的任何召喚，我一定會馬上奉命。對於乾嘉學術研究的展望，我以前雖然讀過思想史，但我畢竟只能算是一個熱情的圈外人，因此我決定作一個有點離題的思索，我給大家的題綱，是想把經學的傳統作一個比較廣泛的考慮，從學術史或比較學術史來看，這樣一個傳統到目前的發展情況。我舉了西方古典學在過去五百年的發展，與大家作一個回味。我想大家應該都已經很熟悉，而我們重新走這一條路，可以重新想想

下面的兩個步驟，有那些是和乾嘉經學及義理學可以做比較的？那些是完全不一樣的？

西方的人文學常講：「中國的人文學，可能是它們全世界，唯一最有意義的他者。」也就是the most significant other（最重要的一個異己）。我不知道在中國的經學或人文學裏是否也有同樣的感慨，覺得西方的人文學跟考古學裏，對中國的人文學來講是最有意義的他者，待會我在最後會和各位一起來想想，現在我們所合縱連橫的其他學科。也就是說不管是互為針砭、互為啟發、或者互為奧援，這個唯一有意義的他者，它們所擁有的經驗以及目前的處境，這個意義到底何在？今天我只是很簡單地來回顧，中古以後五百年到八百年的發展，我主要談的是從文藝復興、宗教改革跟啟蒙時代，到現今的學術發展，對西方的經學到底造成了如何的迂迴曲折和再見山水的過程。

如果你問西方的學者西方古典學的基石為何？大多數的人會舉出兩樣的東西，一是《聖經》的研究，一個是希臘羅馬的研究。從希臘羅馬帝國到文藝復興約八百到一千年左右，西方人的信仰是聖經，中國的經學其實原來也是中國人的信仰，剛才汪先生說經學是實用，其實經學是理念和信念的根源。當然《聖經》還是信仰的時候，並不代表它就不是一個學術，因此我所舉的東西並不一定就是對立的，只是原來它還是一個人文信仰的時候，大家會把它當成是自我存在的來源，它不一定是一個有距離的認知對象，所以他們現在稱為Old Testament study，其實就是經過文藝復興、宗教改革、啟蒙運動等一步一步地的衝擊，慢慢有了一個新的面貌。也就是說在宗教改革前後的十六世紀初，起先信義會因路德派稱「因信稱義」，也就是說他們認為神是一個可以理解的神，眾生愉悅在祂中間且可以理解的神，信義會和路德會是所有基督教教派之中最重視教義的，這是新教的部分。舊教的部分有一個相對的回應，這是在耶穌會中大家相當熟悉的，即「在萬事萬物中間，悟解天理神道」。這兩個東西把近古的《聖經》研究，從原來奧古斯丁跟阿奎納新以經解經的傳統，帶到了比較豐富化的狀況。今天我本來要帶投影片來給大家看看，過去五、六百年以來，Old Testament study的結構面貌和內容，到底是產生了什麼樣的轉變。如果以每一世紀來看的話，各位一定會相當吃驚，因為現在《舊約聖經》的研究

裏，不但有我們所熟悉的神學、哲理、思想、制度、社會和文化，它還包括地質、地理、考古、美術等東西，也就是說現在西方的神學院裏，還是有《舊約聖經》的研究。雖然據歐洲人所統計，現在西方的新、舊教的信徒只有三分之一，百分之七十的信仰已不在這個系統裏頭，但他們依舊認為如果要談西方文明，無論是經驗面或認知面的基石，《舊約》所給予他們的所有的隱喻都是非常重要的。

　　第二個西方古典學相當於我們經學的，應該是希臘羅馬研究。希臘羅馬研究所說的是Greek study、Hellenistic study，這兩樣組合成了現代西方大學的古典學系或古典學，這可讓我們回想胡適在整理國故的時候，如果你問他國故是什麼？或者國粹是什麼？大半他心裏想的就是古典學。也就是說中國的文史哲全部都可以變成是古典的，因為他當時既然提倡全盤西化，又希望人文學不要被廢棄，於是他就把它們變成了共同的基石，下面還有一個新生，所以他在給五四所寫的英文書，叫Chinese Renaissance（《中國的文藝復興》）。也就是說在他的認知裏，文藝復興的人本主義重新脫離了神學和基督教，走了和《舊約》研究異曲同工的另一條路，就是上溯希臘羅馬的人文傳統，以復古為新生。希臘羅馬在文藝復興的時候，是源自東羅馬和阿拉伯的學者，但有趣的是，希臘在文藝復興的時候，它的文藝、哲思及至於它的科技、理性發展等，都被冠了神話研究的詞，為了讓這些比較寬泛的希臘人文有再生的機會，他們就把一些東西歸為神話或傳奇，意思是要製造一些知識上的空間，讓整個的希臘人文學能在歐洲重生。羅馬帝國以前在西方人文的念頭裏面，以為是一個很粗俗的，或者過度實用的東西。可是在希臘羅馬學的傳統裏，羅馬研究或拉丁研究有一個很重要的功能，就是它傳襲了希臘學，就像在希臘學中間傳襲了很多更早的人文傳統，尤其是宗教信仰之外的人文學傳統。所以文藝復興時期的東西劃分成兩頭，兩頭都是想要回到古典的傳統。

　　下一個題綱「啟蒙運動是不是西方的乾嘉之學？」這是我們在討論課堂上喜歡做的一個練習。當然當時的啟蒙運動曾經得到中國許多直接的奧援；另一方面來講，啟蒙運動對西方而言，是一個掙脫信仰、重尋思想的過程。也就是說當時的啟蒙運動者，雖有很多是新教和舊教的信徒，但他們卻不願以信徒的

身分來討論這個問題，他們想做的是一位「好知者」，所謂philosopher，也就是一群追求智慧的人。他們重新從希臘求知、好知的傳統裏，找到近代人文學的淵源，也就是理性的精神，認為希臘人是全世界最早重視思考的人。在綱領中，我列了四個影響人類文明的四個進程，第一個是四大古文明，不管是四個古文明或五個古文明也好，也就是說埃及兩河流域、印度、波斯、中國、希臘和羅馬。第二個階段是古典時期，第三個階段是中世紀，當時他們稱為黑暗時代，現在我們把它取消，不叫黑暗時代，反正這就是基督教征服西方以後。然後他們把近代歐洲的興起直溯上古，上古有兩個，一個是希臘羅馬時期的上古，也就說他們以第二項和第四項相連，覺得中間這一段完全被信仰所籠罩，或者環繞這個精神事件，是他們想要跨越或掙脫的東西。啟蒙時代大家由學術史或思想史，或社會文化史來看，起先啟蒙的這些人也是作考證工作的功夫，他們開始重讀所有的經典，其實這是一個考證的問題，但在思想史上，他們卻認為這是一個人文精神，或者是精神文明上的重新認祖歸宗。也就說他們認為，西方的人文學有很長的一段時間，其根基是建立在神學上的，不管是邏輯、推理、演繹、歸納……等等，但是他們現在想要上溯希臘，並且更上溯在希臘以前的源頭，因為他們想要建立一個新的自己。即現代西方人文學上所說的君子之學，一個自我涵養的根基，就脫離了基教教，而找到了一個新的源頭，這個源頭與一般大學教育裏，所重視的語言學、版本、校勘、小學相同，而且現在在西方的大學裏也已經成形。

因此下面我要談談，在西方大學校園裏人文學的傳統，是建立在經學之上的。我們是不是可以擬想一個類似的情況，也就是整個中國知的傳統是建構在古典人文學之上的。我最近為了準備這個課題，因此又重讀了英國牛津大學、劍橋大學的歷史，過去五百年它們一個個是怎麼樣的講座史？怎麼設立起來？他們第一個聘請的是希臘學者，接著是希臘學者和土耳其的學者……等等，那些人原來都只有飯吃而沒有薪水的，坐在高椅子上穿著黑袍子，而開始建立西方古典的人文學，義大利的大學，是從文藝復興以後接下去，德國的普魯士學派後來開始直溯希臘。你如果去看普魯士王的宮廷，他有意地在皇宮的旁邊建了一個希臘廢墟，那是一個精神的標榜。當時的德國人，每一個學生不管是上

那個學校，都要讀九年的希臘文，和十二年的拉丁文。蘭克（Ranke）——我們所說的近代史學之祖，當他七十歲在普魯士大學，接受榮譽院士封階的時候，他說：「我以最謙卑、最光榮的心，跟我的弟子一起站在各位面前，因為我找到了一個證明德意志民族是世界最優秀最文明民族的證據。」文明證據就是上銜希臘、羅馬。俄國也是這樣，俄國認為莫斯科是第四個耶路撒冷，第二個耶路撒冷在羅馬，第三個耶路撒冷在君士坦丁堡。所以西方的人文傳統，是建立在不斷擴展和豐富化的經學之上，而宗教學中的《舊約》和《新約》的研究，是因為他們有一個固定的需要，這個需要就是他們有一個大傳統，這個傳統雖然一直不斷地接受很多挑戰，如其他多元民族人文傳統的挑戰、性別研究、階級、婦女……等，可是這個西方的古典學，一直不斷地願意面對這些挑戰，同時他們還是一直在代理著人文學的先鋒。我常常是幾年去逛一次書店，每一次逛書店的時候，總會很驚訝的發現，在詮釋角度眼光，或者是問題意識上，走在最頂尖的不是近代史或近代文化史，而是希臘研究和《舊約》研究。希臘研究和《舊約》研究總認為他們不落人後，因為他們是所有人的基石。現在不管是重建主義、解析主義、結構主義……等，他們都是不斷地重讀經典，重新解釋經典，和考古、美術的新的發現，不斷地來閱讀這些經典。

　　前面我們所走的這些短短的歷程，有那些是對乾嘉的經學或義理學，可以有迴光返照的意義？中國的經學是不是中國人文學或古典學的共同基礎？也就是固本清源重新出發的時候，就像新的《舊約》研究和希臘研究一樣，所有都要回到中國古典的語言和文言文等。我想中國的經學，一方面似乎有比西方古典學占便宜的地方，可是又不見得是那麼優勢。為什麼呢？西方的古典學，不管是希臘羅馬研究或者是《舊約》研究，最大的吃虧是在於它們語言的鴻溝很大，所有的人都得重學另外一種語言，因為不是每一個人都讀得懂古希伯來文和希臘文，它們連字母都不一樣。英文中有一句話：「這對我簡直是無字天書。」我們不會對中國的古典說：「這對我簡直是四書、五經，有字天書。」而它們不只是語法不同，連文字也完全不一樣，可是在所有的高中裏，就像我們的中國文化基本教材一樣，卻是要求每一個人都要讀的，因為這是君子之學。而中國的經典，每一字都看得懂，有時候這個長處反而會變成短處，因為

每一個字都認得後，常會使人不求甚解，常常把新的意思加進去，或者是望文生義，也許因為這樣就不願意下這麼大的功夫了。也就是說思想文化的情境可能會有一些不同，但是價值功能所在，作為其他人文學者，跟外在社會共同連繫的最主要的主軸，是不是中文系的經學教授跟課程開法的一個根本。

我們常得到林慶彰先生的好處，他所編的《經學研究論著目錄》，以及他開的幾次會議，可以讓我們知道研究的題目是無所不包，當然將來我們也希望人文學和經學間的關係，都是「你泥中有我，我泥中有你」的情形，就是不再作學科的細分，因為我們每個人都吸收了，中國經學不斷往前耕耘的好處，我們也參與文本研究，提供其他的社會環境、背景、爭議、出版業……等。也就是說綜合了其他的學科，包括美術史、考古、金石……等，以這些來豐富這個板本、校勘、小學這樣的經學，它是可以跨學科，而且可以跨文化的新的風采。跨文化方面，我覺得文哲所的經學與日本、韓國等，已有相當頻繁的交流，剛剛汪先生也建議，我們是不是也可以和歐、美的經典合作，做一些聯想，我認為未來是可以的，至少我們可以偶爾邀約一、兩位，西方古典經學的研究學人來作訪問，而這些人中有一些是必須有閱讀過中國的典籍，我們可藉由這幾位學人，來做一些交流、比較和思考，讓我們的人文學有一個不斷重新出發和思考的機會，謝謝。

林慶彰先生：

我們非常感謝熊教授給予我們這麼好的建議，熊教授將西方古典學的研究狀況，作簡潔扼要的說明，同時她也希望西方的古典學研究，是否可以給予我們中國的經學研究，有一些啟發，將來是否可以連成一氣，成為一個綜合性的研究。我想這些建議大家應該會很有興趣，待會兒大家可以再請教熊教授。現在我們再請周昌龍教授，為我們作引言。

周昌龍先生（暨南國際大學中文系教授）：

謝謝主席，各位學術界的先進、各位朋友，首先我要替張壽安向各位說聲抱歉，因為張壽安今天早上突然暈眩，直到我出門前她都還不能下床，因此她

沒辦法來參加這次的座談會。其實她很想來，昨晚她一直工作到一點多，就是在準備今天的講稿，而我卻是臨時被召來，所以也沒做什麼準備。在出門前，我也問了張壽安要來談什麼，她說她本來是要談「經學和西方的古典研究」，看它們之間有沒有關聯性的問題，很高興剛剛聽了熊教授的報告，我似乎可以不必談了。我想附議一下汪教授的看法，「經學」似乎應該正名為「經典學」，對應英文中的classicalalstudies，也更符合經作為「典常」義的古訓。這就是說經學的內容必須要擴大。我們從經學史看來，其實經學的內容是不斷在擴大的，它由五經變成九經、十三經，而今天我們是站在一個後古史辨的時代，我們要平心靜氣地來看儒學這個問題，應該是沒有誰比誰高，或者一家獨尊了。在這樣的情形下，我們不禁想問，《孟子》既然可以成為十三經中的一經，為什麼《荀子》就不能呢？在清朝三百年中，《荀子》的地位一直在追《孟子》，清末章太炎寫《訄書》第一版時，就把尊荀放在前面，因此《荀子》對當時的章太炎而言，是有著比《孟子》還要高的地位，因此我們就沒有理由不可以把《荀子》放在經學裏去。如果《荀子》可以放進去的話，那《韓非子》為什麼不可以呢？既然《韓非子》都可以放進去了，那麼《老》、《莊》和《墨子》為什麼就不可以呢？這樣就會有一連串的問題可以問下去。因此，經學似乎非要變成經典學不可，不然我們會很難解釋《三傳》為什麼會變成經，《孟子》等子書會變成經，連《爾雅》也會變成經，離開了孔孟正統的思想，這似乎會很難解釋。

我的建議是，經學應該是要變成以經典為架構的學術研究，以經典為架構就會分成兩個部分，就是義理和訓詁這兩個問題。我們都知道戴震曾談到：「訓詁明而後義理明。」這句話其實有點費解，因為義理和訓詁的關係不是可以完全劃分清楚的。所謂「訓詁明而後義理明」，指的是不是以訓詁為主，義理為輔，也就是說把訓詁都弄懂了，讀懂字句了，訓詁裏頭自然就能看出義理來？還是這兩者之間本身都各自成一系統，訓詁本身是個系統，義理也是一個系統，而這兩個系統之間有著平行的關係，當我們訓詁處理到某一個層次，義理自然也能瞭解到某一個層次？到底這兩個意義那一個才是正確的呢？在此我無法給答案，因為我們會發現其實兩者都有可能存在。在乾嘉學術裏，我們會

發現他們有些人，的的確確是從訓詁的角度出發，如王念孫、王引之父子、戴震的高足段玉裁……等，都是單從訓詁出發，但也有一些人是由義理來規範訓詁，如戴震對「理」字的疏釋、阮元對「仁」字的選擇性瞭解等，因此這兩者的關係也實在很難完全弄清楚。

我只能先做一個假設，假設義理和訓詁之間有個平行的關係，因此我一直很感興趣的是，從明代中葉以後，義理學上有一個很大轉變，很多傳統的基本概念都產生了新的意義，比如在宋明理學中有一些關鍵性的觀念，如「理」、「欲」、「己」、「情」……等，到了明朝中葉以後，都出現了新的意義。從「天理」變成了「情理」，就必須考慮到人的吃飯、穿衣的問題，以及土地的需要等問題。從「天理」要轉變到人的情慾的「情理」的意義上，用溝口雄三教授的話來說，是把「理」的範圍擴大化了，而且是讓「情」在「天理」的架構下，讓它合法化了。「欲」也是一樣，從負面的「私欲」而變成「公欲」，然後再由「公欲」而把「欲」給肯定，其它如「情」、「己」……等，也是有著同樣的情況。我有興趣的是，這些義理上新的觀念轉換，有沒有影響到經學的研究？也就是說在《皇清經解》裏，當這些經學家在注經的時候，他們是不是也會將這些新的義理放在他的注解裏去？有些有很明顯的證據，如阮元在注解「克己復禮」的時候，他的「克己復禮」和朱熹的「克己復禮」注解就不相同，而這種作法的普遍性到底如何？我們就需要作全盤性的整理研究了。

近年我和壽安，以及香港的金觀濤、劉青峰夫婦，還有美國史丹佛大學的王靖宇教授，共同組成了一個小小的研究團隊，向蔣經國基金會申請計畫，作「明清以來中國近代傳統的形成」的研究。所謂「近代傳統」是指與古典傳統不同，像我剛才所說的，從明代中葉以後，它在觀念上有許多的轉化，但是它又是在西力衝擊中國之前，也就是還沒有進入到現代化，就是在古典傳統和現代之間，有著一個近代傳統，這是本土形成所產生轉化的一個近代傳統，它對後來的現代化，有著很有意義的主導作用。現代化並不是完全跟著西方的路線走，它在走之前，會受到已經存在的近代傳統所影響。而近代傳統到底要怎麼去找呢？我首先想到的是從經學入手，經學是一個很好的指標，也就是說從《皇清經解》到《皇清經解續編》，甚至到更後來的作品，從這些不同時代的

經注作品裏，有關概念的轉化是不是可以在經書詮釋裏看到？而在研究方法上，第一就是要先用量化的方式，也就是將這些原著輸入電腦，然後再將這些關鍵詞作排列組合，看每個不同的意義用的次數有多少，這是我們目前正在進行的工作。我個人認為這是我們現在在討論乾嘉學術的議題時，也可以作的做法。也就是說，義理和訓詁這兩者之間的關係，似乎不是單方面的，並不是先要弄清楚了訓詁才來求義理，而是一面求訓詁也一面求義理，它們都是一個完整的系統。而這兩個系統並不是分開的，並不是你做你的，我做我的，各不相干，而是兩者平行的關係，一起相互地往前走。訓詁的探求會幫助義理實相釐清，反過來說，義理的主觀轉換也會影響訓詁的方向，這是以前較不為人注意的一點。由於我不是專門研究經學的，因此今天只能大致地和各位報告我現在的工作。總之，我認為經學似乎是可以做更大的容納，也就是說它可以跟思想史的研究、學術史的研究，以及熊教授剛剛所指出的西方古典學研究等，在一定的範圍裏，做更大容量的結合。有時我覺得引進系統的分析，如統計學等，也未嘗不可，這也是一個很值得用來作為研究的方式，我的報告到此，謝謝。

林慶彰先生：

我們非常感謝周昌龍先生，他的意見主要有三點，第一點就是把經學的研究，擴展到經典的研究，這一點是呼應汪教授的說法。第二點是認為訓詁和義理的關係，應該要重新去釐清。第三點是談到近代傳統、古典傳統和現代化之間的互動關係，應該有必要去做研究和瞭解。

下半場：

林慶彰先生：

各位貴賓，下半場為自由討論，時間是一小時。我想我們先請哲學界的大老，文哲所的劉述先教授先給我們一些建議。

劉述先先生：

今天所討論的題目為乾嘉學者的義理學，一般外行人可能會覺得很奇怪，

乾嘉學術不是作考據的嗎？怎麼會討論到義理上去了呢？事實上這是個很有趣的問題。很明顯地，宋明理學與後來的學術發展有著很大的差別，這種差別，過去的學者都將它們簡化，而說是義理、考據，但實際上並不完全是這個樣子的。因為戴震自己本身就有一個哲學，而且是一種不同的哲學。基於此，我對馮友蘭被譯成英文本的《哲學史》就不太滿意，因為他原文用的是「道學」，可是翻成英文後就變成了 *"neo-confucian philosophy"*，就一路到戴震去了。而我自己是認為，宋明理學它自己本身有一個典範，而那個典範就是它一定肯定「超越」的那一面，可是到了戴震就不是如此了。牟先生把劉宗周當作是宋明理學的最後一位，因為就他的原創性的確是最後一位，不過我比較贊成把黃宗羲視為宋明理學的殿軍，至於戴震則是另外一個典範。

　　另外，所謂的漢、宋之學，前幾天我們參加漢學中心所召開的「朱子學與東亞文明」會議時，我曾和林慶彰教授交換過意見。我認為所謂的漢、宋之學，過去其實並沒有那麼嚴格的區分，那是到了清代，江藩的《漢學師承記》以及方東樹的《漢學商兌》出來以後，才形成了漢、宋學的對立。我們回頭來看朱熹的著作，會發現朱熹其實是義理、考據、詞章兼備的。最近學術界有一些新的發展，我覺得這些發展是比較符合事實，如大陸有位學者叫做葛兆光，他相當有才氣，他在訪問香港科技大學時，就把他的一些原稿拿給我看，他認為從戴震以後一直到阮元，思想線索已經截然不同了，並不是做考據的人就只會做考據，那是考據的末流才是如此。葛兆光特別談到焦循，他指出焦循在思想上是和戴震一樣，也是沒有超越面，但他有一條思想線索一直傳到阮元去。這一點放到西方所謂詮釋學（hermeneutics）傳統上，也是可以作為一個參照系，就好像Gadamer的詮釋學，Gadamer雖然注重哲學，但他卻沒有像他老師海德格那樣極端。海德格曾說他要對文本施暴，我覺得這樣做是有點過分了。海德格所寫關於希臘哲學的論文我也看了，但我看的原因不是因為我對希臘哲學有興趣，而是我對海德格有興趣。如果我對希臘哲學本身有興趣的話，我是絕對不會去看海德格的。Gadamer就不同了，他是相當尊重文本的，但他還是認為不同的釋義會有不同的看法。跟Gadamer站在對立面的是Betti，Betti比較站在西方考據的傳統，但他們的考據傳統並不是光講文字、訓詁的考據，而是

要同情的理解，也就是對文本的一種相應的理解，不是像Gadamer那樣。Gadamer認為是要盡可能由自己的視域去了解不同時代的思想而造成視域的交融。我認為這兩種觀點，各有所長也各有所短。剛才熊教授已對這樣的問題作了對比，因此我簡單地將我個人的意見和各位談談，謝謝。

鄭宗義先生（香港中文大學哲學系副教授）：

我想我是來學習的，在此我只談談這一次座談會給予我的印象。汪榮祖教授強調我們在研究經學時，絕不能輕易地放過，也就是說一定要回歸到文本；如果我們忽略了文本，那麼詮釋的客觀性和恰當性，就頗待商榷了。如果一位大學老師在傳授經典時也和他的學生一樣，只是在各自表述自己的理解，這是絕對不行的，所以回歸文本，對我們詮釋經典的客觀性和恰當性，是非常重要的。考據在現代學術裏多半屬於經學、大學及文學等，義理則是哲學的領域，但我們現在要做的，應該是做所謂跨學科的研究。

另外，對熊教授的報告我有一點疑問，剛剛劉教授也提到，我們和西方古典的詮釋學可能有一點點的不同，我個人對西方古典詮釋學也只有一般的理解，沒有作過深刻的研究，但您談到啟蒙運動是西方的乾嘉之學，可能會讓人感到有點奇怪的印象。因為西方的啟蒙運動是從哲學的角度，重新發揚古希臘的理性精神，跑得更遠則是理性的批判……等等，因此我想西方的啟蒙運動，單方面也有重新回到古代的經典上去，但它主要是奠基在考據，而重在義理的發揮。我們的乾嘉學術有漢、宋之分，它幾乎是把理學趕出去的，因此您說啟蒙運動是西方的乾嘉之學，我個人覺得有點奇怪。我們有時也會反過來講，五四以後才是中國的啟蒙運動，這時談的不是恢復國故而是打倒國故，然後再吸收西方新的東西，這才叫做啟蒙運動。因此我想是不是西方古典詮釋學裏，也有義理、考據的緊張關係，如果沒有的話，這可能和我們清代所講的義理和考據，兩者可能會有一點差異。

陳祖武教授的說法我個人沒有意見，我對常州學派也沒有研究，不過我以前讀艾爾曼的書時，就一直很懷疑他的說法，今天我很高興聽到有人挑戰他的觀點，對常州學派的源頭提出新的看法，我想以後有機會，我一定會再去看這

方面的文獻。

　　周昌龍教授提到義理、考據和傳統的研究，其實傳統的研究我也是相當有
興趣的，尤其是明、清轉型以後，儒學在西學進來以前的階段，學術的發展到
底是呈現什麼樣的狀況，我想這也是將來許多學者應該參與研究的，這不僅只
是把它簡單地說成是考據學，這之間應該也有一些很複雜的內涵。以上是我個
人很簡單的看法，謝謝。

熊秉真先生：

　　我很高興有機會在此和大家多談幾個問題，我剛剛提出的意見，各位可以
看到我的大綱：「啟蒙運動——西方的乾嘉之學？」這裏有一個大問號，為什
麼會有這個問號呢？在最近的西方啟蒙運動研究，如Petert B.的研究，就把過
去對於西方的啟蒙運動看作是思想的運動，或者把價值觀區分，認為第一個階
段屬於顛覆型（切斷型），第二個階段則是對義理（哲思）作重新的檢討。最
近在新的詮釋學裏，有很多已發展到文化範圍、社會環境……等，這些新的啟
蒙史和新的文化思想史的研究者，他們共同的看法，比較接近林慶彰先生今天
所提的乾嘉義理學，也就是將啟蒙做為一個考據學，形成小學的啟蒙運動。這
些人表面看來好像只是在談哲理，但他們對哲理的定義，實際上是透過字源語
法的考證而出的結果。雖然這些人都說他們所做的是中斷，但文獻上卻記載他
們其實是對傳統的繼承、而且對他們的評價也非常高，並聲稱他們是走在時代
的先端，這是最近所形成的另一個新的研究方向，而他們也和劉教授所說的很
類似，乾嘉學者多半會讓人以為他們做的是考據，可是它們也有討論義理。而
我作的這篇文章是相對的，最近在西方的作品中，大家以為啟蒙學主要是義
理，就是哲學的討論，但事實上他們也下了很大的功夫，藉由希臘文和拉丁文
的字源和語法的考據，以建立他們的論點，於是才會有人說這是不是就是西方
的小學？在此我畫問號的目的，就是因為這是最近的一個新的爭論，最近的後
學，對啟蒙有新的質疑和新的解釋，這些人用的方法是用考據學的方法，他們
的思維方式有很多是來自於《舊約聖經》的訓練，他們的開天闢地，沒有像其
他人給他們的期望和恭維這麼強，謝謝。

陳金木先生（彰化師範大學中文系教授）：

林老師以及在座各位學者專家和同學大家好，我想回應大約有兩點：第一是談到經學的範圍是不是要擴大到經典學的範圍？去年我在代替李威熊先生教授彰師大經學史的課題時，我就蒐集了許多大陸有關經學研究的資料，卻發現他們有一個名詞叫做「儒學」，我個人以為，如果我們將《老》、《莊》、《韓非》……等，這些先秦諸子全部納入到經學範圍的話，可能會面臨不知要如何去面對整個經學著述的傳統？如果只是把經學擴大到整個儒學的範圍來看，這樣可能會比較講得通。因為以前他們在唸書時一定要讀經典的東西，如果把它們擴大到儒家思想的範圍，而不只限於這些經書，也就是由這些經書而擴張出去的儒家思想，並且守在思想這樣的學派裏，可能會比較好，這是我的第一個不成熟的看法。第二點是剛剛熊研究員的論點，帶給了我很大的啟發，因為我們學經學的人常常會思考，有關經學和中國傳統之間的關聯，我們會發現這個關聯本來是非常緊密的，可是後來卻是愈來愈疏離，而經學的研究在各大學來講，也慢慢變得愈來愈冷門了。我常思考的是，西方的古典是不是將宗教信仰和人文作結合，也就是由宗教信仰出發，如「信耶穌得永生」這樣的觀念，來發展出他們的人文精神？而我們中國的經典則不同，它是「學而優則仕」，與政治有著密切地關聯。經學一旦變得與政治有強烈的關聯後，這對一個無意於仕途，或者在仕途上不是很如意的人而言，是不是就只能是一個敲門磚，而不是安身立命之處呢？從這個方向來看，我們是不是應該去思考，是否可以從經學中，重新去發現足以讓我們安身立命的地方，把政治與經學的關聯撇開，讓經學能和我們安身立命做結合呢？這是我從教學經驗中所得到心得，也是我在教學上所走的路線，提出來和各位作參考，謝謝各位。

周昌龍先生：

我想利用這個機會可以交流一下意見，這是非常好的。儒學帶給我的困擾是，第一、它本身到底是一個單純的內容，還是一個複雜的內容？比如漢代的儒學，後代的學者對某些部分也是非常不樂意去接受的，就連清代的儒學雖自稱是漢學，但像戴震這一派的漢學，卻反而不願去接受漢代儒學中，有關陰陽

儒學、讖緯……等觀點。又比如《易》經，漢儒把它們談得非常方術化，談了很多象數的問題，可是後來王弼的《周易注》出來以後，他就把這些內容一掃而空，因此就《易》學而言，清儒比較願意去接受的，反而是王弼的《易》學。所以在儒學主流裏，它本身的確有個很龐雜的混流需要去澄清的，我想這是第一個問題。第二、假如今天我們還要去分《老》、《莊》，佛學、儒學……，我懷疑我們是否能夠把它們分得很清楚，也許在座的劉教授，是可以很理直氣壯地說自己是繼承了儒家，而我就很懷疑自己是不是繼承儒家。像胡適他到底算不算是儒家呢？梁啟超的思想因為有著很多法理學的成分，於是他就不能算是儒家；章太炎我們雖然稱他為國學大師，但他的思想裏其實是蘊涵著很深厚佛學與老莊色彩的，更無論近代的西學了。除非我們認為這些內容已經被儒學所吸收及融合，不過這樣的說法，又顯得有些過於籠統。今天我們在談經典時，所以不特別標榜儒學，是因為我感覺儒學的概念，似乎還停留在一個統合的時期，有點像魏晉南北朝的時候，事實上魏晉南北朝就很像今天的情況。當時談的是玄學，我們很難指出，它到底是儒學？是道學？還是佛學？我個人認為這是一個很好的現象，這是一個加強儒學，使儒學不停地展現生命力的歷史進程。所以今天我們恐怕不能只標榜儒學，因為儒學的定義到底在那裏？我們能不能把章太炎的〈齊物論釋〉放在儒學裏作討論呢？能不能把胡適的「戴東原哲學」，完全排除在儒學外面呢？如果把胡適排除出去，我想我所研究的近代傳統也可能很難成立了，因為胡適的很多思想，都是建立在古典向現代傳統轉化這個命題裏去考慮的，如果這樣，我想這個問題就變得很複雜了。

汪榮祖先生：

我認為如果把經學擴展成經典之學，這等於是開創了一個新的學問，而且這絕對不會影響儒學的研究，因為我們研究儒學時，不是所有的著作都可以視為經典之作，有些著作不僅稱不上經典，還可能只是二、三流的東西，這樣的東西是沒有必要研究的。經典是中國歷史上的精華，我覺得不必要去分儒家、道家、法家……等等，只是要能稱得上經典的標準，都可以算是經典之作。在過去因為聖教和異端的概念，就把儒家獨尊，於是儒家的五經、六經才稱的上

經，其他都不算是經，我認為我們現在實在沒有必要，去繼承這種聖教和異端的傳統。另外，剛剛周教授談到訓詁和義理，或者考據和義理的問題，我覺得我們還是常用西方的兩分法來看這個問題，而把訓詁和義理看作是兩樣東西，其實義理是目的，訓詁是手段。比如乾嘉學者在治經，為了能真正瞭解經義，他們就要找出正確的意義，但怎麼才能達到真正的意義呢？那就要訓詁。所以「訓詁明而義理明」，兩個並不是互相依存或主次，而是緊密的關係，一定要先認識字，訓詁明了以後，才能真正瞭解義理，因此這兩個絕對是不能分為二的。

周昌龍先生：

汪老師前面談的我都很同意，至於一分為二的問題，我可能需要補充一下。我剛剛談的所謂的義理和訓詁平行發展的關係，不是一分為二，我強調的是清儒的義理學，為什麼會和宋明的義理不同，因為他們有一個回歸原典的架構在裏面。剛剛汪老師說「訓詁是手段，義理是目的」，我覺得可以把它改變一下，我覺得訓詁是方法，目的是要重新架構經典，而義理是放在經典架構裏的。我為什麼要做這樣的分別呢？因為我認為如果我們放開訓詁的方法，來單獨談義理的話，可能會解構了經典，而不是架構經典。比如魏晉時期的郭象注解《莊子》（有人說郭象的注解是偷向秀的），不管郭象還是向秀，他們注解的特色就是解構了《莊子》本文，《莊子》明明是將堯舜放在比較低的人格層次，不及道的地位，但是在郭象的《注》裏，卻把他們放在很高的地位，比莊子的境界還高，因為堯舜在郭象的自然哲學中，是內聖外王理想人格的代表。所以在《莊子注》裏，我們看到郭象在建構他自己的義理學，他利用《莊子》來建構他自己的一套義理學，這套義理學可以不用靠任何的訓詁，它是以一個新的義理結構，來取代舊的義理系統，可是在清儒卻不能這樣做，清儒在談一個義理結構時，一定要要求符合原典，我想這是他們的最大特色。至於我們要談經典學，我想經典學和哲學還是不一樣的，為了要使經典學和哲學區分，經典學的研究還是要以基本的訓詁，及原典的架構去掌握，否則它就會變成了跟非經典的義理之學沒有什麼分別了。

劉述先先生：

我稍微回應一下剛剛周昌龍教授說的，我可以很理直氣壯地承認自己是繼承儒家。其實您說的是適用於杜維明教授而不是我。因為杜維明教授一開始就宣稱自己是儒家的第三代，而我只是把儒家當作標籤，如果人家把標籤貼在我身上，我是不會反對，不過余英時教授就不同了，你如果給他貼上標籤，他一定會反對，但是反對也反對不掉。

另外，談到我們文哲所經學組，當時在成立所時，我就曾經和余英時先生討論過，經學是有很多的模糊性，因為經學不但可以從訓詁、考據的立場進來，也可以從哲學的觀點進來。比如我研究《易經》，我就不一定要從訓詁、考據著手，因此經學在一開始的時候，就已經帶有模糊性。慶彰兄來主持經學，慶彰兄的經學是從屈萬里先生的系統下來，於是這裏的經學就有了一個確定的範圍，如果你把它擴大到很多地方的話，他們可能力有未逮，而且他們也不一定想做，可是這並不表示說，我們所裏不能允許研究其他的東西，事實上我們一直想延聘其他研究佛教的、道教的各方面人才，但沒有那麼容易。從我們現有的人才來說，如楊貞德先生是研究胡適，並不是說你不能放在儒家標籤裏的，我們所裏就不能容納這樣的研究人才，所以我們所裏基本上是比較開放的。尤其是詮釋方式傳進來以後，我們就會明白，不是用這樣簡單化的標籤就可以區別的很清楚，因此葛兆光先生的線索我覺得非常有趣，就是這個原因。如果我們從戴震一直研究到阮元，就會發現：基本上他們有一個思想背景，而這個思想背景和宋明理學完全不同，因此他們絕對不是不作思想，而是他們所作的思想，和另外的預設不太一樣，而這樣的現象，在我們所裏都是兼容並包的。

鄭卜五先生：

各位前輩大家好，我也是來向各位前輩學習的，雖然不能與幾位遠從國外趕來參加盛會的朋友相比，但我是從高雄上來的。當我知道文哲所裏有這個活動時，就期盼著能來參與，所以今天專程來學習。有關經學要把它擴展成「經典之學」的構想，這樣的概念雖然不錯，但把《老》、《莊》、《韓非子》……等

子學也劃入了《經》之中,雖然這也未嘗不可,但是經學和子學到底要如何去區分?我想這可能是一個很值得我們去思索的問題。或許有人認為自五經之後,《經》書不是歷來常有累增的嗎?《爾雅》不也入《經》嗎?把好的作品注入《經》書之中,使「經學」更加燦爛也是件好事。雖然立意宏大,但《經》當指有特殊價值的書,與「經典之作」的好作品,在立意上應該是不同的。

剛剛聽了汪榮祖前輩的話,使我有很大的感慨,我們也希望能好好發揮乾嘉學時期重視經學傳統的精神。我在學校大部分是教授經典方面的課程,不過我們也發現,現在的大學生似乎對經典不太感興趣,好像談到經典就頭痛,覺得讀經學太麻煩了,而學習臺灣文學、現代文學似乎比較舒服些,所以汪榮祖前輩的感慨,我是心有戚戚焉。我們要如何把經學落實到現代,來運用它的精神,這是很重要的課題,因此我在和學生做探討時,我常常用禮俗來做引介橋梁,讓學生瞭解生活禮俗中的經學要義,將經典與禮俗作結合,因為禮俗是我們生活裏的活東西,學生很容易感受到,他們也很有興趣接受,所以我才會試著將禮俗與經典相結合。最近我有一位同事,他是從國外回來的,他覺得西洋的東西都相當地具有系統化,非常地四平八穩,回到臺灣後,他覺得臺灣、中國都沒有文化。我就問他:「你兒子出生做不做彌月呢?」他說做啊!我又問他不作周歲?結婚的時候不看黃曆?他說都有啊!我就告訴他這就是中國的文化,老外是不看黃曆的。當然這也是少數的例子,也許他是太專精於理工科技了,因此不太認識中國的文化。而我們到底要怎麼把經學的精神和文化,讓年輕的朋友知道,在聽完汪榮祖前輩的談話後,我一樣也是很有感慨的。

還有陳祖武先生談到,希望能將常州今文學派的發展作研究,我個人對這個問題也非常地有興趣,因為我個人以往的研究,也是在常州今文學派這個範圍。關於陳先生剛剛談到常州學派的溯源,我二月份時,在文哲所裏曾發表過一篇文章,當時我也試圖對常州學派做一個探源。我是從《公羊》學派的內在理路做探索,由於莊存與大部分都從事教學,因此他似乎沒有意願想形成為一個學派,而後來之所以會發展成常州今文學派,這主要還是要歸功於孔廣森、劉逢祿、宋翔鳳等人。在劉逢祿之後,才慢慢地形成了大家的形式,因此我就

從劉逢祿以後,如魏源、龔定庵、凌曉樓等人的作品,作了概略性的認識,於是我發現,即使到了後來的梁啟超,他們都有一個共同的特點,就是他們之所以會異於以前的《公羊》學家,主要的原因是因為,以前的《公羊》學家都是以《公羊》解釋《公羊》,或是以《公羊》和《三傳》作比較而已,但從劉逢祿以後,他們就跳脫《春秋》只在《三傳》裏作打轉的窠臼。他們幾乎把《公羊》學引到很多的經典裏去,所以他們做了對《論語》的詮釋、對《孟子》的詮釋,甚至更多的詮釋,當時我將這樣的情形稱做「常州《公羊》學派『群經釋義《公羊》化』學風」,不過我仍覺得這個名字還是不夠周延。乾嘉常州《公羊》學派解釋了許多的經典,這些經典都是用《公羊》學的方式來解釋。他們不侷限在《三傳》上,而且還把它的範圍擴大他經上,擴大了以後更運用在「援經議政」,也就是以經典的東西來討論政治的問題,於是後來如魏源、龔定庵等,以此做了很多政治上議題的探討。

我認為在討論「常州《公羊》學派『群經釋義《公羊》化』學風」這個問題時,其功勞應該歸於劉逢祿。劉逢祿和宋翔鳳,都是從學於莊述祖,莊述祖習於莊存與而來的,而莊存與本身走的又是《公羊》注《公羊》的傳統方式,但為什麼到了劉逢祿會忽然突變呢?這主要有兩條路線待查尋:第一、這是他自己的自創;第二、他一定受了某人的影響。當我正在探討他到底是自個兒自創,還是受到了他人影響時,我發現了一個很重要的人物,也就是剛剛陳先生所提到的孔廣森。一般人在探討常州《公羊》學派時,都把孔廣森視作是《公羊》學的歧出者,也就是像荀子一樣是孔門的歧出者,因此在談常州《公羊》學派時,就絕對不談孔廣森,認為他的成就不在此,而是在音韻、考據方面,但是我從《公羊》學的溯源上來看,孔廣森到底是如何走這條路?其實孔廣森的《春秋公羊通義》,走得相當接近《春秋繁露》一樣的路線,《公羊》學派約略有《春秋繁露》和何林這兩個路線,何休由於有《解詁》,因此歷代都把這條路線傳承下來,但是《春秋繁露》這一條反而幾乎都斷絕了,直到凌曉樓才開始注《春秋繁露》。至於凌曉樓為什麼要去注《春秋繁露》呢?其實這和孔廣森也有關,在這樣的情況下,我相信孔廣森應該有影響到劉逢祿,於是我就開始探討他的作品。

　　劉逢祿《春秋論下》言：「清興百有餘年，而曲阜孔先生廣森，始以《公羊春秋》為家法，於以廓清諸儒，據赴告、據左氏、據周官之積蔽，鍼貶眾說。無日月、無名字、無褒貶之陳羹，豈不謂素王之哲孫，麟經之絕學。」

　　劉氏承莊存與之學，卻推崇孔廣森為開清百餘年來，「始以《公羊春秋》為家法」作為釐析微言、鍼砭眾說的第一人，並且推崇孔廣森不愧是「素王之哲孫」，能闡揚《春秋》之絕學。劉逢祿在替魏源寫〈詩古微序〉時亦言：「皇清漢學昌明，通儒輩出，於是武進張氏始治虞氏易，曲阜孔氏治《公羊春秋》，今文之學萌芽漸復。」可知劉逢祿認為孔廣森是清初治《春秋公羊》學的首要人物。劉氏認為孔廣森乃真正能發明《春秋》之微言大義者，因此，劉逢祿的〈春秋論下〉幾乎全引了孔廣森《春秋公羊通義》來說釋《春秋》要旨。

　　戴望是宋翔鳳的學生，宋翔鳳又是「學劉逢祿之學」，戴望對劉逢祿知之當深，戴望為劉逢祿寫〈故禮部儀制司主事劉先生行狀〉時，於其行狀中，論及劉氏學術僅徵引劉氏〈春秋論上、下〉為代表，然將劉逢祿徵引孔廣森的觀點全篇摘入於〈故禮部儀制司主事劉先生行狀〉之中，並且說到：「自《公羊》先師邵公而後，聖經賢傳蔽錮二千年，徐彥、殷侑、陸佃、家鉉翁、黃道周、王正中咸相望數百載，雖略窺恉趣，未能昭揭，迨所聞世，莊侍郎、孔檢討起而張之。至於先生干城禦侮，其道大光，使董、何之緒幽而復明，殆聖牖其衷，資瞀者以詔相哉。」可見，宋翔鳳、劉逢祿在《公羊》學的觀點上，受到孔廣森的影響至深。在此我們不禁想到，那麼劉逢祿樹立的常州《公羊》學「群經釋義《公羊》化」是否也受到孔廣森的啟迪？

　　劉逢祿受到孔廣森的影響，那麼孔廣森到底是受了誰的影響？孔廣森在寫《春秋公羊通義》時，他的方式很像《春秋繁露》而不像何林《公羊解詁》的脈絡，問題是，他是直接跳到「春秋繁露」嗎？這是我覺得相當疑惑的地方，我在想他是不是受到了戴東原的影響，這也是我現在正在探討的問題，因為孔廣森是戴東原的學生，因此我在想孔廣森在寫《春秋公羊通義》時，是不是有受到戴東原《孟子字義疏證》的影響，雖然孔廣森在書中有提到「先師莊侍郎」如何說等話語，而沒提到戴東原，但這正是我現在要繼續努力的地方，如果他真的有受到戴先生的影響，那麼常州《公羊》學派，很可能就要從孔廣森

這裏銜接上去了。這是我粗淺的看法,也是我現在正在努力的方向,希望各位前輩能給我指點,謝謝。

鄭宗義先生:

　　我想談一談別的問題,剛才講到經學擴大到經典的問題,我覺得這是我們現在從事經學研究的人,應該好好思考,當經學重新變成另一門新的學問分類時,他的定位應該在什麼地方?因為過去我們中國對學術的分類,是分成經、史、子、集四個方面,而在現代西方學術理論的衝擊下,凡是不能歸入現代學術分類的,都要被淘汰掉,比如宋明理學被歸入哲學,如果它進入不了哲學的範圍就等於沒有用。例如在今天的香港中文大學裏,就沒有經學這個科目,它可能存在於歷史系,如經學史、或目錄學史,或者存在於中文系的文字學或者古文字學的範圍裏。所以現在我們如果沒有研究古文字學的能力,也就是古代經學的功夫,那麼我們對經典就沒有辦法讀懂。即使現在我們研究中國過去的歷史、禮俗、文化,也是要用到經學的功夫;研究古代的文學,也一樣要利用到經學的知識,因此我們如果重新對經典之學定位時,就要考慮到它是不是一個基礎的訓練。我們研究中國哲學的人,常會覺得自己在這方面的訓練還不夠,甚至我們在教學時,也發現學生們因為對古典掌握得不夠好,於是他們在看古代漢語時,反而覺得會比英語還要困難。因此在這意義上看來,經學的定位還是很模糊,它到底是應該歸在歷史系呢?還是歸到中文系裏去呢?我覺得我們在重新為它定位時,應該考慮把它視為一種基礎訓練,也就是說無論是學哲學或文學的人,都應該有經學基礎。

　　另外,剛剛有一位老師談到,教經學要達到安身立命的效果,也談到考據、義理等議題,我想這也是研究經學的人要注意的問題。也就是說,我們除了要加強這方面的基礎訓練外,還要考慮到,目前經學到底有那些內容是可以被發揮出來的?而有那些地方是會受到限制的?比如考據與義理的問題,我個人的認知是,我們即使通了考據,不一定就通義理,這中間恐怕不是一個直接的關係。以戴東原的《孟子字義疏證》為例,有些學者的研究甚至指出,戴氏的這一部書是先有他自己的義理,然後再以他的考據和訓詁,來使他的義理合

理化，因此從考據到義理，這之間還是有一個距離。我舉這個例子只是想強調，我們除了加強經學的基礎訓練，還要注意到它的功能到底能發揮到那裏，我想這對我們在重新定位經典之學時，可能會有一些幫助，謝謝。

黎漢基先生：

其實我對這個題目絕對是外行，但過去我曾經看過熊秉真教授和朱維錚教授的書，心裏有一些疑問，也趁著熊教授在場，我想反過來看看這個問題。其實將乾嘉流變比喻成西方的文藝復興，最早是由梁啟超先生所提出，但據我所知，這個問題的研究目前已出現了瓶頸，而今天還在致力於推動這個看法的是朱維錚教授，朱教授有幾篇文章是在探討這個問題，他手下有一些學生也是從事這方面的研究，其中有一位是李天綱教授。他大致有提到《孟子字義疏證》多少是受到利瑪竇的天主實義的影響，但是到底這樣的比附正不正確呢？到底戴震看過多少部西方基督流變的書呢？又受到它多少的影響呢？由於我和李天綱很熟，我就曾請問他到底戴震看過幾部西學流變的書？受了多少影響？李天綱人在上海，上海有專門的天主教書庫，所以他研究起來比較方便，後來他也到法國去找資料，但我感覺他在材料上似乎出現了瓶頸，而他這樣積極地尋找資料，做這方面的研究，目的也只是為了要證明梁啟超的看法，我覺得這也是很有意思的。但反過來，乾嘉學術到底有沒有受到西方文化的影響，我覺得這是一個很有趣的問題，只是這個問題現在在材料上出現瓶頸，而且我也沒有能力去做這方面的研究，希望其他人對這個問題能多做探討，來幫助我解決這個疑問，謝謝。

鄭宗義先生：

我想再回應一下，我在研究戴震時有一個看法，也就是說他在作《孟子字義疏證》時，他本身是不是先已有一個想法後，再用訓詁的方法套進去，使他的看法合理化，他的目的是不是為了要摧毀宋明理學的權威，所以他才要回到經典，理直氣壯地說宋明理學都把經典解錯了，只有他的解釋才是正確的呢？例如日本學者村瀨裕也便持這種看法。但我認為這樣的論點不太正確，如果現

在以一個比較平情的態度來看，戴震的考據和他的義理之間，是一個循環的關係，絕不可能是先有一個義理的想法，然後才把考據來套，以使他的義理合理化，這是不正確的。當然，也不是說純粹透過考據就能獲致他的義理；因為在這之間他可能也有一些想法，特別是對朱學的反感，他也有一個致用的理念，想把情欲推到心性的層面上，所以他也可能運用了考據來傳達他的觀念，這之間的過程絕對是一個互動的，也就是一個循環的過程。因此這絕對不是先有了某種想法後，再用考據來證明這個想法，也不是僅透過了考據，就直接能達到這樣的義理，這中間絕對有一個複雜的關係存在。

周昌龍先生：

有一個問題一直很容易讓人產生誤解，那就是到底是把義理套在訓詁上？還是把訓詁放在義理上呢？我想基本上我們都不會做這麼簡單的評斷，剛剛鄭教授所說是對的，這是一個互動的關係。我認為戴震他本身有一個思想史的脈絡，這個脈絡很清楚，從天理變成情理，從單純的理變成理欲，這樣的轉換，有他的思想史邏輯在裏面，這樣的思想史邏輯，當然會影響到他的思考內容。他這樣的思想史架構，剛好在經書裏，可以回到他的原點裏去，他在經書裏安心地找到了他的依據，而不是說他在經書裏無目的考據，而考出他的義理來，這樣就變成了神話式的結果了。

剛剛鄭教授提出，經學研究是我們基礎的研究，我非常高興聽到這樣的呼應，而我以為除了是基礎的研究外，我再補充一點，它應是一個教我們怎樣去掌握我們文化精神的一種研究，希望能透過經典的研究，而知道我們的精神在那裏？文化在那裏？否則我們會很慚愧，好像日本人的精神很容易掌握，而中國的文化精神卻很難掌握。我記得在〇〇七電影裏，很早就已經展開了對日本的讚美，美國人不一定真正瞭解日本，但是他們對日本文化的印象卻很好，但在好萊塢的電影裏，幾乎沒有一部電影會認為中國文化是好的。最近的《致命武器》，把李連杰找出來，演的卻是幫派的小流氓。我的印象中在好萊塢的電影裏，沒有一部對中國文化是作正面詮釋的，為什麼會如此？張藝謀的電影常常得獎，高行健的小說也得獎了，但他們所詮釋的，就真得能掌握住中國文化

的精神嗎？或者反而是導致外國的誤解呢？我想如果經學不能從這裏出發的話，那我們到底要從那裏出發呢？

剛剛鄭教授也說得很對，我們今天的經學地位之所以會弄不清，完全是因為受到了西方學術分科衝擊的結果，也就是經學是被西方學術趕到分科之外去了，不只是分科如此，大學裏的西方科系進來以後，我們的中文系也被擠到外面去了，原來中文系是經、史、子、集的，但現在呢？卻變成了中國文學系，這是一個很尷尬的地位，要怎麼解決呢？當然還是要回到我們的文化本位去解決。我們的文化本位一定要反省到我們的文化特色，才能調整到大學分科的格局，才能調整到學術分科的格局，而不是永遠跟在西方後面跑，讓人家告訴我們，我們應該擺在那個位子上去，謝謝。

林慶彰先生：

有關文字、考據學大興的原因，是一定要追溯到明代中葉去，絕不是清代自身發展出來的。這個問題涉及到從明代中葉到明末清初，學者是用什麼角度去看儒學，也就是說儒學的本質到底是什麼？什麼才是儒家真正的經典？經典流傳了一千多年，但有許多經典可能是出於偽造，有些是夾雜著佛、老的，有些還可能是附會……等等，這些現象到了明末清初時，實在有必要作一個整理，以釐清那一個才是真正的儒家原典，於是就形成了所謂「回歸原典」的運動。對於這個問題，我想是可以參考我所寫的《清初的群經辨偽學》，我在書中已對這個問題做探討，而以前談經學史的人是不談回歸原典運動的。今天的座談會就到此結束，謝謝各位。

——原刊於《中國文哲研究通訊》第11卷第3期（2001年9月），頁251-280。

二十一世紀中國經學研究之展望

葉 純 芳[*]

日　期：八十九年一月五日（星期三）
地　點：中國文哲研究所二樓會議室
主　持：林慶彰教授
整　理：葉純芳

主持人：林慶彰先生（中央研究院中國文哲研究所）

這次會議的目的，主要是談文哲所三個主要的方向——中國哲學、中國文學、中國經學，在二十一世紀應如何發展。針對經學的部分，我們請到三位引言人，分別是臺大中文系主任葉國良教授、近史所張壽安教授、史語所陳鴻森教授。現在請三位引言人一一發言，之後的時間，開始給各位討論。

引言人：葉國良先生（臺灣大學中國文學系）

主持人、各位專家學者大家好，雖然我個人的第一本著作是有關經學史的論文，但其後很長一段時間，並沒有將精力放在經學研究上，其間的論著是斷斷續續的，可以說是經學研究的半個逃兵，本來是不適合在這裏講話的，但拗不過主持人林慶彰先生的盛情，所以只好在這邊野人獻曝，一些意見還不成熟，請各位多多指教。

經學研究，大致可以分為經書研究和經學史研究兩部分。在經學史的研究方面，我認為在理念以及方法論上大致沒有困難，而且學術界也一直有不錯的

成果。但是經書研究則不然，首先在理念上面就發生了一個問題，就是這些書是否還能夠把他們看成「經」。當人們提出這個問題時，就是從根本上質疑這些著作的價值性，所以如果不能對這個問題作正面的回應，那麼經書的研究將淪為古文獻研究的一環，而經書的研究將不復存在。果真如此，對整個中華文化而言，是一個很大的挑戰。究竟什麼著作能代表中華文化？在過去是《十三經》。如果不承認是《十三經》，那麼該是什麼？還是說一個人口非常多的民族，它可以不需要代表性的著作來代表它的文化精神？這樣的問題一直困擾著我，相信也有許多學者跟我有同樣的問題存在。首先提出這個根本性的問題，在此請教於各位。

經學的研究如果放在歷史的脈絡來看，現在是非常衰敗的，我所謂的衰敗，不是指著作的數量而言，而是指它的精神和意義的層面，也就是說這些著作對作者、讀者能發生什麼影響的問題，對我們的思想、行為的影響是否像對古人的影響一樣？歷史上也曾經有經學的衰敗期，尤其是異文化強烈衝擊漢文化的時候；但我們從經學史上來看，它每次都能夠浴火重生。百年來歐美的工商文化在精神和意義的層面，對我們的衝擊造成經學有史以來最嚴重的衰敗，這次是否能夠重生，完全要看經學研究者是否能夠再次賦予經書新的生命，這就是所謂的「人能弘道，非道弘人」。由於經書具有相當的開放性，我相信只要努力，是有可能達成的。

除此之外，經書的研究，還面臨一個方法論的問題，因為各經的性質不同，他們需要的方法論也不同，如果在方法論上不能突破，經書的研究將很難超越前人。

以下以《三禮》研究為例，將個人的想法與作法提出，就教於各位先生。過去所謂的禮學研究，有兩個現象，第一、他們不太重視橫向的研究，也就是受到「禮不下庶人」的概念的影響，而將「禮」與「俗」分開，士大夫文化與庶民文化分開。第二、過去的禮學研究，也不太重視縱向的研究。只談經書中的古禮，而忽略「禮」對後世的影響。我認為研究「禮」，最好和「俗」一起觀察。因為所謂的「禮」有兩個層面，一個是外在的儀節，一個是內在的涵意。以今日來說，大部分人較注意「禮」的涵意，認為許多的古禮是無法實現

的，但這樣的看法是比較不全面的。因為所謂的涵意往往是由後儒詮釋出來，在詮釋之後，就形成社會上大家所遵循的道德規範或是人生意義，而且也被社會大眾長期認知和接受。許多學者便以此為滿足，研究（涵意的問題）就此打住。至於外在的儀節，由於那些儀節在《三禮》記載之前，都是有來源的，並且隨著社會環境的變遷而變遷，但是經書上沒有記載，所以像《五禮通考》這類的著作，雖然蒐集禮儀變遷的資料，但由於他們將「禮」與「俗」分開來研究，所以他們蒐集的材料，往往有侷限性，不足以讓我們知道其來源與變遷的全貌。所以要瞭解「儀節」的原委，最好是結合民俗的研究，才能使禮學的研究具有現代意義。才能明瞭「禮」在中華文化當中運作的實際情況。

第二、禮書雖難讀，但禮儀習俗對人類的影響很大，我們的言行都有形或無形的受到禮俗的制約，從這個觀點來看，我們就可以從禮俗的角度去看其他的一些學門，如文學，中國許多文體是禮俗下的產物，如果單從文學的角度來看，便顯得片面、不足。最近個人發表一篇小文，叫做〈冠之禮的變遷與字說興衰的關係〉，就是這個想法的產物。我們既然可以將禮儀的研究與文學的研究結合思考，同樣的，也可以放在政治上的研究，研究政治與禮俗的關係，尤其是討論封建朝廷中的政治鬥爭，往往與禮學有密切關係。

第三、在禮學研究的成果表達方面，過去用註釋的方法，或是以專書、論文的方式表達，現在還可考慮與新科技結合，讓研究成果更廣泛精準地傳播。例如《儀禮》，其中有許多繁瑣又細微的動作、複雜的器物，往往令讀者放棄研讀。古人以禮圖彌補閱讀的困難，或者是表現研究的成果，但是古人的禮圖是平面式的，有些地方已模糊不清，且是不連續的，他所呈現的效果是有限的。三十年前，臺大中文系在孔德成老師的指導之下，曾經拍攝一部《儀禮‧士昏禮》的影片，這個嘗試，突破過去禮圖平面、不連續的限制。不過這部影片已歷經三十年，且是黑白片，不能顯現書中記載的一些色彩。最近本人根據這部影片，重新製作彩色《儀禮‧士昏禮》的3D動畫。拍攝影片，需要大量的人力、物力，且在傳播上頗有限制，改用3D動畫，可以不必勞師動眾，而且現代科技的傳播非常迅速，可以立刻向全世界發表。這個事例，從消極面來說，可以迅速解除某一些人認為古禮不過是老古董的想法；從積極面來說，可

以有效對社會大眾從事禮儀甚或是文化的教育。如果我們善用科技，可以有許多的點子作為研究成果的表達方式。作為一個研究中國古代文化的人，如何有效的、具體的、有說服力的，把我們認為好的東西傳播出去，是非常重要的一件事，不應只以在學術論文上發表自己的看法為滿足。以上淺見，謹供給各位參考。

引言人：張壽安女士（中央研究院近代史研究所）

今天欣逢文哲所籌備處成立十週年，謹先向文哲所全體同仁表達祝賀之意。這十年間，文哲所經學組在林慶彰先生的領導下結合蔣秋華、楊晉龍先生及一批後起之秀完成了相當豐碩的學術成績；我個人因不時參與這些工作，深知內裏辛勞，謹在文哲所十週年慶賀之日，向經學組的同道們表示敬佩之意。

大會邀請我談二十一世紀中國經學研究的展望，主題是傳承與創新。我個人並不以專經擅長，只因為近二十年來一直研究清代學術思想，對經學時有接觸，又因為身在近代史研究所，比較關懷傳統與現代性的銜接問題（當然也有斷裂）。所以今天我就從這兩個角度出發，談談二十一世紀中國經學研究的展望。

首先我得說明我的整個觀察是從三個基點出發的。第一個基點是「經學的性質」。我們都知道鴉片戰爭之後，中國可說是進入了現代性，無論是主動或被動、也無論全面或片面、更無論這當中的拉鋸。所以從「現代性」的觀點來看，我們可以說經學是中國學術未經現代學術分類前的，對一部分也可說是最重要部分的知識的一個統稱。從這個角度，我們或可暫將經學的研究劃分為古典與現代，但這絕不是說經學有古典經學、現代經學。而我的意思是要分清經學性質及其研究方法，在未經現代學術分科之前與已經現代學術分科之後。為了能更清楚的說明這個區別，在此，我就得立刻提出我的第二及第三個基點：classical studies和「新經學」。先談第二個觀點：classical studies。我們都知道在西方的學院裏幾乎都設有classical studies一科，研究希臘、羅馬古文字、古文明，因為它是西方文明的總源頭。中國的經學研究在很大幅度上是中國三千年文明的總源頭，今日在相當程度上也必得是「中國之現代性」的重要權衡。雖然，後者的進程目前仍具相當的摸索性。因此對經學進行classical式的研究

和進行新學術分類式的研究,就不可能同等。經學是傳統中國政教之本初,在三千年的發展中,經學研究有許多問題值得探討。例如:何謂經?經與孔子的關係?經學的派別?派別出現的原因、特徵、目的?歷代解經之轉變?和政治社會的互動等等。另外,專經的研究更是重要。我們都很清楚研究經學一定得具備小學的工夫,即所謂文字、語音、訓詁,還有校勘等等;也知道這裏所說的語言文字和今日西方的linguistics不同。文字、語言在清代雖說是由「附庸蔚為大國」,幾乎成為獨立學科,但它的最終目的還是在解經。今日我們研究經學,在基礎工作上也還是得尋這條路子走這種研究性質。我把它稱為古典研究。

談到經學研究方法,我想特別在此提出一點建議,做為今後的加強重點,就是名物制度。針對經學研究方法,文哲所開過好幾次研討會。學者專家們也都針對著文字、聲韻、訓詁、校勘等議題,提出許多心得。但仍有一個方法需要再加強,就是名物制度。經學研究以清代為盛,清儒治經重小學,人人皆知,但清儒治經更重名物制度卻鮮為人稱道。研究清代學術思想史都知道戴震受惠棟的影響很深,可是一般討論兩者的交往時,都只強調戴氏早年從學於江永,不反朱熹,認識惠棟之後,才開始反朱學。但實際上戴震更積極闡揚的,卻是惠棟的「名物制度」之學。我們看戴震為惠棟寫的〈惠定宇先生授經圖〉最切要的一句:「彼歧故訓、理義二之,是故訓非以明理義,而故訓胡為?理義不存乎典章制度,勢必流入異學曲說而不自知。其亦遠乎先生之教矣。」很明顯的,戴震認為名物制度才是惠學的最後歸宿,戴氏亦以此自我期許。後來淩廷堪為戴震寫〈行狀〉時,就直接把名物制度之學當作是戴震的學術歸旨。名物制度之學在治經上是非常重要的一個步驟,它所指實的一個知識範疇,絕非文字、聲韻、訓詁可以涵蓋。我們若不瞭解名物制度,就無法研究經學,更無法研究經學史。清儒治典章制度的非常多,程瑤田研究宗法制度,胡匡衷研究宮室制度,任大椿研究深衣,焦循的兒子焦廷琥研究冕服。在清代,名物制度本身也成為獨立的學問。可惜這類名物制度的研究在現今的經學界很少看到,應是亟待加強的部分。

第三個觀點就是我剛才說的「新經學」,用章太炎的話說是「經史學」。章

太炎提出「經史學」，是在二十世紀初期，現在經過快一百年了，但我們似乎仍在面對相同的問題。我們都知道經學在二十世紀初期遭到知識界的反省與批判，顧頡剛等甚至認為傳統經籍都是史料。經學是否能獨立成一學科，受到前所未有的挑戰。其實這個現象在清末的教育改革中，已清晰可見。光緒二十八年（1902），清政府通過《學堂章程》，在全國設立大學堂。把大學分為三級：大學院、分科大學、大學預科。前者以研究為主，不設科目。分科大學則借用日本的方式，分成七科：政治、文學、格致、農業、工藝、商務、醫術。大學預科則分為政、藝二科，政科設倫理、經學、諸子、詞章、算學、地理、外國文、物理、動植物、化學、礦業、圖畫、體操。其中值得我們留意的是，在分科大學的七科中並沒有「經學」科。至於為何沒有？這當中的思考與取捨準則為何？是一個非常值得追索的議題；縱使在一九〇三年曾因張之洞的建議而增加經學一科，成為八科。但這當中已透露出經學在面臨西式大學分科時的「窘境」或是「尷尬」。這是清末的情形。在這之後，學術界更發生了讀經問題、廢經問題等等，當時的輿論界都引起嚴重爭論。各位，今天我重提這個議題，並不是要討論近代經學歷史，而是想提出一個具建設性的議題，就是：傳統經學如何和現代學科對話？二十世紀初期的經學爭論，在相當的正面上是訴說著現代知識分類進入中國之後，經學該如何與各個學科對話。今天我們在英、美，甚至香港的許多大學圖書館裏，再也看不到「經學」這一圖書分類。在香港中文大學圖書館，《詩經》被納入文學類，《易經》是哲學類，《三禮》是社會學類……。我們再也看不到《十三經》被視為一個整體的排列在圖書館的書架上，而是打散了，再各依性質，被歸入相應的現代學科類別。我絕不認為這是件壞事，但它確實是一個挑戰，一個非常嚴峻的挑戰。挑戰經學如何因應現代學術分科？在此，我想提出兩條路子：一是六經皆史，一是現代學科的理論與方法。

　　「六經皆史」是章實齋倡導的，它的目標很明顯的是在攻擊戴震的治經方法。戴震的治經方法是循文字、聲韻、訓詁、名物、典章、制度的研究方法，這種研經方法在清代乾嘉時期披靡天下。但是章實齋則認為六經都是先王的政典，既是先王的政典，道不離器，本器求道，器就是典章制度。所以他主張把

六經當成先王的典制來進行研究，治經就得找到這些史意。這種方法最要緊的是提出了一個「史」的視野。從史的流變中去探討歷代典制的變革，同時在變化中觀察經書裏的「經道」與「權變」。這和黃宗羲談經史關係時說：「學者必先窮經，然拘執經術，不適於用。欲免迂腐，必兼讀史。」都拈出了史的重要性在於辨明經術如何「因時制宜」。其後的龔自珍接著說六經皆史、諸子也皆史，所謂「六經，周史之大宗」、「諸子，周史之小宗」。龔氏更用治史的方法來治經，他的用心也是在為經學謀一出路。當然，六經皆史說到民初變成「六經皆史料說」，和清儒的詮解已有相當差距。但無論如何，經過二十世紀初期的經史論辯，經學已從中國學術的中心移到邊陲，而史學則從邊陲移向中心，則是事實。尤其當我們回顧《漢書‧藝文志》是把《史記》列入「經類‧春秋」之下，視其為經類「春秋」的著作；到《隋書‧經籍志》時《史記》才被納入「史部」。千年後，經史地位又倒旋如此，這種變化，不可不謂鉅大。但無論如何，經學要與其他學科對話，「史」的視野與修養一定得具備，尤其討論典章制度時。

在此我想舉二個例子，說明典制、經史研究所可能展現的社會文化及思想意義。近年來我研究禮學，尤其是喪服和婚禮。喪服制度是儒家倫理觀念最具體而微的表現。在喪服中有一條是「嫂叔無服」，它的目的是「男女別嫌」。但是在實際生活中，嫂叔同爨共炊，共祀祖先，甚至時有嫂兼代母職，撫叔成人之事（如：韓愈），情義深厚。故無服之說，誠難服人。自唐以來，即時有論爭。清代學者針對「嫂叔無服」、「嫂叔有服」展開激烈論辯，長達三百年之久。基本上，這些辯論都是以考證方式進行的。不明就裡的，會以為這全是經籍考證，沉悶枯燥。但從制度史與思想史的角度觀察，就發現這是「情理」與「禮制」的脫序。換言之，「男女別嫌」此一道德雖未被清儒反對，但「別嫌」此一「禮意」是否仍應以「無服」此一「制度」來表現，則備受爭議。同樣的，清儒考證婚姻的成立在「親迎」而非「納徵」，他們的目的是在反對明、清律令中規定的「納徵」是婚姻的成立，納徵後悔婚即當受罰。而更尖銳的，則是對當時民間禮教普遍存在的「室女守貞」現象進行遏止。這些表面上看來都是考證的文字，實際上卻和社會文化、禮俗進行著緊密的互動。

其次，我想提出的是現代學科的理論與方法。我們都知道中國史學在二十世紀面臨了一連串的挑戰，遂有新史學的提出。近百年來，社會學、文化人類學、考古學、語言學、宗教學、民俗學更不斷的挑戰傳統史學，經學的遭遇也是一樣。但我絕不是說用西方的社會學理論或方法來硬套經學研究，我所主張借助於這些學科的是「議題」。二十世紀初期，劉師培和章太炎的經史學就是主張用上述這些學科的「議題」來重理傳統經學。這在王國維、周予同、陶希聖、瞿同祖等人的作品中，已清晰可見。一百年前的學者已經提出並且使用這些學科來整理混沌一體無法分割的傳統經學。一百年後，我們似乎仍停留在原處，無法突破。我想舉幾個例子說明用現代學科整理經籍作出的成果。早期瞿同祖、陶希聖結合禮學與社會學研究中國宗法社會、楊鴻烈研究中國法律思想史、柳詒徵寫第一本中國文化史；近期的有石磊用喪服來分析親屬結構，指出儒家尊尊親親中的禮原型是以親親為重，至於「移孝作忠」、「大義滅親」都是後起的價值。大陸李衡眉研究「昭穆制度」，昭穆是宗法廟制中非常重要卻不易瞭解的制度，連王國維都避開不談。李衡眉採用民俗學、人類學中的「兩合氏族理論」，又引用《國語》、《左傳》、《山海經》、《逸周書》等證明父輩曰「昭」、子輩曰「穆」，昭穆之分的目的是為相鄰隔的男子劃分界線，以免亂了血統。最近，也有年輕的同學用語言學的結構理論來分析《儀禮》的「釋例」，也有用文化人類學的祭祀理論來分析禮的儀式，從儀式看尊卑禮意。更有研究儒家生死觀的，從儒家對死者屍體的處理過程，從哭踊的限制、陪喪器物、殯以待葬、啟殯下葬，一直到招魂、從銘、刻主，觀察儒家的生死觀和宗教觀。

我談了這麼多，絕對不是說二十一世紀的經學研究得往新學術分科走去。我最大的目的是想要釐清二個觀念：一個是classical studies，一個是新經學。而新經學的研究方法，在相當程度上，必須跟現代學術分科相結合。這種結合，不一定是理論性的，「議題」式的啟發也是亟需藉助他山之力的。至於classical studies，我認為這是後者的基礎，不可移易。傳統經學在傳統中國的時空中，有它崇高的絕對意義，這種絕對值不容置疑，更不許質變。古典研究有其獨特的空間與獨特的歷史情境，它的語文語意及邏輯都有它自足的理路與

架構。清代經學考據學者在從事經學研究時,最常說的一句話就是「吾儒實事求是」、「吾儒詁經」、「吾儒說經」或「說經而已」。對他們而言,詁經不為科舉,詁經不求仕宦,詁經甚至也不為當下的實踐,詁經的目的只在保存先儒典籍之原型,以為參照。Classical studies的價值之所以永恆,原因在此。更何況經典教義所架構出來的文化倫理,至今仍流動存活在中國人的行為價值之中。

至於對二十一世紀經學研究的具體建議。一、希望「經學方法」、「經學大事年表」能早日編成。二、希望年輕的同道們儘量多具備相關的輔助學科訓練,以拓展自二十世紀初期章太炎等就鼓吹的經史學,使其能蓬勃起來,以回應學界殷切期盼的中國式的各類知識議題。

引言人:陳鴻森先生(中央研究院歷史語言研究所)

陳寅恪先生在一九三〇年為陳援庵先生《敦煌劫餘錄》寫序時談到:「一時代之學術,必有其新材料與新問題,取用此材料以研求問題,則為此時代學術之新潮流。治學之士得預於此潮流者,謂之預流;其未得預者,謂之未入流。此古今學術史之通義,非彼閉門造車之徒所能同喻者也。」個人早年好博,雜學而不精。近年來眼力不好,只能抱殘守缺,對於當前學術研究新的成果,個人所知極其有限,談到利用新科技進步研究,個人更是只能瞠目以對。用陳寅恪先生的說法,對新時代的學術風潮而言,個人是未入流的。

經學對中國文化最大的影響,個人認為是在制度與教育方面。透過制度與教育,它深入到文化各個層面,影響人們生活與思維方式,形成一套與西方文化迥異的價值觀念與社會道德習俗。經學的現代詮釋是非常必要的,但近年來我所作的都是經學的一些基礎研究,我不否認自己是充滿舊思維的人,因此只能從個人的角度來談未來經學的展望。

時間是連續的,新的時代潮流絕不是突發的,明代中晚期空疏的學風,以及偽書的大量出現,相對影響明末清初學者追求務博、辨偽的風氣,進而促成乾嘉時期考據學的興起。由於考據的需要,也使得當時小學、目錄、版本、輯佚、辨偽等等學問的發達。當時從事這種學問的人才叫做「預流」,他們的研究不外乎考異本、正音讀、校訛文、輯古注、匯眾說、求正解這六個方面。這

些成果彙集起來，就是正續《皇清經解》，從中提煉出來的是群經的新疏。清末民初以來，由於敦煌佚書的發現與近代考古學的發掘，王國維先生提出「二重證據法」，利用出土文物來考證經籍的史實年代、儀節制度。比如利用卜辭，來考證《尚書·高宗肜日》是祖庚祭高宗，而不是舊說高宗祭成湯，就是顛覆過去的舊說。另外利用彝器銘文來訂正前人句讀、文字假借、形訛、或訓詁的錯誤。這類考證比起高郵二王、錢大昕、段玉裁等只從書面文獻材料，或漢、晉墓誌、碑刻上來推求經書的異文或今文家異說，研究空間相對地加大。晚近武威漢簡《儀禮》，馬王堆帛書《周易》、《春秋事語》，雙古堆《詩經》、定縣竹簡《論語》等等，以及最近出土的郭店楚簡中的一些資料，都是任何經學研究者所不能忽視的新材料。

　　臺灣學術界在利用這些材料方面，條件上當然遠遠不及大陸學者那麼方便，這是無可奈何的。我們應該努力發現自己的優勢是什麼？我看到臺灣學術界不少的學者只是在作一些簡單的「加工業」，以《論語鄭注》來說，日本學者月洞讓利用馬國翰、孔廣林等人的輯本，加上日本舊籍所徵引的《論語鄭注》佚文，以及敦煌殘本的材料，編了《輯佚論語鄭氏注》一書。後來日本東北大學金谷治教授將幾種敦煌寫本及後來發現的卜天壽寫本，合為《唐抄本鄭氏注論語集成》。我們的學者很快地將這兩部書結合起來，重編為《論語鄭氏注輯述》。近年大陸學者王素又將吐魯番《論語鄭注》殘卷整理出來，我們的學者馬上又將王素這本書加上前面兩部書，編成更大的書。也許某些人看來這是超越性的研究，一些學者對類似的工作更是樂此不疲，甚至是爭先恐後。但從一個研究者的角度來看，這樣的工作只要別人再加些新的材料，馬上又被取代了。在材料上我們很難在第一時間佔有，但即使是這樣，我們並不就絕望了，我們應該以更深刻、細緻的研究，來彌補材料方面的劣勢。此外，舊材料只要充分利用，還有不少的研究空間。以《韓詩》為例，原本《玉篇》、慧琳《音義》、《玉燭寶典》等書，有不少《韓詩》佚文的材料，這些材料不是乾嘉時期臧庸或陳喬樅在輯《韓詩》時所能看到的。另外在《大乘禮趣六波羅蜜多經釋文》這些佛家經典的音義，以及日本舊籍《令集解》中，我也發現一些《韓詩》佚文。但即使像慧琳《音義》這類大家所熟悉的書裏，還是有很多我

們過去沒有發現的新材料。比如其中引用《毛詩》傳、箋有數百條之多，我在校《毛詩》時，曾經將慧琳《音義》所引《毛詩》傳、箋全部校過一次，發現其中有很多是與今本《毛詩》傳、箋文字完全不同的。經過考證，才發現那些是《韓詩》佚文被誤標為《毛詩》。像這一類材料，過去並沒有發現，一下子就增加了不少的佚文新材料。我想強調的是不要一窩蜂的只是追求新材料，舊材料還是很多沒有被發現或經利用的新資料，程元敏先生所輯王安石《三經新義》便是一個絕佳的例子。同樣再以《詩經》為例，敦煌文書裏有許多《毛詩》傳、箋殘卷，但是學界到現在還沒有利用這些材料重新作《毛詩校記》，或者《毛詩傳箋古本考》這類研究。我過去曾經校過一部分敦煌本《毛詩》殘卷，但因中研院要求每個研究人員每年必須有若干論文發表，但這些校勘工作，極費時間，並且國內很不重視這一類基礎研究，因此只好半途擱置了。

我剛說過，我從事的都是手工業，而且是個體戶。我想，現在的時代，其實是集體研究的時代，最近我與日本一位研究緯書很有名的學者中村璋八先生寫信談到，先師陳槃先生過世後，我在他的遺物中發現一本小冊子，叫做《古讖緯通纂集釋目錄》，據此可以推知先生早年大概有志於讖緯輯佚纂釋工作。後來安居香山、中村璋八先生帶領他們的學生及助手，先一步編成了《緯書集成》，先生的書只好擱置了。其實我自己有很多研究也都是半途擱置的。之前我曾經將敦煌本《論語集解》大略校勘一遍，並且用了兩個暑假將臺北故宮楊守敬觀海樓所收集的日系《論語集解》寫本全部校過，與敦煌本頗有異同，但那些大多是較晚期的室町時代寫本，價值稍低。我一直希望能有機會到日本一趟，將京都所藏的古寫本再校過，寫一個新的定本。最近發現大陸已有人將敦煌本這一部分整理出來。我過去的一些心力似乎泡湯了。現代的電腦科技十分進步，我想利用電腦掃描、光碟等工具來編一些彙編性的著作，在現在來說應該是輕而易舉的事。但是除了這方面的編纂工作外，我們是否有能力對清代的新疏重新作補正，甚至總結最近這一百年來的研究成果，重新做疏證或集釋。在這方面，我印象較深的是裴學海曾做過《孟子正義》的補正，其他各經似乎付諸闕如。也許這類補正、集釋的工作，大家會認為是舊形式，可能不合時宜。但是在這知識爆炸、資料充塞的時代，一個世紀、幾輩人的研究成果，仍

然需要借用傳統的形式來加以別擇、沈澱、積累，以傳承下去。有了總結，才
能創新。如果研究的積累層越深厚，創新的可能性就越大。此外，像我這樣個
體戶的研究時代應該過去了，期望在座的年輕學者，能組織讀書會，花個五
年、十年的功夫編一些書，比如《漢晉經學年表》、《南北朝、隋、唐經學年
表》等等基礎性的研究，我非常希望有人能著手從事這方面的工作。文哲所經
學組這幾年來在這方面作了不少貢獻，比如召開了元代、明代、清代的經學研
討會，相信以後還會召開像唐代、宋代這些大型的國際研討會。慶彰兄也編纂
了《經學研究論著目錄》、《乾嘉學術研究論著目錄》、《日本研究經學論著目
錄》以及整理姚際恆的著作、點校《經義考》等，都是嘉惠來學的工作。在召
開這些歷代經學研討會的同時，似乎可同步著手籌劃兩件事：一是臺灣的學界
應群策群力，編寫彙整臺灣五十年來經學研究及新觀點的經學史。另外應結合
國內外的研究者，編纂比較詳實精確，甚至是更深刻的經學辭典。一九八八年
大陸學者編了一部《中國儒學辭典》，一九九三年編了《經學辭典》，我以一個
研究者的觀點來看，其中大多數的詞條都是輾轉鈔販來的，並非著者有過深入
的研究，有些詞條甚至是滿紙訛誤，真可謂「不知而作」。近幾年來，大陸陸
續有幾部《周易》的辭典、《三禮辭典》，是比較詳實的，但詞條的解釋，在我
看來，還是太過簡略，不是研究的結晶。文哲所在召開歷代經學這類大型研討
會時，應該注意各個學者研究傾向及專長，以後請這些專家學者來作相關詞條
的撰寫工作。慶彰兄所編的這些目錄書，於己則勞，於人甚便，使後人受惠不
少。期望慶彰兄二○○一年以後，能將一九九二年以後到二○○○年的部分補
足，作為一個世紀的總結，為後世留下一個完整的紀錄。在編目的基礎上，是
否可考慮組織人力編成各經的研究事典，把清以前各經重要的著作與學者加以
介紹，民國以來的則選擇重要的論著寫提要，我的想法是不要全面性的著錄，
而是做一些別擇的功夫，把一些重要的論文加以評述。事典最重要的組成部分
在於指出各經在研究史上的爭議與問題點在哪裏，近人對這些問題的研究概況
加以介紹，或摘錄各家的異說，可能的話，再加以一些評述。這些研究事典，
可以避免學者一些重複的研究並作為研究的指針。同時可以進行的是，這些重
要的論文，是否可請各界的學者就其所知推薦，再由慶彰兄他們來甄選彙編為

論文集，外文部分也請譯者翻譯，次要的部分只存目作為附錄，不知是否可行。

最後，我想引用《後漢書‧杜林傳》的兩句話，他說：「古學雖不合時務，然願諸君無悔所學。」謝謝各位。

林慶彰先生：

謝謝三位對我們的建議與期望，有些建議是臺灣研究經學學者將來應該努力的方向。除了三位給我們的意見可供參考之外，在座的各位來賓相信也有很多建議要提供給我們，將來經學界可以共同來合作，朝這些方向前進。現在開放討論，各位發言時，請報大名與單位，以方便記錄。

討論

張寶三先生（臺灣大學中國文學系）：

我在過去一兩年曾參與本校黃俊傑教授主持的「中國經典現代詮釋」的研究計畫。參與計畫當中，有一個感受，從中國經典現代詮釋的角度來思考，經學在未來究竟會面臨一個什麼樣的發展與困難？感覺到現在對經學的研究，基本上，有兩個比較明顯的趨向，一是所謂經典範圍擴大的呼聲。過去我們所謂的經學，可能是以《十三經》作為主體，或相關的研究。現今有些人認為儒學未必是中國文化最精粹的部分，所謂的經學也未必是指《十三經》，其他如老子、道家的經典在未來也可以納入經學的範圍中。從這個地方來看，經學研究的未來，需要作經典的認知，在這部分是否需要重新反省？即剛剛葉教授所提到的：「中國文化的精髓究竟在哪裏？」

第二個部分是關於經典詮釋的方法，現在面臨最大的挑戰是國際化的問題，即使以儒學經典的研究來說，我們過去是以比較傳統的研究方法，在面臨現在國際化或與外國學者對話時，往往內心有些許的惶恐，在比較新的詮釋學的觀點重新詮釋儒學經典，傳統研究者如何與之對應？他們經常要求用國際性的語言或大家比較能瞭解的術語來作為解釋工具，可是我們所使用的語言常與他們有很大的落差。這時我們應如何面對國際化要求的方法或語言？這是我感

受到比較困難的地方。我們又該以何種心情來面臨國際學者的對話？是否仍維
持傳統的研究方法？

李隆獻先生（臺灣大學中國文學系）：

我其實是經學的門外漢，但我剛聽到幾位的發言，有一些想法，經學的範
圍是否應該再重新思考？剛剛張教授說經學是西學進來之前的名稱，如果是這
樣，今天研究經學，就是純粹的古典研究。如果不是，我們應該如何把傳統經
學結合歷史、政治這樣的特色延續到現代經學，如陳鴻森教授所說，是離不開
教育的意義或制度的沿襲，雖然現在經學在政治上所扮演的角色比較不強烈，
但在政治或歷史上仍應可以做一些結合。另外張寶三教授提到經學國際化的問
題，我曾經對所研究的《左傳》作這一方面的思考，現在流行的「敘事學」，
是一個從小說理論出來的東西，但只要是敘事性的文本，都是有敘事的成分。
就如葉教授剛剛提到，研究經學在方法上要有所突破，在這一點上面或許還可
以做一些貢獻。提供給各位參考。

鄭吉雄先生（臺灣大學中國文學系）：

我研究的方向主要在清代的學術思想，在經書上花比較多的時間是在《周
易》，其他經書也很生疏，是沒有資格去談很大的問題。對剛剛前輩所提出的
問題，我歸納了一下，其實我們今天的議題就是對二十一世紀的展望，當中我
覺得比較重要且為大家關懷的，是傳統經學如何適應新的環境？如寶三兄提出
語言的問題，記得在參與黃俊傑教授詮釋傳統的會議時，葉國良先生也提到，
經學語言的問題，如何保留經學語言？不至於使用一些新的語言而把經學的意
義扭曲。我們既要保留傳統經典中很特殊的語言，才能很生動的表達經學中一
些內涵或是一些實質的內容，但我們又要使用一些新的語言及觀念來達到國際
交流或適應新時代的環境，所以當中的兩難如何達到一個平衡點？我剛剛聽到
陳鴻森教授說編辭典、事典的工作，我覺得可以先從事這方面的工作，再透過
長期的功夫，有系統的翻譯成英文、日文等等，是可以一步步去做的。

關於經學如何走入新的時代？我想傳統的學者一直都在努力做這樣的工

作，就以我自己研究清代，戴東原是一個考據的大師，在丁酉（1777）年寫了〈答彭進士允初書〉，那封信很長，是他去世那年寫的，主要是談儒釋之辨，也批評到佛老之學如何改變面貌跑到儒家學說中，當中也談到民族文化的問題，他說很令人擔憂的地方是將佛教思想弄到儒家思想中，「將吾族文化化為異族」。他一生研究很多儒家經典，他很關懷這個問題，剛剛我舉的例子，是要說明傳統的經學家，並不如我們所想的要抱殘守缺，他們其實對社會、民族非常關懷，只是並沒有說出來而已，經學研究未來還是很有希望的。

楊晉龍先生（中央研究院中國文哲研究所）：

就我個人的角度，我作這一門的研究是因為我很喜歡，研究經學使我很快樂，但至於它是否要推廣、需要很多人來研究，對我來說並不是很在意，我比較在乎的是我研究的課題，有沒有盡到一個研究者的責任，是否磨滅掉以前學者的精神。對經典的精神，有沒有完整地表述出來，在表述的過程中，我是否誠實地將其優劣呈現，使大家瞭解。就我個人自私的觀點，經學研究就是儒學的研究，儒學研究就是身心的研究。我除了很誠實地面對研究對象外，還要很誠實地問是否對我的身心有幫助？如果我覺得它是好的，在我的日常生活中要將之表現出來。這是我覺得最重要的一個課題，以及追求的最終目的。這麼說或許會使大家覺得我很自私，只想到自己，沒有想到大家，但作為一個研究者，能夠在日常生活當中，把自己研究的經學部分，真正的在你的生命當中表現出來，當我們要去推廣時，可能會比較容易。當然我不是反對推廣，因為從今天市場經濟的角度來看，行銷絕對是必要的，這方面我比較欠缺。當然我不是希望所有人都跟我一樣，我非常贊成剛剛鴻森學長提到的文哲所用群體的力量來做一些對以後的研究者有益的事，我也很樂意去參與這樣的事情，但基本上我作研究的目的就是我剛剛所講的。

陳鴻森先生：

記得六〇年代大陸有個學者叫李思純，他寫一本書叫《元史學》。有人問他歷史有很多方面可以作，為什麼一定要研究《元史》？他說沒有目的，只是

大家都覺得它很難，很少人研究它，他就研究。早年我在選擇乾嘉學術作為研究方向時，也是如此認為。所以剛剛晉龍兄所說的，我很能體會，一個研究社群裏當然應該容許這種個人抉擇存在，但任何一個經學研究者卻不能迴避這樣的質疑：經學作為主流價值的時代已經過去了，經學對現代社會究竟具有那些積極意義，或者它只是一種歷史文化遺產？這是大家必須共同深思的課題。如果經籍完全缺乏當代意義，那麼它的存在價值便相對薄弱。這在群經裏，各經的差異性極大。經書歷來一直在增加，由《五經》、《九經》到《十三經》的確立，就某種意義而言，其實就是經學在不同的歷史進程裏，面對「當代意義」的要求所作的相應調整。後來有將《大戴禮》加入為「十四經」，清代學者更有「二十一經」之義，表面上這是經學範圍的擴大，但我的體會反而是經學重心的轉移。《五經》中《尚書》、《禮》、《春秋》事實上都具有強烈的時代性和周文明的社會特徵，隨著歷史的發展和社會的變革，它便日益顯現出時代落差以及它和現實社會的不同調和性。宋代以後，經學的重心逐漸由《五經》轉移到《四書》，典謨訓誥等法先王的政治意識型態雖然還存在著，但它更強調的是儒家學說中的某些普世價值，尤其是道德理性這方面。事實上直到今天影響東亞文明圈的，主要也是這部分。經學的組成分為經與經說兩部分，經典文句雖有個別解釋的差異，但它意義基本上是固定的。經學內涵重要的部分是在經說方面，藉由經說的擴充和再解釋，一方面可彌補「經」的規範意識的有限性，另方面則藉由不斷的再詮釋，去尋求經典的當代意義。每個時代都有其當代詮釋，這是歷代經學得以保持活力的主因。但這並不排斥經學的古典研究，剛剛我引用〈杜林傳〉所說的話「古學不合時務」，可見古學不合世用，漢代已然，但古典研究並不因此斷絕，它還是一代一代傳承下來。至於張寶三兄提到與國際對話的問題，我想經學有它的特定意涵，「經」的意識甚至帶有強烈的排他性。似乎用「儒學」的概念比較容易與外界對應。

楊儒賓先生（清華大學中國文學系）：

我們現在面臨一個很大的問題，經學何去何從？本世紀整個知識重組的過程，經學獨立的地位已被打散。在美國、香港，經學已不是獨立的領域。在早

期，一切的學問都附在經學之下，一直到馬一浮先生仍然認為經學不但能統攝中國所有的學術，甚至可以統攝世界的學術。為什麼經學在世界的定位找不到一個適當的地位？經學獨立的意義已不復存在了。經學如仍有未來，我認為是跟儒家有生命的共同體，如果儒家沒有希望，經學大概也不太有希望。如果儒家還有希望，經學自然會提出一個反應的模式。以《易》來說，在先秦有先秦的解釋方法，在兩漢有兩漢的解釋方法，但在宋明這個階段，我們都知道宋、明理學接受佛教的挑戰，卻仍然可以提出對《易經》的新解釋，而且當時的人不認為這樣的新解釋是獨斷的，他們認為還是跟孔子有關係。再以熊十力為例，他提出「新唯識論」，其實是從《易經》的立場，來接受佛教以及進化論的挑戰，至少從熊十力或相信他的人的觀點，他這樣解釋《易經》，仍然有其意義。如何重新產生意義感？不論將來思潮如何轉變，經典還是一樣可以提出它的回應。經典的意義不是完成的，它還有無窮的泉源。以後隨著新時代對它的挑戰，它的深層意義可以慢慢發揮出來。

張壽安女士：

我想回應幾位先生的談話。今天的談話當中，我提出的最主要觀念是classical studies（古典研究）。我思考這個問題已相當久，提出這樣的觀念，是因為關懷經學在今日如何定位？經學的研究如何總結？以及經學的發展該何去何從？陳鴻森先生提到經學是有一個特定的意涵，楊儒賓先生說經典的意義永遠不斷在進行中，我都十分同意。我曾經說歷代的經說與經義，其實都是不斷地在進行創造性的轉化。創造性的轉化在經學當中一直都存在，朱熹就是最明顯的例子，《四書》就是經過他的刪削，然後分章分句，重編出來的。同樣的，清儒也是如此，可以說歷代的經說都在進行創造性的轉化。陳鴻森先生談到，每一代的經說都在回應它的當代議題，我們今天也在回應我們的當代議題，所以這本身不是一個不能克服的問題，當然我們今天面對的不單是中國內部的問題，也不單是佛學思想的問題。而是西方強大的國力及龐大有系統的知識體系的挑戰。

我試圖指出的是，我們宜否將這兩層工作略加區隔，我們是否可把傳統的

經學研究，給它一個完滿自主的定位，稱它為classical studies（古典研究）？就像西方的大學院中都有古典研究系，因為這是它所有知識的源頭，在這源頭活水中，它自有其永恆性、邏輯性、時空價值性。尤其重要的是它不一定要回應當代的議題，但也不能因為它不具當代的議題，就消滅了它原有的議題。就如「嫂叔無服」這件事，在顧頡剛看來，根本是一個笑話。顧頡剛在他的筆記中寫得非常清楚，他說中國東北天氣寒冷，全家人就同睡在一張大炕上，嫂嫂、小叔子挨著睡，公公、媳婦貼著睡，哪裏有「男女別嫌」、「嫂叔無服」這種事？但我們不能因為時代地域的變化，就否定了中國儒學所本存的議題。所以我提出classical studies（古典研究），就是給經學一個完美自主的定位。讓未來研究經學的人知道他在研究什麼，尤其是，它不一定要回應當代的議題，這是一個部分。

但話說回來，我們必須要回應國際的疑問，我記得杜維明先生非常積極的告訴我們，西方的疑問我們非得回應不可。這又是經學研究者另一個研究方向。我認為把他作一個區分，一則是為經學的原貌保留完美自主的定位。我之所以談到這一點，我的靈感不是憑空而來的，我研究清代學術已有相當長的一段時間，我看阮元以及阮元學術圈的學者，他們在研究經學時，最常講的幾句話是「吾儒詁經而已」、「吾儒說經而已」、「吾儒實事求是」。舉個例子來說，最近我在研究「過繼」的問題。有人問程瑤田，過繼子對養父與親生父親的喪服該如何服？程瑤田的回答很耐人尋味。他說在儒家的思想當中，只有大宗無後才需要過繼，其他的支子無後是不用過繼的。這是因為只有大宗才負有沉重的責任，才有過繼的問題。但事實上，過繼的意義，在唐代已喪失，明、清時早已演變成人人都可以找個繼子以承繼財產。所以程瑤田只告訴那個人自己看著辦吧！清代的乾嘉學者有知識獨立的觀念。在程瑤田的理念當中，恢復儒家禮制的原型，說明儒家禮的秩序的原來設計是怎麼一回事，就已盡了經生的責任。至於「過繼」從禮成俗，原始意義盡失，在經過那麼多的朝代，社會有了那麼大的變化以後，今天還要來分清楚親親尊尊如何服喪，根本是無法回答的。我從這一點發現，十八世紀的學者已經面對這樣一個問題了，即：儒家的經典，到底能回答多少當下的現實問題？雖然儒家經典未必能照原型式的實踐

出來，但儒家經典的原貌是什麼？仍須保留。

葉國良先生：

　　剛才張寶三先生說我們要對外來的挑戰做出回應，而張壽安女士有一個主張，我個人覺得不太贊成，如果你放棄「經學」這個詞彙，那就不再有經學了，會有別的東西，但再也不是經學了。這就好像我們作為一個中國人，有一個中國人的名字，當我們出國時，可以取英文、日文的名字，可是你還是有你的中國名字。如果有一個中國人丟掉了自己的中國名字，他再也不是中國人了。所以從這方面來思考，也許我們可以更慎重一點。今天有些學術的分類，沒有經學這一項，那是他們的事，在他們的國家本來就沒有《十三經》，他們怎麼可能分出這一類？重點在我們要不要堅持，你可以作一個很孤單的人，但你還是一個有特色的人，不能因為這樣就改名換姓，如果這樣就改名換姓，可能有迷途而不反的危機，這是我提出的一點淺見。今天我們要談經學、儒學，如果滿紙看不到原來經學、儒學中的詞彙，那還算什麼經學、儒學？所以最基本的一些詞彙是要保留的，如「經學」就是「經學」，別人不承認，那我們也沒有辦法。

張壽安女士：

　　我想葉學長誤會我的意思。classical studies（古典研究）的中文名字確實叫做「經學研究」。給它這樣一個名稱，就是給經學研究一個自足的定位，以區隔開對應於現代學術分科的議題式的經史學研究。

葉國良先生：

　　我想再補充一點，「經學研究」的「研究」這兩個字也可以取消，因為「經學」本身就是研究了。不然它只是叫做「經」，「學」就是表示「研究」的意思。所以我剛剛說還是叫做「經學」，不要改變它，也許也是一個辦法。我剛才提到的意思，不是你不可以去翻譯，只是原來的東西要保留，最好這個翻譯是讓別人去翻譯，而不必我們自己翻譯。

陳鴻森先生：

　　剛剛談到與國際對話的問題，我們無法孤立的來作研究，跟外面的對應是無法避免的，但任何古文明的國家，一定會保有自己的古典研究，它有它自己的研究傳統和傳承意義，這部分是外國人比較難以深入的。「與國際對話」和「古典研究」二者並不是互相排斥的，儒學如果缺乏經學的古典研究作基礎，便會產生「六經注我」的空洞化現象。當然，經學本身也有它的侷限性和不合理成分，尤其清末以來，經學所賴以生存的社會經濟基礎和政治制度已經改變了，經學支配性的價值已經不再，經學研究的意義自然需要重新定位。但就像傳統文化不會在現代生活中完全消失一樣，經學以及儒家合理思想，作為整個傳統文化的主要成分，它自身的特質和精神價值不會被全盤抹煞。就我個人來說，我研究經學，但我從事的是學術史的研究，我始終把自己定位在此。

張壽安女士：

　　我當初的構思是相當長遠而偉大的。我曾經跟三四位院士談過這個問題，我認為中央研究院得成立一個「經學研究中心」，這個經學研究中心是獨立於任何所之外。之所以會提出這個構想，就如陳鴻森先生所說的，任何一個古老的文明國家，都有它的古典研究，而且無法切割，所以我們要留這些經院派的學者，在這裏不事生產地研究。我當初的說辭，我們這個中央研究院，說句玩笑話，擺在任何一個國家，都可以成立，因為它沒有足以堪稱代表「中國學術特色」的學問，一個中國的經學研究中心。當然我不知道未來是否能夠有個經學研究中心，來標示這是中國的中央研究院。而經學正是中國文化的源頭活水。

葉國良先生：

　　張壽安先生的意見，我相當願意贊成。在座有很多中文系的同學，各位想想看中文系的課程設計，就可以想見為什麼我們沒有經學中心。文字、聲韻、訓詁是必修，但經書沒有一部是必修。這不是少數人的問題，而是這一百年來，中國人腦袋的問題。這個問題的後面，有非常多的問題存在，如果後面的問題不能解除，當然不會有個經學中心。而我很樂意見到有這個中心。

某研究生：

在分類上談經學的問題，在目前分類表上並沒有經學這一項目，其實我並不這樣覺得。現在的總類還是有諸經的存在，而且把各經合在一起，我想早在清代，經學就是一致性的，到各類裏面，文學中有《詩經》，社會學中有《三禮》，史學中有《春秋》，而且是在各類之首。這樣的分類有其意義存在，一是經學是綜合類的，它本來就是統合各類的。到各類來看，它還是各類的源頭，作為近代研究、研讀經學，它的源頭性是否還在？在我自己研讀的過程中，最大的問題是經學缺乏一致性，經學的內部就應該先作學科性的整合。因為經學不是把《尚書》、《春秋》各種經獨立成一個專門的經，它應該是要有整合性的、原則性的。它可以分散到各類去。現在我們在作研究時，我們都強調某經在某一類，顯然缺乏整合原則性。散到各類去時，就比較難以對話，產生其他相關的問題。

林慶彰先生：

關於這一點，清華大學在前一陣子開古典文學會議時，來了包括李學勤等好幾位大陸學者，他們參加座談會時，我對他們提出質疑：在臺灣，經學還是有一類，但大陸學者將經學分在哪一類？其實根本沒有。所以我說中國文化在臺灣也不為過。大陸發現許多新出土的資料，都是有關經學的，老一輩的先生因過去受過經學的訓練，很容易就可以將新出土的材料作深入的研究，但是請問現代的年輕人，沒有接受過一本經書的教育，怎麼能夠將出土的資料作銜接的研究呢？是否考慮過在大陸所有大學的課程中對經學的定位工作？這一點大陸比臺灣要嚴重好幾倍，我想安徽社會科學院文學所的陳友冰教授也在座，陳教授在大陸也是有影響力的教授，希望陳教授將此呼聲帶回大陸去，好好研究如何修改、調整。

在經過兩個鐘頭的討論，已有大概的研究方向，比如在傳統的研究領域中去發現新的問題，再者我們應該要用新的解釋方法來對經學作比較新的詮釋，也應該要有發掘新資料，也要編輯各種辭典。二十一世紀剛開始，這些事可以慢慢來做。另外我們也可以拓展一些新的方向，比如我個人最近在作的一個問

題，是以前從來沒有人去關心的問題，因為我被人問到日據時代臺灣是否有經學？就好像陳慶浩教授問我五代十國有沒有經學？我說當然是有，但我舉不出例子來，於是我請一個學生研究，研究結果就登在《經學研究論叢》中。我們的宋代經學國際研討會在後年就要開了，我們想到遼、金、西夏有沒有經學？所以新的研究方向的開拓，也是我們將來要作的一個問題。剛才有關日據時代有沒有經學的問題？起先我也答不出來，但現在我可以作比較深入的回答，雖然不全面。日據時代不但有經學，而且他們的方法非常新，幾乎所有研究經學的學者都受過比較新的社會學訓練，譬如郭明昆研究《儀禮》，林履信研究《尚書‧洪範》，張純甫研究《左傳》，都有一定的成就，而且他們的材料也都留下來，近期我可以編成《日據時期臺灣儒學參考文獻》，大概有七、八百頁的材料。這些材料編成後，就可以引導一些新的研究方向。

除此之外，我們一直在講國際化，前一陣子國科會開人文學會議，也在談臺灣的人文學研究，尤其是漢學研究的國際化問題，所以我們不但要關心自己本身的研究，可能也要關心日本、韓國研究經學的成果有多少，我們應該把這些資料作一整理。我編過《日本研究經學論著目錄》，大家可以發現經學的著作非常多。我們是不是應該要去關心它？另外，歐美的研究成果，我們也應去作研究、整理，這樣才算真正的讓臺灣的漢學走出去，與國際作交流。

楊晉龍先生：

剛剛葉國良老師說要作3D動畫，其實林慶彰老師也曾經想要作《詩經》中的鳥、植物、動物的3D動畫，如果大家有這方面的資料，是否能提供給我們？在屏東的野鳥協會已作一部分，有關《詩經》中的鳥在臺灣有出現了哪幾種，那些鳥現在的名字是什麼？當然不一定對，而且他們也不是學術的研究，他們只是要提供賞鳥者一些資料。在臺北植物園有一個「詩經植物園區」，似乎也可以給我們一些啟發。

葉國良先生：

我們有責任將難讀的變成容易讀的，將難懂的變成容易懂的。如果還是這

麼難讀，將來只會越來越難讀，族群會越來越小。我們這一代也許可以轟轟烈烈地做，但之後就沒有繼承人了。

林慶彰先生：

今天非常感謝三位引言人及各位先進來此參加座談會，我們會儘快將座談的結果，連早上的文學組及下午的哲學組，總共三個組，一起在本所《中國文哲研究通訊》中發表出來，也許可以引起更多的回響，謝謝。

——原刊於《中國文哲研究通訊》第10卷第1期（2000年3月），頁73-92。

《詩經通論》的研究現狀

吳　超　華[*]

　　清代學者治《詩經》，說詩門戶紛然爭起，漢學與宋學之爭日益激烈。然而超出各派鬥爭的潮流，不帶宗派門戶偏見，能夠獨立思考，自由研究，探求《詩經》各篇本義，並且有顯著成績的學者，僅姚際恆、崔述、方玉潤而已。其中姚際恆的《詩經通論》，大膽懷疑，窮委竟原，謹嚴自守，又自由立論，從而打破前人一些謬誤的成說，探求了一部分詩篇的本義。以今人眼光他開拓了《詩經》研究的一種新的學風，但是在清代他的言論不合封建正統思想，被世人目為離經叛道，以至於他的著作不受重視，並逐漸埋沒。《九經通論》一百七十卷，僅剩下《詩經》、《儀禮》及半部《春秋》的通論。其中《詩經通論》屬於姚際恆晚期的作品，根據《詩經通論・自序》記載，此書係成於康熙四十四年（1705）。關於《詩經通論》的刊印過程，臺灣學者林慶彰在其《姚際恆著作集》第一冊的校印說明中有詳細敘述。該書完稿後的一百零八年期間，未有刊本，且很少人提及。時值嘉慶十八年（1813），韓城人王篤於其家藏書樓發現此書抄本。過了二十四年，即道光十七年（1837），王篤才於四川督學署刊行《詩經通論》，此書第一次刊刻。書首有鄂山、蘇廷玉和周貽徽三序，又有刊刻者韓城王篤序，該刻本現藏於鐵琴山館。過了三十年，即同治六年（1867），成都書局據王篤刊本重刊《詩經通論》。同治十年（1871年），方玉潤作《詩經原始》論及此書，並將此書部分觀點引入自己的著作中。又五十餘年後，即民國十二年（1923）顧頡剛加以點校，逐漸開啟研究《詩經通論》的風氣，這時距離《詩經通論》脫稿已有兩百一十八年。民國十六年

[*]　瓊州學院人文社科學院。

（1927），鄭璧成於四川成都據王馬刊本覆刊《詩經通論》。關於姚際恆的研究，林慶彰將二十世紀的研究分成前後兩個時期：前期是二〇至六〇年代，著重在於搜集和點校姚氏的遺書。此階段的研究止於對姚氏生平的敘述，沒有真正深入地研究過。自七〇年代起為後期，開始注重對書的內容、特色以及對其優劣的評價。並且林慶彰指出，如果能將姚氏的著作放在清初經學研究的大環境中來加以考察，也就更加顯豁。這是研究姚氏的另一個較新的方向。

綜觀現有的研究資料，筆者認為近階段的姚氏研究可分為大陸和臺灣地區、海外的研究。大陸的研究主要以顧頡剛點校的、一九五八年由中華書局正式出版的版本流傳最為廣泛，使用最多。由於顧頡剛領導下的古史辨派出版一系列《古史辨》書籍大力宣傳，被埋沒已久的姚際恆及《詩經通論》大放異彩，給《詩經》學界巨大影響。首先近年來多位學者編撰的《詩經》研究史，經傳概要中都把《詩經通論》搜集進去，並且對其內容、特色作進一步分析，這其中就包括洪湛侯的《詩經學史》，夏傳才、董治安主編的《詩經要籍提要》，戴維的《詩經研究史》，夏傳才的《詩經概說（思無邪齋詩經論稿）》等幾部較重要的《詩經》學史論著。《詩經學史》概括了姚氏的詩學觀，肯定了姚氏以文學說詩的特色，並且指出了「趁韵」說的獨特。《詩經要籍提要》搜集了趙制陽的〈詩經通論提要〉，此文羅列出姚氏的生平，《詩經通論》的基本觀點，包括不信詩序，較信《毛傳》，深惡鄭《箋》，批評朱《傳》四個方面；指出姚氏說詩優點包括：討論作法，較為深入、詩旨探討，時有創見、章句解釋，亦多新義、史事考證，有益詩說、剖析詞語，時見機趣、賞析文藝，評詠生動；以及缺點包括：討論詩旨，缺乏風謠觀念、淫貞之辨，缺乏明確標準、論說之間，常致自相矛盾、尊信舊說，缺乏歷史考證。條目清楚，概括簡練切確。不足之處在於沒能展開詳細論述，只能作為著作提要。《詩經研究史》則把姚氏與毛奇齡放在同一章節，對二者《詩經》研究的異同進行了比較。關於《詩經通論》，作者先指出《詩旨》中的比興和音韻的問題，分析了姚氏評點《詩經》的體例、方法以及論詩採用涵泳的特點，接著重點考察反序反朱的內容，尤其是論述了姚際恆對朱熹「淫詩說」的批判，重點分析了姚氏引入了刺淫說與貞詩說，作者認為刺淫說是將朱熹的淫詩說成是刺淫，而貞詩說是將朱

熹的淫詩說成是貞詩，這兩種方法都是傳統的手法，並不是姚氏獨創，但卻是反對「淫詩說」的有力武器。總體來說，上述《詩經研究史》對姚際恆的研究比較簡略，而且描述的多分析的少。其次期刊論文的數量也增多。上世紀二〇年代何定生〈關於《詩經通論》及詩的起興〉，四〇年代顧頡剛〈詩經通論序〉，五〇年代江九的〈《詩經通論》簡評〉，八〇年代胡念貽的〈《詩經通論》簡評〉，九〇年代吳培德〈姚際恆的《詩經》研究：《詩經通論》讀後〉，以及新世紀以來左川鳳的〈論《詩經通論》中的藝術性表現〉，楊緒敏的〈評「清初最勇於疑古的」學者——姚際恆〉，張海晏的〈姚際恆《詩經通論》研究（上）、（下）〉。其中何定生的〈關於《詩經通論》及詩的起興〉，肯定了姚際恆的可貴之處在於他不輕易相信權威，姚氏的精神是可貴的，而姚氏對朱熹的批評他卻不敢苟同，在尊序和「淫詩說」這兩方面上，他認為姚氏對朱熹的批判是偏激，不高明的。但是何定生沒有挖掘出姚氏說詩的價值，只是一味否定。吳培德〈姚際恆的《詩經》研究：《詩經通論》讀後〉總結了《詩經通論》的成就和不足，肯定了姚氏的批判精神和標新立異，尤其讚賞姚氏對《詩經》藝術表現方法的高妙之論。不足之處總結了四點，包括維護封建禮教；附會史傳；對朱熹批評偏激；文字訓詁上存在失誤。但是論述都不夠深入。這些論文研究視角也比較狹窄，主要集中在對其人其作的敘述，要麼對《詩經通論》此著作內容、優缺點列個大概，作文學式的泛泛而談，要麼作點評式引用，尚沒有系統研究。其中張海晏的〈姚際恆《詩經通論》研究〉（下）涉及到的對《詩經通論》詮釋學角度的分析卻有新意，以詮釋學原則為切入點，對於更加全面深入探討姚氏的說詩很有幫助，也有一定的研究意義。本文第三章即將此詮釋原則作進一步論述探討，力爭概括得更加準確、全面和深入。

臺灣地區《詩經通論》的研究可謂蔚為大觀。自上世紀八〇年代起，《詩經通論》的研究進入一個豐收時期。其間論文有趙制陽〈姚際恆《詩經通論》評介〉、詹尊權〈姚際恆的《詩經》學〉、簡啟楨《姚際恆及其《詩經通論》研究》、文鈴蘭《姚際恆《詩經通論》之研究》，主要分析書的特色及其評價。到一九九四年，學者林慶彰編成了《姚際恆著作集》，姚氏的研究進入了另一階段。趙明媛《姚際恆《詩經通論》之研究》、張博成《姚際恆《春秋通論》研

究》、吳建《姚際恆思想研究》等從多個視角重新解讀姚氏的作品,有創新的意義。另外《經學研究論叢》第四輯收有蔡長林論〈姚際恆的學術風格〉、陳祖武〈姚際恆《儀禮通論》未佚〉、林慶彰〈姚際恆研究年表〉與〈姚際恆研究文獻目錄〉、詹海雲〈姚際恆的《大學》解〉等。蔣秋華〈從《好古堂書目》看姚際恆的《詩經》研究〉以及〈姚際恆對《子貢詩傳》、《申培詩說》的批評〉。日本學者關於《詩經通論》的研究,《經學研究論叢》第三輯收有坂井喚三著、由林慶彰譯的〈姚際恆及其著述〉,與村山吉廣〈姚際恆的學問(下)——關於詩經通論〉。由於資料缺乏,對於臺灣地區和海外的研究著作不能一一閱讀,但總體而言,這些論文有一定的深度和廣度。雖然以前的研究取得一些成績,但仍然有不少缺漏,如對姚氏的研究描述的很多,分析的較少,角度切入不夠深刻,泛泛而談的較多。

——原刊於《科技信息》2010年第18期,頁547-548。

臺灣訪學雜記

路 新 生[*]

　　應臺灣「中研院」近代史研究所研究員張壽安先生的邀請，我於去年六月一日至七月三十一日去臺灣「中研院」近代史研究所訪學，同時出席「第四屆國際漢學大會」。來自世界各地學者近三百人參加了大會，三天中每一天議程都安排得緊張而有序。首先是會後一律便當招待，只是會議結束的當晚有一場自助餐式的宴請酒會。因用餐「便當」且「自助」，行動自由，方便了學者間的互識與學術討論，不比劃定的圓桌，交流的範圍只限於桌內。這樣，省出的時間就可以用在學術交流上。批評，爭論，思想交鋒，都在坦蕩、真誠中進行，絕無虛與委蛇的做派，這是這次學術會議給我留下的強烈感受。

　　大會開幕當天，大陸某名校一位大名鼎鼎的教授作題為「經典的消失」的「主題發言」，略謂中國近代傳統經典已經淡出人們的生活和思想，從清季開始已有經典「去神聖化」的趨勢。他舉張之洞《勸學篇》為例，認為張對經典「損之又損」，將經書「大幅度縮編而後讀之」；又舉孫詒讓一八九六、一九○○年的兩封信中提到他作「群經新疏」是「蠟車復瓿，亦任之而已」（按，此「復」字似仍以用「覆」為妥，不當簡化。「覆瓿」喻所著無價值，只能用來蓋盛醬的瓦罐；「蠟車」亦義近），認為孫「半存信心，實亦無可如何」。因這位名教授談的是與「經學」相關的問題，大會組織者便特意安排臺灣經學和經學史研究的名家林慶彰先生作評論人。林先生對該教授一點都沒有說什麼頌揚的客套話，而是單刀直入，給了那位名教授嚴厲而真切的批評，指出：僅一九○○至一九四九年的經學相關著述他就搜羅到一千三百多種，更遑論「近

* 華東師範大學歷史系教授。

代」？足以證明中國近代傳統的經典並沒有從人們的思想和生活中淡出。林先生認為,「縮編經典」的作法也非始自近代,至少早在南宋時朱熹就如此做過,論文中缺少相關的學術史回顧欠妥;林先生特別指出那位名教授將孫詒讓的兩封信讀「錯」讀「擰」了。孫的注疏經典,態度是積極而不是消極,是希望「發展」經典而非「破壞」、「取消」或主觀上希望讓經典「消失」。被評論者照例要作應答,但因似有「硬傷」,於是便只能以「聽說(本論文)是由林先生作評論人,心中便刮起了十二級颱風」云云,虛晃一槍了事,並未就林先生的批評作正面回應。類似林先生那種批評時的直言不諱,大陸學界已長久不見,在臺灣學界卻似成為一種「風氣」,在我參加過的幾場學術研討會中幾乎每一場都是如此。

七月五日,承林先生青眼,讓我在文哲所作一場學術演講報告,題目是〈「道問學」世風激蕩下的戴學與淩廷堪〉。其中我談到「晚明東林士子首先在陽明學內部舉起批判大旗,主張『棄虛蹈實』的治學路徑」云云。文哲所所長鍾彩鈞教授評論即一點都「不客氣」,他不同意此說,認為將東林士子對陽明學的批判歸為「陽明學內部」,此論欠妥,應視東林士子為朱熹一派才妥帖。這意見我雖有自己的理據不能接受,但批評的開誠佈公與直白卻帶有鮮明的「臺灣風格」。

某天會議結束後林先生請我吃飯,見到了他指導的四位博士研究生,其中有臺大的兩位女生。問她們的研究方向,則一位做「唐代三禮學研究」,另一位做的是「宋代的《春秋》學研究」。我知道臺灣學生的就業情況並不景氣,此類題目艱深冷僻,尤其於「就業」所補無多,兩位女孩兒卻樂此不疲,言及的論文內涵皆深刻而豐富,慢聲細語津津樂道中姿態淡定而從容,看得出她們是真喜歡,這也就見出她們的所好屬於「為己之學」而非「為人之學」。四位博士生舉止彬彬有禮,談吐文雅大方。都說「腹有詩書氣自華」,經典讀多了學養自然增進提高,舉止談吐也就得體,這才是「由內而外」的真「美」!

當時適逢「中研院」選舉「院士」,「中研院」的「現任院士」全體到席。我親見他們主動向掃地的清潔工、看門的職員「請安」問好,絲毫沒有大學者的架子。最堪尋味的是,那些處於「社會底層」的餐廳服務員竟然會很自然地

向那些處於「社會頂層」的院士們問好，見不出一丁點自慚形穢的模樣。這是一種人不分貴賤皆有尊嚴的自尊與自信。有了這份自尊與自信，也才有人與人之間真正的「平等」可言。

在臺灣訪學兩月，親歷的這些事情讓我深切感覺到了臺灣民情民風的淳樸，民眾的熱情、善良與人文素養之高。這一切，構成了「人」——「生」的「軟環境」，這要比堆錢造橋鋪路等重要得多，也「硬」得多，更難得多。

——原刊於《文匯報》，2013年8月25日。

記錯了的評論

羅　志　田[*]

　　經朋友的提示，拜讀了路新生先生的〈臺灣訪學雜記〉（《文匯報》，2013年8月25日）。文中提到一位以「經典的消失」為題在中研院第四屆漢學大會發言的教授，那就是我。不過我的論文題目是「經典的消逝：近代中國一個根本性的變化」，略不同。因為是差不多一年前的事，時過境遷，路先生記憶有誤，可以理解。不過他文中還講了一些故事，大致也有些記錯的地方。而記錯的部分不僅涉及我，也牽涉到他尊敬的林慶彰先生，或需作簡單的說明。

　　路先生的感覺，在臺灣的學術會議上，批評和交鋒似比我們的學術會議更直接尖銳。對此我也有同感。他說林先生對拙文的評論一點沒說「頌揚的客套話」，而是單刀直入，給了「嚴厲而真切的批評」。那是他的印象。我的記憶略不同。我記得林先生開始也說了幾句讓人溫暖的客氣話，整個評論，出語相當溫和。當然這是個見仁見智的問題，或許「嚴厲而真切的批評」也可以是溫和的。

　　不過路先生涉及評論中的具體問題，卻不免有誤。拙文確實引用了孫詒讓的兩封信，也說了「孫氏雖半存信心，以為『蠟車復瓴，亦任之而已』，實亦無可如何」（路先生說「覆瓴」不當簡化為「復瓴」，我也贊同。惟對史料原文，我向不代改。因不能肯定究竟是簡化錯了還是昔人真用了「復」字）。但拙文並未說孫詒讓「作『群經新疏』」，說的是當時有人擬彙刊「群經新疏」，向孫約稿，孫才說出那一番話。

---

* 北京大學歷史系教授。

　　這個小誤關係不大，一般讀書人都知道孫詒讓並未作「群經新疏」，不易誤會。但路先生說「林先生特別指出……孫的注疏經典，態度是積極而不是消極，是希望『發展』經典而非『破壞』、『取消』或主觀上希望讓經典『消失』」，這個記憶誤差就稍大了些。因為拙文並未說孫詒讓「『破壞』、『取消』或主觀上希望讓經典『消失』，如果林先生如此立論，豈不是信口開河，無的放矢？只能說是「嚴厲」有餘而「真切」不足，恐怕有損林先生的形象。

　　實際是林先生確實不同意拙文對孫詒讓書信的解讀，認為這兩封信具體有所針對，不是談對經典的態度。我表示同意這兩封信另有所指，但指出這仍可表述他對經典的態度。至於改編經典，我說明儘管早就存在，且有大儒為之，但歷代仍有很多儒生認為經典一字不能易，至少不能割裂。而近代的處理者則分享著一個共識，即為了適應新的時代，經典必須改編。這是一個與前大不同的根本轉變（若張之洞提出的縮略版「中學」，閱讀內容更已無經書）。

　　對於經學著述的數字，林先生是先指出了《民國總書目》裡經學書缺失很多，然後才說他搜羅到數目要多出不少。我對前一說表示承教，並未就書的數目作答（真要說數字，同期史學或「國學」的論著數字都更多，人盡皆知）。不過我指出：經典過去是「道」的載體，全面指導著國家、社會和人的日常生活。若僅作為研究性的物件，則與其他研究物件大致平等，實與以前不可同日而語。我所謂淡出人們的生活和思想，意即指此。

　　這些看法，我現在仍堅持，並未改變。一般情形下，我對會議上的批評都直言作答，此次亦然。但我向不認為回應就要劍拔弩張、咄咄逼人，才算是有道理。尤其林先生比我年長，我更應表現出足夠的尊敬。其實，真做學問的人，點到即明，本無須多說。或許這就使路先生產生了「虛晃一槍了事，並未就林先生的批評作正面回應」的印象。不過那時會場有好幾十人，記憶的對錯，當能求證。

　　那次會上，批評拙文的遠超過贊同的。近史所一位老熟人，甚至用了「不通」或類似的評語。大體上，臺灣學界的人對經典的感情超過大陸學人。儘管拙文只是描述歷史現象，而不是表明對經典的態度，但不少人大概是從後一視角來解讀的——「經典的消逝」這個題目，已讓很多人不愉快。一位外國朋友

對會場的反應表示有些不解，覺得拙文很能表現李文森所說的「歷史」與「價值」的緊張，儘管那並非拙文的主旨。

的確，歷史就是歷史，不是價值。要說我自己對經典現狀和未來的看法，我想，這或是一個求仁得仁的問題。經典的物質形態（即經書）是否存在及是否有人讀，當然也重要；但更重要的是把經書當作什麼來讀——有一般的閱讀，有作為研究物件的閱讀，也有想要「聞道」的閱讀。如果我們及今後的人視其為「道」的載體，想要從中尋求全面的指導，經典就能回歸；若反之，則「經典的消逝」就是一個既存的現實，且可能延續，不論我們是否喜歡。

不過，我在正式的學術論文中，總想要「述史如史」，盡可能不涉及「價值」層面的見解。同時，與會的拙文不足二萬字，尚未完成，是標明「概略」提交的。其中不少內容僅點到為止，未及展開，或也可能因此產生一些誤解。會後主辦者擬將拙文收入會議的論文集，但我那時已陷入辛亥革命的研究，沒有時間將其完成，故只能婉謝這一榮譽（漢學會議十年一次，能收入文集，的確是個面子）。現在看來，還是應盡快將其寫完刊發。

我過去不認識路先生，當時講完後，他特別過來致意，說了些「頌揚的客套話」。後來在酒會上，近史所一位朋友把路先生介紹給我，他又說了些類似的話。我知道在這種場合說這樣的話是不算數的，現在瞭解到路先生對拙文的真實印象，就更佩服他當時的溫婉周到了。今路先生又借林先生之口匡我不逮，更顯厚意。感佩之餘，借此略作說明，以表敬意。

——原刊於《文匯報》，2013年9月20日。

附　錄

林慶彰教授著作目錄

張晏瑞、陳水福原編，廖威茗增補[*]

編輯說明

一、本目錄為林慶彰老師自一九七五年至二〇一五年八月底的著作總目，基本上反映了林老師在這四十年間學術活動的成果。

二、本目錄分專書和單篇論文兩大類。專書類又分：（1）自著書、（2）翻譯書、（3）主編和編輯三類。主編和編輯類又分為（1）文獻總論、（2）經學書目、（3）經學家文集、（4）經學論文集、（5）會議論文集、（6）學術期刊、（7）經義考研究、（8）專門叢書共八類。

三、單篇論文類為了要凸顯林老師在研究經學史方面的貢獻，特別將經學史的部分加以細分，此單篇論文類經學史一小項，即佔用七個類。茲將此一項目的全部類目排列如下：（1）經學總論、（2）尚書和三禮、（3）詩經、（4）經學史總論、（5）先秦至唐代經學史、（6）宋元經學史、（7）明代經學史、（8）清代經學史、（9）民國經學史、（10）日本經學史、（11）日文翻譯、（12）文獻學、（13）學林人物、（14）時事與文化評論、（15）序跋、（16）主編專輯共十六類。各類下視情況又細分為數小類。

四、各類中的著作條目皆按發表時間先後編排，各條目先著錄第一出處，再依時間先後著錄其他出處。

五、專著部分之目錄項分別是書名、出版地、出版者、冊頁數、出版年月日；

---

[*] 張晏瑞，臺北市立教育大學中國語文學系碩士。陳水福，臺北市立教育大學中國語文學系碩士。廖威茗，臺北大學古典文獻與民俗藝術研究所碩士。

論文發表在期刊的，目錄項分別是篇名、刊名、卷期、頁數、出版年月日；發表在報紙的，目錄項分別是篇名、報紙名、版次、出版年月日；收入論文集的，目錄項分別是篇名、論文集名、頁數、出版地、出版者、出版年月日。

六、這四十年間國際學術界對林老師的學術活動作報導者有之，對著作提出批評也有之，各方面意見皆已收入《經學研究三十年》和《經學研究四十年》二書中，這裡僅摘錄較具學術深度的條目，收入附錄〈研究評論目錄〉，以見學術界對林老師學術的評價。

七、本目錄在張晏瑞、陳水福原編的基礎上加以增訂，類目稍作調整，最後經林老師審訂，恐還有遺漏或分類不當的地方，懇請海內外學術先進賜予指教。

一、專書

（一）自著

1. 豐坊與姚士粦

   臺北市　東吳大學中國文學研究所碩士論文　221頁　1978年6月

   臺北市　萬卷樓圖書公司　193頁　2015年7月

2. 明代考據學研究

   臺北市　東吳大學中國文學研究所博士論文　612頁　1983年7月

   臺北市　臺灣學生書局　612頁　1983年7月

3. 圖書文獻學研究論集

   臺北市　文津出版社　485頁　1990年1月

4. 清初的群經辨偽學

   臺北市　文津出版社　450頁　1990年3月

   上海市　華東師範大學出版社　450頁　2011年5月

5. 明代經學研究論集

   臺北市　臺灣學生書局　381頁　1994年5月

6. 明代經學研究論集（增訂本）

   上海市　華東師範大學出版社　459頁　2015年8月

7. 學術論文寫作指引

   臺北市　萬卷樓圖書公司　400頁　1996年9月

8. 讀書報告寫作指引（與劉春銀合著）

   臺北市　萬卷樓圖書公司　315頁　2001年11月

9. 清代經學研究論集

   臺北市　中央研究院中國文哲研究所　508頁　2002年8月

10. 學術論文寫作指引（第二版）

    臺北市　萬卷樓圖書公司　439頁　2011年9月

11.學術論文寫作指引（文科適用）

北京市　九州出版社　331頁　2012年3月

12.偽書與禁書

新北市　華藝學術出版社　174頁　2012年11月

13.中國經學研究的新視野

臺北市　萬卷樓圖書公司　221頁　2012年12月

14.顧頡剛的學術淵源

新北市　華藝學術出版社　印刷中

（二）翻譯

1. 經學史（安井小太郎等著）（與連清吉合譯）

臺北市　萬卷樓圖書公司　310頁　1996年10月

2. 洪範體系中之社會經世思想（林履信著）

日據時期臺灣儒學參考文獻　上冊　頁370-387　臺北市　臺灣學生書局
2000年10月

3. 上代支那正樂考——孔子的音樂論（江文也著）

日據時期臺灣儒學參考文獻　下冊　頁784-935　臺北市　臺灣學生書局
2000年10月

4. 論語思想史（松川健二編）（與金培懿、陳靜慧、楊菁合譯）

臺北市　萬卷樓圖書公司　676頁　2006年2月

5. 近代日本漢學家——東洋學の系譜　第一集　（江上波夫編　林慶彰譯）

臺北市　萬卷樓圖書公司　202頁　2015年7月

（三）主編和編輯

文獻總論

1. 學術資料的檢索與利用

臺北市　萬卷樓圖書公司　395頁　2003年3月

2. 近現代新編叢書述論

臺北市　臺灣學生書局　507頁　2005年9月

3. 中國歷代文學總集述評

　　臺北市　萬卷樓圖書公司　583頁　2007年10月

4. 書評寫作指引（與何淑蘋合編）

　　臺北市　萬卷樓圖書公司　351頁　2014年2月

5. 國文天地300期第1-25卷總目暨分類目錄

　　臺北市　萬卷樓圖書公司　1冊　2014年7月

經學書目

1. 當代新編專科目錄述評

　　臺北市　臺灣學生書局　341頁　2008年10月

2. 專科目錄的編輯方法

　　臺北市　臺灣學生書局　228頁　2001年9月

3. 經學研究論著目錄（1912-1987）

　　臺北市　漢學研究中心　2冊　1989年12月

4. 經學研究論著目錄（1988-1992）

　　臺北市　漢學研究中心　2冊　1995年6月

5. 經學研究論著目錄（1993-1997）（與陳恆嵩合編）

　　臺北市　漢學研究中心　3冊　2002年4月

6. 經學研究論著目錄（1998-2002）（與蔣秋華合編）

　　臺北市　漢學研究中心　4冊　2013年12月

7. 朱子學研究書目（1900-1991）

　　臺北市　文津出版社　218頁　1992年5月

8. 乾嘉學術研究論著目錄（1900-1993）

　　臺北市　中央研究院中國文哲研究所籌備處　334頁　1995年5月

9. 晚清經學研究文獻目錄（1912-2000）（與蔣秋華合編）

　　臺北市　中央研究院中國文哲研究所　2006年10月

10.中國經學相關研究博碩士論文目錄（與蔣秋華合編）

　　臺北市　萬卷樓圖書公司　929頁　2009年10月

11.日本研究經學論著目錄（1900-1992）

　　臺北市　中央研究院中國文哲研究所籌備處　878頁　1993年10月

12.日本儒學研究書目（與連清吉、金培懿合編）

臺北市　臺灣學生書局　2冊　1998年7月

經學家文集

1. 屈萬里先生文存（與劉兆祐師合編）

臺北市　聯經出版事業公司　6冊　1985年2月

2. 蔡元培張元濟往來書札

臺北市　中央研究院中國文哲研究所籌備處　1990年6月

3. 姚際恆著作集

臺北市　中央研究院中國文哲研究所籌備處　6冊　1994年6月

4. 二十七松堂集（與林子雄合編）

臺北市　中央研究院中國文哲研究所籌備處　4冊　1995年6月

5. 汪中集（編審）

臺北市　中央研究院中國文哲研究所籌備處　2000年3月

6. 蘇輿詩文集（與蔣秋華合編）

臺北市　中央研究院中國文哲研究所　277頁　2005年11月

7. 李源澄著作集（與蔣秋華合編）

臺北市　中央研究院中國文哲研究所　4冊　2008年12月

8. 張壽林著作集（與蔣秋華合編）

臺北市　中央研究院中國文哲研究所　8冊　2011年12月

9. 清領時期臺灣儒學參考文獻

新北市　華藝學術出版社　420頁　2013年11月

10.日據時期臺灣儒學參考文獻

臺北市　臺灣學生書局　上下2冊　2000年10月

經學論文集

1. 中國經學史論文選集

臺北市　文史哲出版社　2冊　1992年10月、1993年3月

2. 中國文化新論學術篇——浩瀚的學海

臺北市　聯經出版事業公司　585頁　1981年12月

3. 中國人的思想歷程

合肥市　黃山書社　2012年5月（將1981年12月聯經出版公司出版的《中國文化新論　學術篇　浩瀚的學海》改名出版）

4. 詩經研究論集（一）

臺北市　臺灣學生書局　510頁　1983年11月

5. 詩經研究論集（二）

臺北市　臺灣學生書局　549頁　1987年9月

6. 啖助新春秋學派研究論集（與蔣秋華合編）

臺北市　中央研究院中國文哲研究所　639頁　2002年9月

7. 楊慎研究資料彙編（與賈順先合編）

臺北市　中央研究院中國文哲研究所籌備處　2冊　1992年10月

8. 姚際恆研究論集（與蔣秋華合編）

臺北市　中央研究院中國文哲研究所籌備處　3冊　1996年6月

9. 朱彝尊《經義考》研究論集（與蔣秋華合編）

臺北市　中央研究院中國文哲研究所籌備處　2冊　2000年9月

10.《通志堂經解》研究論集（與蔣秋華合編）

臺北市　中央研究院中國文哲研究所　2冊　2005年8月

11.陳奐研究論集（與楊晉龍合編）

臺北市　中央研究院中國文哲研究所籌備處　638頁　2000年12月

12.五十年來的經學研究

臺北市　臺灣學生書局　353頁　2003年5月

13.當代臺灣經學人物

臺北市　萬卷樓圖書公司　259頁　2015年8月

會議論文集

1. 明代經學國際研討會論文集（與蔣秋華合編）

臺北市　中央研究院中國文哲研究所籌備處　625頁　1996年6月

2. 乾嘉學者的義理學（與張壽安合編）

臺北市　中央研究院中國文哲研究所　2冊　2003年2月

3. 清代揚州學術研究（與祁龍威合編）

臺北市　臺灣學生書局　2冊　2001年4月

4. 首屆國際尚書學學術研討會論文集（與錢宗武合編）

臺北市　萬卷樓圖書公司　575頁　2012年12月

5. 正統與流派──歷代儒家經典之轉變（與蘇費翔合編）

臺北市　萬卷樓圖書公司　648頁　2013年1月

6. 嶺南大學經學國際學術研討會論文集（與李雄溪合編）

臺北市　萬卷樓圖書公司　1093頁　2014年3月

7. 第二屆國際尚書學學術研討會論文集（與錢宗武合編）

臺北市　萬卷樓圖書公司　696頁　2014年4月

8. 中日韓經學國際學術研討會論文集（與盧鳴東合編）

臺北市　萬卷樓圖書公司　982頁　2015年4月

9. 變動時代的經學與經學家──民國時期（1912-1949）經學研究（與蔣秋華總策畫）

臺北市　萬卷樓圖書公司　7冊　2013年12月

10.經典的形成、流傳與詮釋（與蔣秋華合編）

臺北市　臺灣學生書局　2007年11月

學術期刊

1. 經學研究論叢　第1輯

桃園縣中壢市　聖環圖書公司　391頁　1994年4月

2. 經學研究論叢　第2輯

桃園縣中壢市　聖環圖書公司　403頁　1994年10月

3. 經學研究論叢　第3輯

桃園縣中壢市　聖環圖書公司　399頁　1995年4月

4. 經學研究論叢　第4輯

桃園縣中壢市　聖環圖書公司　395頁　1997年4月

5. 經學研究論叢　第5輯

臺北市　臺灣學生書局　359頁　1998年8月

6. 經學研究論叢　第6輯

　　臺北市　臺灣學生書局　365頁　1999年6月

7. 經學研究論叢　第7輯

　　臺北市　臺灣學生書局　379頁　1999年9月

8. 經學研究論叢　第8輯

　　臺北市　臺灣學生書局　389頁　2000年9月

9. 經學研究論叢　第9輯

　　臺北市　臺灣學生書局　331頁　2001年1月

10.經學研究論叢　第10輯

　　臺北市　臺灣學生書局　343頁　2002年3月

11.經學研究論叢　第11輯

　　臺北市　臺灣學生書局　485頁　2003年6月

12.經學研究論叢　第12輯

　　臺北市　臺灣學生書局　429頁　2004年12月

13.經學研究論叢　第13輯

　　臺北市　臺灣學生書局　397頁　2006年3月

14.經學研究論叢　第14輯

　　臺北市　臺灣學生書局　405頁　2006年12月

15.經學研究論叢　第15輯

　　臺北市　臺灣學生書局　447頁　2008年3月

16.經學研究論叢　第16輯

　　臺北市　臺灣學生書局　418頁　2009年5月

17.經學研究論叢　第17輯

　　臺北市　臺灣學生書局　488頁　2009年12月

18.經學研究論叢　第18輯

　　臺北市　臺灣學生書局　450頁　2010年9月

19.經學研究論叢　第19輯

　　臺北市　臺灣學生書局　452頁　2011年11月

20.經學研究論叢　第20輯

　　臺北市　臺灣學生書局　516頁　2013年1月

21.經學研究論叢　第21輯

　　新北市　華藝學術出版社　257頁　2014年4月

22.經學研究論叢　第22輯

　　新北市　華藝學術出版社　301頁　2015年4月

23.國際漢學論叢　第1輯

　　臺北市　樂學書局　362頁　1999年7月

24.國際漢學論叢　第2輯

　　臺北市　樂學書局　414頁　2005年2月

25.國際漢學論叢　第3輯

　　臺北市　樂學書局　409頁　2007年6月

26.國際漢學論叢　第4輯

　　新北市　華藝學術出版社　269頁　2014年1月

經義考研究

1. 點校補正經義考（編審）

　　臺北市　中央研究院中國文哲研究所籌備處　8冊　1997年6月-1999年8月

2. 經義考新校（主編）

　　上海市　上海古籍出版社　10冊　2011年1月

專門叢書

1. 中國歷代經書帝王學叢書（宋代編）

　　臺北市　新文豐出版公司　4冊　2012年12月

2. 民國時期經學叢書　第1輯

　　臺中市　文听閣圖書公司　60冊　2008年9月

3. 民國時期經學叢書　第2輯

　　臺中市　文听閣圖書公司　60冊　2008年9月

4. 民國時期經學叢書　第3輯

　　臺中市　文听閣圖書公司　60冊　2009年9月

5. 民國時期經學叢書　第4輯

　　臺中市　文听閣圖書公司　60冊　2009年9月

6. 民國時期經學叢書　第5輯

　　臺中市　文听閣圖書公司　60冊　2011年9月

7. 民國時期經學叢書　第6輯

　　臺中市　文听閣圖書公司　60冊　2011年9月

8. 民國時期哲學思想叢書　第1編

　　臺中市　文听閣圖書公司　120冊　2010年4月

9. 民國文集叢刊　第1編

　　臺中市　文听閣圖書公司　150冊　2008年12月

10. 中國學術思想研究輯刊　第1編

　　臺北縣　花木蘭出版社　180冊　2009年1月

11. 中國學術思想研究輯刊　第2編

　　臺北縣　花木蘭出版社　180冊　2009年1月

12. 中國學術思想研究輯刊　第3編

　　臺北縣　花木蘭出版社　28冊　2009年3月

13. 中國學術思想研究輯刊　第4編

　　臺北縣　花木蘭出版社　28冊　2009年3月

14. 中國學術思想研究輯刊　第5編

　　臺北縣　花木蘭出版社　20冊　2009年9月

15. 中國學術思想研究輯刊　第6編

　　臺北縣　花木蘭出版社　30冊　2009年9月

16. 中國學術思想研究輯刊　第7編

　　臺北縣　花木蘭出版社　24冊　2010年3月

17. 中國學術思想研究輯刊　第8編

　　臺北縣　花木蘭出版社　35冊　2010年3月

18. 中國學術思想研究輯刊　第9編

　　臺北縣　花木蘭出版社　20冊　2010年9月

19. 中國學術思想研究輯刊　第10編

　　臺北縣　花木蘭出版社　40冊　2010年9月

20. 中國學術思想研究輯刊　第11編

　　臺北縣　花木蘭出版社　40冊　2011年3月

21. 中國學術思想研究輯刊　第12編

　　臺北縣　花木蘭出版社　55冊　2011年9月

22. 中國學術思想研究輯刊　第13編

　　臺北縣　花木蘭出版社　26冊　2012年3月

23. 中國學術思想研究輯刊　第14編

　　臺北縣　花木蘭出版社　34冊　2012年9月

24. 中國學術思想研究輯刊　第15編

　　臺北縣　花木蘭出版社　18冊　2013年3月

25. 中國學術思想研究輯刊　第16編

　　臺北縣　花木蘭出版社　25冊　2013年3月

26. 中國學術思想研究輯刊　第17編

　　新北市　花木蘭出版社　34冊　2013年9月

27. 中國學術思想研究輯刊　第18編

　　新北市　花木蘭出版社　16冊　2014年3月

28. 中國學術思想研究輯刊　第19編

　　新北市　花木蘭出版社　25冊　2014年9月

29. 中國學術思想研究輯刊　第20編

　　新北市　花木蘭出版社　21冊　2015年3月

30. 中國學術思想研究輯刊　第21編

　　新北市　花木蘭出版社　27冊　2015年9月

31. 晚清四部叢刊　第一編　經部

　　臺中市　文听閣圖書公司　31冊　2010年11月

32. 晚清四部叢刊　第二編　經部

　　臺中市　文听閣圖書公司　30冊　2010年11月

33.晚清四部叢刊　第三編　經部

　　臺中市　文听閣圖書公司　32冊　2010年11月

34.晚清四部叢刊　第四編　經部

　　臺中市　文听閣圖書公司　31冊　2010年11月

35.晚清四部叢刊　第五編　經部

　　臺中市　文听閣圖書公司　30冊　2011年9月

36.晚清四部叢刊　第六編　經部

　　臺中市　文听閣圖書公司　30冊　2011年9月

37.晚清四部叢刊　第七編　經部

　　臺中市　文听閣圖書公司　30冊　2012年9月

38.晚清四部叢刊　第八編　經部

　　臺中市　文听閣圖書公司　30冊　2012年9月

39.晚清四部叢刊　第九編　經部

　　臺中市　文听閣圖書公司　30冊　2013年3月

40.晚清四部叢刊　第十編　經部

　　臺中市　文听閣圖書公司　30冊　2013年3月

西方學者中國經典詮釋叢書（與貝克定教授總策畫）

1. 孔子之前　夏含夷（Edward L. Shaughnessy）著　黃聖松等譯

　　臺北市　萬卷樓圖書公司　2012年8月

2. 朱熹與大學　賈德訥（Daniel K. Gardner）著　楊惠君譯

　　臺北市　萬卷樓圖書公司　2015年8月

人物傳記

1. 李光筠先生紀念集

　　臺北市　萬卷樓圖書公司　252頁　1992年

2. 近代中國知識分子在臺灣（與陳仕華合編）

　　臺北市　萬卷樓圖書公司　2冊　2002年10月

3. 近代中國知識分子在日本

　　臺北市　萬卷樓圖書公司　3冊　2003年7月

4. 日治時期臺灣知識分子在中國

　　臺北市　臺北市文獻委員會　316頁　2004年12月

二、單篇論文

（一）經學總論

1. 傳統經學の現代意義

　　古典學の再構築國際研討會宣讀論文　神戶　神戶外國語大學　2002年9月

2. 中國經學的中心與周邊

　　韓國第二十五屆中國學國際學術大會主題演講論文　韓國中國學會主辦
　　2005年8月

　　中國經學研究的新視野　頁103-115　臺北市　萬卷樓圖書公司　2012年12月

3. 經學對中國文學的影響

　　通俗與雅正——經學與文學學術研討會主題演講論文　臺中市　中興大學
　　2006年3月

4. 經學與文學的關涉

　　中國文學新詮釋——關涉與意涵　頁23-49　臺北市　立緒文化事業公司
　　2006年8月

5. 儒家經典與東亞文明

　　臺南市　成功大學通識中心人文講座講稿　2006年3月31日

6. 中國經典中的人文精神

　　九十五學年度成功大學法鼓人文講座講稿　2006年

7. 中國經典權威消解的幾個原因

　　2010中國經學國際學術研討會主題演講論文　2010年

　　南京師範大學文學院學報　2011年1期　頁1-7轉頁131　2011年3月

　　中國經學研究的新視野　頁47-64　臺北市　萬卷樓圖書公司　2012年12月

8. 中國經典權威形成的幾個原因

　　中國經學研究的新視野　頁25-46　臺北市　萬卷樓圖書公司　2012年12月

9. 「實學」概念的檢討

中國文哲研究通訊　第2卷4期　頁119-123　1993年11月

（二）尚書和三禮

1. 應當重視《尚書》研究

第二屆國際《尚書》學學術研討會論文集　頁1-2　臺北市　萬卷樓圖書公司　2014年4月

2. 重新認識《尚書》的學術價值

第二屆國際《尚書》學學術研討會論文集　頁305-310　臺北市　萬卷樓圖書公司　2014年4月

3. 研讀《禮記》的方法

國文天地　第21卷1期　頁25-30　2005年6月

（三）詩經

1. 古老的民歌《詩經》

幼獅月刊　第59卷6期（總378期）　頁20-23　1984年6月

2. 《詩經》基本書目

詩經研究論集（一）　頁503-51　臺北市　臺灣學生書局　1983年11月

3. 研讀《詩經》的入門書

國文天地　第18卷11期　頁1-21　2003年4月

4. 黃河名稱考

中央日報　第11版　1980年2月26日

5. 釋詩「彼其之子」

書目季刊　第19卷4期　頁60-61　1986年3月

詩經研究論集（二）　頁389-393　臺北市　臺灣學生書局　1987年9月

6. 《詩經》中人文思想的脈動

詩經研究論集（一）　頁187-194　臺北市　臺灣學生書局　1983年11月

7. 從《詩經》看古人的價值觀

中國人的價值觀國際研討會論文　臺北市　漢學研究中心主辦　1991年5月

中國人的價值觀國際研討會論文集　上冊　頁203-217　臺北市　漢學研究中心　1992年6月

中國人的價值觀——人文學觀點　頁35-38　臺北市　桂冠圖書公司　1993年6月

河北師院學報　1993年2期　頁71-79轉119　1993年6月

中國古代、近代文學研究（複印報刊資料）　1993年10期　頁38-47

中國經學研究的新視野　頁149-170　臺北市　萬卷樓圖書公司　2012年12月

8.《詩經》中的人文精神

錢穆先生紀念館館刊　第5期　頁12-22　1996年12月

9. 詩經學史的回顧與前瞻

中國文哲研究的回顧與前瞻學術討論會宣讀論文　臺北市　中央研究院中國文哲研究所籌備處主辦　1990年12月

中國文哲研究的回顧與展望論文集　頁349-382　臺北市　中央研究院中國文哲研究所籌備處　1992年5月

10.詩序在詩經解釋傳統上的地位

中國經典的詮釋傳統研究計畫第八次研討會宣讀論文　臺北市　臺灣大學通識教育中心主辦　2000年3月

中國哲學　第23輯（經學今詮續編）　頁92-118　瀋陽市　遼寧教育出版社　2001年10月

11.詩經研究的現代意義

人文研究與語言教育研討會宣讀論文　臺北市　臺灣師範大學　2003年10月

人文研究與語文教育——文字、文學、文化　頁101-116　臺北市　臺灣師範大學　2004年7月

12.《孔子詩論》與《詩序》之比較研究

經學研究集刊　創刊號　頁1-12　2005年10月

新出土文獻與先秦思想重構　頁391-406　臺北市　臺灣書房出版公司　2007年8月

13.《毛詩序》在詩經解釋傳統上的地位

經學今詮‧續編　中國哲學　第23輯　頁92-118　瀋陽市　遼寧教育出版社

2001年10月

中國經學研究的新視野　頁171-195　臺北市　萬卷樓圖書公司　2012　年

12月

（四）經學史總論

1. 經學史研究的基本認識

國文天地　第3卷6期　頁60-63　1987年11月

中國經學史論文選集　上冊　頁1-8　臺北市　文史哲出版社　1992年10月

2. 我研究經學史的一些心得

中國思想史研究通訊　2006年1輯　頁17-19轉頁4　2006年

3. 中國經學史上的回歸原典運動

平成十八年度（第五十四回）九州中國學會大會特別演講論文　長崎大學環

境科學部　2006年5月

中國文化　第30輯　頁1-8　2009年10月

中國經學研究的新視野　頁83-102　臺北市　萬卷樓圖書公司　2012年12月

4. 中國經學史上の原典回歸運動（藤井倫明譯）

中國哲學論集　第31、32合併號　頁1-21　2006年12月

5. 中國經學發展的幾種規律

經典詮釋多元主題研究與教學學術研討會專題演講論文　臺北市　臺灣大學

鄭吉雄教授主持「當代經典詮釋多元整合學程研究計畫」主辦　2008年6月

28、29日

經學研究集刊　第7期　頁107-116　2009年11月

6. 中國經學史上簡繁更替的詮釋形式

中國經學研究的新視野　頁65-81　臺北市　萬卷樓圖書公司　2012年12月

7. 幾種經學史中的禮學論述

中正漢學研究　2014年1期（總第23期）　頁237-240　2014年6月

8. 皮錫瑞著、周予同增註經學歷史的版本問題

　　海峽兩岸國學與經學學術研討會宣讀論文　長春市　東北師範大學古籍整理
　　研究所主辦　2015年7月19、20日

（五）先秦至唐代經學史

1. 傳記之學的形成

　　先秦兩漢古籍國際學術研討會論文集（何志華主編）　頁14-29　北京市
　　社會科學文獻出版社　2011年1月

2. 史記所述儒家經典作者的檢討

　　「正統與流派—歷代儒家經典之轉變」國際學術研討會主題演講論文　慕尼
　　黑大學漢學系、中央研究院中國文哲研究所共同主辦　2010年7月
　　經學研究論叢　第18輯　頁49-65　2010年9月
　　中國經學研究的新視野　頁1-24　臺北市　萬卷樓圖書公司　2012年12月

3. 兩漢章句之學重探

　　漢代文學與思想學術研討會宣讀論文　臺北市　政治大學中國文學系所主辦
　　1990年5月
　　漢代文學與思想學術研討會論文集　頁255-278　臺北市　政治大學中國文
　　學系所　1990年
　　中國經學史論文選集　上冊　頁277-297　臺北市　文史哲出版社　1992年
　　10月

4. 唐代後期經學的新發展

　　孔子誕辰二五四〇週年紀念與學術討論會議宣讀論文　北京市　中國孔子基
　　金會主辦　1989年10月
　　東吳文史學報　第8期　頁159-163　1990年3月
　　中國經學史論文選集　上冊　頁670-677　臺北市　文史哲出版社　1992年
　　10月

（六）宋元經學史

1. 舉辦「宋代經學國際研討會」的意義

   中國文哲研究通訊　第12卷3期　頁1-5　2002年9月

2. 歐陽修詩本義對毛傳、鄭箋的批評

   紀念歐陽脩一千年誕辰國際學術研討會宣讀論文　臺北市　臺灣大學中國文學系　2007年9月28、29日

   紀念歐陽脩一千年誕辰國際學術研討會論文集　頁83-98　臺北市　國立臺灣大學中國文學系　2009年6月

3. 論鄭樵

   開封大學學報　1997年1期　頁49-52　1997年3月

4. 鄭樵的《詩經》學

   宋代經學國際研討會宣讀論文　臺北市　中央研究院中國文哲研究所　2002年11月

   宋代經學國際研討會論文集　頁311-328　臺北市　中央研究院中國文哲研究所　2006年10月

5. 朱子對傳統經說的態度——以朱子詩經著述為例

   國際朱子學會議宣讀論文　臺北市　中央研究院中國文哲研究所籌備處主辦　1992年5月

   國際朱子學會議論文集　上冊　頁183-202　臺北市　中央研究院中國文哲研究所籌備處　1993年

6. 朱子《詩集傳・二南》的教化觀

   朱子與東亞文明研討會議宣讀論文　臺北市　漢學研究中心主辦　2000年11月

   朱子學的開展——學術編（鍾彩鈞主編）　頁53-68　臺北市　漢學研究中心　2002年6月

7. 元儒陳天祥對《四書集注》的批評

   元代經學國際研討會宣讀論文　臺北市　中央研究院中國文哲研究所籌備處主辦　1998年12月

元代經學國際研討會論文集　下冊　頁705-720　臺北市　中央研究院中國
文哲研究所籌備處　2000年10月

（七）明代經學史

1. 實證精神的尋求——明清考據學的發展
   中國文化新論學術篇——浩翰的學海　頁289-342　臺北市　聯經出版事業
   公司　1981年12月
   港臺及海外學者論中國文化（下）　頁287-322　上海市　上海人民出版社
   1988年6月

2. 明人文集所收《詩經》資料的學術價值
   國科會中文學門90-94研究成果發表會宣讀論文　彰化市　國立彰化師範大
   學文學院　2006年11月
   臺灣學術新視野　經學之部　頁107-124　臺北市　五南圖書公司　2007年
   6月

3. 明代詩經學五種提要
   經學研究論叢　第4輯　頁71-82　桃園縣中壢市　聖環圖書公司　1997年
   4月

4. 明代詩經著述四種提要
   詩經研究叢刊　第2輯　頁198-207　北京市　學苑出版社　2002年1月

5. 明代的漢宋學問題
   東吳文史學報　第5期　頁133-150　1986年8月
   明代經學研究論集　頁1-31　臺北市　文史哲出版社　1994年5月
   明代經學研究論集（增訂本）　頁1-31　上海市　華東師範大學出版社
   2015年8月

6. 《五經大全》之修纂及其相關問題探究
   中國文哲研究集刊　第1期　頁361-383　1991年3月
   明代經學研究論集　頁33-59　臺北市　文史哲出版社　1994年5月
   明代經學研究論集（增訂本）　頁1-31　上海市　華東師範大學出版社
   2015年8月

7. 陸深《儼山集》中的《詩微》研究

第二屆傳統中國研究國際學術研討會宣讀論文　上海　上海社會科學院歷史研究所主辦　2007年7月21、22日

8. 袁仁《毛詩或問》研究

龍宇純先生七秩晉五壽慶論文集　頁45-56　臺北市　臺灣學生書局　2002年11月

明代經學研究論集（增訂本）　頁79-94　上海市　華東師範大學出版社2015年8月

9. 王陽明的經學思想

陽明學學術討論會宣讀論文　臺北市　臺灣師範大學人文教育中心主辦1988年12月

陽明學學術討論會論文集　頁143-154　臺北市　國立臺灣師範大學人文教育中心　1988年12月

明代經學研究論集　頁61-77　臺北市　文史哲出版社　1994年5月

明代經學研究論集（增訂本）　頁61-77　上海市　華東師範大學出版社2015年8月

10.王陽明的經學思想（渡邊賢譯）

二松學舍大學人文論叢　第57輯　頁157-173　東京都　二松學舍大學1996年10月

11.晚明經學的復興運動

書目季刊　第18卷3期　頁3-40　1984年12月

明代經學研究論集　頁79-145　臺北市　文史哲出版社　1994年5月

明代經學研究論集（增訂本）　頁95-161　上海市　華東師範大學出版社2015年8月

12.楊慎之經學

國立中央圖書館館刊　第18卷2期　頁189-210　1985年12月

明代經學研究論集　頁147-180　臺北市　文史哲出版社　1994年5月

明代經學研究論集（增訂本）　頁163-196　上海市　華東師範大學出版社2015年8月

13.楊慎之《詩經》學

　　孔孟月刊　第20卷7期　頁30-34　1982年3月

　　詩經研究論集（二）　頁515-523　臺北市　臺灣學生書局　1987年9月

14.楊慎在明代學術史上的地位

　　中國社會與文化學術研討會——晚明思潮與社會變動宣讀論文　臺北縣　淡江大學主辦　1987年12月

　　晚明思潮與社會變動　頁1-26　臺北市　弘化文化事業公司　1987年12月

15.梅鷟《尚書譜》研究

　　經學研究論叢　第1輯　頁113-138　桃園縣中壢市　聖環圖書公司　1994年4月

　　明代經學研究論集　頁181-212　臺北市　文史哲出版社　1994年5月

　　明代經學研究論集（增訂本）　頁197-228　上海市　華東師範大學出版社　2015年8月

16.陳耀文及其考證學

　　東吳文史學報　第4期　頁101-112　1982年4月

17.朱謀瑋《詩故》研究

　　中國文哲研究集刊　第2期　頁2491-288　1992年3月

　　明代經學研究論集　頁1-31　臺北市　文史哲出版社　1994年5月

　　明代經學研究論集（增訂本）　頁279-318　上海市　華東師範大學出版社　2015年8月

18.朱睦㮮及其《授經圖》

　　中國文哲研究集刊　第3期　頁455-485　1993年3月

　　明代經學研究論集　頁213-248　臺北市　文史哲出版社　1994年5月

　　明代經學研究論集（增訂本）　頁243-278　上海市　華東師範大學出版社　2015年8月

19.何楷《詩經世本古義》析論

　　中國文哲研究集刊　第4期　頁319-347　1994年3月

　　明代經學研究論集　頁299-331　臺北市　文史哲出版社　1994年5月

明代經學研究論集（增訂本）　頁329-361　上海市　華東師範大學出版社
2015年8月

20.黃道周儒行集傳及其時代意義

明代經學國際研討會宣讀論文　臺北市　中央研究院中國文哲研究所籌備處
主辦　1995年12月

明代經學國際研討會論文集　頁411-430　臺北市　中央研究院中國文哲研
究所籌備處　1996年6月

明代經學研究論集（增訂本）　頁387-409　上海市　華東師範大學出版社
2015年8月

21.劉宗周與《大學》

劉蕺山學術思想研討會宣讀論文　臺北市　中央研究院中國籌備處研究所
1996年5月

劉蕺山學術思想論集　頁317-336　臺北市　中央研究院中國文哲研究所籌
備處　1998年5月

明代經學研究論集（增訂本）　頁363-386　上海市　華東師範大學出版社
2015年8月

22.《孟子外書》板本知見考

孔孟月刊　第19卷1期　頁40-43　1980年9月

明代經學研究論集　頁289-297　臺北市　文史哲出版社　1994年5月初版

明代經學研究論集（增訂本）　頁319-327　上海市　華東師範大學出版社
2015年8月

23.李先芳《讀詩私記》研究

第五屆詩經國際學術研討會宣讀論文　石家莊市　中國詩經學會主辦

第五屆詩經國際學術研討會論文集　頁249-306　北京市　學苑出版社
2002年7月

明代經學研究論集（增訂本）　頁229-242　上海市　華東師範大學出版社
2015年8月

24.明末清初經學研究的回歸原典運動

國際孔學會議宣讀論文　臺北市　中華民國孔孟學會主辦　1987年11月

國際孔學會議論文集　頁867-882　臺北市　國際孔學會議秘書處　1988
年6月

孔子研究　1989年2期　頁110-119　1989年6月

明代經學研究論集　頁333-360　臺北市　文史哲出版社　1994年5月

經學檔案　頁56-73　武漢市　武漢大學出版社　2011年12月

明代經學研究論集（增訂本）　頁411-438　上海市　華東師範大學出版社
2015年8月

（八）清代經學史

1. 清初考辨群經風氣的探討

復興崗學報　第43期　頁319-343　1990年6月

2. 毛奇齡、李塨與清初的經書辨偽活動

第二屆清代學術研討會宣讀論文　高雄市　國立中山大學中國文學系所主辦
1991年11月

第二屆清代學術研討會論文集　頁123-144　高雄市　國立中山大學中國文
學系　1991年11月

清代經學研究論集　頁1-36　臺北市　中央研究院中國文哲研究所　2002年
8月

3. 萬斯大的《春秋》學

1993年浙東學術國際研討會宣讀論文　寧波市　寧波大學主辦　1993年3月

清史研究　1994年2期　頁94-99　1994年6月

論浙東學術　頁320-333　北京市　中國社會科學出版社　1995年2月

清代經學研究論集　頁37-64　臺北市　中央研究院中國文哲研究所　2002
年8月

4. 姚際恆治經的態度

第四屆清代學術研討會宣讀論文　高雄市　國立中山大學主辦　1995年11月

第四屆清代學術會議論文集　高雄市　國立中山大學中國文學系　1995年
11月

清代經學研究論集　頁65-108　臺北市　中央研究院中國文哲研究所　2002年8月

姚際恆研究論集　上冊　頁165-205　臺北市　中央研究院中國文哲研究所1996年6月

5. 姚際恆對《古文尚書》的考辨

清初的群經辨偽學　頁207-215　臺北市　文津出版社　1990年3月

姚際恆研究論集　上冊　頁325-337　臺北市　中央研究院中國文哲研究所1996年6月

6. 姚際恆對朱子《詩集傳》的批評

第二屆詩經國際學術研討會宣讀論文　石家莊市　中國詩經學會主辦　1995年8月

中國文哲研究集刊　第8期　頁1-24　1996年3月

清代經學研究論集　頁109-149　臺北市　中央研究院中國文哲研究所2002年8月

姚際恆研究論集　中冊　頁645-682　臺北市　中央研究院中國文哲研究所1996年6月

7. 姚際恆對朱子《詩集傳》的批評（節本）

第二屆詩經國際學術研討會論文集　頁493-505　北京市　語文出版社1996年8月

8. 姚際恆的《春秋》學

町田三郎教授退官紀念中國思想論叢　下冊　頁124-141　福岡市　中國書店　1995年3月

清代經學研究論集　頁151-178　臺北市　中央研究院中國文哲研究所2002年8月

姚際恆研究論集　下冊　頁999-1024　臺北市　中央研究院中國文哲研究所1996年6月

9. 姚際恆對《大學》的考辨

清初的群經辨偽學　頁381-386　臺北市　文津出版社　1990年3月

姚際恆研究論集　下冊　頁863-870　臺北市　中央研究院中國文哲研究所
1996年6月

10.姚際恆對《中庸》的考辨

清初的群經辨偽學　頁397-409　臺北市　文津出版社　1990年3月

姚際恆研究論集　下冊　頁963-979　臺北市　中央研究院中國文哲研究所
1996年6月

11.姚際恆及其在近代學術史上的地位

中國文哲研究通訊　第4卷2期　頁139-151　1994年6月

姚際恆研究論集　上冊　頁111-137　臺北市　中央研究院中國文哲研究所
1996年6月

12.姚際恆研究資料彙編

姚際恆研究論集　下冊　頁1113-1232　臺北市　中央研究院中國文哲研究
所　1996年6月

13.姚際恆研究年表

經學研究論叢　第4輯　頁243-256　桃園縣中壢市　聖環圖書公司　1997年
4月

姚際恆研究論集　下冊　頁1233-1255　臺北市　中央研究院中國文哲研究
所　1996年6月

14.姚際恆研究文獻目錄

經學研究論叢　第4輯　頁257-270　桃園縣中壢市　聖環圖書公司　1997年
4月

姚際恆研究論集　下冊　頁1257-1283　臺北市　中央研究院中國文哲研究
所　1996年6月

15.王懋竑的朱子學

清代思想與文學研討會宣讀論文　高雄市　國立中山大學中國文學系主辦
1989年11月

第一屆清代學術研討會論文集　頁109-122　高雄市　國立中山大學中國文
學系　1989年11月

清代經學研究論集　頁209-232　臺北市　中央研究院中國文哲研究所　2002年8月

16.「清乾嘉揚州學派研究」計畫述略

漢學研究通訊　第19卷第4期　頁581-587　2000年11月

17.清乾嘉考據學者對婦女問題的關懷

乾嘉學者之義理學第四次研討會宣讀論文　臺北市　中央研究院中國文哲研究所籌備處主辦　2000年12月

清代經學研究論集　頁275-307　臺北市　中央研究院中國文哲研究所　2002年8月

18.四庫館臣篡改《經義考》之研究

兩岸四庫學第一屆中國文獻學學術研討會宣讀論文　臺北縣　淡江大學主辦　1998年5月

兩岸四庫學第一屆中國文獻學學術研討會論文集　頁239-262　臺北市　臺灣學生書局　1998年9月

清代經學研究論集　頁233-273　臺北市　中央研究院中國文哲研究所　2002年8月

19.焦循《孟子正義》及其孟子學中之地位

孟子學國際研討會宣讀論文　臺北市　中央研究院中國文哲研究所籌備處主辦　1994年5月

孟子思想的歷史發展　頁217-241　臺北市　中央研究院中國文哲研究所籌備處　1996年5月

清代經學研究論集　頁309-343　臺北市　中央研究院中國文哲研究所　2002年8月

20.陳奐《詩毛氏傳疏》的訓釋方法

清代經學國際研討會宣讀論文　臺北市　中央研究院中國文哲研究所籌備處　1992年12月

清代經學國際研討會論文集　頁383-398　臺北市　中央研究院中國文哲研究所籌備處　1994年6月

清代經學研究論集　　頁373-401　　臺北市　　中央研究院中國文哲研究所 2002年8月

21.劉逢祿《左氏春秋考證》的辨偽方法

周易、左傳學國際研討會宣讀論文　臺北市　中華民國經學研究會主辦 1999年5月

應用語文學報　第4期　頁15-28　2002年6月

清代經學研究論集　　頁403-430　　臺北市　　中央研究院中國文哲研究所 2002年8月

22.方東樹對揚州學者的批評

海峽兩岸清代揚州學派學術研討會宣讀論文　揚州市　揚州大學人文學院主辦　2000年4月

清代揚州學術研究　　上冊　　頁211-230　　臺北市　　臺灣學生書局　2001年4月

清代經學研究論集　　頁345-372　　臺北市　　中央研究院中國文哲研究所 2002年8月

23.張金吾編《詒經堂續經解》的內容及其學術價值

應用語文學報　第2期　頁35-49　2000年6月

清代經學研究論集　　頁431-462　　臺北市　　中央研究院中國文哲研究所 2002年8月

24.劉文淇《左傳舊疏考正》研究

清代揚州學派學術研討會宣讀論文　臺北市　中央研究院中國文哲研究所 2001年5月3、4日

清代經學研究論集　　頁463-488　　臺北市　　中央研究院中國文哲研究所 2002年8月

25.清乾嘉考證學派與日本考證學派之比較研究

行政院國家科學委員會第36屆出國研究人員研究報告書　1999年3月30日

（九）民國經學史

總論

1. 經學百年的發展

   中華民國發展史　學術發展　上冊　頁49-80　臺北市　聯經出版公司、政治大學　2011年10月

民國時期

1. 研究民國時期經學的困難及因應之道

   河南社會科學　第15卷1期　頁21-24　2007年1月

2. 民國時期的中國經學史研究

   炎黃文化研究　第11輯　頁250-260　鄭州市　大象出版社　2010年11月

3. 民國初年的反詩序運動

   第三屆詩經國際學術研討會宣讀論文　石家莊市　中國詩經學會主辦　1997年8月

   貴州文史叢刊　1997年5期　頁1-12　1997年10月

   第三屆詩經國際學術研討會論文集　頁260-282　香港　天馬圖書公司　1998年6月

   中國經學研究的新視野　頁197-222　臺北市　萬卷樓圖書公司　2012年12月

4. 辜鴻銘來臺相關報導彙編（林慶彰編、藤井倫明譯）

   中國文哲研究通訊　第11卷3期　頁167-212　2001年9月

   近代中國知識分子在臺灣（二）　頁217-263　臺北市　萬卷樓圖書公司　2002年10月

5. 辜鴻銘在臺灣

   近代中國知識分子在臺灣（二）　頁97-119　臺北市　萬卷樓圖書公司　2002年10月

6. 辜鴻銘在日本

   近代中國知識分子在日本（三）　頁267-289　臺北市　萬卷樓圖書公司　2003年7月

7. 當代新儒家的《周禮》研究及其時代意義

第三次儒學會議宣讀論文　臺北市　中央研究院中國文哲研究所籌備處主辦　1995年5月

當代儒學論集——挑戰與回應　頁105-129　臺北市　中央研究院中國文哲研究所籌備處　1995年12月

8. 熊十力論讀經應有的態度

中國哲學與文化的現代詮釋研討會宣讀論文　舊金山　中國哲學與文化研究基金會主辦　1999年8月

傳承與創新——中央研究院中國文哲研究所十周年紀念文集（鍾彩鈞主編）頁603-622　臺北市　中央研究院中國文哲研究所籌備處　1999年12月

9. 熊十力的《春秋》學及其時代意義

儒學與現代世界國際研討會宣讀論文　臺北市　中央研究院中國文哲研究所籌備處主辦　1996年7月

國學研究　第7卷　頁377-396　2000年7月

10.熊十力對清代考據學的批評

東亞細亞傳統文化會議宣讀論文　福岡市　1994年4月

東亞文化的探索——近代文化的動向　頁23-42　臺北市　正中書局　1996年11月

11.鄭樵與顧頡剛

宋學與東方文化國際研討會宣讀論文　鄭州市　中原宋學會主辦　1996年5月

泰安師專學報　1999年第2期　頁8-15　1999年3月

12.姚際恆與顧頡剛

中國文哲研究集刊　第15期　頁431-456　1999年9月

13.顧頡剛與錢玄同

中國文哲研究集刊　第17期　頁405-430　2000年9月

14.顧頡剛的經學觀

二十世紀前半葉人文社會學術研討會宣讀論文　臺北市　東吳大學主辦　2000年11月

中國經學　第1輯　頁66-90　2005年11月

二〇世紀人文大師的風範與思想（上半葉）　頁241-295　臺北市　臺灣學生書局　2007年1月

15.顧頡剛論《詩序》

應用語文學報　第3號　頁77-86　2001年6月

16.顧頡剛論詩序（西口智也譯）

村山吉廣教授古稀紀念中國古典學論集　東京都　汲古書院　2000年5月

17.錢穆先生的經學

漢學研究集刊　創刊號　頁1-12　2005年12月

18.陳延傑及其《詩序解》

王叔岷先生學術成就與薪傳研討會宣讀論文　臺北市　臺灣大學中國文學系　2001年6月28、29日

王叔岷先生學術成就與薪傳論文集　頁411-428　臺北市　臺灣大學中國文學系　2001年8月

19.鄭振鐸論《詩序》

中華國學研究　創刊號　頁52-56　2008年12月

20.抗戰時期的《詩序》研究

經學研究論叢　第21輯　頁93-106　新北市　華藝學術出版社　2014年4月

新中國時期

1. 我與《中國古代史籍校讀法》四十年的情緣

中華讀書報　10版　2012年9月19日

2. 呂思勉先生著作在臺灣的翻印及流傳

偽書與禁書　頁109-124　新北市　華藝學術出版社　2012年11月

3. 高亨先生著作在臺灣的翻印及流傳

偽書與禁書　頁125-138　新北市　華藝學術出版社　2012年11月

4. 張舜徽先生著作在臺灣的翻印及流傳

書目季刊　第45卷第3期　頁49-67　2011年12月

偽書與禁書　頁139-159　新北市　華藝學術出版社　2012年11月

臺灣日治時期

1. 日據時期臺灣儒學參考文獻的編纂及其價值

   第二屆臺灣儒學國際研討會宣讀論文　臺南市　國立成功大學主辦　1999年12月

   第二屆臺灣儒學國際研討會論文集　頁729-743　臺南市　國立成功大學中國文學系　1999年12月

2. 日據時期臺灣儒學研究經驗談──從《日據時期臺灣儒學參考文獻》談起儒學研究論叢──日據時期臺灣儒學研究專號　頁1-12　臺北市　臺北市立教育大學人文藝術學院儒學中心　2008年12月

3. 吳德功《瑞桃齋文稿》所反映的儒學思想

   明清時期的臺灣傳統文學研討會宣讀論文　臺中市　東海大學主辦　2000年4月1日

   明清時期臺灣傳統文學論文集　頁338-357　臺北市　文津出版社　2002年10月

4. 張純甫的《左傳》研究

   第三屆臺灣儒學國際研討會宣讀論文　臺南市　國立成功大學中國文學系　2002年9月

   儒學與社會實踐──第三屆臺灣儒學國際研討會論文集　頁351-376　臺南市　國立成功大學中國文學系　2003年2月

5. 林履信的《尚書・洪範》研究

   漢學研究國際學術研討會宣讀論文　雲林縣斗六市　雲林科技大學漢學資料整理研究所　2002年11月

6. 林履信著作目錄

   學術論文寫作指引（第二版）第四章　頁129-141　臺北市　萬卷樓圖書公司　2011年9月

   學術論文寫作指引（大陸版）　頁117-128　北京市　九州出版社　2012年3月

戰後臺灣

1. 經學史研究（附經學史研究論著目錄1945-1998）

   臺灣近五十年經學研究述評　國家科學發展委員會　2000年10月

2. 近四十年臺灣《詩經》學研究概況

　　詩經學國際研討會議宣讀論文　石家莊市　河北師範學院主辦　1993年8月

　　詩經國際學術研討會論文集　頁27-41　保定市　河北大學出版社　1994年6月

　　文學遺產　1994年4期　頁119-125　1994年7月

3. 近二十年臺灣研究三禮成果之分析

　　慶祝沈文倬先生九十華誕暨禮學與中國傳統文化國際學術研討會宣讀論文

　　杭州　浙江大學古籍研究所主辦　2006年6月20-22日

　　禮學與中國傳統文化　頁160-167　北京市　中華書局　2006年12月

4. 近十五年來經學史的研究

　　（上）漢學研究通訊　第6卷3期　（總23期）　頁139-143　1987年9月

　　（下）漢學研究通訊　第6卷4期　（總24期）　頁185-189　1987年12月

5. Lin, Ching-chang (1991). "A Synopsis of Studies on the Chinese Classics Published during the Last Fifteen Years（Gilbert L. Mattos譯）." Early China vol. 16. pp. 235-276.

6. 臺灣研究經學史的現況（1987-1992）

　　東洋文庫講演稿　東京都　東洋文庫　1992年

7. 徐復觀研究經學史的得失

　　徐復觀學術思想國際研討會宣讀論文　臺中市　東海大學主辦　1992年12月

　　徐復觀學術思想研討會論文集　頁99-116　臺中市　東海大學哲學研究所　1992年12月

8. 屈萬里先生和他的《龍門集》──編輯《屈萬里先生文存》的意外發現

　　傳記文學　第46卷3期　頁82-86　1985年3月

　　圖書文獻學研究論集　頁397-408　臺北市　文津出版社　1990年1月

9. 屈翼鵬先生的詩經研究

　　書目季刊　第18卷4期　頁178-191　1985年3月

　　屈萬里院士紀念論文集　頁181-194　臺北市　臺灣學生書局　1985年5月

10.屈萬里先生與圖書辨偽

　　屈萬里先生百歲誕辰國際學術研討會宣讀論文　臺北市　臺灣大學中國文學

系　2006年12月

屈萬里先生百歲誕辰國際學術研討會論文集　頁93-107　臺北市　臺灣大學

中國文學系　2006年12月

偽書與禁書　頁1-22　新北市　華藝學術出版社　2012年11月

11.劉兆祐先生與圖書辨偽

劉兆祐教授春風化雨五十年紀念文集　頁47-60　臺北市　臺灣學生書局

2010年9月

偽書與禁書　頁23-40　新北市　華藝學術出版社　2012年11月

12.我的國學之路

貴州文史叢刊　2002年1期　頁1-5　2002年1月

13.我在九州大學的學術活動

國文天地　第10卷10期　頁104-111　1994年10月

14.完成中國經學史

文訊月刊　革新號第29期　頁10-11　1991年6月

15.經學研究三十年

中央研究院週報　第1126期　2007年6月28日

香港

1. 香港經學文獻的檢索與利用

香港經學研究的回顧與展望學術研討會主題演講論文　香港浸會大學主辦

2015年5月

古籍整理研究學刊　2015年第4期　2015年

2. 香港近五十年詩經研究述要

人文中國學報　第16期　頁383-430　2010年9月

3. 香港近六十年《詩經》研究文獻目錄

中國文哲研究通訊　第20卷4期　頁167-192　2010年12月

4. 從幾個論題看臺港詩經研究的異同

臺港經學研究的回顧與展望座談會主題演講論文　香港　香港城市大學文學

及歷史系　2015年5月8日

（十）日本經學史

1. 日本漢學研究近況

   應用語文學報　創刊號　頁95-125　1999年6月

2. 日本所藏中國經籍的學術價值

   東亞漢文文獻整理研究國際學術研討會宣讀論文　新北市　臺北大學古典文
   獻學研究所主辦　2008年10月31日、11月1日

   東亞漢文文獻整理研究國際學術研討會論文集　頁159-173　新北市　臺北
   大學古典文獻學研究所　2011年

3. 日本儒學精要書目

   （上）書目季刊　第32卷1期　頁66-87　1998年6月

   （下）書目季刊　第32卷2期　頁74-98　1998年9月

   儒家思想在現代東亞（日本篇）　頁381-455　臺北市　中央研究院中國文
   哲研究所籌備處　1999年6月

4. 明清時代中日經學研究的互動關係

   第三屆國際漢學會議宣讀論文　臺北市　中央研究院主辦　2000年6月

   中國思潮與外來文化　頁241-270　臺北市　中央研究院中國文哲研究所
   2002年12月

   中國經學研究的新視野　頁117-147　臺北市　萬卷樓圖書公司　2012年
   12月

5. 中日文史通俗雜誌

   國文天地　第17卷8期　頁12-14　2002年1月

6. 編纂日本儒學史研究文獻目錄芻議

   九州大學中國哲學科第88回懇話會宣讀論文　福岡市　九州大學文學部主辦
   1994年9月

   經學研究論叢　第2輯　頁253-264　桃園縣中壢市　聖環圖書公司　1994年
   10月

7. 清乾嘉考證學派與日本考證學派之比較研究（研究報告）

   臺北市　行政院國家科學委員會　1996年（出國研究人員報告書）

8. 江戶時代古學派的經書古義研究

首屆中國經學學術研討會宣讀論文　北京市　清華大學歷史系　2005年11月

9. 太宰春臺《朱氏詩傳膏肓》對朱子的批評

笠征教授花甲紀念論文集　頁187-204　臺北市　臺灣學生書局　2001年12月

10. 大田錦城和清初考證學者

九州大學中國哲學科第98回懇話會宣讀論文　福岡市　九州大學文學部主辦1998年

張以仁先生七秩壽慶論文集　頁291-303　臺北市　臺灣學生書局　2000年8月

11. 太宰春臺的中國經書古義研究

第四國際漢學會議宣讀論文　臺北市　中央研究院　2012年6月

鍾彩鈞主編　東亞視域中的儒學：傳統的詮釋（第四屆國際漢學會議論文集4）　頁431-451　臺北市　中央研究院　2013年10月

12. 竹添光鴻《左傳會箋》的解經方法

日本漢學國際學術研討會宣讀論文　臺北市　臺灣大學中國文學系　2001年3月16、17日

日本漢學研究初探（張寶三　楊儒賓編）　頁47-70　臺北市　喜馬拉雅研究基金會　2002年3月

13. 竹添光鴻《毛詩會箋》的解經方法

第五屆日本漢學國際學術研討會宣讀論文　臺北市　臺灣大學文學院等主辦2008年3月28、29日

（十一）日文翻譯

儒學研究

1. 關於漢民族所謂的天（黃得時著）

日據時期臺灣儒學參考文獻　上冊　頁739-754　臺北市　臺灣學生書局2000年10月

2. 洪範體系中之社會經世思想（林履信著）

　　日據時期臺灣儒學參考文獻　上冊　頁370-387　臺北市　臺灣學生書局
　　2000年10月

3. 儒的意義（狩野直喜著）

　　日據時期臺灣儒學參考文獻　上冊　頁939-958　臺北市　臺灣學生書局
　　2000年10月

4. 上代支那正樂考──孔子的音樂論（江文也著）

　　日據時期臺灣儒學參考文獻　上冊　頁780-938　臺北市　臺灣學生書局
　　2000年10月

5. 董仲舒災異說的結構解析（岩本憲司著）

　　經學研究論叢　第7輯　頁241-259　臺北市　臺灣學生書局　1999年9月

詩經研究

1. 竟陵派的詩經學（村山吉廣著）

　　中國文哲研究通訊　第5卷1期　頁79-92　1995年4月

2. 竟陵派的詩經學──以鍾惺的評價為中心（村山吉廣著）

　　中國文哲研究通訊　第5卷1期　頁79-92　1995年6月

3. 毛詩原解序說（村山吉廣著）

　　中國書目季刊　第29卷4期　頁59-64　1996年3月

4. 鍾伯敬詩經鍾評及其相關問題（村山吉廣著）

　　中國文哲研究通訊　第6卷1期　頁127-134　1996年3月

5. 崔述讀風偶識的側面──和戴君恩讀風臆評的關係（村山吉廣著）

　　中國文哲研究通訊　第5卷2期　頁134-144　1995年6月

姚際恆研究

1. 姚際恆及其著述（坂井喚三著）

　　經學研究論叢　第3輯　頁217-228　桃園縣中壢市　聖環圖書公司　1995年
　　4月

　　姚際恆研究論集　上冊　頁19-37　臺北市　中央研究院中國文哲研究所
　　1996年6月

2. 姚際恆的學問（上）——關於古今偽書考（村山吉廣著）

經學研究論叢　第3輯　頁229-240　桃園縣中壢市　聖環圖書公司　1995年4月

姚際恆研究論集　上冊　頁287-310　臺北市　中央研究院中國文哲研究所1996年6月

3. 姚際恆的學問（中）——他生涯和學風（村山吉廣著）

經學研究論叢　第3輯　頁241-256　桃園縣中壢市　聖環圖書公司　1995年4月

姚際恆研究論集　上冊　頁39-64　臺北市　中央研究院中國文哲研究所1996年6月

4. 姚際恆的學問（下）——關於詩經通論（村山吉廣著）

經學研究論叢　第3輯　頁257-274　桃園縣中壢市　聖環圖書公司　1995年4月

姚際恆研究論集　中冊　頁385-415　臺北市　中央研究院中國文哲研究所1996年6月

5. 姚際恆論（村山吉廣著）

經學研究論叢　第3輯　頁275-288　桃園縣中壢市　聖環圖書公司　1995年4月

姚際恆研究論集　上冊　頁65-87　臺北市　中央研究院中國文哲研究所1996年6月

6. 姚際恆的《禮記通論》（村山吉廣著）

經學研究論叢　第3輯　頁305-312　桃園縣中壢市　聖環圖書公司　1995年4月

姚際恆研究論集　下冊　頁839-851　臺北市　中央研究院中國文哲研究所1996年6月

日本漢學

1. 近代日本漢學家（1）——那珂通世（1851-1908）（田中正美著）

國文天地　第11卷1期　頁44-49　1995年6月

2. 近代日本漢學家（2）──林泰輔（1854-1922）（鎌田　正著）
國文天地　第11卷2期　頁33-39　1995年7月

3. 近代日本漢學家（3）──市村瓚次郎（1864-1947）（中嶋　敏著）
國文天地　第11卷3期　頁70-75　1995年8月

4. 近代日本漢學家（4）──白鳥庫吉（1865-1942）（松村　潤著）
國文天地　第11卷4期　頁48-53　1995年9月

5. 近代日本漢學家（5）──內藤湖南（1866-1934）（溝上　瑛著）
國文天地　第11卷5期　頁44-49　1995年10月

6. 近代日本漢學家（6）──高楠順次郎（1886-1945）（雲藤義道著）
國文天地　第11卷6期　頁60-65　1995年11月

7. 近代日本漢學家（7）──河口慧海（1866-1945）（高山龍三著）
國文天地　第11卷7期　頁25-31　1995年12月

8. 近代日本漢學家（8）──服部宇之吉（1867-1939）（宇野精一著）
國文天地　第11卷8期　頁17-23　1996年1月

9. 近代日本漢學家（9）──狩野直喜（1868-1947）（狩野直禎著）
國文天地　第11卷9期　頁20-26　1996年2月

10.近代日本漢學家（10）──鳥居龍藏（1870-1951）（白鳥芳郎著）
國文天地　第11卷10期　頁20-26　1996年3月

11.近代日本漢學家（11）──鈴木大拙（1870-1966）（古田紹欽著）
國文天地　第11卷11期　頁20-25　1996年4月

12.近代日本漢學家（12）──桑原騭藏（1871-1931）（礪波　護著）
國文天地　第11卷12期　頁20-26　1996年5月

13.近代日本漢學家（13）──岡井慎吾（1872-1945）（福田襄之介著）
國文天地　第12卷2期　頁12-18　1996年7月

14.近代日本漢學家（14）──津田左右吉（1873-1961）（溝上　瑛著）
國文天地　第12卷3期　頁32-38　1996年8月

15.近代日本漢學家（15）──新城新藏（1873-1938）（藪內　清著）
國文天地　第12卷4期　頁28-34　1996年9月

16. 近代日本漢學家（16）──大谷光瑞（1876-1948）（上山大峻著）

　　國文天地　第12卷5期　頁44-50　1996年10月

17. 近代日本漢學家（17）──鈴木虎雄（1878-1963）（興膳　宏著）

　　國文天地　第12卷6期　頁20-25　1996年11月

18. 近代日本漢學家（18）──加藤　繁（1880-1946）（梅原　郁著）

　　國文天地　第12卷7期　頁18-23　1996年12月

19. 近代日本漢學家（19）──濱田耕作（1881-1938）（小野山　節著）

　　國文天地　第12卷8期　頁30-35　1997年1月

20. 近代日本漢學家（20）──羽田亨（1882-1955）（間野英二著）

　　國文天地　第12卷9期　頁21-27　1997年2月

21. 近代日本漢學家（21）──諸橋轍次（1883-1982）（原田種成著）

　　國文天地　第12卷10期　頁14-19　1997年3月

22. 近代日本漢學家（22）──武內義雄（1886-1966）（金谷　治著）

　　國文天地　第12卷11期　頁15-19　1997年4月

23. 近代日本漢學家（23）──青木正兒（1887-1964）（水谷真成著）

　　國文天地　第12卷12期　頁16-20　1997年5月

24. 近代日本漢學家（24）──石田幹之助（1891-1974）（和田久德著）

　　國文天地　第13卷1期　頁16-20　1997年6月

（十二）文獻學

讀書指導

1. 談國學及其入門書

　　書評書目　第43期　頁51-60　1976年11月

　　圖書文獻學研究論集　頁1-12　臺北市　文津出版社　1990年1月

2. 讀書答客問

　　東吳青年　第73期　頁77-79　1980年6月

　　圖書文獻學研究論集　頁57-63　臺北市　文津出版社　1990年1月

3. 談「同書異名」

　　書評書目　第44期　頁95-102　1976年12月

圖書文獻學研究論集　頁333-341　臺北市　文津出版社　1990年1月

4. 由研究生圖書利用引起的一些問題

中國論壇　第4卷1期（總37期）　頁25-26　1977年4月

圖書文獻學研究論集　頁353-358　臺北市　文津出版社　1990年1月

5. 如何開啟知識的寶庫──談圖書館的利用

幼獅月刊　第61卷4期　頁22-30　1985年4月

圖書文獻學研究論集　頁13-32　臺北市　文津出版社　1990年1月

6. 文化中心的相關工作（圖書館問題）

幼獅月刊　第49卷9期（總503期）　頁39-43　1979年9月

圖書文獻學研究論集　頁453-467　臺北市　文津出版社　1990年1月

7. 大陸資料蒐藏與利用的困難及解決之道

國文天地　第10卷2期　頁99-102　1994年7月

8. 對研究生拓展學術空間的一些看法

國文天地　第9卷6期　頁13-15　1993年11月

9. 大學生與工具書

書評書目　第51期　頁94-101　1977年7月

圖書文獻學研究論集　頁33-42　臺北市　文津出版社　1990年1月

10.讀書與卡片

書評書目　第55期　頁143-148　1977年11月

圖書文獻學研究論集　頁43-51　臺北市　文津出版社　1990年1月

11.什麼是學術論文？

國文天地　第10卷4期　頁110-113　1994年9月

12.什麼是「摘要」？

國文天地　第4卷4期　頁29　1988年9月

圖書文獻學研究論集　頁53-55　臺北市　文津出版社　1990年1月

叢書研究

1. 黃永武先生編纂叢書的貢獻

二○一○年黃永武先生學術研討會論文集　頁1-9　嘉義縣　南華大學文學系　2010年11月26、27日

文獻整理

1. 略談翻印古書

   書評書目　第47期　頁59-64　1977年3月

   圖書文獻學研究論集　頁343-351　臺北市　文津出版社　1990年1月

2. 知識的水庫——歷代對圖書文獻的整理與保藏

   中國文化新論學術篇——浩翰的學海　頁521-585　臺北市　聯經出版事業
   公司1981年12月

   圖書文獻學研究論集　頁409-451　臺北市　文津出版社　1990年1月

   中國人的思想歷程　頁340-387　合肥市　黃山書社　2012年5月（將1981年
   12月聯經出版公司出版的《中國文化新論學術篇浩瀚的學海》改名而成）

3. 中央研究院中國文哲所整理古籍的現況

   中國文哲研究通訊　第6卷2期　頁141-146　1996年6月

4. 對當代文學史料整理的幾點意見

   文訊月刊　第11期　頁113-124　1984年5月

   圖書文獻學研究論集　頁371-388　臺北市　文津出版社　1990年1月

5. 作家與文學史料的整理

   文訊月刊　第19期　頁6-8　1985年8月

   圖書文獻學研究論集　頁367-370　臺北市　文津出版社　1990年1月

偽禁書研究

1. 當代偽書問題

   教育資料與圖書館學　第22卷2期　頁186-198　1984年12月

   圖書文獻學研究論集　頁117-137　臺北市　文津出版社　1990年1月

2. 如何整理戒嚴時期出版的偽書？

   文訊月刊　革新第6期　頁10-13　1989年7月

   圖書文獻學研究論集　頁173-180　臺北市　文津出版社　1990年1月

3. 一本偽書——談朱自清的《語文通論》

   書評書目　第84期　頁65-68　1980年4月

   圖書文獻學研究論集　頁159-164　臺北市　文津出版社　1990年1月

4. 誰幽林語堂一默？——談林著《世界文學名著史話》

　　書評書目　第88期　頁30-32　1980年8月

　　圖書文獻學研究論集　頁165-168　臺北市　文津出版社　1990年1月

5. 偽書概觀——以華聯（五洲）出版社的文史書為例

　　書評書目　第90期　頁97-108　1981年3月

　　圖書文獻學研究論集　頁139-158　臺北市　文津出版社　1990年1月

6. 胡適之先生編過白話詞選？

　　書評書目　第95期　頁137-138　1981年3月

　　圖書文獻學研究論集　頁169-171　臺北市　文津出版社　1990年1月

7. 臺灣商務印書館篡改《東方雜誌》重印本

　　昌彼得教授八秩晉五壽慶論文集　頁129-156　臺北市　臺灣學生書局
　　2005年2月

　　偽書與禁書　頁69-95　新北市　華藝學術出版社　2012年11月

8. 當代文學「禁書」研究

　　五十年來的臺灣文學研討會　臺北市　文訊雜誌社主辦　1996年

　　臺灣文學出版：五十年來臺灣文學研討會論文集（三）　頁193-216　臺北
　　市　行政院文化建設委員會　1996年6月

　　偽書與禁書　頁41-68　新北市　華藝學術出版社　2012年11月

9. 戒嚴時期《國魂》所刊登的禁書（與黃智明合著）

　　書目季刊　第42卷1期　頁41-52　2008年6月

　　偽書與禁書　頁97-107　新北市　華藝學術出版社　2012年11月

10.誰剽竊朱自清的著作

　　偽書與禁書　頁161-163　新北市　華藝學術出版社　2012年11月

11.九本詩學入門書

　　偽書與禁書　頁165-168　新北市　華藝學術出版社　2012年11月

12.趙景深《中國文學小史》在臺灣的翻印本

　　偽書與禁書　頁169-174　新北市　華藝學術出版社　2012年11月

13.臺灣戒嚴時期經學類違礙圖書考

戰後臺灣經學第一次學術研討會宣讀論文　臺北市　中央研究院中國文哲研究所主辦　2015年7月13日

漢學機構

1. 揚我大漢天聲──漢學研究資料及服務中心

   中央日報　第12版　1983年10月2日

   圖書文獻學研究論集　頁469-472　臺北市　文津出版社　1990年1月

2. 中央研究院歷史語言研究所傅斯年圖書館的大陸藏書

   國文天地　第4卷1期　頁36-37　1988年6月

   圖書文獻學研究論集　頁473-476　臺北市　文津出版社　1990年1月

3. 中央研究院歷史語言研究所傅斯年圖書館的大陸藏書

   國文天地　第4卷1期　頁37-39　1988年6月

   圖書文獻學研究論集　頁477-480　臺北市　文津出版社　1990年1月

4. 國際關係研究中心圖書館的大陸藏書

   國文天地　第4卷1期　頁39-40　1988年6月

   圖書文獻學研究論集　頁481-484　臺北市　文津出版社　1990年1月

5. 期盼早日設立多功能的文學資料館

   文訊月刊　第44期　頁14-15　1992年9月

書目、資料彙編

1. 賀《期刊論文索引》二十周年──兼論編輯其他書目、索引的必要性

   國立中央圖書館館訊　第11卷3期　頁14-15　1989年8月

   圖書文獻學研究論集　頁325-331　臺北市　文津出版社　1990年1月

2. 談目錄的編輯和利用

   國文天地　第10卷11期　頁90-93　1995年4月

3. 專科目錄的編輯方法

   書目季刊　第30卷4期　頁62-71　1997年3月

   專科目錄的編輯方法　頁15-30　臺北市　臺灣學生書局　2001年9月

4. 現有專科目錄體例的檢討

   專科工具書編輯研討會論文　嘉義縣竹崎市　香光尼眾佛學院主辦　2007年9月29、30日

5. 楊慎研究論著目錄（與賈順先合編）

　　國立中央圖書館館刊　第24卷1期　頁209-214　1991年6月

6. 熊十力關係書目

　　國立中央圖書館館刊　第24卷2期　頁243-264　1991年12月

7. 近年出版有關五四的著作

　　國文天地　第4卷12期　頁108-113　1989年5月

8. 有關大陸文字改革的著作

　　國文天地　第5卷2期　頁34-39　1989年7月

9. 楊慎研究資料彙編（與賈順先合編）

　　中國文哲研究通訊　第2卷4期　頁96-105　1992年12月（附　楊慎研究論著目錄　頁98-105）

10.顧夢麟研究資料彙編

　　詩經說約（顧夢麟著）　第5冊附錄　頁2133-2164　臺北市　中央研究院中國文哲研究所籌備處　1996年6月

11.李源澄著作目錄

　　中國文哲研究通訊　第17卷4期　頁61-74　2007年12月

　　李源澄著作集　第4冊　臺北市　中央研究院中國文哲研究所　2008年12月

12.我蒐集李源澄著作之經過

　　經學研究論叢　第15輯　頁288-314　2008年6月

　　李源澄著作集　第4冊　臺北市　中央研究院中國文哲研究所　2008年12月

13.談談「以書代刊」

　　國文天地　第24卷12期　頁47　2009年5月

圖書評論

1. 請多寫學術性書評

　　文訊月刊　第39期　頁72-73　1988年12月

2. 評介《中文參考用書指引》（張錦郎著）

　　中央日報　第11版　1979年10月17日

　　圖書文獻學研究論集　頁257-261　臺北市　文津出版社　1990年1月

3. 《中國文化研究論文目錄》評介

　　書目季刊　第17卷1期　頁27-32　1983年6月

　　圖書文獻學研究論集　頁263-272　臺北市　文津出版社　1990年1月

4. 《臺灣地區漢學論著選目》評介

　　東方雜誌　復刊第17卷4期　頁74-75　1983年10月

　　圖書文獻學研究論集　頁273-277　臺北市　文津出版社　1990年1月

5. 談《東洋學文獻類目》

　　中國文哲研究通訊　第1卷2期　頁132-135　1991年6月

6. 《四庫全書文集編目分類索引》出版的意義

　　中國書目季刊　第25卷3期　頁68-70　1991年12月

7. 檢索大陸期刊的必備工具書──談《臺灣地區現藏大陸期刊聯合目錄》

　　書目季刊　第30卷1期　頁60-63　1996年6月

8. 評鄭良樹編著《續偽書通考》

　　漢學研究　第2卷2期　頁727-752　1984年12月

　　圖書文獻學研究論集　頁65-116　臺北市　文津出版社　1990年1月

9. 評《詩經研究文獻目錄》（村山吉廣、江口尚純編）

　　中國文哲研究通訊　第3卷2期　頁77-81　1993年6月

10.評《中國哲學史論文索引》（方克立、楊守義、蕭文德編）

　　鵝湖學誌　第9期　頁173-179　1992年12月

11.朱子學研究成果的總匯──談《朱子學研究書目》

　　國文天地　第8卷1期　頁39-41　1992年6月

12.評《中國歷代名人年譜總目》（王德毅著）──附補遺

　　（上）書評書目　第74期　頁110-117　1979年6月

　　（中）書評書目　第76期　頁128-135　1979年8月

　　（下）書評書目　第77期　頁116-121　1979年9月

　　圖書文獻學研究論集　頁293-323　臺北市　文津出版社　1990年1月

13.一本兼具可讀性的書目──應鳳凰編《一九八○年文學書目》評介

　　文訊月刊　第5期　頁119-123　1983年11月

　　圖書文獻學研究論集　頁279-284　臺北市　文津出版社　1990年1月

14.三種韓國研究中國學的工具書

　　國際漢學論叢　第2輯　頁321-325　臺北市　樂學書局　2005年2月

15.談談《辭彙》（陸師成著）的錯誤

　　書評書目　第42期　頁16-23　1976年10月

　　圖書文獻學研究論集　頁237-245　臺北市　文津出版社　1990年1月

16.關於《東方國語辭典》增訂版

　　中華日報　第9版　1976年12月30日

　　圖書文獻學研究論集　頁233-236　臺北市　文津出版社　1990年1月

17.現有中小型辭典之檢討

　　書評書目　第57期　頁69-78　1978年1月

　　圖書文獻學研究論集　頁199-212　臺北市　文津出版社　1990年1月

18.中文辭典的源流與發展

　　書評書目　第81期　頁12-23　1980年2月26日

　　圖書文獻學研究論集　頁181-198　臺北市　文津出版社　1990年1月

19.《大辭典》的一些疏失

　　國文天地　第2卷5期　頁24-31　1986年10月

　　圖書文獻學研究論集　頁213-232　臺北市　文津出版社　1990年1月

20.論《國語活用辭典》

　　國文天地　第3卷2期　頁88-91　1987年7月

　　圖書文獻學研究論集　頁247-255　臺北市　文津出版社　1990年1月

21.評介《大學論文研究報告寫作指導》（Kate L. Turabian著，馬凱南譯）

　　書評書目　第90期　頁25-31　1980年10月

22.《中華常識百科全書》的「國學常識」

　　書評書目　第59期　頁104-110　1978年3月

　　圖書文獻學研究論集　頁285-292　臺北市　文津出版社　1990年1月

23.近百年來國學入門書述評——書目類

　　圖書與圖書館　第1卷1期　頁49-79　1979年9月

24.評《詩經評釋》（朱守亮著）

　　漢學研究　第3卷1期　頁361-374　1985年6月

其它

1. 我們的理想和期望

   國文天地　第4卷1期　頁6-7　1988年6月

2. 發揚傳統文化兩岸共譜新曲——本刊與文史知識合作會談紀實

   國文天地　第4卷6期　頁96-97　1988年12月

3. 點燈——賀國文天地關係企業的誕生

   國文天地　第6卷4期　頁5-6　1990年9月

4. 滄桑的十年，不變的理想——回顧「萬卷樓」的艱辛路

   國文天地　第16卷7期　頁39-40　2000年12月

5. 讓國文天地成為中文人的共同資產

   國文天地　第20卷12期　頁4-5　2005年5月

6. 大陸出版文淵閣四庫全書影印本

   國文天地　第5卷6期　頁98-99　1989年11月

7. 大陸出版品對臺灣學術研究的意義

   國文天地　第22卷1期　頁38-43　2006年6月

（十三）學林人物

1. 活在卡片堆裡的人——張錦郎先生訪問記

   書評書目　第80期　頁87-97　1979年12月

2. 經學在美國植根——訪漢學家艾爾曼（Benjamin A. Elman）教授

   書目季刊　第20卷3期　頁43-50　1986年12月

3. 中國哲學研究的重鎮——訪辛冠潔教授

   國文天地　第4卷9期（總45期）　頁70-72　1989年2月

4. 中國文學的耕耘者——訪北京大學中文系費振剛教授

   國文天地　第9卷7期　頁124-128　1993年12月

5. 現代韓國中國學的開創者——金學主教授

   中國文哲研究通訊　第8卷2期　頁97-110　1998年6月

6. 訪當代三禮學專家——彭林教授

   經學研究論叢　第11輯　頁381-400　臺北市　臺灣學生書局　2003年6月

7. 訪旅美中國古典學專家——邵東方博士

國際漢學論叢　第2輯　頁291-320　臺北市　樂學書局　2005年2月

8. 望之儼然，即之也溫——追懷翼鵬師

雙溪文穗　新第6期　1979年5月30日

中央研究院院士屈翼鵬先生哀思錄　頁89-91　臺北市　屈萬里先生治喪委
員會　1979年5月26日

屈萬里先生文存　第6冊　頁2295-2297　臺北市　聯經出版事業公司　1985
年2月

9. 悼王熙元教授——兼悼李光第先生

國文天地　第12卷5期　頁20-24　1996年10月

10.啟功先生與萬卷樓

國文天地　第21卷7期（總247期）　頁23-26　2005年12月

11.探尋文明起源　重寫學術史——李學勤先生的經歷及其學術成果

國文天地　第21卷12期（總252期）　頁105-112　2006年5月

12.思想史研究與考據學方法——姜廣輝先生在中國思想史研究上的成績

國文天地　第22卷2期（總254期）　頁97-101　2006年7月

13.鐘鳴旦教授與中西文化交流研究

國文天地　第22卷8期（總260期）　頁97-101　2007年1月

14.利益眾生的佛學修行——自衍法師為佛教圖書所做的貢獻

國文天地　第23卷7期　頁108-112　2007年12月

15.民國時期學術研究的活字典——柳存仁先生專訪

中國文哲研究通訊　21卷3期（總83期）　頁3-16　2011年9月

16.何廣棪教授訪談錄

國文天地　28卷2期（總326期）　頁86-91　2012年7月

17.華東師範大學路新生教授的學思歷程

國文天地　第29卷4期（總340期）　頁2013年9月

18.臺日學術文化交流的志工——日本長崎大學連清吉教授的學思歷程

國文天地　第29卷7期（總343期）　頁92-96　2013年12月

（十四）時事與文化評論

1. 河殤在臺日誌

   國文天地　第4卷8期　頁38-41　1989年1月

2. 學術會議與論文集

   國文天地　第8卷1期　頁9-10　1992年6月

3. 大陸學者看故宮

   臺灣立報　第17版　1992年10月11日

4. 國慶日放煙火的省思

   臺灣立報　第17版　1992年10月16日

5. 平心看《全宋詩》的爭議

   臺灣立報　第17版　1992年10月18日

6. 臺灣的招牌酒是什麼？

   臺灣立報　第17版　1992年11月6日

7. 請掃除刺破車胎的兇手

   臺灣立報　第17版　1992年11月8日

8. 臺灣為何不能開國際會議？

   臺灣立報　第17版　1992年11月11日

9. 養兒立志當黑道

   臺灣立報　第17版　1992年11月15日

10.言論自由與汙衊栽贓

   臺灣立報　第17版　1992年11月20日

11.請阿港伯讀讀孔子傳

   臺灣立報　第17版　1992年11月22日

12.標點符號已被大陸統一

   臺灣立報　第17版　1992年11月27日

13.請取締搬家小廣告

   臺灣立報　第17版　1992年11月30日

14.誰來挽救紅磚道

臺灣立報　第17版　1992年12月7日

15.中國人的歷史意識

臺灣立報　第17版　1992年12月16日

16.請妥善保存蔣公銅像

臺灣立報　第17版　1992年12月21日

17.民進黨應該做些什麼？

臺灣立報　第17版　1993年1月10日

18.江澤民談過戀愛嗎？

臺灣立報　第17版　1993年1月11日

19.交通裁決所與監理處

臺灣立報　第17版　1993年2月1日

20.大學教授操賤業

國文天地　第8卷7期　頁8-9　1992年12月

21.《全宋詩》爭議的省思

國文天地　第8卷8期　頁4-5　1993年1月

22.請建立中南部學術資料中心

國文天地　第9卷1期　頁4-5　1993年6月

23.誰願意申請國科會的人文研究計畫？

國文天地　第9卷2期　頁4-5　1993年7月

24.文化中心出版品應廣為流傳

國文天地　第11卷1期　頁112-113　1995年6月

（十五）序跋

自著書

1. 《豐坊與姚士粦》序

林慶彰《豐坊與姚士粦》　卷首　臺北市　東吳大學中國文學研究所碩士論
文　1978年5月

林慶彰《豐坊與姚士粦》　卷首　臺北市　萬卷樓圖書公司　2015年7月

2. 《明代考據學研究》序

　　林慶彰《明代考據學研究》　卷首　臺北市　臺灣學生書局　1983年7月

3. 《明代考據學研究》修訂本序

　　林慶彰《明代考據學研究》　卷首　臺北市　臺灣學生書局　1986年10月

4. 《圖書文獻學研究論集》序

　　林慶彰《圖書文獻學研究論集》　卷首　臺北市　文津出版社　1990年1月

5. 《清初的群經辨偽學》序

　　林慶彰《清初的群經辨偽學》　卷首　臺北市　文津出版社　1990年3月

　　林慶彰《清初的群經辨偽學》　卷首　上海市　華東師範大學出版社　2011年5月

6. 《明代經學研究論集》序

　　林慶彰《明代經學研究論集》　卷首　臺北市　文史哲出版社　1994年5月

7. 《學術論文寫作指引》序

　　林慶彰《學術論文寫作指引》　卷首　臺北市　萬卷樓圖書公司　1996年9月

8. 《讀書報告寫作指引》序

　　林慶彰、劉春銀合著《讀書報告寫作指引》　卷首　臺北市　萬卷樓圖書公司　2001年11月

9. 《清代經學研究論集》序

　　林慶彰《清代經學研究論集》　卷首　臺北市　中央研究院中國文哲研究所　2002年8月

10. 《林慶彰著作集》總序

　　林慶彰《林慶彰著作集》　卷首　上海市　華東師範大學出版社　2011年5月

11. 《學術論文寫作指引》第二版序

　　林慶彰《學術論文寫作指引》　卷首　頁5-8　臺北市　萬卷樓圖書公司　2011年9月

12. 《學術論文寫作指引》自序

　　林慶彰《學術論文寫作指引》（大陸版）　卷首　北京市　九州出版社　2012年3月

13. 《偽書與禁書》序

　　林慶彰《偽書與禁書》　卷首　新北市　華藝學術出版社　2012年11月

14. 《中國經學研究的新視野》序

　　林慶彰《中國經學研究的新視野》　卷首　臺北市　萬卷樓圖書公司　2012年12月

15. 《顧頡剛的學術淵源》序

　　林慶彰《顧頡剛的學術淵源》　卷首　新北市　華藝學術出版社　2015年8月

16. 《當代臺灣經學人物》序

　　林慶彰《當代臺灣經學人物》卷首　臺北市　萬卷樓圖書公司　2015年8月

自編書

經學書目

1. 《經學研究論著目錄（1912-1987）》序

　　林慶彰主編《經學研究論著目錄（1912-1987）》　第一冊　卷首　臺北市　漢學研究中心　1989年12月

2. 《朱子學研究書目（1900-1991）》序

　　林慶彰主編《朱子學研究書目（1900-1991）》　卷首　臺北市　文津出版社　1992年5月

3. 《日本研究經學論著目錄（1900-1992）》序

　　林慶彰《日本研究經學論著目錄（1900-1992）》　卷首　臺北市　中央研究院中國文哲研究所籌備處　1993年10月

4. 《乾嘉學術研究論著目錄（1900-1993）》序

　　林慶彰主編《乾嘉學術研究論著目錄（1900-1993）》　卷首　臺北市　中央研究院中國文哲研究所籌備處　1995年5月

5. 《經學研究論著目錄（1988-1992）》序

　　林慶彰主編《經學研究論著目錄（1988-1992）》　第一冊　卷首　臺北市　漢學研究中心　1995年6月

6. 《日本儒學研究書目》序

林慶彰、連清吉、金培懿合編《日本儒學研究書目》　第一冊　卷首　臺北市　臺灣學生書局　1998年7月

7. 《專科目錄的編輯方法》序

林慶彰主編《專科目錄的編輯方法》　卷首　臺北市　臺灣學生書局　2001年9月

8. 《經學研究論著目錄（1993-1997）》序

林慶彰、陳恆嵩合編《經學研究論著目錄（1993-1997）》　第一冊　卷首　臺北市　漢學研究中心　2002年4月

9. 《近現代新編叢書述論》序

林慶彰主編《近現代新編叢書述論》　卷首　臺北市　臺灣學生書局　2005年9月

10. 《晚清經學研究文獻目錄（1912-2000）》序

林慶彰、蔣秋華合編《晚清經學研究文獻目錄（1912-2000）》　卷首　臺北市　中央研究院中國文哲研究所　2006年10月

11. 《當代新編專科目錄述評》序

林慶彰主編《當代新編專科目錄述評》　卷首　臺北市　臺灣學生書局　2008年10月

12. 《中國經學相關研究博碩士論文目錄》序

林慶彰、蔣秋華合編《中國經學相關研究博碩士論文目錄》　卷首　臺北市　萬卷樓圖書公司　2009年10月

13. 《經學研究論著目錄（1998-2002）》序

林慶彰、蔣秋華合編《經學研究論著目錄（1998-2002）》　第一冊　卷首　臺北市　漢學研究中心　2013年12月

14. 《國文天地300期第1-25卷總目暨分類目錄》序

林慶彰主編《國文天地300期第1-25卷總目暨分類目錄》　卷首　臺北市　萬卷樓圖書公司　2014年7月

15. 《中國歷代文學總集述評》序

林慶彰主編《中國歷代文學總集述評》　卷首　臺北市　萬卷樓圖書公司　2007年10月

經學家文集

1. 《中國文化新論學術篇──浩瀚的學海》序

　　林慶彰主編《中國文化新論學術篇──浩瀚的學海》　卷首　臺北市　聯經
　　出版事業公司　1981年12月

2. 《詩經研究論集（一）》序

　　林慶彰主編《詩經研究論集（一）》　卷首　臺北市　臺灣學生書局　1983
　　年11月

3. 《屈萬里先生文存》編後記（與劉兆祐師合著）

　　劉兆祐、林慶彰編《屈萬里先生文存》第6冊　頁2385-2388　臺北市　聯經
　　出版事業公司　1985年2月

4. 《詩經研究論集（二）》序

　　林慶彰主編《詩經研究論集（二）》　卷首　臺北市　臺灣學生書局　1987
　　年9月

5. 《蔡元培張元濟往來書札》序

　　林慶彰主編《蔡元培張元濟往來書札》　卷首　臺北市　中央研究院中國文
　　哲研究所籌備處　1990年6月

6. 《中國經學史論文選集》序

　　林慶彰主編《中國經學史論文選集》　第1冊　卷首　臺北市　文史哲出版
　　社　1992年10月

7. 《楊慎研究資料彙編》序

　　林慶彰、賈順先合編　《楊慎研究資料彙編》　第1冊　卷首　臺北市　中
　　央研究院中國文哲研究所籌備處　1992年10月

8. 《李光筠先生紀念集》跋

　　林慶彰、邱元昌編《李光筠先生紀念集》　頁249-252　臺北市　萬卷樓圖
　　書公司　1992年9月

9. 《姚際恆著作集》序

　　林慶彰主編《姚際恆著作集》　第1冊　卷首　臺北市　中央研究院中國文
　　哲研究所籌備處　1994年6月

10.《二十七松堂集》序

　　林慶彰、林子雄合編《二十七松堂集》　第1冊　卷首　臺北市　中央研究院中國文哲研究所籌備處　1995年6月

11.《姚際恆研究論集》序

　　林慶彰、蔣秋華合編　《姚際恆研究論集》　第1冊　卷首　臺北市　中央研究院　中國文哲研究所籌備處　1996年6月

12.《姚際恒研究論集》序

　　林慶彰、蔣秋華編《姚際恒研究論集》　卷首　臺北市　中央研究院中國文哲研究所　1996年6月

　　中國文哲通訊　第6卷4期（總24期）　頁375-377　1996年12月

13.《汪中集》序

　　林慶彰編審《汪中集》　卷首　臺北市　中央研究院中國文哲研究所籌備處　2000年3月

14.《朱彝尊《經義考》研究論集》序

　　林慶彰、蔣秋華合編《朱彝尊《經義考》研究論集》　第1冊　卷首　臺北市　中央研究院中國文哲研究所籌備處　2000年9月

15.《陳奐研究論集》序

　　林慶彰、楊晉龍合編《陳奐研究論集》　卷首　臺北市　中央研究院中國文哲研究所籌備處　2000年12月

16.《啖助新春秋學派研究論集》序

　　林慶彰、蔣秋華合編　《啖助新春秋學派研究論集》　卷首　臺北市　中央研究院中國文哲研究所　2002年9月

17.《通志堂經解研究論集》序

　　林慶彰、蔣秋華合編《通志堂經解研究論集》　第1冊　卷首　臺北市　中央研究院中國文哲研究所　2005年8月

18.《蘇輿詩文集》序

　　林慶彰、蔣秋華合編《蘇輿詩文集》　卷首　臺北市　中央研究院中國文哲研究所　2005年11月

19.《張壽林著作集》序

林慶彰、蔣秋華合編《張壽林著作集》　第1冊　卷首　臺北市　中央研究院中國文哲研究所　2011年12月

20.《日據時期臺灣儒學參考文獻》編者序

林慶彰編《日據時期臺灣儒學參考文獻》　上冊　卷首　臺北市　臺灣學生書局　2000年10月

21.《李源澄著作集》序

林慶彰、蔣秋華主編《李源澄著作集》　卷首　臺北市　中央研究院中國文哲研究所　2008年

22.《近代中國知識分子在臺灣》序

林慶彰、陳仕華合編《近代中國知識分子在臺灣》　第1冊　卷首　臺北市　萬卷樓圖書公司　2002年10月

23.《近代中國知識分子在日本》序

林慶彰主編《近代中國知識分子在日本》　第1冊　卷首　臺北市　萬卷樓圖書公司　2003年7月

24.《日治時期臺灣知識分子在中國》序

林慶彰主編《日治時期臺灣知識分子在中國》　卷首　臺北市　臺北市文獻委員會　2004年12月

25.《五十年來的經學研究》序

林慶彰主編《五十年來的經學研究》　卷首　臺北市　臺灣學生書局　2003年5月

26.《變動時代的經學與經學家——民國時期（1912-1949）經學研究》序

林慶彰、蔣秋華總策畫《變動時代的經學與經學家——民國時期（1912-1949）經學研究》　第1冊　卷首　臺北市　萬卷樓圖書公司　2013年12月

27.《經義考新校》序

林慶彰、蔣秋華等主編《經義考新校》　卷首　上海市　上海古籍出版社　2011年1月

28.《清領時期臺灣儒學參考文獻》序

林慶彰、蔣秋華主編《清領時期臺灣儒學參考文獻》　卷首　新北市　華藝學術出版社　2013年11月

論文集

1. 《明代經學國際研討會論文集》序

    林慶彰、蔣秋華合編《明代經學國際研討會論文集》　卷首　臺北市　中央研究院中國文哲研究所籌備處　1996年6月

2. 《乾嘉學者的義理學》序

    林慶彰、張壽安合編《乾嘉學者的義理學》　第1冊　卷首　臺北市　中央研究院中國文哲研究所　2003年2月

3. 《清代揚州學術研究》序

    林慶彰、祁龍威合編《清代揚州學術研究》　第1冊　卷首　臺北市　臺灣學生書局　2001年4月

4. 《首屆國際《尚書》學學術研討會論文集》序

    林慶彰、錢宗武主編《首屆國際《尚書》學學術研討會論文集》　卷首　臺北市　萬卷樓圖書公司　2012年4月

5. 《第二屆國際《尚書》學學術研討會論文集》序

    林慶彰、錢宗武合編《第二屆國際《尚書》學學術研討會論文集》　卷首　臺北市　萬卷樓圖書公司　2014年4月

6. 《經典的形成、流傳與詮釋》序

    林慶彰、蔣秋華合編　經典的形成、流傳與詮釋　卷首　臺北市　臺灣學生書局　2007年11月

7. 《嶺南大學經學國際學術研討會論文集》序

    李雄溪、林慶彰主編《嶺南大學經學國際學術研討會論文集》　卷首　臺北市　萬卷樓圖書公司　2015年4月

8. 《中日韓經學國際學術研討會論文集》序

    林慶彰、盧鳴東主編《中日韓經學國際學術研討會論文集》　卷首　臺北市　萬卷樓圖書公司　2015年4月

9. 《正統與流派──歷代儒家經典之轉變》序

　　林慶彰、蘇費翔主編《正統與流派──歷代儒家經典之轉變》　卷首　臺北市　萬卷樓圖書公司　2013年1月

叢書

1. 揭開世界現存最大百科全書的奧秘──「《古今圖書集成‧經籍典》的文獻價值」專輯緒言

　　中國文哲研究通訊　第16卷4期（總64期）　頁1-3　2006年12月

2. 《民國文集叢刊》序

　　林慶彰主編《民國文集叢刊》第一編　第1冊　卷首　臺中市　文听閣圖書公司　2008年12月

3《民國時期經學叢書》序

　　林慶彰主編《民國時期經學叢書》第一輯　第1冊　卷首　臺中市　文听閣圖書公司　2008年

4. 《中國學術思想研究輯刊》總序

　　林慶彰主編《中國學術思想研究輯刊》初編　第1冊　卷首　2008年9月

5. 《晚清經學研究叢書》總序

　　蔡長林、丁亞傑主編《晚清常州地區的經學》　卷首　臺北市　臺灣學生書局2009年5月

6. 《西方學者詮釋中國經典叢書》總序

　　夏含夷著，黃聖松、楊濟襄、周博群等譯《孔子之前：中國經典誕生的研究》　卷首　臺北市　萬卷樓圖書公司　2013年4月

7. 《經學研究論叢》（第1輯）編者序

　　林慶彰主編《經學研究論叢》（第1輯）　卷首　臺北縣板橋市　聖環圖書公司　1994年4月

8. 《經學研究論叢》（第2輯）編者序

　　林慶彰主編《經學研究論叢》（第2輯）　卷首　臺北縣板橋市　聖環圖書公司　1994年10月

9. 《經學研究論叢》（第3輯）編者序

林慶彰主編《經學研究論叢》（第3輯）　卷首　臺北縣板橋市　聖環圖書公司　1995年4月

10. 《經學研究論叢》（第4輯）編者序

林慶彰主編《經學研究論叢》（第4輯）　卷首　臺北縣板橋市　聖環圖書公司　1997年4月

11. 《經學研究論叢》（第5輯）編者序

林慶彰主編《經學研究論叢》（第5輯）　卷首　臺北市　臺灣學生書局　1998年9月

12. 《經學研究論叢》（第6輯）編者序

林慶彰主編《經學研究論叢》（第6輯）　卷首　臺北市　臺灣學生書局　1999年6月

13. 《經學研究論叢》（第7輯）編者序

林慶彰主編《經學研究論叢》（第7輯）　卷首　臺北市　臺灣學生書局　2000年5月

14. 《經學研究論叢》（第8輯）編者序

林慶彰主編《經學研究論叢》（第8輯）　卷首　臺北市　臺灣學生書局　2000年9月

15. 《經學研究論叢》（第9輯）編者序

林慶彰主編《經學研究論叢》（第9輯）　卷首　臺北市　臺灣學生書局　2001年7月

16. 《經學研究論叢》（第10輯）編者序

林慶彰主編《經學研究論叢》（第10輯）　卷首　臺北市　臺灣學生書局　2002年3月

17. 《經學研究論叢》（第11輯）編者序

林慶彰主編《經學研究論叢》（第11輯）　卷首　臺北市　臺灣學生書局　2003年8月

18. 《經學研究論叢》（第12輯）編者序

林慶彰主編《經學研究論叢》（第12輯）　卷首　臺北市　臺灣學生書局　2005年3月

19.《經學研究論叢》（第13輯）編者序

林慶彰主編《經學研究論叢》（第13輯）　卷首　臺北市　臺灣學生書局　2006年3月

20.《經學研究論叢》（第14輯）編者序

林慶彰主編《經學研究論叢》（第14輯）　卷首　臺北市　臺灣學生書局　2006年12月

21.《經學研究論叢》（第15輯）編者序

林慶彰主編《經學研究論叢》（第15輯）　卷首　臺北市　臺灣學生書局　2008年3月

22.《經學研究論叢》（第16輯）編者序

林慶彰主編《經學研究論叢》第16輯　卷首　臺北市　臺灣學生書局　2009年5月

23.《經學研究論叢》（第17輯）編者序

林慶彰主編《經學研究論叢》（第17輯）　卷首　臺北市　臺灣學生書局　2009年12月

24.《經學研究論叢》（第18輯）編者序

林慶彰主編《經學研究論叢》（第18輯）　卷首　臺北市　臺灣學生書局　2010年9月

25.《經學研究論叢》（第19輯）編者序

林慶彰主編《經學研究論叢》（第19輯）　卷首　臺北市　臺灣學生書局　2011年11月

26.《經學研究論叢》（第20輯）編者序

林慶彰主編《經學研究論叢》（第20輯）　卷首　臺北市　臺灣學生書局　2013年1月

27.《經學研究論叢》（第21輯）編者序

林慶彰主編《經學研究論叢》（第21輯）　卷首　新北市　華藝學術出版社　2014年4月

28. 《經學研究論叢》（第22輯）編者序

　　林慶彰主編《經學研究論叢》（第22輯）　卷首　新北市　華藝學術出版社
　　2015年4月

29. 《國際漢學論叢》（第1輯）編者序

　　林慶彰主編《國際漢學論叢》（第1輯）　卷首　臺北市　樂學書局　1999年
　　7月

30. 《國際漢學論叢》（第2輯）編者序

　　林慶彰主編《國際漢學論叢》（第2輯）　卷首　臺北市　樂學書局　2005年
　　2月

31. 《國際漢學論叢》（第3輯）編者序

　　林慶彰主編《國際漢學論叢》（第3輯）　卷首　臺北市　樂學書局　2007年
　　6月

32. 《國際漢學論叢》（第4輯）編者序

　　林慶彰主編《國際漢學論叢》（第4輯）　卷首　新北市　華藝學術出版社
　　2014年1月

其它

1. 《學術資料的檢索與利用》序

　　林慶彰主編《學術資料的檢索與利用》　卷首　臺北市　萬卷樓圖書公司
　　2003年3月

2. 《老夫子圖說成語》序

　　林慶彰主編《老夫子圖說成語》　第一冊　卷首　新北市　華藝學術出版社
　　2013年6月

3. 《書評寫作指引》編者序

　　林慶彰、何淑蘋主編《書評寫作指引》　卷首　臺北市　萬卷樓圖書公司
　　2014年2月

他著書

1. 《古籍知識手冊》序

　　高振鐸編《古籍知識手冊》　卷首　臺北市　萬卷樓圖書公司　1997年

2. 《詩經圖注》序

　　劉毓慶著《詩經圖注》　卷首　高雄市　麗文文化事業公司　2000年

3. 《論崔適與晚清今文學》序

　　蔡長林著《論崔適與晚清今文學》　卷首　桃園縣中壢市　聖環圖書公司
　　2002年2月

4. 《長袍春秋：李敖的文字世界》序

　　曾遊娜著《長袍春秋：李敖的文字世界》　卷首　臺北縣中和市　INK印刻
　　出版　2003年

5. 《朱舜水與東亞文化傳播的世界》序

　　徐興慶著《朱舜水與東亞文化傳播的世界》　卷首　臺北市　國立臺灣大學
　　出版中心　2008年

6. 《楊復再脩儀禮經傳通解續卷祭禮》跋

　　林慶彰校訂，葉純芳、橋本秀美編《楊復再脩儀禮經傳通解續卷祭禮》　下
　　冊　卷末　臺北市　中央研究院中國文哲研究所　2011年9月

7. 《近代政治思潮下的馮友蘭》序

　　李黃昌岳著《近代政治思潮下的馮友蘭》　卷首　臺北縣板橋市　聖環圖書
　　公司　2009年6月

8. 《臺灣歷史辭典補正》序

　　張錦郎主編《臺灣歷史辭典補正》　卷首　臺北市　臺灣學生書局　2009年
　　10月

9. 《詩經修辭研究》序

　　李麗文著《詩經修辭研究》　卷首　臺北市　萬卷樓圖書公司　2009年12月

10.序言：思想史研究與考據學方法——姜廣輝先生在中國思想史研究上的成績

　　姜廣輝著《義理與考據——思想史研究中的價值關懷與實證方法》　卷首
　　頁1-8　北京市　中華書局　2010年1月

11.《從文士到經生——考據學風潮下常州學派》序

　　蔡長林著《從文士到經生——考據學風潮下的常州學派》　卷首　臺北市
　　中央研究院中國文哲研究所　2010年5月

12.《中日典籍與文化交流史研究》序

陳東輝著《中日典籍與文化交流史研究》　卷首　臺中市　文听閣圖書公司
2010年11月

13.《佛光大學王雲五紀念圖書室線裝書目錄》序

駱至中總編輯《佛光大學王雲五紀念圖書室線裝書目錄》　卷首　宜蘭縣
佛光大學圖書暨資訊處　2012年7月

14.《考據斠讎與應世：儀徵劉氏經學與文獻學研究》序

曾聖益《考據斠讎與應世：儀徵劉氏經學與文獻學研究》　卷首　臺北市
文史哲出版社　2012年

15.《家學、經學和朱子學：以元代徽州學者胡一桂、胡炳文和陳櫟為中心》序

史甄陶《家學、經學和朱子學：以元代徽州學者胡一桂、胡炳文和陳櫟為中
心》　卷首　上海市　華東師範大學出版社　2013年4月

16.《趙杰選集》序

趙杰主編《趙杰選集》　卷首　臺北市　經學文化事業公司　2013年8月

17.《論文選題與研究創新》序

張高評《論文選題與研究創新》　卷首　臺北市　里仁書局　2013年10月

18.《江戶時代經學者傳略及其著作》序

張文朝編譯《江戶時代經學者傳略及其著作》　卷首　臺北市　萬卷樓圖書
公司　2014年3月

19.《中國近三百年疑古思潮史綱》序

路新生《中國近三百年疑古思潮史綱》　卷首　上海市　復旦大學出版社
2014年3月

20.《治學方法》序

楊晉龍《治學方法》　卷首　臺北市　萬卷樓圖書公司　2014年9月

21.《四書學史的研究》中文版跋

佐野公治著，張文朝、莊兵譯《四書學史的研究》　頁381-383　臺北市
萬卷樓圖書公司　2014年11月

22.《噶瑪蘭治經學記：春秋三傳研究論叢》序

簡逸光《噶瑪蘭治經學記：春秋三傳研究論叢》　卷首　臺北市　萬卷樓圖書公司　2015年4月

23.《古典學集刊》發刊詞

石立善主編《古典學集刊》（第一輯）　卷首　上海市　華東師範大學出版社　2015年5月

翻譯

1. 《經學史》序

安井小太郎等著，林慶彰、連清吉合譯《經學史》　卷首　臺北市　萬卷樓圖書公司　1996年10月

2. 《論語思想史》序

松川健二編，林慶彰、金培懿、陳靜慧、楊菁合譯《論語思想史》　卷首　臺北市　萬卷樓圖書公司　2006年2月

3. 《近代日本漢學家（東洋學の系譜（一））》序

江上波夫編，林慶彰譯《近代日本漢學家（東洋學の系譜（一））》　卷首　臺北市　萬卷樓圖書公司　2015年8月

（十五）主編專輯

國文天地

1. 學術資料的檢索與利用專輯

國文天地　第18卷3期　頁4-30　2002年8月

2. 古典文學資料大搜查專輯

國文天地　第18卷8期　頁4-46　2003年1月

3. 經學行腳專輯

國文天地　第18卷11期　頁4-38　200年4月

4. 跨越時空與經書對話：研讀經典的現代意義

國文天地　第19卷12期　頁4-37　2004年5月

5. 經書的研讀方法專輯

國文天地　第21卷1期　頁4-35　2005年6月

6. 紀念啟功先生專輯

   國文天地　第21卷7期　頁4-33　2005年12月

7. 青年學者談詩經專輯

   國文天地　第22卷10期　頁4-44　2007年3月

8. 現有文史哲電子資料庫的利用與檢討專輯（一）

   國文天地　第23卷2期　頁4-52　2007年7月

9. 現有文史哲電子資料庫的利用與檢討專輯（二）

   國文天地　第23卷4期　頁4-50　2007年9月

10. 日本青年漢學家在臺灣專輯

    國文天地　第23卷9期　頁4-49　2008年2月

11. 香港當代經學家專輯

    國文天地　第24卷2期　頁4-44　2008年7月

12. 中文學門發展問題及對應之道專輯

    國文天地　第24卷7期　頁4-29　2008年12月

13. 中青年學者談學術論文寫作經驗專輯

    國文天地　第24卷9期　頁4-40　2009年2月

14. 以書代刊對學術的貢獻專輯

    國文天地　第24卷12期　頁4-35　2009年5月

15. 現有年鑑工具書述評專輯

    國文天地　第25卷3期　頁4-43　2009年8月

16. 我利用圖書館的經驗專輯

    國文天地　第25卷9期　頁4-40　2010年2月

17. 中國大陸國學熱的省思專輯

    國文天地　第25卷12期　頁4-41　2010年5月

18. 中文學門的人才出路問題

    國文天地　第26卷3期　頁4-39　2010年8月

19. 漢學研究中心三十周年紀念專輯

    國文天地　第26卷5期　頁4-31　2010年10月

．

20.現有文史哲電子資料庫的利用與檢討專輯（三）

國文天地　第26卷9期　頁4-42　2011年2月

21.現有文史哲電子資料庫的利用與檢討專輯（四）

國文天地　第26卷10期　頁4-44　2011年3月

22.大陸孔子熱的省思專輯

國文天地　第30卷10期　頁39-74　2015年3月

經學研究論叢

1. 姚際恆專輯（上）

經學研究論叢　第3輯　頁217-320　桃園縣中壢市　聖環圖書公司　1995年
4月

2. 姚際恆專輯（下）

經學研究論叢　第4輯　頁133-270　桃園縣中壢市　聖環圖書公司　1997年
4月

3. 民國經學家著作目錄專輯（二）

經學研究論叢　第15輯　頁1-153　臺北市　臺灣學生書局　2008年3月

4. 中國推動經學研究的學術機構專輯

經學研究論叢　第17輯　頁1-85　臺北市　臺灣學生書局　2009年12月

中國文哲研究通訊

1. 元代經學專輯

中國文哲研究通訊　第8卷2期　頁25-96　1998年6月

2. 揚州研究專輯

中國文哲研究通訊　第10卷1期　頁93-170　2000年3月

3. 日本學者論乾嘉學術專輯

中國文哲研究通訊　第10卷2期　頁1-135　2000年6月

4. 日本學者論群經注疏專輯

中國文哲研究通訊　第10卷4期　頁1-63　2000年12月

5. 日本學者論啖助學派專輯

中國文哲研究通訊　第11卷2期　頁1-131　2001年6月

6. 日本考證學研究專輯

　　中國文哲研究通訊　第12卷1期　頁1-110　2002年3月

7. 日本學者論公羊注疏專輯（一）

　　中國文哲研究通訊　第12卷2期　頁1-106　2002年6月

8. 日本學者論公羊注疏專輯（二）

　　中國文哲研究通訊　第12卷4期　頁79-176　2002年12月

9. 宋代經學研究專輯

　　中國文哲研究通訊　第12卷3期　頁1-104　2002年9月

10.晚清經學研究——湖湘地區的經學專輯

　　中國文哲研究通訊　第14卷1期　頁1-136　2004年3月

11.古今圖書集成經籍典的文獻價值專輯

　　中國文哲研究通訊　第16卷4期　頁1-181　2006年12月

12.民國經學家著作目錄專輯（一）

　　中國文哲研究通訊　第17卷4期　頁1-84　2007年12月

國際漢學論叢

1. 日本學者論晚清湖湘學術專輯

　　國際漢學論叢　第3輯　頁1-96　臺北市　樂學書局　2007年6月

附：研究評論目錄

廖威茗*編

編輯說明

一、本評論目錄，是根據《經學研究三十年——林慶彰教授評論集》和《經學研究四十年——林慶彰教授評論集》中具有學術價值之經學評論與文獻學評論之篇目編輯而成，可反映學術界對林老師的學術評價。

二、以上二書除經學評論和文獻學評論之外，另有媒體報導部分數十則，因篇幅較短，為節省篇幅，予以割愛。

---

* 臺北大學古典文獻與民俗藝術研究所碩士。

一、經學評論

（一）總論

1. 林慶彰教授經學研究述評　林祥徵

   中國典籍與文化　1997年3期　頁122-126　1997年

2. 經學研究的金字塔工程——專訪林慶彰教授　胡衍南

   文訊　第187期　頁87-90　2001年5月

3. 臺灣學者林慶彰教授對經學研究的貢獻　林祥徵

   閩臺文化交流　2007年1期　頁66-72　2007年3月

4. 和全世界漢學家一起作學問——專訪中央研究院中國文哲研究所研究員林慶
   彰學長　連文萍

   東吳校友　第11期　頁19-21　2007年6月

5. 陳滿銘與林慶彰兩位教授學術評論集評介——兼論學術評論集的重要性　陳
   韋哲

   國文天地　第26卷11期　頁79-82　2011年4月

6. 經學園地裡的一棵大樹——臺灣著名學者林慶彰教授經學研究述評　林祥徵

   閩臺文化交流　2012年1期（總第29期）　頁124-128　2012年1月

7. 經學史研究的總工程師——林慶彰教授　葉純芳

   國文天地　第28卷12期　頁118-122　2013年5月

8. 林慶彰先生經學研究貢獻擷英　朱岩

   經學史研究的回顧與展望——林慶彰榮退學術研討會宣讀論文　京都市　京
   都大學大學院文學研究科主辦　2015年8月20、21日

（二）詩經

1. 《詩》「彼其之子」及「於焉嘉客」釋義　龍宇純

   中國文哲研究集刊　第3期　頁153-172　1993年3月

2. 林慶彰教授《詩經》研究述評　林祥徵

　　泰安師專學報　2000年2期　頁65-70　2000年3月

3. 臺灣學者林慶彰《詩經》學研究側記　趙茂林

　　江蘇文史研究　2003年2期　頁10-18　2003年6月

（三）經學史

1. 林慶彰及其中國經學史研究　王俊義、趙剛

　　中國文化　第15、16期合刊　頁348-358　1997年12月

2. 林慶彰研究經學史的成果　陳恆嵩

　　五十年來的經學研究　頁313-318　臺北市　臺灣學生書局　2003年5月

3. 關於胡應麟研究的幾個問題──與林慶彰先生商榷　王嘉川

　　社會科學評論　2004年4期　頁11-24　2004年4月

4. 〈中國經學史上的回歸原典運動〉簡評　楊晉龍

　　中國文哲研究通訊　第16卷3期　頁145-151　2006年9月

5. 林慶彰先生〈中國經學史上的回歸原典運動〉一文述評　劉柏宏

　　附：對楊、劉兩先生文評的回應　林慶彰

　　中國文哲研究通訊　第16卷3期　頁133-143　2006年9月

6. 晚明與晚清的回歸原典運動　曹美秀

　　黃宗羲與明末清初學術　頁75-125　新北市　華藝學術出版社　2011年9月

7. 〈明末清初經學研究的回歸原典運動〉評介　曾軍

　　經學檔案　頁73-77　武漢市　武漢大學出版社　2011年12月

8. 窺見清初經學堂奧的力作──評《清初的群經辨偽學》　王俊義、趙剛

　　中國文哲研究通訊　第4卷4期　頁97-105　1994年12月

9. 論清代學術思想特色與清初經學的復興──兼評《清初的群經辨偽學》　王
俊義、趙剛

　　哲學研究　1995年5期　頁64-71　1995年5月

10.《清代經學研究論集》評介　川田健

　　中國古典研究　第48號　頁75-76　2003年12月

11. 《朱彝尊經義考研究論集》評介　川田健

中國古典研究　第46號　頁121-122　2001年12月

12. 國內整理古籍的奠基石——簡介《姚際恆著作集》　張惠淑

國文天地　第10卷8期　頁96-99　1995年1月

13. 臺灣學者對姚際恆的研究（上）——關於姚際恆研究文獻的整理　林祥徵

閩臺文化交流　2008年2期　頁21-24　2008年6月

14. 《陳奐研究論集》評介　村山吉廣

詩經研究　第26號　頁48　2001年12月

15. 中日儒學交會的亮光——記論語思想史刊行　楊菁

國文天地　第21卷11期　頁95　2006年4月

（四）經學工具書

1. 評《經學研究論著目錄》（1912-1987）　邱德修

漢學研究通訊　第9卷2期　頁130-133　1990年6月

2. 為全天下作學問——中央圖書館漢學研究中心出版林慶彰教授主編《經學研究論著目錄》　連文萍

文化通訊　第25期　第3版　1995年7月

3. 事非經過不知難——編輯《經學研究論著目錄（1988-1992）》的幾點感想
侯美珍

國文天地　第11卷4期　頁90-96　1995年9月

4. 搜羅詳備，嘉惠士林——評林慶彰《經學研究論著目錄》及其它　王俊義

炎黃文化研究　第4期　頁195-199　1997年12月

5. 評《經學研究論著目錄》初、續編　何淑蘋

專科目錄的編輯方法　頁129-153　臺北市　臺灣學生書局　2001年9月

6. 經學研究新方向——評林慶彰教授主編《經學研究論著目錄（1993-1997）》
丁原基

全國新書資訊月刊　民國92年9月號　頁15-18　2003年9月

中國索引　2007年1期　頁38-41　2007年3月

20.評《日本儒學研究書目》　游均晶

國際儒學聯合會簡報　1998年3、4期合刊　頁30-33　1998年12月28日

21.評《日據時期臺灣儒學參考文獻》——兼論續編《日據時期臺灣儒學參考文獻》的可行方向　翁聖峰

中國文哲研究通訊　第11卷1期　頁169-189　2001年3月

22.介紹《日據時期臺灣儒學參考文獻》　何淑蘋

書目季刊　第34卷3期　頁75-78　2000年12月16日

23.林慶彰主編、何淑蘋編輯《專科目錄的編輯方法》讀後記　吳銘能

全國新書資訊月刊　民國91年1月號　頁12-15　2002年1月

24.評《中國經學相關研究博碩士論文目錄（1978-2007）》　蘇琬鈞

國文天地　第25卷8期　頁89-92　2010年1月

25.為工具書編印啟新猷——評《中國經學相關研究博碩士論文目錄》　丁原基

全國新書資訊月刊　第142期　頁42-44　2010年10月

二、文獻學評論

（一）治學方法

1. 學術論文寫作的引路燈——評林慶彰《學術論文寫作指引》　林祥徵

寫作　1997年2期　頁13-14　1997年2月

國文天地　第13卷2期（總146期）　頁22-25　1997年7月

2. 一盞學術論文寫作的指路燈——推薦（臺）林慶彰博士的學術論文寫作指引　林祥徵

泰安師專學報　1997年3期　頁300-301轉頁305　1997年3月

3. 一本中文人理想的學術論文規範——林慶彰《學術論文寫作指引》評介　吳福助

東海學報　第38卷1期　頁185-190　1997年7月

4. 林慶彰、劉春銀合著《讀書報告寫作指引》略述　吳銘能

全國新書資訊月刊　民國91年5月號　頁13-15　2002年5月

5. 《學術論文寫作指引（文科適用）》讀後　謝鶯興

　　東海大學圖書館館訊　新13期　頁17-21　2002年10月

6. 《讀書報告寫作指引》讀後　謝鶯興

　　東海大學圖書館館訊　新12期　頁15-20　2002年9月15日

7. 一葉知秋：讀《書評寫作指引》　丁原基

　　全國新書資訊月刊　民國103年6月號第186期　頁56-59　2014年6月

8. 探索文學背景──文學系論文寫作　吳建隆

　　教育博覽家　第9期　頁33-35　2001年5月15日

（二）人物傳記

1. 評《蔡元培張元濟往來書札》　陶英惠

　　中國文哲通訊　第1卷1期　頁96-100　1991年3月

2. 文化宏觀視野與政治褊狹對立──讀《近代中國知識份子在臺灣》的啟示　吳銘能

　　全國新書資訊月刊　民國91年12月號　頁17-19　2002年12月

3. 你知道嗎？所謂的知識份子──評《近代中國知識份子在臺灣》　李瓜

　　島語：臺灣文化評論　第3期　頁79-90　2003年6月

（三）專門叢書

1. 紬奇冊府，總前代之遺編──《民國時期經學叢書》簡介　陳惠美

　　國文天地　第24卷4期　頁98-101　2008年9月

2. 《中國學術思想研究輯刊》簡介　陳顗哲

　　國文天地　第24卷9期　頁94-97　2009年2月

3. 斯文延不墜，茂典振學風──專訪林慶彰教授談《民國時期經學叢書》　何淑蘋

　　經學研究論壇　第1期　頁369-385　臺北市　蘭臺出版社　2012年11月

4. 民國時期經學文獻的保存與利用──評介林慶彰主編《民國時期經學叢書》　郭明芳

　　經學研究論叢　第22輯　頁95-121　新北市　華藝學術出版社　2015年4月

（四）學術期刊

1. 培育經學幼苗的園地——《經學研究論叢》簡介　何淑蘋

　　國文天地　第24卷9期　頁90-93　2009年2月

2. 談《經學研究論叢》與《國際漢學論叢》——兼談「以書代刊」的學術價值
　　與困境　葉純芳

　　國文天地　第24卷12期　頁29-31　2009年5月

（五）偽禁書

1. 臺灣戒嚴時期書商盜版大陸書的各種奇招　古遠清

　　鍾山風雨　2008年6期　頁58-59　2008年

2. 傳承與開拓——介紹林慶彰先生《偽書與禁書》　涂茂奇

　　國文天地　第29卷2期　頁83-86　2013年7月

3. 林慶彰著《偽書與禁書》評議及其他　朱傑人

　　歷史文獻研究　總第33期　頁384-393　上海市　華東師範大學出版社
　　2014年5月

（六）文獻整理

1. 臺灣中研院文哲所的古籍整理　林祥徵

　　閩臺文化交流　2011年2期　頁145-151　2011年

林慶彰教授指導博碩士論文一覽表

郭妍伶、楊雁婷*編

	姓名	論文名稱	學校系所	碩／博	畢業年度	備註
1.	邱惠芬	《毛詩正義》詮詩之研究	中央大學中國文學研究所[1]	碩	81	
2.	陳明義	蘇轍詩集傳研究	東吳大學中國文學研究所[2]	碩	82	
3.	蔡長林	崔適的經學思想研究	政治大學中國文學研究所[3]	碩	82	
4.	馮曉庭	宋初經學發展述論	東吳中文所	碩	83	
5.	郭麗娟	呂祖謙詩經學研究	東吳中文所	碩	83	
6.	張育敏	唐代後期古文運動與經書關係之研究	東吳中文所	碩	83	
7.	侯美珍	聞一多詩經學研究	政大中文所	碩	83	
8.	王淑蕙	董仲舒《春秋》解經方法探究	中央中文所	碩	83	
9.	吳玉燕	儒家的和諧觀及其現代詮釋——以《禮記》為例	輔仁大學中國文學研究所[4]	碩	84	

---

* 郭妍伶，實踐大學應用中文系專案助理教授。楊雁婷，臺北市立大學中國語文學系碩士生。

[1] 以下簡稱中央中文所。

[2] 以下簡稱東吳中文所。

[3] 以下簡稱政大中文所。

[4] 以下簡稱輔大中文所。

	姓名	論文名稱	學校系所	碩／博	畢業年度	備註
10.	劉醇鑫	唐代後期儒學的新發展	輔大中文所	碩	84	與王靜芝共同指導
11.	游均晶	蔡沈《書集傳》研究	東吳中文所	碩	85	
12.	汪嘉玲	胡安國《春秋傳》研究	東吳中文所	碩	86	
13.	黃智信	朱彬《禮記》學研究	東吳中文所	碩	87	
14.	邱秀春	白虎通義與東漢經學的發展	輔大中文所	博	88	
15.	馮曉庭	宋人劉敞的經學述論	東吳中文所	博	88	
16.	蕭開元	晚明學者的《詩序》觀	東吳中文所	碩	88	
17.	張穩蘋	啖、趙、陸三家之《春秋》學研究	東吳中文所	碩	88	
18.	涂茂奇	趙汸及其《春秋》學研究	東吳中文所	碩	89	
19.	楊　菁	李光地與清初理學	東吳中文所	博	89	
20.	許維萍	宋元易學的復古運動	東吳中文所	博	89	
21.	林耀椿	錢鍾書學術思想研究 —— 以《管錐編・老子王弼注》為主	暨南國際大學中國語文學研究所	碩	89	
22.	張博成	姚際恆《春秋通論》研究	東吳中文所	碩	89	
23.	繆敦閔	劉師培《禮經舊說》研究	暨大中文所	碩	89	
24.	李玉芳	張景岳《醫易義》研究	臺北市立師範學院應用語言文學研究所[5]	碩	90	
25.	陳怡青	張爾岐《周易說略》研究	市師應語所	碩	90	
26.	曾遊娜	李氏春秋：李敖的文字世界	市師應語所	碩	90	
27.	簡逸光	《穀梁傳》解經方法研究	文化大學中國文學研究所[6]	碩	91	
28.	陳文采	清末民初《詩經》學史論	東吳中文所	博	91	

5　以下簡稱市師應語所。

6　以下簡稱文化中文所。

	姓名	論文名稱	學校系所	碩／博	畢業年度	備註
29.	古敏慧	詩經大小雅研究	市師應語所	碩	91	
30.	邱惠芬	胡承珙馬瑞辰陳奐三家詩經學研究	臺灣師範大學國文所	博	91	
31.	張敏容	毛奇齡《易》學研究	市師應語所	碩	92	
32.	林文心	潘平格《求仁錄輯要》研究	市師應語所	碩	92	
33.	何銘鴻	皮錫瑞《尚書》學研究	市師應語所	碩	92	
34.	侯美珍	晚明詩經評點之學研究	政大中文所	博	92	
35.	鄭誼慧	晚清至民初中文雜誌發展述論	東吳中文所	碩	93	
36.	曾志偉	《春秋公羊傳》三科九旨發微	東華大學中國語文學研究所	碩	93	與車行健共同指導
37.	吳悅禎	先秦兩漢孔子形象演變之研究	輔大中文所	博	94	
38.	王淙德	朱熹《四書章句集注》成書研究	臺北大學古典文獻學研究所[7]	碩	94	
39.	李國蓉	《大清會典》纂修之研究	北大文獻所	碩	94	
40.	劉康威	方苞的《周禮》學研究	東吳中文所	碩	94	
41.	葉純芳	孫詒讓《周禮》學研究	東吳中文所	博	94	
42.	任組泰	明末利瑪竇《交友論》研究	北大文獻所	碩	95	
43.	周延燕	近代日本漢學家久保天隨及其藏書研究	北大文獻所	碩	95	
44.	簡瑞全	張岱四書遇研究	東吳中文所	博	95	
45.	張厚齊	《春秋》王魯說研究	東吳中文所	碩	95	
46.	簡逸光	《公羊傳》、《穀梁傳》比較研究	佛光大學文學研究所	碩	96	與潘美月共同指導
47.	楊心怡	太宰春臺對朱熹《詩集傳》的批評	北大文獻所	碩	96	
48.	陳亦伶	晚明學者的經學輯佚活動	北大文獻所	碩	97	

[7] 以下簡稱北大文獻所。

	姓名	論文名稱	學校系所	碩／博	畢業年度	備註
49.	張晏瑞	孫德謙及其校讎目錄學研究	臺北市立教育大學中國語文學研究所[8]	碩	97	
50.	陳水福	楊伯峻《春秋》學研究	市教大中文所	碩	97	
51.	吳怡青	清代鄭玄著作輯佚之研究——以輯佚類叢書為中心	北大文獻所	碩	97	
52.	王冠文	李贄著作研究	北大文獻所	碩	97	
53.	鄭淑君	清初儒士嚴謨與天主教義	東吳中文所	碩	98	
54.	藍秀瑋	謝國楨與《增訂晚明史籍考》	北大文獻所	碩	98	
55.	殷永全	南北朝散文引用《古文尚書》之研究	北大文獻所	碩	98	
56.	謝智光	雪廬老人《論語講要》研究	東海大學中國文學研究所	碩	99	
57.	曹任遠	熊十力《周禮》學研究	市教大中文所	碩	99	
58.	林彥廷	民國時期軍閥之經學研究	東吳中文所	碩	99	
59.	張博成	顧炎武《左傳杜解補正》研究	東吳中文所	博	99	
60.	蔡雅如	劉文淇《左傳舊疏考正》研究	北大文獻所	碩	100	
61.	楊子葳	羅振玉對古文獻保存與整理的貢獻	北大文獻所	碩	100	
62.	袁明嶸	《文獻通考》中楊復再修《祭禮》佚文考	北大文獻所	碩	100	
63.	涂茂奇	明代學者對胡安國春秋傳之檢討研究	東吳中文所	博	100	
64.	陳韋哲	錢基博《四書解題及其讀法》研究	東吳中文所	碩	100	
65.	張厚齊	《春秋》義法模式考述	東吳中文所	博	100	

---

8 以下簡稱市教大中文所。

	姓名	論文名稱	學校系所	碩／博	畢業年度	備註
66.	邱建綸	〈樂記〉與〈學記〉之知識論考察	市教大中文所	碩	100	
67.	謝淑熙	黃以周《禮書通故》研究	市教大中文所	博	100	與賴貴三共同指導
68.	蘇琬鈞	沈欽韓《左傳》學研究	市教大中文所	碩	100	
69.	蔡育儒	魏了翁《儀禮要義》研究	東吳中文所	碩	101	
70.	黃智明	林義光《詩經通解》研究	東吳中文所	博	102	
71.	游鎮壕	王韜《毛詩集釋》引陳奐《詩毛氏傳疏》研究	北大文獻所	碩	102	
72.	彭筱芸	林履信學術思想研究	北大文獻所	碩	102	
73.	劉芷妤	錢澄之《詩》學觀研究——以《田間詩學·國風》為中心	清華大學中國文學所	碩	102	與林聰舜共同指導
74.	鍾信昌	宋代《論語》經筵講義研究	市教大中文所	博	102	
75.	張圻清	胡一桂《詩集傳附錄纂疏》研究	市教大中文所	碩	102	
76.	廖威茗	吳子光《春秋》學研究	北大文獻所	碩	103	
77.	陳潔琳	胡玉縉的目錄學——以《四庫全書總目提要補正》為中心	北大文獻所	碩	103	
78.	張雅琪	《毛詩正義》單疏本研究	北大文獻所	碩	103	
79.	彭莉婷	宋代經筵講義探析——以廖剛《詩經講義》與袁燮《絜齋毛詩經筵講義》為例	淡江大學中國文學所	碩	103	與張雙英共同指導

編後記

孫劍秋、張曉生[*]

　　捧讀這一札厚厚的文稿，好多記憶隨著書頁翩翩翻飛……。

　　受業於老師已經超過三十年，說我們這一群是老師帶著長大的學生，應該是最符合大家情感的說法。聽著老師條理分明而節奏緊湊的「中國思想史」，我們開始對於學術發生了興趣與憧憬，也在老師「經學史研究」課程一學期五個報告的「鍛鍊」中學習著探索經學的世界；我們看過老師以及學長們鎮日埋首於堆滿書籍、複印文件以及書目卡片的房間，「純手工」的努力完成第一部「經學研究論著目錄」；躬逢其盛的參與了臺灣第一個「大陸書專賣店」——萬卷樓的成立，懷抱著尋寶般的好奇，拆開一箱箱的書整理上架；老師進入文哲所之後，在繁忙行政與學術研究工作之間取得的平衡與進展，讓我們對於「學術經世」有更深刻的體認。多年來，老師不斷努力的開拓經學研究的園地，念茲在茲，建構經學史發展理論、發掘經學研究議題、培養經學研究人才、推動經學研究國際交流，讓臺灣的經學研究承先啟後、開枝散葉，並且影響擴及全世界，讓原本已經消失在現代學術專業分類中的經學再度成為「主題」。如今，老師已是世界級的經學大師，然而對我們而言，他就是我們的師父，教我們讀書、思考，帶著我們學習做人、做事的師與父。有幸參與協助老師整理、編輯近年持續累積的學術討論資料，是我們的榮幸，也是策勵，提醒我們當年追隨老師從事經學研究的熱情，勿忘初志。

　　承蒙胡楚生教授及李威熊教授為本書題贈序言，兩位前輩學者為文敦厚誠摯，對於老師辛勤耕耘經學研究的成就與貢獻多所肯定，師生同感寵惠。本書

---

* 孫劍秋，臺灣戲曲學院副校長。張曉生，臺北市立大學中國語文學系副教授。

編輯體例除了延續《經學研究三十年》原有的「經學評論」、「文獻學評論」及「媒體報導」三大主要欄目之外，增加「相關文獻」一欄，收錄老師所主持之學術座談會記錄，以及學者論學文章中提及老師的部分。書前所附照片及書影，以近十年的活動為主，也補入若干在前一編未及收入的資料。正文之後附錄兩種：附錄一為老師的著作目錄，為老師自一九七五年至二○一五年八月間的學術論著總目，本編原為張晏瑞、陳水福兩位學弟所輯，收在《經學研究三十年》之〈附錄三〉，經臺北大學古典文獻與民俗藝術研究所廖威茗碩士增補之後完成；附錄二為老師自一九九二年至二○一五年所指導畢業之碩博士論文一覽表，由實踐大學應用中文系專案助理教授郭妍伶博士及臺北市立大學中國語文學系碩士生楊雁婷共同編輯。

由於書中所收文章輯自多種刊物以及網路資源，原本即體例各異，各文之詳略有殊，我們在編輯時，為在「全書體例一致」與「尊重文獻原本」取得平衡，乃擬定若干處理原則，謹說明如下，尚望各位作者諒察：

一、各篇文章作者的服務單位及職銜仍沿用發表當時之職稱。

二、原文章內所附照片、書影，除版權確定者之外，均予刪去。

三、每篇文末加註原刊登之期刊名、卷期、頁次或論文集名。蒐集自網路資源者，則附記網址。

四、原文若有錯字則逕予改正，簡體文字皆轉換成正體文字。

一編之成，總是許多善緣的匯聚。書中所收篇章的五十餘位作者、編者，對於老師學術研究的熱心關注、闡揚與真誠討論，都是學術交流對話的最佳示範；臺北市立大學中國語文學系博士生何淑蘋同學及實踐大學郭妍伶博士承擔所有文字校對以及覆按原文出處的工作，備極辛勞；萬卷樓圖書公司蔡雅如編輯負責各方聯絡工作，以及協助老師整理、選擇信件與照片，盡心負責。因為各位的付出，讓本書可以完整的呈現老師近十年來的學術活動面貌，謹此致上誠摯的感謝。

今年適逢老師自中央研究院中國文哲研究所榮退，海內外師友及門生，均感念老師對於經學研究的貢獻，而思有所祝福。今年八月二十、二十一日，來自世界各國超過一百位的經學專家，齊聚在日本京都大學，舉辦了盛大的「經

學史研究的回顧與展望——林慶彰先生榮退紀念研討會」，會中發表八十餘篇
經學研究專論，以實際遍及全球的經學研究成果，向老師致敬，誠如京都大學
宇佐美文理教授所說：「在經學研究史上，恐怕是永久被記憶的真正值得紀念
的會議。」老師以四十年心血所建立的學術豐碑，已經具有世界級的價值與意
義。身為老師的學生，衷心為老師感到高興。謹以此編為恩師壽，並祝福老師
身體健康，能在卸下公務之後，有更好的精神氣力繼續領導經學研究的發展，
並實現老師心繫多年的巨著宏願。

孫劍秋、張曉生　謹誌

二〇一五年十月

編者簡介

主編

孫劍秋

　　一九六二年生，臺北人。政治大學中國文學系碩士、博士。曾任中華中醫典籍學會理事長、中華世界道家學會副理事長、中華民國易經學會副理事長、臺灣省國家文官培訓所講座教師、考試院典試委員、國立編譯館高中、國小教科書審查委員、東吳大學中國文學系教授、國立臺北教育大學語文與創作學系教授兼華語文中心主任、教育部國民中小學九年一貫課程國語文課程與教學輔導組召集人。現為國立臺灣戲曲學院副校長、中華文化教育學會理事長。專長為經學、周易、治學方法、文字學、華語文教學。著有《顧炎武經學之研究》、《清代吳派經學研究》、《易學新論》、《易、春秋與儒學思想研究論集》、《易經與企業經營》等。

張曉生

　　一九六四年生，臺北人。東吳大學中國文學系碩士、博士。曾任臺北市立教育大學儒學中心主任、臺北市立大學中國語文學系系主任、中華大成至聖先師孔子協會顧問、中華文化教育學會顧問。現為臺北市立大學中國語文學系專任副教授。學術專長為經學史、中國思想史、春秋學及明清學術思想，近期研究方向為明代春秋學。主編《儒學研究論叢》一～四輯，著有《姚際恆及其尚書禮記學》、《郝敬及其四書學研究》及〈乾嘉學者《孟子》研究的貢獻〉、〈陸粲春秋胡氏傳辨疑述評〉、〈郝敬春秋非左述評〉等專書、期刊論文及多篇研討會論文。

編輯

何淑蘋

　　一九七四年生，臺北人。東吳大學中國文學系學士、碩士，現就讀於臺北市立大學中國語文學系博士班。曾任朝陽科技大學通識教育中心、臺北護理健康大學通識教育中心、成功大學中文系、實踐大學博雅學部兼任講師，及實踐大學應用中文系短期專案教師，現為實踐大學應用中文系兼任講師。研究方向是經學、文獻學。著有：《屈大均翁山易外研究》及期刊論文、書刊評介五十餘篇，主編《書評寫作指引》，並曾參與編輯《經學研究論著目錄》、《國際漢學論叢》、《經學研究論壇》等。

郭妍伶

　　一九八一年生，高雄人。成功大學中國文學系碩士、博士。曾任實踐大學博雅學部、實踐大學應用中文系、南台科技大學、屏東科技大學、陸軍軍官學校、東方設計學院等校兼任講師，華語教學方面曾任成功大學語言中心、臺北護理健康大學、崑山科技大學、東方設計學院、南榮技術學院等校華語課程教師、華語師資培訓班講師，現為實踐大學應用中文系專案助理教授。研究方向是金文學、清代學術史、華語文教學。著作有《許瀚之金文學研究》（碩論）、《道咸時期山左金文學研究》（博論），及單篇論文十餘篇。

學術論文集叢書 1500005

經學研究四十年——林慶彰教授學術評論集

主　　編	孫劍秋、張曉生
編　　輯	何淑蘋、郭妍伶

發 行 人	陳滿銘
總 經 理	梁錦興
總 編 輯	陳滿銘
副總編輯	張晏瑞
編 輯 所	萬卷樓圖書股份有限公司
排　　版	林曉敏
印　　刷	百通科技股份有限公司
封面設計	耶麗米工作室

發　　行	萬卷樓圖書股份有限公司
	地址 臺北市羅斯福路二段 41 號 6 樓之 3
	電話 (02)23216565
	傳真 (02)23218698
	電郵 SERVICE@WANJUAN.COM.TW
大陸經銷	廈門外圖臺灣書店有限公司
	電郵 JKB188@188.COM

ISBN 978-957-739-952-6

2015 年 10 月初版

定價：新臺幣 1000 元

如何購買本書：

1. 劃撥購書，請透過以下郵政劃撥帳號：

　　帳號：15624015

　　戶名：萬卷樓圖書股份有限公司

2. 轉帳購書，請透過以下帳戶

　　合作金庫銀行 古亭分行

　　戶名：萬卷樓圖書股份有限公司

　　帳號：0877717092596

3. 網路購書，請透過萬卷樓網站

　　網址 WWW.WANJUAN.COM.TW

大量購書，請直接聯繫我們，將有專人為您服務。客服：(02)23216565 分機 10

如有缺頁、破損或裝訂錯誤，請寄回更換

國家圖書館出版品預行編目資料

經學研究四十年 : 林慶彰教授學術評論集. / 孫劍秋,張曉生主編. -- 初版. -- 臺北市 : 萬卷樓, 2015.10

　面 ；　公分. -- (學術論文集叢書；1500005)

ISBN 978-957-739-952-6(精裝)

1.經學 2.圖書文獻學 3.文集

090.7　　　　　　　　　　　　104017396